鱼峰年鉴

2015

柳州市鱼峰区地方志编纂委员会 编

YUFENG NIANJIAN

广西人民出版社

图书在版编目(CIP)数据

鱼峰年鉴 . 2015 / 柳州市鱼峰区地方志编纂委员会编 . —南宁：广西人民出版社，2015.10

ISBN 978-7-219-09618-5

Ⅰ . ①鱼… Ⅱ . ①柳… Ⅲ . ①区（城市）—柳州市—2015—年鉴 Ⅳ . ① Z526.73

中国版本图书馆 CIP 数据核字(2015)第 252522 号

策划编辑：龙　钢
责任编辑：黄　玮
责任校对：黄丽莹

出版发行	广西人民出版社
地　　址	广西南宁市桂春路 6 号
邮　　编	530028
装帧设计	南宁佳彩广告设计有限公司
印　　刷	深圳市佳信达印务有限公司
开　　本	889mm × 1194 mm 1/16
印　　张	23.25
字　　数	680 千字
版　　次	2015 年 10 月　第 1 版
印　　次	2015 年 10 月　第 1 次印刷
书　　号	ISBN 978-7-219-09618-5 / Z·440
定　　价	180.00 元

编辑说明

一、依照中华人民共和国国务院《地方志工作条例》和《广西壮族自治区实施〈地方志工作条例〉办法》，经中共鱼峰区委、鱼峰区人民政府同意，由鱼峰区地方志编纂委员会办公室负责《鱼峰年鉴·2015》的编辑工作。

二、《鱼峰年鉴》是系统记述鱼峰区自然、政治、经济、文化和社会等方面情况的年度资料性文献，旨在为社会各界、海外人士了解、研究鱼峰区提供较全面的资料。《鱼峰年鉴》按照“实事求是，严谨办鉴”的要求，力求全面客观反映鱼峰区各族人民建设美好家园的伟大实践和鱼峰区自然、政治、经济、文化和社会的发展现状。

三、《鱼峰年鉴·2015》列为广西壮族自治区年鉴3个精品工程项目之一，本年鉴采用分类编辑，栏目设部类、分目和条目三个层次，以条目为主要载体，部分条目设置层次标题。条目内容由各单位、部门提供并经负责人审核。内文中的“区”所指鱼峰区。

四、本年鉴资料来源于鱼峰区各镇、街道、机关各部门以及驻辖区各企事业单位。凡涉及鱼峰区国民经济和社会发展全局性数据以区统计局为准（工作报告中数据非全年数据）。区统计局年度未作统计的数据，由各主管单位、部门提供并核实载入。

五、本年鉴配备双重检索系统；书前刊有目录，书后备有索引。索引采用内容分析法，款目按汉语拼音字母顺序（同音字按声调）排列。配有先进多媒体和全文检索技术的电子版（光盘），方便读者使用。

六、本年鉴限于年度出版，由于时间紧、涉及面广，出自众人之手，加之编纂人员经验不足，水平有限，书中不免有疏误之处，恳请广大读者赐教、指正。

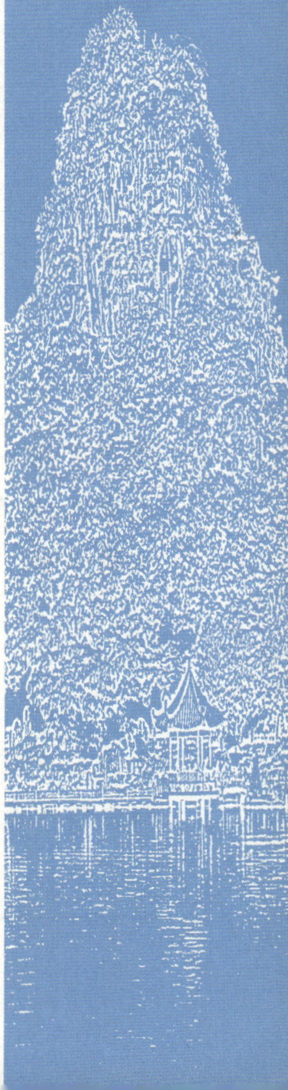

缩 略 语

专门用语原型词	缩略语
五美即“山水美、环境美、形象美、气质美、和谐美”。 五好即“人人都有好发展、家家都有好保障、个个都有好身体、天天都有好心情、户户都有好生活”。	“五美五好”
鱼峰区成立由区四家班子主要领导担任指挥长的工业、三产、折迁、文化和社会事业等四大工程指挥部，通过创新一个项目、一名领导、一个班子、一套方案、一抓到底的“五个一”项目管理工作法。	“四大”工程和“五个一”工作法
指规模以上工业企业、限额以上批发零售和住宿餐饮业、资质以上建筑业和房地产业、规模以上服务业。	“四上企业”
指商贸服务业发展格局，即城市滨江商业核心区、水南现代都市形象区、荣军旧城改造提升区、九头山产城融合区和南片区休闲旅游组团。	“四片区一组团”
指实施学前教育发展、义务教育均衡发展学校基本建设、教师队伍强质增量、教育信息化建设、家庭经济困难学生资助	“五大工程”

柳州市鱼峰区地方志编纂委员会

主　　任:	董　凌	何世恰			
副 主 任:	覃汉棠	梁　江	黄展图	谷　音	
委　　员:	郭利玲	黎小曲	张少敏	罗亚元	孙福云
	吴立华	王春林	曹小红	朱继清	梁浩昕
	郑　友	徐进辉	张伟锋	符孝菊	龙仲文
	宋志红	林奕辰	范　蒙	陈　华	陈　波
	杨　卫	谭　梅	黎　波	龚　宇	廖立勇
	黄大亮	韦海水	李飞龙	郭梁敏	

《鱼峰年鉴》编辑部

主　　编:	朱继清				
责任编辑:	黎柳萍	吕培贤	罗冠梅	赖晓虹	
特邀编辑:	兰海宁	零霍香	蒋继友	陈　岗	杨松柏
校　　对:	黄树柏	周勇智	徐进辉		
图片设计:	朱继清	黎柳萍			

《鱼峰年鉴》编写组

（按首字笔画顺序排列）

九三学社柳州市委员会鱼峰区基层组织
大韩民国抗日临时政府陈列馆
广西广电网络柳州分公司
广西机场管理集团有限公司柳州机场
广西柳州市柳航游船有限公司
广西柳州邮政管理局
广西壮族自治区邮政公司柳州市分公司
中共鱼峰区委员会办公室
中国人民财产保险有限公司柳州市鱼峰支公司
中国工商银行鱼峰支行
中国太平财产保险柳州支公司
中国民主同盟柳州市委员会鱼峰区基层组织
中国民主建国会柳州市委员会鱼峰基层组织
中国民主促进会柳州市委员会鱼峰基层组织
中国电信柳州分公司
中国交通银行柳州分行
中国农工民主党柳州市委员会鱼峰区基层组织
中国农业银行柳州分行东环支行
中国国民党革命委员会柳州市委员会鱼峰基层组织
中国建设银行柳州分行
中国致公党柳州市委员会鱼峰区基层组织
中国移动鱼峰分公司
中国银行柳州分行
中国联通柳州分公司
民生保险柳州中心支公司
光大银行鱼峰支行
共青团鱼峰区委员会
华安财产保险柳州中心支公司
国海证券股份有限公司柳州驾鹤路证券营业部
鱼峰区人力资源和社会保障局
鱼峰区人大常委会办公室
鱼峰区人民防空办公室
鱼峰区人民武装部
鱼峰区人民法院
鱼峰区人民政府办公室
鱼峰区人民检察院
鱼峰区卫生和计划生育局
鱼峰区工业和信息化局
鱼峰区工会
鱼峰区五里亭街道办事处
鱼峰区天马街道办事处
鱼峰区文化体育和新闻出版局
鱼峰区水产畜牧兽医局
鱼峰区发展和改革局
鱼峰区司法局

鱼峰区民政局
鱼峰区白莲街道办事处
鱼峰区关心下一代工作委员会
鱼峰区农林水利局
鱼峰区地方志编纂委员会办公室
鱼峰区妇女联合会
鱼峰区安全生产监督管理局
鱼峰区机关后勤服务中心
鱼峰区机构编制办公室
鱼峰区纪委、监察局
鱼峰区网格化信息指挥中心
鱼峰区住房和城乡建设局
鱼峰区园林绿化管理所
鱼峰区财政局
鱼峰区委组织部
鱼峰区委宣传部
鱼峰区委政法委
鱼峰区委统战部
鱼峰区审计局
鱼峰区征地拆迁办公室
鱼峰区投资促进局
鱼峰区法制办公室
鱼峰区物价局
鱼峰区环境卫生管理所
鱼峰区环境保护局
鱼峰区直属机关工委
鱼峰区驾鹤街道办事处

鱼峰区信访局
鱼峰区城市管理行政执法局、市容管理局
鱼峰区政协办公室
鱼峰区残疾人联合会
鱼峰区洛维工业集中区管委会
鱼峰区科学技术局
鱼峰区统计局
鱼峰区荣军街道办事处
鱼峰区档案馆
鱼峰区商务局
鱼峰区基层办公室
鱼峰区教育局
鱼峰区绩效考评领导小组办公室
鱼峰区新经济新社会组织党的工作委员会
鱼峰区精神文明建设委员会办公室
鱼峰区箭盘山街道办事处
鱼峰区麒麟街道办事处
鱼峰区阳和街道办事处
鱼峰区洛埠镇
鱼峰区雒容镇
鱼峰区食品药品监督管理局
南国今报社
柳州中通速递有限公司
柳州中燃城市燃气发展有限公司
柳州日报社
柳州气象局
柳州市工业博物馆

柳州市公安局鱼峰分局
柳州市区农村信用合作联社羊角山信用社
柳州市文庙管理处
柳州市市政设施维护管理处
柳州市龙翔资产投资有限公司
柳州市龙潭公园管理处
柳州市交通局
柳州市江滨公园管理处
柳州市防洪排涝工程管理处
柳州市国土资源局鱼峰分局
柳州市房屋登记管理中心
柳州市鱼峰公安消防大队
柳州市鱼峰公园管理处
柳州市鱼峰区工商行政管理局
柳州市鱼峰区交警大队
柳州市鱼峰区地方税务局
柳州市鱼峰区国家税务局

柳州市南方花鸟市场
柳州市花鸟协会
柳州市旅游局
柳州市都乐公园管理处
柳州市教育局
柳州市路灯管理处
柳州申通快递有限公司
柳州白莲洞洞穴科学博物馆
柳州供电局
柳州奇石园管理处
柳州威立雅水务有限公司
柳州恒达巴士股份有限公司四公司
柳州晚报社
柳州莲花客运站
柳州高速公路运营有限公司
柳州银行鱼峰支行

目 录

编辑说明
缩略语
柳州市鱼峰区地方志编纂委员会
《鱼峰年鉴》编辑部
《鱼峰年鉴》编写组
柳州市鱼峰区地图……1
Map of Yufeng District, Liuzhou City
数字鱼峰 2014……2
Figures of Yufeng District 2014
领导调研……4
Inspection Investigation and Research
决策呈现……8
Presentation of Policies
经济视点……10
Viewpoint of Economy
服务盘点……13
Inventory of Services
建设回眸……16
Review of Construction Work
文化扫描……20
Scan of Culture
管理透视……22
Perspective of Adminstration
旅游动态……24
Dynamic Condition of Tourism
社会聚焦……28
Focus of Social Events

综 述
Overview

基本情况……38
General Situation
地理位置……38
历史沿革……38
面积和人口……38
行政区划……38
气候特点……38
自然环境……39
文物古迹……39
旅游景区……39
民族……39
语言……39
民俗……39
宗教……40
领导机构党派团体及领导人……40
Leading Organizations, Political Parties and Groups and Their Leaders
经济和社会发展……42
Economic and Social Development
鱼峰区概况……42
工业……43
农业……43
第三产业……43
招商引资……43
基础设施建设……43
美丽柳州·清洁乡村活动……44
精神文明建设……44
科技与信息化建设……44
文化活动……44
教育……44
卫生和计划生育……45
食品药品安全监督管理……45

鱼峰区国民经济和社会发展主要指标（2014年）……45
劳动就业保障……46
社会治安综合治理……46

大事记
Major Events

2014年大事记……48
Major Events in 2014

政治　军事
Politics and Military Affairs

中共鱼峰区委员会……54
The CPC Committee of Yufeng District
中共鱼峰区委九届六次全体（扩大）会议……54
区委常委会……54
《中共鱼峰区委员会关于贯彻落实党的十八届三中全会精神的决定》……54
《关于加强和改进鱼峰区意识形态和宣传思想工作的实施意见》……54
《关于废止和宣布失效一批党内规范性文件的决定》……54
《贯彻落实〈建立健全惩治和预防腐败体系2013—2017年工作规划〉实施办法》……55
《鱼峰区贯彻执行〈党政机关厉行节约反对浪费条例实施细则〉等三项制度的通知》……55
《中共鱼峰区委关于在全区开展党的群众路线教育实践活动的实施方案》……55
《鱼峰区招商工作联席会议制度工作方案》……55
区委工作统筹……55
组织……58
宣传思想　精神文明……61
政法……64
统一战线……66
纪律检查　行政监察……67
机构编制……69
信访……71
机关党建……71
鱼峰区人民代表大会……73
People's Congress of Yufeng District
区人大概况……73
重大事项决定……73
鱼峰区十一届人大四次会议……73
鱼峰区十一届人大常委会会议……73
代表建议督办……75
人事任免……75
专项工作监督……75
鱼峰区十一届人大四次会议代表建议汇总表……76
鱼峰区人民政府……79
The People's Government of Yufeng District
政府全体会议……79
政府常务会议……79
《关于鱼峰区人民政府机构设置的通知》……79
人大代表议案建议　政协委员提案办理……79
政府法制概况……79
经济重点项目……80
为民办实事……82
政府工作统筹……84
推进审批制度改革……85
政务及政府信息公开……85
后勤管理……85
中国人民政治协商会议鱼峰区委员会……87
The Chinese People's Political Consultative Conference Committee of Yufeng District
区政协概况……87
政协鱼峰区八届五次全会……87
政协常务委员会议……87
调研视察活动……88
扶贫帮困工作……88
“迎新年”书画笔会……88
政协鱼峰区委员会八届五次全会提案登记表……89

协商议政……90
提案工作……90
人民武装……90
People's Armed Force
思想政治建设……90
军事备战训练……90
兵员征集工作……91
后勤保障建设……91
拥军优属……92
扶贫助学……92
人民防空……92
Civil Air Defence
人民防空概况……92
组织指挥建设……92
应急防空疏散演练……92
宣传教育……92
工事维护管理……93
马鞍山人防配套工程竣工……93
民主党派和工商联……93
Democratic Parties and the Association of Industry and Commerce
中国国民党革命委员会柳州市委员会鱼峰基层组织……93
中国民主同盟柳州市委员会鱼峰基层组织……94
中国民主建国会柳州市委员会鱼峰基层组织……94
中国民主促进会柳州市委员会鱼峰基层组织……95
中国农工民主党柳州市委员会鱼峰基层组织……96
中国致公党柳州市委员会鱼峰基层组织……97
九三学社柳州市委员会鱼峰基层组织……98
工商联工作……98
人民团体……98
People's organizations
工会……98
共青团……99
妇联……100
残联……101
侨联……102
红十字会……102
关心下一代工作委员会……102

法　治
Legal System

审判……104
Adjudication
审判概况……104
刑事审判……104
民事审判……104
行政审判……104
案件执行……104
陪审员工作……104
审判监督……104
阳光司法建设……105
法官宣讲团成立……105
广西首家环保法庭成立……105
检察……105
Procuratorial Work
检察概况……105
诉讼监督……105
职务犯罪预防……106
维稳工作……106
2014年鱼峰区检察院刑事检察情况案件受理批准逮捕情况统计表……106
2014年鱼峰区检察院刑事检察情况案件受理审查起诉情况统计表……106
2014年鱼峰区检察院职务犯罪检察贪污贿赂案件立案侦查、追赃情况统计表……106
2014年鱼峰区检察院控告申诉检察、民事行政检察,包括受理来信来访和办理控告申诉情况统计表……106
检察信访……107
公安……107
Public Security
公安概况……107

打击刑事犯罪 ……107
打击经济犯罪 ……107
流动人口管理 ……108
社区警务 ……108
执法规范化建设 ……108
户政管理 ……108
反恐应急演练 ……108
"警民相约互动日"活动 ……108
专项行动 ……108
交通安全 ……109
消防 ……110

司法行政 ……111
Administration of Justice
司法行政概况 ……111
法制宣传教育和法治城区创建 ……111
人民调解 ……111
社区矫正 ……112
安置帮教 ……112
法律援助 ……112

产　业
Industry

农业 ……114
Agriculture
农业概况 ……114
粮食作物及经济作物种植 ……114
农业技术推广 ……114
羊角山现代休闲观赏农业示范区建设 ……114
畜牧业、渔业生产 ……115
防控检疫 ……115

工业 ……115
Manufacture
工业概况 ……115
工业结构 ……116
2014 年鱼峰区规模以上企业名单 ……116
实施五大提升工程 ……118
洛维工业集中区 ……119

商贸　流通服务业　房地产 ……120
Commerce and Trade,Circulation Service Industry and Real Estate
商贸服务业概况 ……120
商业贸易 ……120
商贸服务业区域发展导向 ……120
市场建设与管理 ……121
其他服务业 ……121
物流业 ……121
房地产业 ……121
鱼峰区专业市场经营情况一览表 ……122
2014 年鱼峰辖区房地产在建(新建、续建)项目开发一览表 ……122

信息业 ……123
Information Industry
网格化信息指挥中心概况 ……123
国家试点项目建设 ……123
鱼峰区政府门户网站 ……123
基层信息化应用平台建设 ……123
通信业概况 ……124

旅游 ……126
Tourism
旅游概况 ……126
旅游服务 ……126
旅游活动 ……126

交通运输　邮政快递
Transportation and Post and Express

交通运输 ……128
Transportation
交通运输概况 ……128
道路基础设施 ……128
2014 年驻鱼峰区的主要公路客、货物流运输企业 ……128
公路客运 ……129
水路运输 ……129

水路运输设施 ……130
民用航空 ……131
柳州机场航班表(2014年) ……131
柳州机场公司生产任务完成情况表(2014年) ……132
邮政 快递 ……132
Post and Express
邮政业概况 ……132
快递业概况 ……133

财税 金融
Public Finance,Taxation and Finance

财政 ……136
Public Finance
财政概况 ……136
财政收支 ……136
民生保障 ……136
财政管理 ……137
村"两委"成员任期经济责任审计 ……138
财政投资评审 ……138
行政事业管理 ……138
国有资产管理 ……138
税务 ……138
Taxation
鱼峰区国家税务 ……138
鱼峰区地方税务 ……141
金融 ……142
Finance
金融概况 ……142
中国银行股份有限公司柳州分行 ……143
2014年中国银行柳州分行在鱼峰区的营业网点情况表 ……143
中国工商银行股份有限公司柳州市鱼峰支行 ……143
中国农业银行股份有限公司柳州东环支行 ……144
2014年鱼峰区各营业网点概况 ……144
2014年营业网点存款规模情况(2014年12月31日数据) ……144
中国交通银行股份有限公司柳州分行 ……145
中国建设银行股份有限公司柳州分行 ……145
柳州银行股份有限公司鱼峰支行 ……146
柳州银行鱼峰区网点一览表 ……146
中国光大银行股份有限公司柳州分行鱼峰支行 147
2014年鱼峰光大支行辖区营业网点 ……147
柳州市区农村信用合作联社 ……147
2014年柳州市区农村信用合作联社鱼峰辖区11个营业网点 ……148
广西鱼峰信合村镇银行有限责任公司 ……149
证券 ……149
Securities
国海证券股份有限公司柳州驾鹤路证券营业部 ……149
保险 ……150
Insurance
保险概况 ……150
中国人民财产保险股份有限公司柳州市分公司鱼峰支公司 ……150
民生人寿保险股份有限公司柳州中心支公司 ……150
华安财产保险柳州中心支公司 ……150
太平财产保险有限公司柳州中心支公司 ……150

城乡建设 公用事业 环境保护
Urban and Rural Construction, PublicUtility Environmental Protection

城乡建设 ……152
Urban and Rural Construction
住建机构概况 ……152
城市基础设施建设 ……152
村镇建设 ……152
建设规划 ……152
鱼峰区城市基础建设统计表 ……152
住房保障 ……153
物业管理 ……153
危险房屋管理 ……153

园林绿化概况 …… 154
环境卫生概况 …… 154
城市管理概况 …… 155
征地拆迁概况 …… 157
公用事业 …… 158
Public Utility
供电 …… 158
变电站、变压器容量表(2014年) …… 158
用户变压器容量表(2014年) …… 158
输电和配电线路表(2014年) …… 159
供电情况综合表(2014年) …… 159
供水 …… 159
供气 …… 160
燃气供应网点名单 …… 160
公共交通 …… 160
2014年快速公交分公司运营线路一览表 …… 164
市区照明 …… 164
市政设施维护 …… 165
房屋登记管理 …… 166
防洪排涝 …… 166
环境保护 …… 167
Environmental Protection
环境保护概况 …… 167
环境保护执法 …… 168
2013、2014年鱼峰区主要空气污染物监测情况表 168
鱼峰区沙煲滩断面监测数据平均值 …… 168
鱼峰区环境噪声平均值(供电局监测点) …… 168

文物胜迹　景区
Cultural Relics and Famous Historic Sites and Scenic Spots

文物胜迹 …… 170
Cultural Relics and Famous Historic Sites
文物胜迹概况 …… 170
博物馆建设 …… 170
建筑物保护 …… 170
大韩民国临时政府抗日斗争陈列馆 …… 170
广西工艺美术馆 …… 170
柳州工业博物馆 …… 170
柳州文庙 …… 171
景区 …… 171
Scenic Spots
龙潭公园景区 …… 171
鱼峰公园景区 …… 172
都乐岩景区 …… 174
江滨公园景区 …… 176
柳州奇石园 …… 176

经济综合管理
Integrated Management of Economy

宏观经济管理 …… 178
Macroeconomic Management
发展和改革机构概况 …… 178
经济规划实施 …… 178
国民经济运行 …… 179
2014年鱼峰区主要经济指标完成统计报表(实际数) …… 179
投资促进 …… 180
Investment promotion
投资促进机构概况 …… 180
招商活动 …… 180
落户项目 …… 181
2014年鱼峰区重点项目表 …… 181
工商管理 …… 182
Business Administration
工商管理概况 …… 182
企业注册登记 …… 182
市场监管 …… 182
消费者权益保护 …… 183
个体私营经济 …… 184
国土资源管理 …… 184

Land and Resources Administration
国土资源管理概况……184
耕地保护……185
便民服务……185
地质灾害防治……185
土地执法监察……186
物价……187
Commodity Price
物价概况……187
价格宣传……187
价格监管……187
2014 年受理价格举报投诉件情况表……187
审计……188
Audit
审计概况……188
财政预算执行审计……188
政府投资审计……188
专项审计调查……188
经济责任审计……189
统计……189
Statistics
统计概况……189
第 3 次全国经济普查……189
鱼峰区第三次经济普与第二次经济普单位户数对比表……189
地区生产总值及其相关指标核算……190
2014 年鱼峰区主要指标基本情况表……190
安全生产监督管理……190
Safety Production Supervision and Administration
安全监督管理概况……190
安全层级责任……191
宣传培训……191
打非治违专项行动……191
隐患排查治理……191
2014 年鱼峰区事故调查和信访处理情况表……191
安全社区创建……192
安全生产达标活动……192
食品药品监督管理……192
Supervision and Administration of Food and Drug
食品药品监督管理概况……192
食品药品监管系统体制改革……192
食品安全委员会会议……192
行政审批事项……192
小作坊登记备案……193
餐饮服务安全示范点建设……193
食品安全专项整治……193
药械、保健品、化妆品监督管理……194

人力资源　社会保障　民政
Human Resource,Social Security and Civil Administration

人力资源　社会保障……196
Human Resource Social Security
人力资源概况……196
工资福利……196
劳动……196
社会保险……197
2014 年鱼峰区职工社会保险情况表……197
2014 年鱼峰区城乡居民社会养老保险情况表……197
2014 年鱼峰区城镇居民基本医疗保险情况表……197
企业退休人员社会化管理……197
企业军转干部服务……197
民政……197
Civil Administration
民政事业概况……197
社区区划调整……198
社区换届……198
社区惠民项目……198
基层政权……198
社会救助……199
救灾救济……199
社会福利……199
公益慈善……199

优抚安置……199
第二次全国地名普查动员……199
社团登记……200
2014年鱼峰区社会团体登记情况表……200

教育　科技
Education and Science and Technology

教育……202
Education
教育事业概况……202
教育综合改革……202
学前教育……203
2014年鱼峰区幼儿园基本情况表……203
小学教育……205
2014年鱼峰区小学基本情况表……205
初级中学教育……206
2014年鱼峰区中学基本情况表……206
课程管理……206
广西九年义务教育课程计划……207
责任区督学……207
鱼峰区督学责任区分组安排表……208
教育经费……208
教育基本建设……208
教师队伍建设……208
2014年鱼峰区学校教职工基本情况表……209
教育教学成果……209
助学活动……210
学校选介……210
科技……212
Science and Technology
科技概况……212
科技成果与专利……212
科技合作与交流……212
科普工作……213
2014年鱼峰区获上级科技项目一览表……213

文化　体育
Culture and Sports

文化……216
Culture
文化概况……216
鱼峰歌圩……216
中国梦·柳州梦——龙城元宵灯会……217
全国山歌邀请赛……217
第五届“立鱼欢歌”广场文化节……217
鱼峰之声……217
鱼峰“小歌仙”……217
文化工程……218
文化设施建设……218
鱼峰区图书馆及社区书屋……218
档案管理……218
志鉴编纂……219
新闻出版……220
Press and Publication
开展“扫黄打非”专项整治活动……220
开展“清源”专项行动……220
文化市场管理……220
体育……220
Sports
参加柳州市第十三届运动会……220
第六次体育场地普查……220
2014年鱼峰区登山步道和城市健身步道……222
2014年鱼峰区高尔夫球场……222
2014年鱼峰区全民健身路径……222
2014年鱼峰区室外专项体育场地……225
2014年鱼峰区体育场、小运动场及田径场……230
2014年鱼峰区游泳跳水场(馆)……231
综合房(馆)及专项训练房(馆)……231

卫生　计划生育
Hygiene and Family Planning

卫生 ……234
Hygiene
卫生概况 ……234
2014年鱼峰辖区医疗机构一览表 ……234
疾病预防控制 ……235
医疗体制改革 ……235
基层医疗信息平台管理 ……236
妇幼保健 ……236
健康档案管理 ……236
新型农村合作医疗工作 ……236
社区卫生服务中心建设 ……236
基层中医药事业发展 ……236
创建国家卫生城市活动 ……237
人口与计划生育 ……237
Family Planning
人口与计划生育概况 ……237
“单独二孩”生育政策实施 ……237
计划生育服务与管理 ……237
计生协会 ……238

社会　生活
Social Life

人口与民族 ……240
Population and Ethnic Groups
人口与民族概况 ……240
民族团结宣传教育 ……240
民族关系协调 ……240
服务少数民族 ……241
民间文化传承 ……241
Inheritance of Folk Culture
龙城元宵灯会 ……241
山歌邀请赛 ……241
斗鸡、斗鸟争霸赛 ……241
春联书写 ……241
城乡居民生活 ……242
Urban Citizens' Life
居民收入 ……242
民生保障 ……242
鱼峰区2014年农村住户调查家庭收入与支出情况表 ……242
鱼峰区2014年城镇住户调查家庭收入与支出情况表 ……243
老龄工作 ……243
传媒活动 ……243
Media Events
概况 ……243
新闻媒体活动 ……243
电视网点建设 ……244

街道　镇
Sub-districts and Towns

天马街道 ……246
Tianma Sub-district
天马街道概况 ……246
党建 ……246
党代表工作室 ……246
经济 ……246
商会成立 ……247
社会事业 ……247
精神文明建设 ……247
人口与计划生育 ……247
社会治安综合治理 ……248
社区换届 ……248
2014年天马街道各社区简表 ……248
驾鹤街道 ……248
Jiahe Sub-district

驾鹤街道概况……248
党建……249
经济……250
征地拆迁……250
重大工程……250
社会事业……250
精神文明建设……251
人口与计划生育……251
社会治安综合治理……251
社区建设……251
2014 年驾鹤街道各社区简表……252

荣军街道……252

Rongjun Sub-district

荣军街道概况……252
党建……252
经济……253
社会事业……253
精神文明建设……253
人口与计划生育……253
社会治安综合治理……254
社区、村换届……254
2014 年荣军街道各社区、村简表……254

箭盘山街道……255

Jianpanshan Sub-district

箭盘山街道概况……255
党建……255
经济……255
归零管理……255
重点项目……256
社会事业……256
精神文明建设……257
人口和计划生育……257
社会治安综合治理……258
安全社区建设……258
2014 年箭盘山街道各社区简表……258
社区换届……259

五里亭街道……259

Wuliting Sub-district

五里亭街道概况……259
党建……259
经济……260
社会事业……260
精神文明建设……261
人口与计划生育……261
社会治安综合治理……262
2014 年五里亭街道各社区、村简表……262
社区换届……262

白莲街道……262

Bailian Sub-district

白莲街道概况……262
党建……263
经济……263
社会事业……263
食品药品监督管理……263
"美丽鱼峰 · 清洁乡村"工作……264
精神文明建设……264
人口和计划生育……265
社会治安综合治理……265
2014 年白莲街道各社区简表……265
社区换届……265

麒麟街道……265

Qilin Sub-district

麒麟街道概况……265
党建……266
经济……266
水南村整村改造……266
社会事业……267
精神文明建设……267
人口与计划生育……268
社会治安综合治理……268
"美丽鱼峰 · 清洁乡村"……268
2014 年麒麟街道各社区、村简表……269

社区、村换届 ……………………………………269
雒容镇 ……………………………………………269
Luorong Town
雒容镇概况 ……………………………………269
党建…………………………………………………269
2014 年雒容镇各村、社区简表 ……………………270
经济…………………………………………………270
社会事业 ……………………………………………271
征地拆迁 ……………………………………………271
城镇化建设 …………………………………………271
"清洁乡村" 工作……………………………………272
人口与计划生育 ……………………………………272
社会治安综合治理……………………………………272
新农村建设 …………………………………………272
社区、村换届 ………………………………………273
洛埠镇 ……………………………………………273
Luobu Town
洛埠镇概况 …………………………………………273
党建…………………………………………………274
2014 年洛埠镇各村、社区简表 ……………………274
经济…………………………………………………274
社会事业 ……………………………………………274
人口与计划生育 ……………………………………275
社会治安综合治理……………………………………276
"美丽乡村" 活动……………………………………276
"安全洛埠" 创建……………………………………276
重点建设项目 ………………………………………277
社区、村换届 ………………………………………277
阳和街道 …………………………………………277
Yanghe Sub-district
阳和街道概况 ………………………………………277
2014 年阳和街道各村、社区简表 …………………277
党建…………………………………………………278
经济…………………………………………………278
社会事业 ……………………………………………278
人口与计划生育 ……………………………………279
社会治安综合治理……………………………………279
创建全国文明城市、全国卫生城市活动……………279
"美丽阳和 · 清洁乡村" ……………………………280
重点建设项目 ………………………………………280
村、社区换届 ………………………………………280

文 献
Documents

把握新常态 推动新发展 加快建设"五美五好"魅力鱼峰 ……………………………………………282
Taking the Opportunities under the New Normal and Promoting New Development Speeding up the Construction of a Charming Yufeng District with Five Beauties and Five Goods
鱼峰区人大常委会工作报告…………………………288
Work Report of the Standing Committee of the People's Congress of Yufeng District
政府工作报告 ……………………………………293
Work Report of the Government
政协鱼峰区委员会工作报告…………………………297
Work Report of the Standing Committee of the Chinese People's Political Consultative Conference of Yufeng District
忠诚履职 勇于担当 坚定不移推进党风廉政建设和反腐败斗争 ……………………………………300
Faithful Performance of Their Duties and the Courage to Take Responsibilities Unswervingly Promoting the Construction of a Clean Government and the Anti Corruption Campaign
鱼峰区人民法院工作报告……………………………304
Work Report of the People's Court of Yufeng District
鱼峰区人民检察院工作报告…………………………308
Work Report of the People's Procuratorate of Yufeng District

附　　录
Appendix

关于新形势下整合基层执政资源　加强社区治理的调研报告 ……314
The Research Report on Integrating Grassroots Ruling Resources to Enhance Community Goverance under the New Situation
关于整合资源推动网格化社会管理再深化的调研报告 ……317
The Research Report on Integrating Resources to Promote the Further Deepening of Grid Social Management
集体荣誉 ……319
Collective Honors
集体荣誉表 ……319
2014 年鱼峰区国民经济和社会发展统计公报 ……321
The Statistic Bulletin 2014 of National Economic and Social Development of Yufeng District
决定废止的党内规范性文件 ……325
Party Normative Documents Decided to be Repealed
宣布失效的党内规范性文件 ……328
Party Normative Documents Announced as Invalid
2014 年中国改革大事记 ……330
Major Events of the Chinese Reform in 2014
地方媒体消息摘选 ……331
Selected Sources of Local Media

索　　引
Index

索引 ……343
Index

柳州市鱼峰区地图

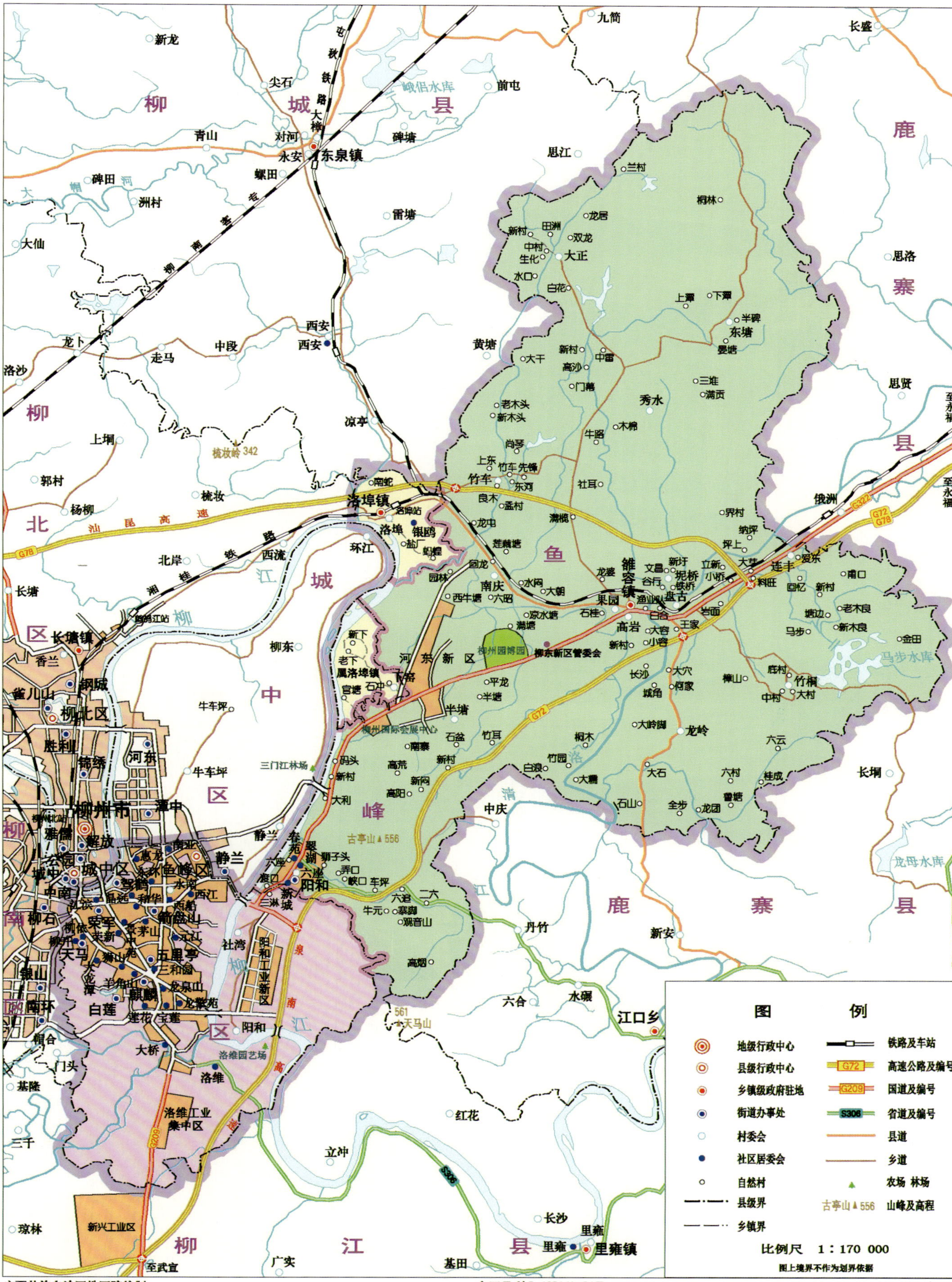

广西壮族自治区地图院编制　　审图号:桂S（2014）64号　　2014年4月

数字鱼峰 2014

SHUZI YUFENG

◎ 户籍人口 23.16 万人

◎ 常住人口 33.5 万人

◎ 土地面积 473.79 平方千米（含托管区域）

◎ 实有耕地面积 22.0 公顷

◎ 地区生产总值（非在地统计）144.2 亿元

◎ 第一产业增加值 0.24 亿元

◎ 第二产业增加值 85.66 亿元

◎ 第三产业增加值 58.33 亿元

◎ 规模以上工业总产值 262.29 亿元

◎ 全部财政收入 29.26 亿元

◎ 固定资产投资 105.6 亿元

◎ 社会消费品零售总额 157.7 亿元

◎ 城镇居民可支配收入 28246 元
◎ 农民人均纯收入 16342 元
◎ 初中学校 8 所
◎ 初中在校学生 10794 人
◎ 小学学校 22 所
◎ 小学在校学生 21603 人

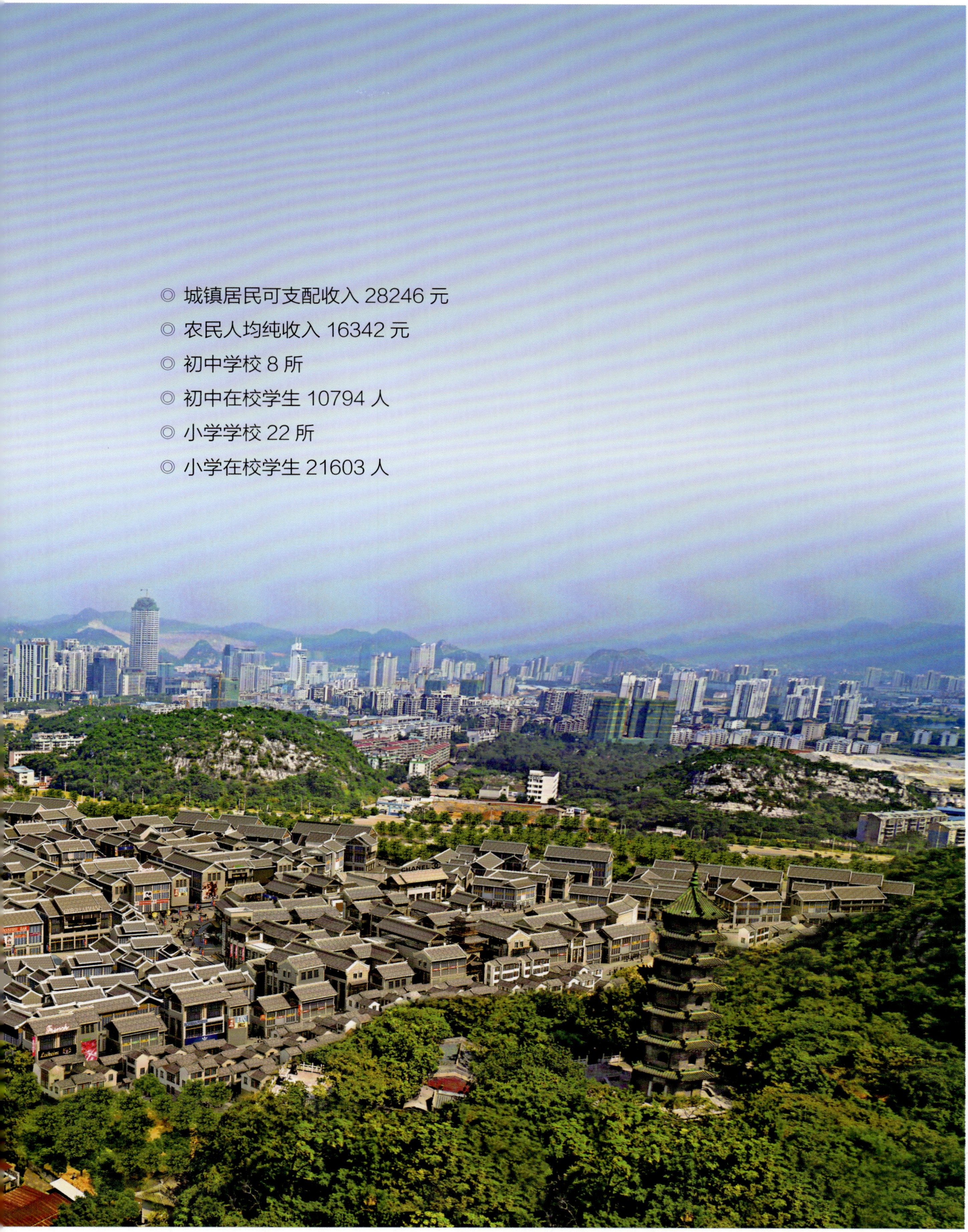

2014 年 2 月 27 日，自治区党委副书记危朝安（前排左一）到鱼峰区督导党的群众路线教育实践活动　区委宣传部　提供

2014年9月6日，自治区党委常委、组织部部长周新建（中）调研鱼峰区狮山社区网格化信息处理工作

张雪颖　摄

2014年3月20日，自治区党的群众路线教育实践活动督导组第四组组长文明（左四）到鱼峰区督导。图为督导组一行参观白云社区儿童家园

区委宣传部　提供

领导调研

2014年3月20日，自治区政法委副书记、综治办主任陈延国（二排右三）一行到狮山社区调研网格化管理工作

区委宣传部　提供

2014年6月23日，自治区民政项目建设暨“五大改革”现场会在鱼峰区召开。图为自治区民政厅厅长韩元利（前中）率与会人员参观鱼峰区老人康乐园

区委宣传部　提供

2014 年 11 月 27 日，柳州市委书记郑俊康（左一）到天马街道调研　　谢咏立　摄

2014 年 3 月 20 日，自治区政法系统组织 14 个地市近 70 名领导到鱼峰区狮山社区调研网格化管理工作

区委宣传部　提供

2014 年 3 月 17 日，鱼峰区召开招商工作联席会议，区四家班子主要领导及其他联席会务成员单位参加会议

区委宣传部　提供

2014 年 2 月 11 日，鱼峰区召开党的群众路线教育实践活动动员部署会　　区委办公室　提供

2014 年 4 月 18 日，鱼峰区举办非公有制经济发展大会

区委宣传部　提供

2014 年，总建筑面积 21 万平方米的窑埠 TOWN 已露真容，低密度多层中式仿古建筑 100 多栋　朱继清　摄

2014 年 9 月 26 日
银泰城开业　朱继清　摄

2014 年，柳州市工业博物馆红街 16 家企业全部营业。图为商业街一景　　柳州市智然公司　提供

2014 年 3 月 5 日 柳州市洛维工业集中区一季度入驻项目集中开工仪式　　洛维工业集中区管委会　提供

2014 年 8 月，洛维工业集中区企业群掠影

朱继清　摄

2014 年，欧维姆公司迁至洛维工业集中区，图为设备安装实况　　朱继清　摄

2014 年 12 月，金福葡萄庄园草莓园

章学娟　摄

至2014年末，鱼峰区社区卫生服务中心已成立6家。图为柳州市鱼峰区麒麟社区卫生服务中心

朱继清　摄

2014年3月31日，柳州市水上公交营运开通　　朱继清　摄

2014 年 5 月 23 日，鱼峰区执法局在柳州市第二届政务公开活动中开展宣传

周 知 摄

2014 年 8 月 29 日，鱼峰区开展行政审批进企业服务活动。区工商、食药局等部门在银泰城为餐饮商户集中办证审批，当天有 23 家企业办理了工商营业证照

区委宣传部 提供

2014年8月15日，鱼峰区在市第八中学举行2014年第二批廉租房抽签分房仪式。图为抽签分房现场

区委宣传部　提供

2014年，柳州市公共自行车系统新增220个租赁点。图为西江路集美郡小区租赁点实况

朱继清　摄

建设回眸

2014 年建设中的
恒大翡翠龙庭项目
朱继清　摄

2014 年建设中的
华润凯旋门项目
朱继清　摄

2014 年建设中的柳东新区正和城商住小区开发项目　　朱继清　摄

2014 年马鞍山幼儿园竣工　朱继清　摄

2014 年，柳州市对太平西街街区商铺外立面实施改造，图为改造后的太平西街风貌　　区商务局　提供

2014 年，驾鹤路小学乐群校区综合楼竣工　区教育局　提供

2014 年 11 月，柳石路（五岔路口至迎宾路口）长约 9 千米道路改造竣工通车　　零霍香　摄

改造后的柳石公路自行车专用道

蒋　丽　摄

2014 年 12 月 12 日，鱼峰区在柳州市艺术中心举办“刘三姐大舞台”周周演文艺会演　　区文体局　提供

2014 年 4 月 1 日，鱼峰区承办的柳州市首届三月三“鱼峰歌圩”全国山歌邀请赛在鱼峰公园举行　　赖柳生　摄

2014 年 5 月，市十四中学“舞动青春”拉拉操队参加在美国佛罗里达州举办的世界拉拉操锦标赛，获青少年混合街舞“国家杯”第二名。图为队员在比赛现场合影

第十四中学　提供

2014 年 4 月 1 日，鱼峰区依法对原东风化工厂处的违章建筑进行拆除　　周　知　摄

2014年4月16日，鱼峰区依法拆除东环路柳州威立雅水务公司旁的违章建筑

周　知　摄

2014 年 12 月 17 日，区食品药品监督管理局开展打击冬季火锅餐饮食品非法添加“鹘鹰行动”。图为工作人员在检查产品来源及其标识

区食药监局　提供

柳州市电动车行业发票与税务机关实现信息共享。图为 3 月 19 日鱼峰区国税局电动车行业发票管理知识培训

区国税局　提供

“都市景观”眺望游。图为鱼峰山顶鸟瞰实况　　朱继清　摄

“百里柳江”观光游。图为旅游线海员码头始发点

柳州航运游船公司　提供

“博物馆藏”参观游。柳州工业博物馆鸟瞰图

柳州工业博物馆　提供

“传统文化”领悟游。图为2014年9月1日，柳州文庙举办新生开笔礼传统文化教育活动

赖柳生　摄

“农业观光”休闲游。图为 2014 年 5 月万聚山庄瓜果蔬菜大棚实况　　朱继清　摄

“景区生态”轻松游。图为都乐公园内的开元寺掠影　　区民族宗教局　提供

“园林博览”徒步游。图为柳州园博园一景

朱继清　摄

“民族风情”体验游。图为 2014 年 9 月 7 日，龙潭公园举办金秋南瓜节

龙潭公园管理处　提供

环境瞭望

群山之间。图为西江路东环路建筑群　　朱继清　摄

高楼耸立。阳和街道片区新貌　朱继清　摄

工业集群。图为阳和工业区全貌　　朱继清　摄

仿古建筑。图为窑埠 TOWN 建筑群侧影
朱继清　摄

水天一色。图为金沙角空中鸟瞰一景　　朱继清　摄

筑巢引凤。图为广西柳州汽车城配套建筑　朱继清　摄

打个油茶聚人心。9 月 12 日摄于大龙潭社区品油茶宣传民族区域自治法现场 陈健明 摄

既送政策又送礼。7 月 10 日摄于鱼峰区计划生育宣传现场

陈健明 摄

人潮涌动踏歌来。10 月 21 日摄于鱼峰山公园一角　　陈健明　摄

纳凉之隙有艺出。8 月 6 日摄于立鱼峰山脚　　朱继清　摄

三姐歌台歌不断。8月6日摄于鱼峰公园
朱继清　摄

葡萄熟了客自来。7月11日摄于金福双季葡萄园　　陈健明　摄

社会聚焦

山里孩子城里帮。12月4日摄于东环路小学与融水县农村学校联谊活动现场　陈健明　摄

绿色出行亦时尚。6月9日摄于鱼峰区行政审批大厅前　陈健明　摄

健体训练基本功。10 月 21 日摄于“小歌仙”艺术团。

陈健明　摄

紫荆花开报春来。4 月 6 日摄于蟠龙路

零霍香　摄

刀削如泥显真功。8 月 11 日摄于威尔姆公司

朱继清　摄

社会聚焦

雕塑一建添新景。8 月 5 日摄于恒大翡翠龙庭　朱继清　摄

寓言故事有内涵。图为江滨公园 20 世纪 90 年代修建的雕塑群之狐假虎威　朱继清　摄

综合节能益处多。8 月 11 日摄于威尔姆公司　朱继清　摄

人口文化有园地。8 月 6 日摄于鱼峰公园广场　朱继清　摄

综述

2014 年 7 月 16 日，中共鱼峰区委召开常委班子专题民主生活会情况通报会

（区委宣传部　提供）

基本情况

【地理位置】 鱼峰区位于东经109° 23′ 52″ ~ 109° 42′ 38″,北纬24° 12′ 44″ ~ 24° 34′ 36″。地处柳州市域中南部,市城区东部,为柳州市政府所在地。东、北与鹿寨县相邻,南与柳江县连接,西与柳南区接壤并与城中区隔柳江相望,西北与柳北区、柳城县毗邻。地处桂中凹陷的断裂褶皱带,总地势东南高西北低。东部为峰林谷地区、中部为冲积溶积平原区、南部为岩溶地貌峰林谷地。其中,南部平原区是柳州市中心城区的老城区,孤峰、溶洞地貌发育,城市繁华区内散布有山峰、溶洞,成为该区的地貌特色,著名的鱼峰山、马鞍山、都乐洞、白莲洞位于此。境内最高峰古亭山位于阳和街道六座村,海拔556.2米,最低点莫道江口,海拔75米。境内河道属西江水系。柳江为西江一级支流,流经辖区分两段,上游段自南向北沿辖区西边境从柳江大桥至文昌桥,长3.4千米;下游段自北向南由雒容镇平地村经阳和流经辖区西边境并穿越境内南部,在鸡喇流出辖区,长22.3千米。洛清江由雒容镇连丰村入境,自北向南流经东部境内,在雒容镇大糯村出境,长16.8千米;大桥河又名响水河,自西向东流经南部境内,在洛维园艺场注入柳江,长9.2千米;莫道江发源于境内兰村,流经辖区西北部的大正、竹车等地,在西牛塘村附近注入柳江,全长30千米。总面积92.35平方千米。区政府驻麒麟街道静兰路10号,距市政府驻地3.86千米。

【历史沿革】 历史上,境域作为县级治所始于西汉潭中县,县治所就设于今鱼峰区境内驾鹤山附近,隶属郁林郡。三国孙吴凤凰三年(274年),从郁林郡分出桂林郡(治所在今象州县境),潭中县属桂林郡。隋开皇十一年(591年)潭中县先改名桂林县,同年又析桂林县置马平县(县治所设于今柳北区雀儿山附近)。历唐、宋、元、明、清以至民国初年,今鱼峰区境域均隶属马平县,民国二十年(1931年),马平县更名柳州县,今鱼峰区大部分境域当时分属中区和七区。民国二十六年(1937年),柳州县更名柳江县,今鱼峰区大部分境域属雍和区。

1949年11月,柳江县解放,建立柳州市,与柳江县分离,原柳江县雍和区屏山镇改为柳州市辖区建制。解放后,柳州市基层政权、行政区划多次调整,鱼峰区行政管理建置历经屏山区一区、第二区,鱼峰区公所,区政府,街道办事处,人民公社等多种设置变化,至1979年9月,设立鱼峰区为县级城区建制。鱼峰区人民政府驻鱼峰路40号,管辖天马、驾鹤公社全部区域和柳石路、向群路(今乐群路)区域。因境域内有一鱼峰山又称立鱼峰,故名。2002—2004年,因鱼峰路整体改造,区政府办公楼地块拍卖,区机关各部门分别在西江路柳州市方便食品厂、岩村路198号(原鱼峰区幼儿园)和乐群路124号(原马鞍山小学)办公。2004年12月31日,鱼峰区人民政府办公地址迁至静兰路10号。

【面积和人口】 2014年末,鱼峰区行政区域面积473.79平方公里(含阳和、雒容和洛埠),市区面积66.27平方公里。常住人口(含阳和、雒容和洛埠)46.76万人,户籍人口337022人,总户数106644户;(不含阳和、雒容和洛埠)33.5万人,户籍人口231627人,其中:男性人口116703人,女性人口114924人,男女性别比为101.5∶100。

【行政区划】 2014年,鱼峰区行政区域面积辖7个街道:天马(1985年1月设立,以行文批复为准,下同)、驾鹤(1985年1月设立)、箭盘山(1985年1月设立)、五里亭(1989年3月设立)、荣军(1992年7月设立)、白莲(2005年8月设立)、麒麟(2005年8月设立)。柳东新区代管2个镇和1个街道:雒容镇2011年1月1日移交划归鱼峰区所辖、洛埠镇2个村(下窑、洛埠)2012年1月1日划归鱼峰区所辖、阳和街道(2002年11月设立)。年内,社区(村)"两委"换届,精减社区7个。年末,所辖60个社区(其中柳东新区代管6个)21个村(其中柳东新区代管18个)。区人民政府驻静兰路10号。 (区志办)

【气候特点】 2014年柳州市鱼峰区气候变化特点为:热量条件好,但冬季出现极寒的霜冻、寒潮天气,光能条件正常略偏少,春季寡照天气影响大,降水偏多,暴雨洪涝发生次数多。年平均气温

21.4℃，比常年偏高0.6℃。年内各季平均气温与常年相比冬季正常、其余各季偏高。各月平均气温与常年相比：2月、8月、12月偏低，其余正常到偏高。全年日最高气温≥35℃的平均高温日数为32天，比常年偏多，年内极端最高气温40.7℃，高温区出现在阳和、洛埠一带，年极端最低气温-1.1℃，低温区出现在柳石一带；平均年降水量1721.0毫米，比常年偏多2成。平均雨日156天，比常年偏多。从时间分布来看，各季降水量与常年相比：冬季、秋季偏少，春季、夏季偏多。各月降水与常年相比：1—2月、7月、9—10月偏少，其余正常到偏多。本年度，降水峰值出现在6月份，谷值出现在1月份；全年平均总日照时数1381.9小时，比常年偏少1成。各季日照时数与常年相比：冬季偏多、其余各季正常到偏少，其中春季偏少最为明显。从各月日照的分布来看，与常年相比：1月、7月、9—10月、12月正常到偏多，其余均偏少。年平均相对湿度75%，比常年偏大；雾日数14天；年内终霜出现在2月20日，初霜出现在12月中旬后期，初霜出现日期比常年偏晚。

（刘　梅）

【自然环境】 鱼峰区东部是柳江下游区，地面高程85～90米，峰顶高程250～280米。西南部地域群山叠嶂，峰丛、峰林等岩溶地貌十分发育，形成现代岩溶地貌格局。山峰高程一般250～350米。东部、北部、南部以碳酸盐岩的峰林平原、孤峰平原为主，山峰多呈锥状，是条件优越的园林型城市发展城区，具有丰富的旅游景观资源。柳州市的鱼峰山、马鞍山、箭盘山、驾鹤山、都乐岩、白莲洞等分布于境内。

辖区已探明的矿产有石灰岩、白云岩、黏土、河沙以及黑色金属锰矿。境内山地植被丰茂，植物种类有1104种，多为常绿阔叶林、落叶阔叶混叶交林等。野生动物种类有少量出没。

境内水资源丰富，地表水流域面积在50平方公里以上的柳江河及大桥河（属珠江流域西江水系），地下水有洛维地下河、鸡喇地下河。潭有大龙潭、洪淋潭、小龙潭3个，岩溶大泉有大龙潭。地表水、地下水均属富水性等级，是生活用水、农业用水、工业用水水源。

辖区的自然灾害主要有春季的低温阴雨和干旱，夏季强降雨，秋季的干旱和寒露风，冬季的寒潮霜冻。偶见有岩崩、地陷、地裂以及影响果树、甘蔗、蔬菜、植被生长的病虫害现象发生。

【文物古迹】 鱼峰区作为柳州历史文化名城核心区，有白莲洞、鲤鱼嘴、响水、兰家村、蛮王城等史前文化遗址5处，是西汉潭中县治所在地。古代名人石刻、碑刻、古墓、古建筑、古寺庙宇等文物古迹多处，大韩民国临时政府抗日活动旧址、中共地下党活动旧址等纪念地保存完好。2014年开发利用和修复的项目有博物馆建设和古建筑物保护等。

【旅游景区】 鱼峰区旅游景区有峰奇潭碧的4A级立鱼峰景区、风光如画的4A级龙潭景区、3A级都乐岩风景区、4A级文庙景区，有“三姐传歌”的鱼峰公园、洞天奇绝的都乐公园、山水交融的蟠龙山公园、“外滩之称”的江滨公园、奇石玲珑的箭盘山奇石园，有入选上海大世界基尼斯纪录的“百里柳江”蟠龙山瀑布群。

【民族】 2014年鱼峰辖区有32个民族，总人口33.5万。其中：汉族人口227612人；壮族人口94776人；仫佬族人口4609人；瑶族人口3676人；侗族人口2067人；苗族人口1565人；回族人口1162人；其余少数民族人口相对稀少，最少的如傈僳族、鄂伦春族人口仅1人。

【语言】 社会日常使用的主要语言有汉语（普通话、柳州话、白话、客家话）、壮语等。部分少数民族人群有使用侗语、苗语、瑶语等。各族人民长期居住在一起，相处融洽，语言相通，风俗相似，习惯相近。辖区是多民族的居住地，各民族有独特的民族习惯，在长期的民族交往中，一些民族的某些习俗为另一民族所接受。

【民俗】 其民俗中的民间聚会如庙会、山歌会、赛诗会等；节庆主要有春节、元宵节、社节、清明节、端午节、中元节、中秋节、重阳节、冬至等；礼仪有婚姻、寿诞、丧葬等；民间小吃有柳州螺蛳粉、米粉、粉利、八宝饭、糯饭、蒸子糕、冲子糕、印模糕、淀粉糕、艾粑粑、马打滚、露水汤圆、酿豆腐泡、牛腩萝卜汤、柳州酸品、油堆、沙堆、油条、打红薯窑等。娱乐有网吧、酒吧、茶馆、电子游戏、KTV、舞蹈、球类、钓鱼、棋牌、度假等。

【宗教】 鱼峰辖区有佛教、天主教、道教、伊斯兰教和基督教。

佛教 场所有灵泉寺、罗汉寺、开元寺。其教务有开光仪式、讲经说法、出家为僧尼。佛教节日有佛诞节(浴佛节)——农历四月初八视为释迦牟尼诞生日,成道法会——农历十二月初八,盂兰盆节俗称中元节或鬼节——农历七月十三日至十五日,观音诞——农历二月十九日,成道——六月十九日,涅槃日——九月十九日,水陆法会(超度水陆空亡灵)。2014 年信众约 1.2 万人。

天主教 活动场所为教堂(驾鹤路 91 号),天主教有七件礼仪圣事:圣洗、坚振、修和、圣体、终傅、圣秩、婚配。天主教最重要的节日有四大瞻礼,即耶稣圣诞瞻礼、圣母升天瞻礼、神圣降临瞻礼和耶稣复活瞻礼。2014 年信众约 3000 人。

道教 场所有雷塘庙、南评宫、盘古庙。道教法事(俗称"道场")有祈福、祭天、渡亡等。信众、香客云集于此制斋。2014 年在册信徒 1000 人。

基督教 鱼峰辖区有教徒,但无教堂。礼仪有洗礼、圣餐、婚礼、殡葬和祈祷,其中最基本的礼仪是洗礼和圣餐礼。

伊斯兰教 在鱼峰辖区没有清真寺,信奉者多为回族。伊斯兰教信仰的最高主宰是"真主",一切行动遵从《古兰经》的教诲。伊斯兰教每年有三大节日:"圣纪"(教历 3 月 12 日)、"开斋节"(10 月 1 日)和"古尔邦节"(教历 12 月 10 日)。 (区志办)

领导机构党派团体及领导人

中共柳州市鱼峰区委员会

书　记:董　凌
副书记:何世恰　覃汉棠
常　委:方正柱(任至 3 月)
　　赵　明(3 月任职)
　　李运生(任至 5 月)
　　王　轶　梁　江
　　蔡红宇　郭继龙
　　马宏伟(任至 2 月)
　　覃传会(2 月任职)
　　丁　旭
　　马耀洲(4 月任职)
　　李　睿
　　黄才强(挂职至 4 月)
　　庞　清(4 月挂职)
　　刘　宁(11 月挂职)
办公室主任:王　轶(任至 4 月)
　　马耀洲(4 月任职)
组织部部长:马宏伟(任至 2 月)
　　覃传会(2 月任职)
宣传部部长:梁　江
统战部部长:蔡红宇
政法委员会书记:丁　旭
信访局局长:史采青
精神文明建设委员会办公室主任:
　　谭胜利
维护稳定工作办公室主任:
　　黄立军
社会治安综合管理办公室主任:
610 办公室主任:胡志慧
直属机关工作委员会书记:
　　廖英姿
"两新"党工委书记:伍　良
机构编制委员会办公室主任:曹小红
绩效办公室主任:林彰泉
网格化信息中心主任:蒋继友

柳州市鱼峰区人民代表大会常务委员会

主　任:高　宁
副主任:黄展图　阳秋香
　　梁学德　陈文杰
调研员:龚道静(任至 4 月)
办公室主任:黎小曲
代表联络工作委员会主任:
　　零霍香(任至 6 月)
　　明婉清(7 月任职)
民族法制工作委员会主任:
　　罗树瑶(任至 7 月)
　　贾志娟(7 月任职)
教育科学文化卫生工作委员会主任:
　　明婉清(任至 7 月)
　　郑杰彪(7 月任职)
财政经济工作委员会主任:
　　麦　珂

柳州市鱼峰区人民政府

区　长:何世恰
副区长:王轶(5 月任职)
　　梁　江
　　韩洪涛(5 月任职)
　　欧向阳
　　胡　兰
　　梁冬琦
　　庞　清(4 月挂职)
　　刘　宁(11 月挂职)
副调研员:赵明敏
办公室主任:张少敏
法制办主任:杨柳生(任至 6 月)
　　罗树瑶(7 月任职)
发展和改革局局长:
　　范　蒙(任至 7 月)
　　梁浩昕(7 月任职)
物价局局长:黄大亮(任至 11 月)
　　杨　洁(11 月任职)
工业和信息化局局长:
　　陈冬炜(任至 6 月)

郑　友(7月任职)
工业和信息化局党组书记:
黄浩明(任至7月)
陈冬炜(7月任职)
商务局局长:彭云彪(任至7月)
范　蒙(7月任职)
党组书记:张强德(任至7月)
谭振贤(9月任职)
招商促进局局长:
黄定成(任至11月)
谭景元(11月任职)
教育局局长:张伟锋
党工委书记:兰海宁(7月任职)
科学技术局局长:陈舒翼
民政局局长:宋志红
党组书记:李　靖
监察局局长:刘　阳
司法局局长:秦建红
财政局局长:徐进辉
党组书记:陈　敏
人力资源和社会保障局局长:
孙福云
党组书记:许成爱
劳动保障管理服务中心主任:
王伊荷(任至4月)
毕志斌(10月任职)
农林水利局局长:
陈祖刚(任至11月)
陈　华(11月任职)
水产畜牧兽医局局长:
陈其中(任至11月)
廖柳红(11月任职)
住房和城乡建设局局长:
雷　红(任至7月)
林奕辰(7月任职)
党组书记:秦宗泽(任至4月)
魏　文(7月任职)
人民防空办公室主任:何仁福
征地拆迁办公室主任:
郑杰彪(任至7月)
杨柳生(7月任职)
城市管理行政执法局、市容管理局
局长:张喜珍
执法大队教导员:周业志
文化体育和新闻出版局局长:
陈　波
卫生和计划生育局局长:杨　卫
党组书记:
吴　限(任至6月)
零霍香(6月任至11月)
陈其中(11月任职)
审计局局长:刘家军
统计局局长:谭　梅
环境保护局局长:樊生和
安全生产监督管理局局长:
郑　友(任至7月)
韦柳云(7月任职)
食品与药品监督局局长:
魏务清(5月任职)
接待办主任:赖建兵
档案局副局长:徐玉芳(任至7月)
孔令贺(7月任职)
机关后勤服务中心主任:潘　文
地方志编纂委员会办公室副主任:
朱继清
环境卫生管理所所长:黄文斌
党总支书记:张舜梅
园林绿化管理所所长:
李　樑(任至10月)
肖永连(10月任职)
党支部书记:刘庚定
洛维工业集中区管理委员会主任:
韩洪涛(6月任职)
龙翔资产管理公司董事长:
黄浩洲(任至4月)

政协柳州市鱼峰区委员会

主　席:朱德增
副主席:邢远坤　周尚达
梁洁华　谷　音
副调研员:李洪祥
办公室主任:罗亚元
经济科技联谊委员会主任:
孙　鸣
提案法制委员会主任:李　苓
文史文教卫体委员会主任:
魏　文(任至7月)

中共柳州市鱼峰区纪律检查委员会

书　记:郭继龙
副书记:刘　阳
吴立华(任至7月)
李　军(7月任职)

柳州市鱼峰区人民法院

院　长:罗金新
副院长:赵　波　阮展睿
罗　华

柳州市鱼峰区人民检察院

院　长:彭　志
副院长:黄庆荣　蔡谦宁
刘晓明

中国人民解放军柳州市鱼峰区人民武装部

部　长:方正柱(任至2月)
郭跃飞(2月任职)
政　委:赵　明

人民团体

鱼峰区工会主席:
罗瑞芳(任至4月)
梁学德(4月任职)
党组书记:唐　艳
共青团鱼峰区委书记:
崔苗(4月任职)
鱼峰区妇女联合会主席:葛　敏
鱼峰区残疾人联合会理事长:
杨素春
鱼峰区工商业联合会党组书记:
杨　洁(任至11月)

王春林(11月任职)
鱼峰区关心下一代工作委员会
办公室副主任:黄敬贤

街道　镇

天马街道党工委书记:赖柳帆
办事处主任:黎　波
驾鹤街道党工委书记:李　睿
办事处主任:龚　宇
荣军街道党工委书记:符孝菊
办事处主任:廖立勇
箭盘山街道党工委书记:龙仲文
办事处主任:廖柳红(任至11月)
黄大亮(11月任职)
五里亭街道党工委书记:
魏务清(任至5月)
李　永(5月任职)
办事处主任:钟东成
白莲街道党工委书记:潘宏强
办事处主任:李　永(任至5月)
李飞龙(7月任职)
麒麟街道党工委书记:周　晓
办事处主任:郭梁敏
雒容镇党委书记:蒋荣德
镇　长:何　峰
镇人大主席:张世琼
洛埠镇党委书记:牟华军
镇　长:刘　卿
镇人大主席:叶统江
阳和街道党工委书记:江　涛
办事处主任:邱振华

驻区主要机构及领导人

柳州市公安局鱼峰分局
局　长:欧向阳
政　委:覃汝豪
副局长:唐融祈　覃建恩
黄　柳　曾康
柳州市公安局鱼峰交警大队
大队长:佛　坤
教导员:李三忠
柳州市公安局鱼峰消防大队
大队长:胡养龙
教导员:卢　海
柳州市国土局鱼峰分局
局　长:玉济咏
柳州市鱼峰区国家税务局
局　长:宋伟东
柳州市鱼峰区地方税务局
局　长:黄欢雪(任至8月)
叶振辉9月任职)
柳州市鱼峰区工商行政管理分局
局　长:林　毅
柳州市规划局鱼峰分局
局　长:罗远荣(任至2月)
苏　韬(3月任职)
鱼峰区交通综合行政执法大队
大队长:张宝文

(区委组织部)

经济和社会发展

【鱼峰区概况】 2014年,柳州市鱼峰区行政区域面积473.79平方公里,辖8个街道2个镇61个社区和21个村。区政府驻静兰路10号。总人口46.76万人,户籍人口33.7万人。人口自然增长率6.07‰。年内,被文化部授予中国民间文化艺术之乡,被国土资源部办公厅授予地质灾害防治高标准"十有县(区)"、广西先进平安县区等称号。

2014年,鱼峰区完成地区生产总值(非在地统计)144.2亿元(未含雒容、洛埠镇和阳和工业区),比上年增长9.5%。其中:第一产业增加值0.24亿元,比上年下降55%;第二产业增加值85.66亿元,比上年增长10.6%;第三产业增加值58.33亿元,比上年增长6.6%,鱼峰区属工业总产值278.74亿元,比上年增长14.1%,人均地区生产总值56201元,比上年增长8.1%,社会消费品零售总额157.7亿元,比上年增长13.7%。财政收入29.26亿元,比上年增长10.5%(公共财政预算收入5.25亿元,公共财政预算支出6.35亿元,分别比上年增长9.97%、5.02%)。

2014年7月24日,鱼峰区人民政府召开有21家工、商业企业代表,6家金融机构代表参加的"政银企"座谈会,为促进辖区中小企业发展服务

(区委宣传部　提供)

全社会区属固定资产投资105.6亿元，比上年增长24.2%。城镇居民人均可支配收入28246元，比上年增长10.5%。农村居民人均纯收入16342元，比上年增长12.2%。

【工业】 2014年，鱼峰区全部工业企业1000家，其中规模以上企业81家。全部工业总产值278.74亿元，比上年增长14.1%。其中规模以上工业总产值262.29亿元，比上年增长14.7%。有超亿元企业39家。亿元工业企业总产值227.04亿元，占规模以上工业总产值86.6%。制定《鱼峰区网格化企业服务管理系统建设工作方案》，推进鱼峰工信网上办理行政审批，提高业务信息、政策公开透明度和重点企业直通车服务制度，实施区领导和企业一对一挂点联系。推进"政银企"合作，与市信用联社合作，投入1000万元担保金放大为1亿元授信额度，为6家工业企业解决融资3000万元。

【农业】 2014年，鱼峰区农林牧渔业总产值4413万元，比上年下降50.9%。有耕地面积315公顷，种植业以蔬菜、水果和经济作物种植为主。其中：柑橘种植面积20公顷，产量300吨；葡萄种植面积12公顷，产量50吨；西瓜种植面积1公顷，产量17吨；香瓜种植面积1公顷，产量20吨；花生种植面积50公顷，产量185吨；蔬菜种植面积316公顷，产量5670吨。辖区内有肉鸭养殖场2家、奶牛养殖场2家，肉猪出栏5650头。因辖区市天蓬种猪繁育有限公司关闭，市洛维养猪场搬迁，生猪出栏量比上年减少75.5%；家禽出栏17.85万羽，比上年减少31.6%；肉类总产量727吨，比上年减少66.6%；奶类产量1600吨，与上年持平。水产品产量660吨。羊角山现代特色农业(核心)示范区划为绿色种植区、特色养殖区和休闲观光旅游度假服务区，面积约50公顷，发展成为以葡萄观赏、采摘为特色的农业休闲度假区。年内，辖区农业观光旅游区接待游客30万人次，旅游收入2400万元。补助农资综合直补、粮种补贴、农机购置补贴等项补贴资金264.11万元。完成水南村整村改造征地面积0.88公顷，办理鱼峰区被征地农民登记证579份。拆除建筑面积18.71万平方米。

【第三产业】 2014年，鱼峰区出台《鱼峰区商贸服务业发展扶持专项资金管理办法(试行)》《鱼峰区扶持限额以上企业发展暂行办法》。下拨第三产业扶持资金、企业限上奖励资金95万元。实现第三产业增加值58.33亿元，比上年增长6.6%。辖区内新增限额以上批零住餐企业10家，总数达91家。规模以上服务业26家。辖区"四片区一组团"(城市滨江商业核心区、水南现代都市形象区、荣军旧城改造提升区、九头山产城融合区和南片区休闲旅游组团)商业新框架基本成型。银泰城正式开业，引入时尚精品、美食广场、游乐城、星级影院、KTV等商业业态；工业博物馆商业红街有餐饮、休闲娱乐等17家商户入驻。水南现代都市形象区华润凯旋门、恒大翡翠龙庭商场销售额均突破6亿元，柳州信合金融服务大厦开工建设，双福大厦写字楼竣工并开始招商；卧龙湖一期体育休闲项目投入运营，路虎、捷豹汽车4S店落户西江路。

【招商引资】 2014年，鱼峰区制订招商引资工作联席会议制度，实行服务项目"五个一"(一个项目、一名领导、一个班子、一套方案、一抓到底)工作法，成立工业及园区、商贸旅游及房地产、文教卫体和综合组四个招商专业组，参加上海、深圳招商推介会、广西·柳州土地招商推介会和第十一届中国—东盟博览会等招商活动。与华润置地柳州有限公司、柳州恒大金碧置业有限公司、柳州海雅投资有限公司等企业签订投资意向，落实华润万象城、凯旋门、翡翠龙庭、海雅缤纷城等建设项目，盛天和华锦房开公司投资续建原东化厂锦园、悦景台等项目动工建设。年内，新签约项目24个，合同投资额66.4亿元，其中内资54亿元、外资12亿美元；内资到位资金(含续建项目)131亿元，外资到位资金1.26亿美元。

【基础设施建设】 2014年，鱼峰区投资565万元，实施羊角山路延长线、燎原路东三巷东段及巷口、九头山路东端路口段、鸡喇街巷路等道路改造；实施江四村排水改造，鱼峰片区乐群路南一巷路灯改造等6项小街巷改造。共硬化道路面积7400平方米，改造人行道2950平方米，改造排水管道1250米，新建绿化面积1350平方米，安装路灯55基。投资

155万元，对原合金材料厂宿舍区、仪表总厂宿舍区、侨鑫苑等3个老旧小区住宅房整治改造。硬化小区道路近4000平方米；新建钢结构单车棚4处，共1万平方米；新建花池7个，新建消防栓3套，安装路灯10盏；装修翻新门卫室2个，建设保安亭1个，安装监控设备10套，整治成果惠及居民756户，受益群众2208人。加速推进市容环境"精细化"管理，通过网格化实行三级平台数字城管，集中拆除蟠龙宝邸、汇金壹号、三柳大院等片区的"两违"建筑181处，拆除建筑面积18万平方米。投入770万元改造10座公厕、2座垃圾中转站等环卫基础设施。

【美丽柳州·清洁乡村活动】 2014年，鱼峰区继续开展"美丽柳州·清洁乡村"活动，制定《鱼峰区"清洁乡村"项目建设推进程序》，投入资金184万元，其中财政投入130万元，自治区食品药品监督管理局支持30万元，村民自筹24万元。鱼峰水泥集团公司捐助水泥17个项目266吨，价值20多万元。建成水南路垃圾中转站，硬化主要通村道路和通屯道路，村屯道路硬化率达到80%，完成江四村排污沟、驾鹤村群众休闲广场改造工程项目。对西江路、鸡喇路等路段绿地实施升级改造，推进荣军路（西侧）"穿衣戴帽"工程。

【精神文明建设】 2014年，鱼峰区继续深入培育和践行社会主义核心价值观活动，发放辅导宣传材料140套，挂图3000余份。9月，鱼峰区"小歌仙"童声合唱团获柳州市践行社会主义核心价值观暨"文明柳州·美德同行"合唱比赛一等奖。新建10个社区雷锋超市，总数达20个。同月，组织志愿者周一在辖区7个主要交通路口开展文明交通劝导1小时；开展学雷锋志愿服务活动480余场次，服务群众2.3万余人次。开展"感动鱼峰2014年度人物"评选、道德讲堂、"我们的节日"、"讲文明树新风"等主题活动。在市第二十四中学举办为期一周的鱼峰区心理咨询专业技能培训班，对街道和社区心理辅导员进行培训。评选表彰第四届鱼峰区"美德好少年"40人。年内，新增自治区文明单位2个、军（警）民共建先进单位2个，命名本级"美好社区"23个。

【科技与信息化建设】 2014年，鱼峰区投入科技经费2360万元，为企业转型升级提供技术支撑。发放50台"社管通"网格化手持终端，实现试点区域网格员与网格中心动态对接交互。启动食品药品监管信息化和企业服务网格化系统开发。深入开展"费随事转"工作，下拨经费237.57万元。全年网格中心登记、受理各类投诉1.05万件，办结1.04万件，办结率达99.2%。年内，受理专利奖励申请203项，兑现专利奖励24.4万元。其中发明专利申请130件，发明专利授权8件，实用新型专利授权65件。

【文化活动】 2014年2月14日，鱼峰区在大龙潭公园举办"中国梦柳州梦——龙城元宵灯展"，有180个单位参展，展出花灯2850盏，参观人次8万人。其中11个参展单位、23件作品和40名学生分别获柳州市花灯展示组织奖、单项制作奖及学生制作奖。4月1日，在鱼峰山歌圩大舞台承办"柳州首届全国山歌邀请赛"，来自全国各地10支队伍70名山歌爱好者参加比赛。在城区、街道、社区开展文化展演14场、"柳江之夏"群众文艺会演13场、"刘三姐"大舞台周周演6场、"想唱你就来"为主题的第五届"立鱼欢歌"广场文化节活动13场，举办"每月一星"歌手PK赛12场，参与歌手500多名。10月10日—11日，在柳州职业技术学院举办主题为"同欢同乐鱼峰歌圩，载歌载舞精彩鱼峰"第二十一届"鱼峰之声"群众文艺会演。年内，建成街道文化站2个、社区文化活动中心14个、文化示范校园4个，社区书屋48家。放映公益电影148场，组织各类演出57场次。

【教育】 2014年，鱼峰区制定下发《关于深化教育领域综合改革加快推进教育发展的决定》《鱼峰区加快教育发展总体方案》《鱼峰区人民政府关于加强教师队伍建设的意见》《鱼峰区人民政府关于实施"梯级名师"队伍建设的工作方案》。投入3.03亿元新建、改扩建教育设施项目16个，第二十中学扩建工程投入使用，新建八中南校区正式挂牌启用。新建东环路幼儿园开工建设，马鞍山幼儿园主体工程竣工。下拨扶持经费315.5万元，接收上万名进城务工人员随迁子女入学。开展助学活动，投入150万元扶持民办中小学校教育。234名中小学城市低保家庭学生获得减免课本费,合计13.37万元。全面实施农村义务教育学校营养改善扩面工程,受惠学生946人。发放春雨助学基金,发放对象218人,金额8.72万元。辖区获"生源地信用助学贷款"的贫困大学生人数504人。

【卫生和计划生育】 2014年,鱼峰区创建"全国基层中医药工作先进单位"工作通过国家级评审。建成龙擎苑社区卫生服务站投入使用,白莲、洛维、荣军、驾鹤、箭盘山街道社区卫生服务中心建设有序进行;推进诚信计生和"幸福家园"建设,兑现计生奖励扶助金636万元。辖区申请二孩夫妻466对。参加新型农村合作医疗2897人,参合率98.5%,城镇居民参加医保12.08万人。

【食品药品安全监督管理】 2014

鱼峰区国民经济和社会发展主要指标(2014年)

项　目	单　位	数　量	比上年增长(%)	提供数据部门
年末户籍人口(小鱼峰)	万人	23.16	1.37	区统计局
年末常住人口(小鱼峰)	万人	33.5	0.24	区统计局
当年出生人口	人	2631	−5.39	区计生局
人口出生率	‰	8.73	−0.079	区计生局
人口死亡率	‰	2.66	−0.072	区计生局
土地面积	平方公里	473.79	0	鱼峰国土分局
年末实有耕地面积	公顷	22.0	−86.25	区统计局
地区生产总值(非在地统计)	亿元	144.2	9.5	区统计局
其中:第一产业增加值	亿元	0.24	−55.0	区统计局
第二产业增加值	亿元	85.66	10.6	区统计局
工业增加值	亿元	85.66	10.6	区统计局
第三产业增加值	亿元	58.33	6.6	区统计局
人均地区生产总值	元			
规模以上工业企业利税总额	亿元	6.89	17.4	
粮食总产量	万吨	—	—	
固定资产投资完成额	亿元	105.6	24.2	
全部财政收入	亿元	29.26	10.5	区财政局
其中:公共财政预算收入	亿元	5.25	16.4	区财政局
公共财政预算支出	亿元	6.35	9.6	区财政局
社会消费品零售总额	亿元	157.7	13.7	区统计局
城镇居民可支配收入	元	28246	10.5	区统计局
农民人均纯收入	元	16342	12.2	区统计局
普通中学(初中)	所	8	0	区教育局
普通中学在校生(初中)	人	10794	−0.62	区教育局
小学	所	22	−18.85	区教育局
小学在校生	人	21603	−1.48	区教育局

2014年3月，公安鱼峰分局组织干警深入街道、社区开展治安宣传。图为鱼峰公园小广场宣传实况　　（公安鱼峰分局　提供）

年5月，鱼峰区食品药品监督管理局成立，内设行政审批、食品安全综合监管等4个股室及直属食品药品稽查大队，分设7个街道食品药品监管所，为鱼峰区食品药品稽查大队派出机构，形成食品药品“三级”机构监管体系。开展食品生产加工小作坊登记备案及散装白酒、食用油、乳制品、桶（瓶）装饮用水等质量安全等专项检查整治行动。

【劳动就业保障】 2014年，鱼峰区城镇新增就业人员1.12万人，其中城镇失业人员再就业3794人，就业困难人员再就业1553人。组织召开“就业援助月”“春风行动”“民营企业周”和高校毕业生专场招聘会等专项就业援助活动，发布352家企业用工信息，提供就业岗位1.02万个。城镇登记失业率控制在4.5%以内。城镇职工基本养老保险参保人数7.81万人，完成征缴收入5.39万元；城乡居民参加养老保险4443人，缴纳养老金55.44万元，发放养老金290.51万元。其中，农村居民参加养老保险459人，缴纳养老金为5.91万元，发放养老金19.27万元；城镇居民参加养老保险3984人，缴纳养老金49.53万元，发放养老金271.24万元。发放城乡低保、医疗、残疾人优抚金1958万元。建成保障房135套，廉租房142套。投入资金5万元，组织柳州农工商公司55名失地职工进行职业技能转岗培训。加强劳动保障监察、劳动合同管理，巡视用人单位203个，接待劳动者咨询、投诉238人次，立案9件，结案9件，为19名劳动者追回被拖欠工资5.25万元。签订集体合同及工资专项集体合同321份，涵盖企业2405家、职工42597人。成立基层劳动争议调解委员会65个。

【社会治安综合治理】 2014年，鱼峰区维稳工作成效明显，年内无危害国家安全、社会稳定的重大政治事件及暴力恐怖事件发生，进京非正常上访人次比上年下降60%。“书记区长大接访”“信访积案化解攻坚”等专项行动，让“鑫汇君都”和江南新天地等一批10年以上的信访积案得到化解。侦破刑事案件3244起，摧毁犯罪团伙35个，侦破命案6起，命案破案率100%。依法批捕犯罪嫌疑人546人，移送起诉751人。鱼峰法院案件收案5641件，审结4744件。其中刑事案件收案809件，审结795件。五里亭街道获“全国安全社区”称号，莲花社区和桃源社区被评为“全国综合减灾示范社区”。　　（区志办）

大事记

2014 年 4 月 14 日，鱼峰区在区政府一楼会议厅召开教育发展大会。会议出台了《关于深化教育领域综合改革加快推进教育发展的决定》等 4 个推动教育改革发展的文件

（区委宣传部　提供）

2014年大事记

1月

1日 柳州市停止收取城市路桥机动车辆通行费，辖区柳石收费站自即日起向过往车辆免费放行。

6日 中共鱼峰区委九届六次全体(扩大)会议召开，会议审议通过了《中国共产党柳州市鱼峰区第九届委员会第六次全体(扩大)会议决议》(草案)。

11日 鱼峰区在区劳动保障管理服务中心召开2014年就业援助月活动专场招聘会。此次招聘会有联华超市、国药控股柳州有限公司、柳州六和方盛机械有限公司等45家用人单位参加，提供就业岗位1850个，现场达成就业意向215人。

15日 鱼峰区首批“环卫之家”正式使用。此次启用的4个“环卫之家”分别位于银铜路、荣军路北、红锋路口、乐群路，是利用闲置的公厕管理房改造修缮而成，供环卫工人休息、学习。年内共建成6家，可供8~10个保洁班使用。

20—21日 中国人民政治协商会议鱼峰区第八届委员会第五次会议在区机关办公大楼一楼会议厅召开。鱼峰区各党派、工商联、各人民团体、社会各界人士共130名政协委员参加。

20—23日 鱼峰区第十一届人民代表大会第四次会议在区机关办公楼一楼会议厅召开。有154名人大代表参加。会议期间，与会代表审查通过了区“一府两院”工作报告、区人大常委会工作报告以及区财政预算执行情况和财政预算(草案)的报告。补选了区人民法院院长、区第十一届人大常委会委员。

21日 市国土资源局鱼峰分局在马鞍山、柳石路教师公寓、柳石路小学等地质灾害隐患点，开展春节前地质灾害隐患排查。

25日 凌晨，鱼峰公安分局联合柳州市局治安管理支队统一行动，对驾鹤路娱乐场所拉斯维加国际娱乐场所进行突击清查，抓获涉嫌吸食毒品嫌疑人320人，其中70%以上尿检呈阳性，刑事拘留1人，该娱乐场所被责令停业整顿。

2月

11日 鱼峰区党的群众路线教育实践活动动员大会在区机关一楼会议厅召开。该活动于1月启动，9月结束。区机关、企事业单位、街道、社区(村)、非公有制经济组织和社会组织等基层组织参加活动。

14日 鱼峰区元宵灯会在龙潭公园举行。本次灯会有180个单位展出花灯2850盏，参观人数约8万人。

19日 鱼峰区在区机关一楼会议厅先后召开第九届纪律检查委员会第四次全体(扩大)会议和全区政法综治工作会议。

25—28日 鱼峰区开展“扫黄打非”专项整治活动。

27日 自治区党委副书记危朝安到鱼峰区督导党的群众路线教育实践活动。

3月

5日 洛维工业集中区第一季度入驻项目集中开工仪式举行。柳州源创电喷技术有限公司、柳州市大荣非金属有限公司、柳州市上华投资有限公司等7个项目同时开工，计划总投资约13亿元。

6日 鱼峰区人民政府被国家机关事务管理局授予“第一批节约型公共机构示范单位”称号。

10日 鱼峰区人民法院司法信息公开网正式启用，该网站是广西首个基层法院信息公开网站。

18日 自治区食品药品监督管理局，鱼峰区机关、街道干部职工及驻区部队官兵共500余人到柳州市洛维工业集中区开展义务植树活动。

20日 自治区第二批党的群众路线教育实践活动第四督导组组长、自治区人大常委会原副主任文明率队督导鱼峰区群众路线教育实践活动。督导组对该区教育实践活动概括为“认识到位、开局良好、部署积极、重点突出”四大特点。

20日 自治区网格化管理工作会议在柳州市召开。会议期间，与会人员到鱼峰区网格化信息指挥中心、狮山社区等单位参观学习网格化管理工作。

24日 上午，鱼峰区白云路小学校园外发生一起因私倒液化气残渣的突发事件。事件造成白云路小学27名学生和1名老师中毒，鱼峰区人民政府相关部门及时进行了处置。至当日15时，中毒师生经治疗后相继出院,学校恢复正常教学秩序。

27日 鱼峰公安分局在鸡喇派出所大院内举行“两节”“两会”期间打击犯罪专项行动统一退赃活动。20余名失主到场领回失窃汽车(3辆)、电动车(4辆)、电脑、笔记本电脑(各1台)及其他物品,赔款4万余元,为群众挽回经济损失60余万元。

28日 市人大常委会副主任苏爱群到鱼峰区督导党的群众路线教育实践活动。

30日 柳州机场正式复航。该机场于2013年10月因修建暂时停航。

31日 柳州市水上公交巴士(一期)正式运营,柳州成为广西首个市区河道开通水上公交巴士的城市。一期运营船只10艘,营运线路4条,有停靠点9个(鱼峰辖区停靠点有海员码头、窑埠码头)。运营价格为环线每人次3元,横渡线每人次2元。水上公交巴士二期于9月30日试运行,新增3条线路12个停靠点。

△ 柳州市开展2014年企业退休人员养老金调整工作,调整后人均每月增加169.97元,退休人员月人均养老金达到1881.62元。鱼峰区按此执行。

是月 鱼峰区开始为共23对夫妇申请生育。单独夫妇办理二孩生育证。

4月

1日 由自治区文化厅、市人民政府主办,鱼峰区等单位承办的首届三月三“鱼峰歌圩”全国山歌邀请赛在“鱼峰歌圩”大舞台举行,来自内蒙古、宁夏、四川、重庆、湖北、湖南、陕西、云南、江西和广西的代表队以及柳州“鱼峰歌圩”代表队歌手参加。

△ 柳东新区成为柳州市首个获取城区一级天气预报的辖区。此后,市气象局除发布柳州及6县7个点的天气预报外,还将发布柳东新区天气预报。

9日 第二届柳州春茶节在柳州市“石尚1966”文化园举办。

10日 阳和街道社区卫生服务中心落成,填补了阳和公共卫生医疗服务配套的空白。该中心由政府全额投资1168万元建设,占地1997平方米,建筑面积4117平方米。通过与三级甲等资质的工人医院合作,为中心的规范运行提供技术保障。辖区近6万居民可就近得到疾病诊治、健康体检、保健咨询、健康教育等服务。

14日 鱼峰区教育发展大会召开。会议出台了《关于深化教育领域综合改革加快推进教育发展的决定》等4个推动教育改革发展的文件。

16日 共青团鱼峰区第八次代表大会召开,会议审议并通过了共青团鱼峰区第七届委员会工作报告,选举产生了新一届委员会。

△ 自治区司法厅批准辖区柳州市假肢厂设立广西民政假肢矫形器司法鉴定所。

18日 鱼峰区妇女第八次代表大会召开,有100名妇女代表参会,会议审议通过了区妇联第七届执行委员会工作报告,选举产生区妇联第八届执行委员会。

△ 鱼峰区召开非公有制经济发展大会。

24日 全国政协原副主席李兆焯到柳州考察指导工作。在柳期间,李兆焯一行到柳州汽车城考察。

26日 凌晨4时许,驾鹤山西面山体滚落一块长约4米,宽高各约3米,重约20吨的巨石和一些小块石头,未造成人员伤害。

28日 国家行政学院非洲国家青年领导人研修班一行20名学员到辖区柳州职业技术学院参观考察。

是月 鱼峰区优化社区区划和基层党组织建设,将社区从61个精减至54个。同时启动社区(村)“两委”换届工作。至9月,共选举产生社区“两委”班子成员461名。

5月

4日 柳州市鱼峰区食品药品监督管理局、柳州市鱼峰区食品安全委员会办公室挂牌成立。新部门整合各环节的食品安全监管职能,对生产流通、消费环节的食品安全和药品、化妆品及医疗器械的安全性、有效性实行监督管理。

9日 广西首个“FANUC数控系统应用中心”授牌仪式在柳州职业技术学院举行。北京发那科(FANUC)机电有限公司将重点与挂牌院校共同在社会服务、师资培训、学生培养、校企合作等领域开展合作。

10日 柳州市脑卒中质量控制中心在市工人医院挂牌成立。

15日 鱼峰区人民政府、广西艺术学院音乐学院共同举办的柳州“鱼峰歌圩”系列活动之“高雅艺术进校园”合唱专场音乐会在市儿童少年活动中心演出。

△ 在柳州市“美丽家庭”表彰大会上，表彰了鱼峰区袁茵家庭获广西“美丽家庭”的称号。

16日 第二届柳州“南方杯”象棋争霸赛在南方花鸟市场开赛。

22—28日 2014年世界拉拉操锦标赛在美国佛罗里达州奥兰多市举行，柳州市十四中代表队获锦标赛国际公开组青少年组混合街舞国家杯第二名。

6月

9日 第七次市人民政府常务会议确定2014年柳州市区城市低收入家庭收入标准为每人每月812元，市区农村低收入标准为每人每月319元。

12日 在广西城乡风貌改造六期工程工作推进会上，雒容镇被命名为广西特色工贸名镇，成为24个获得命名的广西特色名镇名村之一。

12日 位于柳石路南段的市八中南校区(原二十中)正式挂牌。同时，柳州市首个柳州高中初高中衔接教育实验基地也在八中南校区挂牌建立。

14日 柳州工业博物馆的第三个主要展馆“柳州生态宜居馆”正式对外开放。“柳州生态宜居馆”展陈面积6000平方米，有3000多件珍贵的历史影像、文献资料，近200件内涵厚重的工业文物。

7月

4日 柳州市首次创建的市图书馆校园服务点在鱼峰区柳东路小学启动。由社会各界人士捐赠的一批少儿类书籍当天分送进校园的各个课堂，丰富学生们的暑期生活。

7—8日 市委常委、副市长潘海峰主持召开中共鱼峰区委常委班子民主生活会。13位常委及1名区委副调研员紧扣“四风”问题，开展批评与自我批评。市人大常委会副主任、市教育实践活动第四督导组组长苏爱群，市第四督导组，党的群众路线教育实践活动指导二组以及市纪委、市委组织部有关领导同志参加会议。

15日 在贵阳市举办的第五届中国魅力校园合唱节上，柳州市鱼峰小歌仙少年儿童艺术团的58名少儿歌手代表广西和柳州参加比赛，获得小学组金奖。

21日 由柳州中燃城市燃气发展有限公司经营的，CNG加气站位于东堤路(窑埠古镇旁)开始试运营，柳州市的天然气加气站增至2个。该加气站每天可为汽车加气400~450架次，与设在航生路的加气站规模相当。

8月

7日 市委常委、市纪委书记张俊雄到鱼峰区就推进落实纪检监察各项工作开展情况进行调研。

△ 据8月7日《柳州日报》报道，国家住房和城乡建设部、财政部等7个部委共同下发的《住房城乡建设部等部门关于公布全国重点镇名单的通知》中，柳州市辖区有10个镇入选，鱼峰区雒容镇名列其中。

11日 自治区教育实践活动督导组到鱼峰区指导社区“两委”换届选举工作，实地察看了南山社区“两委”换届选举的公开栏资料、宣传横幅、宣传展板，并与社区干部进行座谈。

27日 自治区副主席黄日波率调研组来柳调研应急避难场所建设。在柳期间，黄日波一行到位于西江路的武警水电学校调研，并将全地形地震救援车等专用车辆以及月光灯、电动金刚石切割器等专用器材授予紧急救援队。

28日 柳州市阳和工业新区古亭山小学新校园正式揭牌启用。学校占地面积24311平方米，总建筑面积15100平方米，办学规模48个班，可容纳学生2160人，缓解了阳和新区小学生入学难的问题。

9月

1日 柳州市首条城乡公交线路——柳州至穿山的601路公交线开通。该线路全程32公里，从市汽车总站发车，经柳石路至穿山镇。其中市区道路16公里，209国道16公里。全程票价7元。

4日 自治区重大火灾隐患督查组对柳州市重大火灾隐患的整治工作开展抽查。在柳期间，督查组到鱼峰区驾鹤路颇家巷的水产街检查整改工作。

15日 柳州市鱼峰区人民法院交通巡回法庭在鱼峰交警大队道路交通事故联调中心首次开庭，这是全市第一个进驻辖区交警大队的专门处理交通事故相关诉讼的法庭。从即日起，所有鱼峰辖区的交通事故案件均在此开庭审理。

16—19日 中共鱼峰区委书记董凌、区长何世恰率团参加第11届中国—东盟博览会、中国

—东盟商务与投资峰会。在此次会议期间,鱼峰区成功签约投资项目4项,投资金额约84亿元。

18日 国家公共文化服务体系建设专家委员会主任亢清泉率检查组到鱼峰区就2014—2016年度“中国民间文化艺术之乡”创建工作进行实地抽查和调研。

△ 柳州市发布首个雾霾天气三级预警(黄色),同时启动三级预警(黄色)响应程序,鱼峰区各单位按照预警要求采取应急措施。

30日 鱼峰区召开政府职能转变和机构改革工作会议,当月实施政府机构改革,调整整合后共设22个工作部门,挂牌机构12个。

10月

6日 鱼峰公安分局联合市新闻出版局,共出动民警36人,工作人员17人,一举查获岩村路13号、岩村路44号2个复印六合彩资料窝点、7个贩卖摊位、用于储藏六合彩资料的仓库1间,缴获用于复印六合彩资料的电脑3台,打印机20台、扫描仪1台、裁剪机1台、六合彩赌博资料2.39万册,抓获犯罪嫌疑人19人。

10日 最高人民法院党组书记、院长周强通过远程视频连线观看广西执行指挥中心建设情况,指导柳州市鱼峰区法院正在现场执行的一起案件。

13日 经广西非血缘造血干细胞采集技术专家评审组现场评议,市工人医院通过评审,成为桂中第一家中华骨髓库非血缘造血干细胞采集定点医院。

20—21日 国家创安全社区检查组一行到五里亭街道开展安全社区建设工作的全面检查和评定。12月2日,五里亭街道通过评审,被国家安全生产监督管理总局、中国职业安全健康协会命名为“全国安全社区”。

21日 文化部检查组到鱼峰区对申报创建第二批国家公共文化服务体系示范(区)项目的进行中期督查。检查组实地检查了海星幼儿园、柳石路第三小学、南山社区文化活动中心、麒麟街道文化站、区文化馆等五个“鱼峰歌圩”示范点。

28日 柳州市副市长崔惠柳一行到鱼峰区进行食品药品安全监管工作调研。

29—30日 自治区双拥模范城(区)考评组对鱼峰区开展自治区双拥模范区创建工作进行考评。

30日 据《柳州日报》报道,柳州市50个报亭安装了免费wifi,分布在鱼峰路、龙城路、八一路、广场路、解放南路、跃进路、北站路等路段。柳州邮政报刊亭重点区域已覆盖免费wifi,是柳州市报刊亭终端向综合服务平台转型的一个前奏。

是月 柳州市高龄老人生活补贴“提标扩面”:80~89岁高龄老人每人每月发放50元生活补贴;90~99岁高龄老人生活补贴从原来的每人每月50元提高到100元;100岁以上高龄老人生活补贴从原来的每人每月200元提高到300元。鱼峰区按此执行。

11月

1日 第八届柳州奇石节开幕,辖区八桂奇石馆展出奇石精品作品。中国观赏石协会会长寿嘉华,中国风景园林学会理事长甘伟林,中国收藏家协会会长罗伯健,美国、马来西亚、菲律宾等国家,中国港澳台地区及内地26个省(市、自治区)的赏石嘉宾及10多个代表团参加开幕式。

8日 鱼峰区“美丽乡村”建设活动宣传周在驾鹤村休闲文化广场启动,自治区食品药品监督管理局局长韦波、副局长贺志刚,副市长崔惠柳参加活动。

21日 约18时20分,在辖区屏山大道天山路交叉路口,一辆行驶中的9路快速公交车上发生纵火事件,18时45分火被扑灭,约21时30分恢复路段通车和正常秩序。此次事件造成18人受伤。

△ 鱼峰区在区机关一楼会议厅组织召开国防形势教育报告会。

26日 都乐公园通过自治区旅游景区质量等级评定专家检查组创建国家4A级景区等级评定。

△ “百里柳江”创建5A级旅游景区提升规划终期评审会召开。自治区旅游发展委员会同意通过该规划。

27日 市委书记郑俊康到鱼峰区天马街道党代表工作室考察调研。郑俊康对天马街道党代表轮流在工作室接待党员群众,倾听群众心声,收集群众意见,帮助和协调解决群众困难的做法和成绩予以肯定。

27—28日 由柳州市食品药品监督管理局主办,鱼峰区食药局承办的“2014年柳州市食品药品监管系统快速检测和稽查执

柳州日报

中共柳州市委主管主办
国内统一刊号 CN45-0003
报料热线：15877281116 15877281117

网站首页 | 数字报首页 | 版面导航

往期回顾： 搜 索 高级检索 出版日期：2014-12-11

2014-12-11 第01版：要闻

辽阳市考察团来柳州考察

探索工业城市党建工作

作者：记者姚颖盈 来源：柳州日报 字数：507

日报消息（记者姚颖盈）9日、10日，辽宁省辽阳市市委书记王正谱、市人大常委会主任杨立宪、市政协主席张洪武一行16人，在自治区党委组织部副部长、巡视员唐咸仪的陪同下，就基层党建工作到我市学习考察，探索工业之城的党建发展之路。

在市领导郑俊康、杜伟、刘友谊、黄涛等的陪同下，考察团先后考察了上汽通用五菱宝骏基地、鱼峰区信息化网络指挥中心、市工业博物馆、城市规划展览馆、柳南区太阳村镇和平村、航星社区等地。

在鱼峰区信息化网络指挥中心，该区"天上有云（云计算中心）、地上有格（社会管理网格）、中间有网（互联网）"的新型社会服务管理信息化体系，吸引了考察团一行；柳南区航星社区在"两委"换届选举中让流动人口真正享受到与当地居民同等的政治待遇和民主权利的好做法获得了考察团的一致推崇。

市委书记郑俊康说，辽阳是新兴的现代石化纺织工业基地、中国优秀旅游城市，近年来发展势头好，有许多好的经验。希望有机会能到辽阳学习，汲取辽阳发展好的经验和做法，让双方在经济社会文化等方面增进合作，优势互补。

辽阳市市委书记王正谱表示，柳州是我国西南工业重镇，希望通过此次学习考察，在两座工业城市之间搭建起沟通的桥梁，进一步拓展、加深双方的交流和合作。

2014年12月11日《柳州日报》一版报道辽阳市考察团考察鱼峰区信息化网络指挥中心 （媒体网络图片）

法大比武"活动中，鱼峰区食品药品监督管理局获一等奖。

30日 柳石路（五岔路口至迎宾路口）开始进行道路改造施工。本次改造的路段长约9千米，改造后由原来的混凝土路面变为沥青路面，路面将引进耐磨性较强的辉绿岩作为骨料，这是首次在柳州市的道路改造中使用该材料。

12月

2日 国家民委监督检查司、自治区民委等一行到大龙潭社区调研民族工作。年内天马街道大龙潭社区被国家民委授予"全国民族团结进步模范集体"称号。

8日 市人民政府下发《关于公布第二批柳州市历史建筑的通知》。

9日 市人大常委会副主任苏爱群到鱼峰区五顺汽配厂、佳力电工、金嗓子集团调研。

△ 辽宁省辽阳市委书记王正谱、市人大常委会主任杨立宪、市政协主席张洪武一行16人就基层党建工作到柳州市学习考察。在柳期间，考察团考察了鱼峰区信息化网络指挥中心等单位。

△ 柳州市人民政府召开的静兰片区改造工作会议会议，研究了鱼峰区、城中区、阳和工业新区辖内涉及静兰片区改造有关问题，对静兰工业园企业搬迁及城中区、阳和工业新区征地拆迁的完成时间提出要求，对静兰片区改造存在的问题进行协调。

26日 柳州市首家"胸痛中心"在市工人医院揭牌成立。该中心的成立旨在将胸痛患者救治时间前移，有效提高急性心肌梗死等胸痛患者的抢救成功率。

27日 2014年柳州市冬季全民徒步走、绿色骑行活动在蟠龙路窑埠古镇启动。社会各界3000多名徒步和自行车爱好者参加活动。

△ 柳州市骆越博物馆在文昌路"石尚1966"文化园区正式开馆。该馆面积近500平方米，馆藏有骆越陶器、骆越青铜器、骆越玉等多种反映广西人祖先文化的藏品。

△ "大龙潭民族风情节"大型民族文化活动开幕。开展瑶族盛典、山水实景演绎、民族风情T台秀、壮歌牵出绣球来、勇者无敌——瑶族勇士绝技表演、侗家欢乐迎新春、民族风情美食街、民族剪纸、节庆文化展等七大主题活动。

12月 市工人医院与上海趣医网络科技有限公司合作推出的掌上"移动医院"正式开通。

责任编辑：黎柳萍

政治　军事

2015 年 1 月 15 日，柳州市鱼峰区第十一届人民代表大会第五次会议召开

（区委宣传部　提供）

中共鱼峰区委员会

【中共鱼峰区委九届六次全体(扩大)会议】 中共鱼峰区第九届委员会第六次全体(扩大)会议于2014年1月6日在区机关举行。出席这次会议的有中共鱼峰区第九届委员会委员29人,候补委员7人。列席会议的人员主要有区纪委委员,区人大、政府、政协班子领导、正副调研员以及各系统、各单位党组织负责人共300余人。区委书记董凌同志代表区委常委会作了题为《认真贯彻党的十八届三中全会精神,进一步解放思想,坚定信心,为全面建成小康社会而努力奋斗》的工作报告。

全会部署了2014年的工作。明确了2014年工作指导思想:认真学习贯彻落实党的十八大和十八届三中全会精神,按照市委"实业兴市,开放强柳,打造西江经济带核心城市"的战略部署,围绕传承柳州历史文化核心区和"五美五好"魅力鱼峰建设,按照稳中求进、好中求快的总基调,深化改革,扩大开放,继续加大固定资产投资力度,大力发展非公经济,不断提高经济总量、质量和效益,创新社会治理,保障和改善民生,协调推进经济、政治、文化、社会、生态文明"五位一体"各项建设,加强党的建设,朝着全面建成小康社会宏伟目标前进。

【区委常委会】 2014年,九届区委常委会议共召开19次,总议题70个,均由书记董凌主持。其中经济管理类10个;社会事务类16个,宣传文明文化类3个;政法维稳类4个;党建组工类37个。会议审议通过的重大决策事项有:干部人事任免、在全区开展党的群众路线教育实践活动的实施方案、贯彻落实《建立健全惩治和预防腐败体系2013—2017年工作规划》实施办法、国家公共文化服务体系示范项目暨全国"文化先进县(区)"工作实施方案、鱼峰区人民政府机构设置、村(社区)"两委"换届选举工作的实施方案、"数字化全响应社会服务管理平台"科技惠民项目实施方案、废止和宣布失效一批党内规范性文件的决定等。

2015年1月9日,中共柳州市鱼峰区第九届委员会第七次全体(扩大)会议召开

(区委宣传部 提供)

【《中共鱼峰区委员会关于贯彻落实党的十八届三中全会精神的决定》】 2014年2月24日,中共鱼峰区委以鱼发〔2014〕8号印发《中共鱼峰区委员会关于贯彻落实党的十八届三中全会精神的决定》。就深入学习贯彻落实党的十八届三中全会通过的《中共中央关于全面深化改革若干重大问题的决定》(以下简称《决定》)、自治区党委《关于贯彻落实〈中共中央关于全面深化改革若干重大问题的决定〉的意见》以及市委《关于贯彻落实党的十八届三中全会精神的决定》文件精神进行部署。

【《关于加强和改进鱼峰区意识形态和宣传思想工作的实施意见》】 2014年3月6日,按照《中共广西壮族自治区委员会关于加强和改进我区意识形态和宣传思想工作的若干意见》(桂发〔2013〕14号)。中共鱼峰区委以鱼发〔2014〕9号印发《关于加强和改进我区意识形态和宣传思想工作的实施意见》。就深入贯彻落实党的十八大和十八届三中全会精神、习近平总书记一系列重要讲话和全国、全区宣传思想工作会议精神,进一步加强和改进我区意识形态和宣传思想工作进行部署。

【《关于废止和宣布失效一批党内规范性文件的决定》】 2014年11

月18日，按照《关于印发〈柳州市开展市、县区党内规范性文件清理工作的实施方案〉的通知》（柳办发〔2014〕8号）。中共鱼峰区委以鱼发〔2014〕17号印发《关于废止和宣布失效一批党内规范性文件的决定》。就梳理出的169件党内规范性文件，宣布废止89件、宣布失效34件、予以修改11件，继续有效35件。

【《贯彻落实〈建立健全惩治和预防腐败体系2013—2017年工作规划〉实施办法》】 2014年11月3日，按照中央《建立健全惩治和预防腐败体系2013—2017年工作规划》、自治区和柳州有关规定。中共鱼峰区委以鱼发〔2014〕18号印发《贯彻落实〈建立健全惩治和预防腐败体系2013—2017年工作规划〉实施办法》，就进一步加强鱼峰区党风廉政建设和反腐败工作进行部署。

【《鱼峰区贯彻执行〈党政机关厉行节约反对浪费条例实施细则〉等三项制度的通知》】 2014年12月22日，按照《关于印发〈柳州市贯彻执行〈党政机关厉行节约反对浪费条例〉实施办法〉等三项制度的通知》（柳发〔2014〕19号）。中共鱼峰区委以鱼发〔2014〕19号印发《鱼峰区贯彻执行〈党政机关厉行节约反对浪费条例〉实施细则》《鱼峰区关于加强节庆、论坛、会展、体育运动会和招商引资活动等方面管理的暂行规定》《鱼峰区机关公务接待管理制度》等三个制度文件。其中，《鱼峰区贯彻执行〈党政机关厉行节约反对浪费条例〉实施细则》就进一步弘扬艰苦奋斗、勤俭节约的优良作风，推进党政机关厉行节约反对浪费，建设节约型机关，提出72条规定；《鱼峰区关于加强节庆、论坛、会展、体育运动会和招商引资活动等方面管理的暂行规定》就规范我区节庆、论坛、展会、体育运动会及招商引资活动，加强活动管理工作，提出29条规定；《鱼峰区机关公务接待管理制度》就规范党政机关国内公务接待管理，厉行勤俭节约，反对铺张浪费，提出20条规定。

【《中共鱼峰区委关于在全区开展党的群众路线教育实践活动的实施方案》】 2014年2月24日，按照柳州市委《关于在全市深入开展党的群众路线教育实践活动的实施方案》文件精神，中共鱼峰区委以鱼发〔2014〕3号印发《中共鱼峰区委关于在全区开展党的群众路线教育实践活动的实施方案》。围绕解决"四风"突出问题，解决关系群众切身利益的问题，解决联系服务群众"最后一公里"问题，规范干部干事、方便群众办事、破解发展难事等重点任务，分"学习教育、听取意见""查摆问题、开展批评""整改落实、建章立制"三个基本环节，提出了四项具体举措，为开展鱼峰区党的群众路线教育实践活动做了全面部署。

【《鱼峰区招商工作联席会议制度工作方案》】 2014年9月29日，中共鱼峰区委员会、鱼峰区人民政府以鱼发〔2014〕10号印发《鱼峰区招商工作联席会议制度工作方案》。探索建立了鱼峰区招商工作联席会议制度，成立4个招商专业组，明确了联席会议和各专业招商组职责，为鱼峰区实施精准招商，进一步加大招商引资和对外开放力度，加强招商项目的组织协调和跟踪服务，强化部门之间工作合力，建立有效招商工作推进协调机制提供了组织保障。

【区委工作统筹】 2014年，区委办主要工作职责为办文、办会、协调、机要保密、督查、信访、信息、

2014年3月20日，自治区党的群众路线教育实践活动督导组到鱼峰区督导

（区委宣传部　提供）

档案等,兼管鱼峰区网格化信息指挥中心,年内有工作人员12名。中共党员12人。在职研究生学历1人,本科及以上学历10人,大专学历1人。办公地址:柳州市鱼峰区机关办公大楼6楼(静兰路10号)。年内,组织召开区委全体扩大会议1次,区委常委会会议19次,牵头起草《中共鱼峰区委员会关于贯彻落实党的十八届三中全会精神的决定》《中共鱼峰区委员会关于废止和宣布失效一批党内规范性文件的决定》《鱼峰区贯彻执行〈党政机关厉行节约反对浪费条例〉实施细则》等多份重要性文件,从健全工作机制、改进工作方法、力求工作高效上确保党委工作运转。

2014年9月5日,区委常委、组织部部长覃传会(左二)到水南村指导村"两委"换届工作 (张美红 摄)

党的群众路线教育实践活动 2月11日全面启动,参加活动的有鱼峰区党委、区人大常委会、区政府、区政协"四家班子"、区直机关47个、街道党(工)委7个、基层党组织61个,涉及县处级党员干部31人、副科以上党员干部194人、党员10810人。

1月26日—5月8日,鱼峰区党委"四家班子"、区直机关、街道党(工)委按照"照镜子,正衣冠,洗洗澡,治治病"总的要求,组织党员学习党章、党的十八大文件、习近平总书记一系列重要讲话,观看《焦裕禄》电影135次,上专题党课986次。"四家班子"成员深入基层召开座谈会236次、约谈群众375人次、发放调查问卷意见表9587份,收集群众意见和建议1770条;区直机关、街道党工委召开座谈会305次,约谈群众587人次,征集意见及建议859条。

4月12日—8月25日,鱼峰区"四家班子"、区直机关、街道党(工)委通过群众提、自己找、上级点、互相帮,查摆形式主义、官僚主义、享乐主义和奢靡"四风"问题2665条,其中区党委常委领导班子181条,区直机关、街道党(工)委2484条。针对存在"四风"问题,区党委常委领导班子以及个人分别写出对照检查材料,召开专题民主生活会,开展批评与自我批评。7月16日,鱼峰区党委召开专题民主生活通报会,邀请部分区党代会代表、人大代表、政协委员和基层党的负责人参加会议,与会人数408人,认真听取群众代表的批评意见,接受监督,群众满意率达98%。

8月—10月,鱼峰区党委常委紧扣整治"四风",落实整改、措施,需整改1025条已全部落实,针对群众反映突出问题,坚持边学边改、边查边改,整顿软弱涣散基层党组织4个,为群众办实事2359件,制定改进会风文风、为民服务整改措施26项。

区委、区政府工作会议分别压缩17.4%、29%。区委、区政府文件分别压缩10.6%、6.7%。清理超标办公室535.2平方米,"三公"经费比上年减少14%。取消行政审批事项23项。鱼峰区"四家班子"推出与区属企业服务制度,安排21名处级干部联系21家企业。制定解决群众关切的住房、上学、养老、就医难的问题措施,出台《鱼峰区贯彻执行(党政机关节约反对浪费条例)实施细则》等10个制度性文件。

社区(村)"两委"换届 2014年7月—9月,鱼峰区分别开展村党组织和第七届村民委员会换届选举以及社区党组织和第四届社区居民委员会换届选举[以下简称社区(村)"两委"]。以提高素质、改善结构、增强活力为目标,通过前期摸底调查、动员培训和宣传引导,强化了基层党组织党务干部的配备。在考察干部时,重点考察干部履行职责、工作作风、公众形象、清正廉洁等方面内容，将考察结果结合换届工作作为评价社区（村）“两委”干部的重要依据；通过一系列措施，共选出54个社区和3个村486名“两委”班子成员。并借势优化整合社区，将社区区划从61个精减至54个。

扶持非公有制经济发展　深化非公有制经济“五大提升工程”内涵，组织各成员单位做好鱼峰区非公经济发展扶持任务落实、考核迎检和日常综合协调工作，研究非公经济发展扶持举措，明确扶持重点，营造发展环境。2014年非公有制经济固定资产投资78.78亿元，增长34.61%；非公企业工业总产值238亿元，增长10.1%。

督查　完善督查机制，强化区委决策督查，加强领导批示件的跟踪督查。2014年共办理自治区、市委督查室督办案件10件，本级重点事项督查件30余件，其中立项督办案件9件。加强文件办理督查，对上级来文明确办理要求和办结时限，提前做好提醒跟踪，确保上级决策部署贯彻落实到位，减少迟报漏报事项发生。督查信访案件，按时答复市信访局《关于中央巡视组收到群众来信信访事项的函》17批。

信息　加强信息挖掘、撰写和报送。树立信息首位意识，围绕区委中心工作，聚焦“热点”，深挖“难点”，找准“亮点”，及时准确地收集和报送鱼峰区贯彻落实上级决策部署以及经济与社会各项事业发展的特色亮点等方面的信息。2014年，累计收集各部门（单位）报送信息450余篇，其中市委办采用252篇，自治区党委办公厅采用15篇，完成年度目标任务。办好《鱼峰周报》，全年共刊发周报44期，刊登各类信息240多条。

保密　建立健全各项保密规章制度，加大保密工作的管理和检查力度。创新保密宣教工作方式方法，通过保密现场演示会、组织收看警示教育片、张贴保密宣传警示帖等方式加强保密宣传教育，提高保密意识。2014年，共清退上级密级文件862份，清退率100%。

应急管理　建立健全应急信息报送工作机制。2014年，中共鱼峰区委办公室以鱼办发〔2014〕17号引发《鱼峰区党委系统重大紧急信息上报制度》，加强和规范党委系统重大紧急信息的报送工作。11月21日，向自治区党委办公厅和市委办及时报送关于柳州市屏山大道一公交车燃烧造成18人受伤的信息。自治区有关领导及时作出批示，对伤员救治和处置应对事项做出了安排，使事件得到及时有效处理，避免了严重的社会影响。

完善应急队伍管理体制机制。明确由区应急管理办公室履行值守应急、信息汇总、综合协调和应急管理委员会日常工作。各街道办事处明确一名主要负责同志分管应急管理工作。建立应急信息员制度。各街道、社区（村）设立应急管理联络员网络并及时更新联络员信息。该网络覆盖辖区7个办事处及57个社区（村）。增强应对突发事件的能力。2014年12月18日，鱼峰区联合市国土资源局、市应急办在鱼峰公园举行地质灾害应急演练，通过组织开展预案演练，进一步加强群测群防工作。

网格化社会管理　以理顺办理机制、提高办结实效为重点，加大对重点督办事项的督查，提高办理实效，发挥了网格化、信息化社会管理的体制机制优势。加强硬件建设，开通“社管通”网格化手持终端，实现基层社会问题直报。2014年年共受理上报事项10498件，办结10410件，办结率达到99.16%。

2014年8月19日上午，暴雨致西江路内涝，鱼峰区有关部门当即启动应急预案及时应对　（吕培贤　摄）

清理评比达标表彰项目 2014年8月18日，中共鱼峰区委办公室印发《鱼峰区整治文山会海和检查评比泛滥专项工作方案》，由区委办公室牵头实施专项清理工作。经严格审查和充分征求意见，依据有关法律、法规和规章以及自治区党委和政府有关文件要求，保留鱼峰区“五一巾帼标兵”“五一巾帼标兵岗”“纪念三八国际劳动妇女节表彰”“优秀计生协会集体和会员评比表彰”“对信访积案化解工作突出者进行表彰”等以承办部门名义开展的评比达标表彰。除“美好社区”外，其他以区委、区政府名义开展的评比达标表彰活动一律暂停。

清理党内规范性文件 2014年，根据市委办公室《关于印发〈柳州市开展市、县区党内规范性文件清理工作的实施方案〉的通知》要求，中共鱼峰区委办公室以鱼办发〔2014〕15号印发《中共鱼峰区委办公室关于开展党内规范性文件清理工作的实施方案》，要求清理鱼峰区成立以来至2012年6月30日以前，以区委、区委办形式发布的党内规范性文件。其中涉及人事调整、内部机构设置、请示、报告、会议纪要、领导讲话等事务的文件，用以部署经济社会发展等具体工作的文件以及以明确宣布废止的文件不纳入清理范围。以区纪委、区委各部门名义下发的党内规范性文件，归口由各个部门自行清理。

11月11日，经区委常委会讨论，通过《中共鱼峰区委员会关于废止和宣布失效一批党内规范性文件的决定》（鱼发〔2014〕17号），对89件同党章、党的理论路线方针政策及上级党内规范性文件相抵触，同宪法和法律不一致，或者明显不适应现实需要，已被新的规定涵盖或者替代的党内规范性文件，予以废止；对34件调整对象已消失，或者适用期已过的党内规范性文件，宣布失效。其余46件党内规范性文件继续有效，其中11件需作修改。

【组织】 2014年，中共鱼峰区委下辖基层党组织673个，其中党委41个，党总支部32个，党支部600个。全区共有党员11077名。管理科级干部245人（不含鱼峰区法院和鱼峰区检察院）。设机关直属、教育系统、行政执法系统、两新组织、街道等11个党工委。其中机关直属工委有委员10人，管理基层党组织56个，党员734人；教育系统工委有委员7人，管理基层党组织46个，党员842人；“两新”工委有委员7人，管理基层党组织148个，党员1746人；执法局工委有委员6人，管理基层党组织5个，党员72人；天马街道工委有委员5人，管理基层党组织35个，党员1324人；驾鹤街道工委有委员6人，管理基层党组织60个，党员927人；荣军街道工委有委员7人，管理基层党组织77个，党员1592人；箭盘山街道工委有委员7人，管理基层党组织98个，党员1174人；五里亭街道工委有委员7人，管理基层党组织67个，党员1418人；白莲街道工委有委员4人，管理基层党组织36个，党员463人；麒麟街道工委有委员4人，管理基层党组织45个，党员785人。

2014年，区委组织部主要工作职责为：研究制定并组织实施鱼峰区组织工作、干部工作的政策、规划和方案，指导和检查区内党组织特别是基层党组织建设，承办区委和自治区、市委组织部交办的其他事项。2014年有工作人员16人。其中中共党员15人。本科及以上学历14人，大专学历2人。办公地址：柳州市鱼

7月24日，鱼峰区召开2014年村“两委”换届选举工作业务培训会

（张美红 摄）

峰区机关办公大楼6楼(静兰路10号)。

2014年,组织召开了鱼峰区党的群众路线教育实践活动动员大会、区委常委班子党的群众路线教育实践活动专题民主生活会、党的群众路线教育实践活动总结大会和坚持党要管党从严治党工作会议等多项重大会议。完成了社区(村)“两委”换届选举和软弱涣散党组织整顿工作。鱼峰区企业离休干部党支部获“全国离退休干部先进集体”光荣称号。《鱼峰歌圩·党建红苹果》被市委组织部列为基层党建培训课程典型案例。

干部选拔　2014年,鱼峰区委组织部围绕培养选拔好干部,通过深化任用制度改革,优化选拔机制,考准考实干部、配强配齐班子。其中,机关及各街道交流干部49名,提拔干部26名(含两院,其中聘任2名),试用期满转正干部2名,办理提前退休干部7名。

培训工作内容还建立紧缺人才“预警平台”,在区委人才领导小组各成员单位、各党工委和辖区规模以上企业建立人才工作站,配套建立人才工作联络员、人才工作定期分析汇报等制度。

干部培训　2014年4月—5月,区委组织部和区委统战部联合举办了2期清华—鱼峰区企业经营管理能力提升总裁研修班,培训非公有制经济企业家及区经济部门人员共计120人。同时举办3期科级“好干部”专题研修班,培训科级领导干部230多人,邀请清华大学、自治区党校等十余位知名社科专家学者,围绕党的十八大及三中、四中全会精神和习总书记系列重要讲话精神进行深入解读。在市委党校开设“综合素质提升”“执行力提高”“人文素养提升”等3期专题培训班,培训科级以下干部240多人。在党的教育实践活动中,建立“讲—述—考”理论学习倒逼机制,讲好“社区党课”、作好“述学报告”、比好“竞赛考试”。建立“一对象三干部(管理服务对象、一线干部、后备干部、组工干部)上讲台”制度,推动党员干部掌握民情、提质强能。开辟党员干部充分展示自我、上级领导和基层群众了解识别干部的新渠道。

干部监督　2014年,鱼峰区委组织部着眼于加强干部作风建设,严格管理干部。强化干部选拔任用监督措施,推进干部选拔任用工作全程纪实,配合做好干部选拔任用的“一报告两评议”工作。完善“抓早抓小抓预防”的措施,健全党员干部和组织部门之间的“反向约谈”“双向约谈”等制度;通过日常谈心谈话,以灵活多样的方式,及时发现和纠正苗头性倾向性问题。加强重点工作督查督办和信访工作,在征地拆迁、综治维稳等重点一线考察干部的担当意识和作为,与街道、社区一道做好离退休老干部的信访接待和经常性教育管理工作。

干部考核　2014年初,鱼峰区委组织部结合年度考核开展届中考察工作,对全区58个科级班子及近200名科级干部开展测评和谈话,深入了解班子运行情况和干部作用发挥情况,加强对科级班子和干部的分析研判,为干部选拔任用工作打下坚实基础。

干部人事制度改革　2014年,鱼峰区委组织部结合新修订的《党政领导干部选拔任用工作条例》的学习贯彻,对现行干部工作流程进行调整和优化。重视动议环节,在实践中摸索出适合鱼峰区的程序,并加以规范。在民主推荐中注重会议推荐与谈话推荐相结合,根据城区部门人员较少的情况,将部门班子成员作为谈话推荐范围,并将推荐结果与干部平时德才和实绩情况进行对照分析,防止唯票取人。继续推行干部德的考察反向测评法考察干部,掌握干部思想动态及行为习惯,时刻提醒干部。进一步畅通干部表达意愿心声渠道,采取“一封慰问信”“一张征求意见表”的“两个一”的方式,向全区科级干部广泛征求组织工作意见及个人任职意愿,探索人尽其才、人岗相适的干部选拔任用机制。建立年轻干部“轮岗换位”制度,推动年轻干部多岗位锻炼,并在干部的交流任职中动态考察、识别干部。

街道社区党建　2014年,鱼峰区不断强化基层党组织服务能力建设,完善社区服务用房条件,提高社区待遇,街道社区党的建设得到进一步巩固。安排资金65万元,对所有社区干部开展封闭式培训。安排财政资金1000多万元改善街道、社区服务用房建设。2014年,鱼峰区80%以上的社区服务用房面积达到120平方米以上。在提高基层党务工作人员待遇上,在柳州市率先为社区(村)级党组织二级支部兼职书记发放生活补贴。按照“一个社区安排一名党建组织员”的标准,为社区配备党建组织员54名。为保障基层党建工作活动经费，加大资源向基层投入和倾斜力度，配套推进社区工作“费随事转”改革，制定社区惠民项目资金使用管理细则，落实2014年度基层组织民生服务保障经费270万元。

探索党建活动新形式。“爱心储蓄银行”“党员志愿服务队”“雷锋超市”等党建品牌为党员活动搭建了新平台。“居民说事”“社区书记值班岗”让群众办事“有地方”，让干部主动作为“找事干”。“手机一键通”“候鸟驿站”为空巢老人、留守儿童等重点人群提供特定服务。探索党员“星级”管理，激发党员创先争优。组织开展“机关党员进社区”等活动，党员干部作风建设得到进一步加强。加大对困难党员、老党员的关心关怀，着力解决他们生活中的困难。

强化区域化党建“两个建设”——网格化和信息化。按照“把党组织建在网格上”的思路，依托网格化社会管理创新平台，初步构建起“区党委—街道工委—社区党组织—网格党组织”四级体系，实现每个网格都有党组织、每名党员都在网格中，实现了政府服务与居民诉求的有效对接。投入资金30多万元开发了党建管理系统，采集录入辖区所有基层党组织、党员和社会组织基本信息，构建起基层党建工作“大数据库”，实现了基层党建工作的精准化服务、精细化管理、及时化考核目标。开通了“鱼峰区党员服务手机短信系统”，实现城区党委对每位党员的点对点服务。

规范化建设党代表工作室。积极督促指导7个街道党代表工作室建设工作，做到了“七个一”，即一块标牌（“党代表工作室”牌匾）、一个标识（“知党情、听民意、促和谐”的统一标识）、一个阵地、一套工作制度、一名党务工作人员、一条专线电话以及一本工作记录簿，截至12月底，7个市级党代表工作室全部设置完成，并积极探索构建党代表工作室网格信息平台建设。为市、区两级党代表深入基层创造了良好办公环境。

深入推进党员远程教育。结合鱼峰区社区多，村少且是“城中村”的实际情况，采用“高清互动电视”模式，试点推进党员干部现代远程教育“进组入户”工程。多方整合教学资源，创新远程教育学用工作的站点入户服务机制，满足党员干部群众的学习需求。完成对三个建制村的线路铺设和设备更换工作。同时，采集和筛选素材，撰写方案及脚本，摄制党员远教《八桂清风》电视系列片《执法有情》《袁茵热线》2部，其中，《袁茵热线》获得了自治区《八桂清风》党员教育电视系列片一等奖、首届万峰林国际微电影盛典纪实类二等奖，鱼峰区委组织部也因此获得自治区摄制工作优秀组织奖。

党员教育 2014年，在市委党校开展10期社区（村）全员干部培训，采取星级管理等激励措施，打造一支党性强、能力强、服务意识强的基层党组织带头人队伍。有效利用各种服务载体，提升各领域党建工作水平。举办入党积极分子培训班，为党员队伍培养后备生力军。深入推进党员远程教育。采用“高清互动电视”模式，试点推进党员干部现代远程教育“进组入户”工程，多方整合开发教学资源，探索建立加强入户站点管理，开展学用工作的有效机制，努力满足党员干部群众的学习需求。（熊佳佳）

农村党建与扶贫 2014年，鱼峰区下辖鸡喇、驾鹤和水南三个行政村，共25个村民小组，3个村党支部，有党员108人（含3名预备党员）。年内，发展农村年轻党员3名，举办纠纷调解与

2014年11月14日，区长何世恰带队赴结对帮扶的融水苗族自治县贫困村调研，并为贫困村送去扶持资金（区基层办　提供）

维稳、村集体财务制度等工作培训班9期。

2014年,鱼峰区与融水苗族自治县和平、党鸠等五个贫困村开展结对扶贫。年内,选派第一书记5名,区领导率队12批次,后盾单位领导率队8批次,近200人次到融水苗族自治县杆洞、同练乡5个贫困村(党鸠村、中讲村、和平村、朋平村、英洞村),开展扶贫资助、上门慰问、走访调研、协调发展等系列活动。捐赠电脑、电视机、文体器材、环卫用品、衣物、棉被、音响等价值约120多万元;落实专门帮扶资金50万余元,养殖香猪、土鸡、土鸭,种植高山蔬菜、蓝莓等;促成同练瑶仁股份制合作社成立,负责农副产品经销;邀请融水同练乡、杆洞乡学校25名贫困优秀学生到东环路小学开展"五同"(即同吃、同住、同学习、同成长、同进步)活动,参观工博园、园博园;晚上船游美丽柳江;组织驾鹤路小学晏晓梅,白云小学周兰,第十三中学吴涛等10名教师开展教育帮扶交流,并通过现场教学,将城市教学理念、教学方法带到贫困山区;第一书记协调资金200多万元新建钢混小桥一座,道路硬化20多公里,维修村办公场所、校舍,新建幼儿园一所。　(张美红)

8月23日,鱼峰区举办2014年"两新"组织入党积极分子培训班

(孙　思　摄)

"两新"组织党的建设　2014年,鱼峰区"两新"组织党工委主要工作职责为:抓好辖区"两新"组织党的思想建设、组织建设、作风建设、制度建设和党群共建等工作;做好"两新"组织党组织纪检工作;督促检查"两新"组织党建工作落实情况和审批党组织的组建、撤销、联合及换届选举等有关事宜。2014年有工作人员5人。全区共有"两新"组织党组织108家(其中非公经济组织100家、社会组织8家),新组建党组织5家,创建市级社会组织党建示范点1家、城区级非公经济组织党建示范点3家。在参加柳州市"强优和谐"星级企业党组织考评中,获得"五星级党组织"3家、"四星级党组织"5家、"三星级党组织"21家。加强"两新"组织党组织作风建设,组织"两新"组织开展党的群众路线教育实践活动。大力践行和弘扬社会主义核心价值观,开展"百姓宣讲团'弘扬我们的价值观'走进'两新'组织"宣讲活动。不断加大"两新"组织党务干部和党员队伍的管理和教育,举办"两新"组织党务干部培训班3期,入党积极分子培训班1期,召开全区"两新"组织党建工作推进会和经验交流会6次,发展新党员60名,培养入党积极分子150多名。

(李伟宁)

【宣传思想　精神文明】　2014年,鱼峰区委宣传部围绕区委、区政府中心工作,开展党的群众路线教育实践活动;培育和践行社会主义核心价值观等重大活动;不断创新有鱼峰特色的学雷锋志愿服务品牌;继续创建鱼峰区"美好社区";评选"感动鱼峰2014年度人物";开展道德讲堂、"我们的节日""讲文明树新风"等主题活动,营造浓厚宣传氛围。宣传部(含文明办)有工作人员12名,宣传设备有宣传车一部,松下摄影机两台,佳能照相机1台,尼康照相机1台。

理论武装　坚持区委中心组学习制度化、规范化。完成2014年6个专题理论学习任务,中心组全年开展集中学习5次,学习研讨时间12天以上,出勤率98%以上。为中心组成员订阅学习资料6套近1000本,确保学习活动的正常开展。组织中心组成员于4月15日到露塘柳州监狱开展警示教育活动。在具体学习过程

12 月 18 日，区委中心组成员在常委会议室理论学习

（区委宣传部　提供）

中，坚持和完善区委中心组领导带学、培训强学、辅导助学、共建促学、挂点践学、结对互学、制度保学、检查督学的“八个学”学习方式，确保了有考勤登记、有中心发言、有交流体会、有学习记录、有心得体会、有学习档案的“六个有”。在深入学习贯彻落实习近平总书记系列重要讲话精神和党的十八大，十八届三中、四中全会精神，坚持用党的理论创新成果武装头脑，指导实践，推动工作。坚持领导干部上党课，处级领导干部上党课 81 人次，科级干部上党课 1017 人次，参加学习的党员干部 3000 多人次；组织领导干部到柳州工业博物馆、柳州监狱等教育基地现场学习，设立领导干部“联系基层日”，领导班子成员经常深入基层调研、指导工作和学习。订阅党报党刊 2495 份，分发至机关各部门和街道、社区党组织，其中《人民日报》144 份，《求是》111 份，《广西日报》392 份，《当代广西》253 份，《光明日报》15 份，《经济日报》30 份，《新华每日电讯》142 份，《柳州日报》1408 份。坚持全区理论学习常规化。每月组织全区理论学习，按照年度学习部署和学习需要，每月将当月学习内容发至全区党组织，各级党组织组织广大党员开展学习，将各级党组织理论学习情况纳入绩效考评内容，区委宣传部组织开展学习检查，保证学习任务落实。坚持基层学习教育普及化。以百姓宣讲“百千万”工程为载体，精心组织百姓宣讲活动，建立和扩大鱼峰区百姓宣讲团和 7 个街道宣讲分团，建立健全宣讲制度，深入机关、企业、社区、农村、学校宣讲，重点宣讲“培育和践行社会主义核心价值观”“依法治国”“实业兴市，开放强柳”“践行党的群众路线”等主题，2014 年全区开展百姓宣讲 70 多场，听众达 5000 多人次。

对外宣传　2014 年，在《广西日报》《柳州日报》等各级各类媒体共发表新闻报道 600 多条，其中《广西日报》在 6 月 27 日头版头条报道鱼峰区文化发展的喜人成果；《柳州日报》在 1 月 7 日和 4 月 15 日分别于头版头条报道了鱼峰区经济发展的成绩和亮点，在 4 月 7 日、4 月 18 日和 5 月 30 日头版刊发鱼峰区的新闻报道。开通鱼峰区政府网站，区委宣传部联合区网格中心组织开展了两次全区各部门信息员的培训，并安排专人负责每天审核报送的信息，确保政府网站的更新及时、准确。截至 2014 年 12 月底，共有 23 个部门在鱼峰区政府网站的“部门动态”“政策法规”“鱼

2014 年 6 月 10 日，鱼峰区百姓宣讲团开展“爱国、敬业、诚信、友善”主题宣讲比赛

（区委宣传部　提供）

峰周报”等栏目刊稿217条，其中区委办和区投资促进局居全区各部门发稿量前两位。充分发挥区网格管理系统“区内新闻”的宣传优势，及时采编，精心报道，全年发布“区内新闻”1000多条。

社会宣传　2014年，鱼峰区围绕市委、市政府和区委、区政府中心工作，抓好党的群众路线教育实践活动、培育和践行社会主义核心价值观等重大活动的宣传报道，为“五美五好”（“山水美、环境美、形象美、气质美、和谐美”和“人人都有好发展、家家都有好保障、个个都有好身体、天天都有好心情、户户都有好生活”）魅力鱼峰建设营造良好的舆论环境。采用电视、网络、报刊、宣传栏（橱窗）、宣传横幅、LED显示屏等立体化的宣传方式，全面宣传鱼峰区各项事业的新进展、新突破，积极利用开通的“鱼峰之窗”博客、微博开设的相关专栏进行宣传。

业务培训　2014年，举办新闻通讯员及社区（村）新闻代言人暨文化专员培训班，全区各街道、社区（村）、各部门共120名新闻通讯员参加。培训会邀请了柳州市广播电视台副台长董世良、柳州市广播电视台新闻频道总监卢山、柳州市广播电视台《新闻夜视》责任编辑吴铁中、柳州市广播电视网站长唐路文、资深摄影师蒙超、《南国今报》新媒体中心主任刘凯和柳州市文化市场综合执法支队副支队长郭民授课。

舆情报送　2014年，上报舆情信息10篇，编发鱼峰区网络舆情简报67期，区领导批示督办达17次。（袁　茵）

创建文明城市行动　2014年，鱼峰区召开高规格的创城工作会议，统一思想，凝聚共识；对新版测评体系进行细致的责任分解，各工作组分块管理，密切配合，严格奖惩，形成“一盘棋”的工作合力。年内制作宣传创建全国文明城市、社会主义核心价值观的灯杆广告74块，高杆广告220平方米，标语横幅1500多条；发放创城宣传折页15万份，宣传海报7万份，创城模拟调查问卷12万份，创城宣传环保袋1.2万个；开展创城宣传文艺演出40余场次；利用手机短信、飞信、微信等平台开展创城知识宣传和情况通报，共发900多条；在各街道、社区、学校和企事业单位都设置了2个以上的宣传橱窗，共350多个，围绕宣传创城、精神文明建设、社会主义核心价值观等内容定期更新；利用街道、社区、辖区单位的电子屏开展文明城市、社会主义核心价值观、“讲文明树新风”宣传；向市场业主发放创城宣传资料2万多份。从集中整治上，围绕新版测评体系，以打好公共环境、公共秩序整治攻坚战为重点，对辖区各种不文明现象进行拉网式整治，出动各类执法人员15000余人次，清理违章小广告4万多条，清运垃圾数千吨，城区环境面貌焕然一新，获得柳州市创城办的高度评价。10月下旬，自治区对柳州市进行创城测评，鱼峰区得分在四城区中排名第一。新增自治区级文明单位2个、军（警）民共建先进单位2个。

社会主义核心价值观培育　2014年，在培育和践行社会主义核心价值观活动中，鱼峰区3月印发《中共鱼峰区委员会关于培育和践行社会主义核心价值观的实施意见》（鱼发〔2014〕12号），发放辅导材料近140套，印发挂图3000余份。4月，区委宣传部和区委文明办印发《2014年组织推动培育和践行社会主义核心价值观工作指导方案》。9月，在柳州市践行社会主义核心价值观暨“文明柳州·美德同行”合唱比赛中，鱼峰区“小歌仙”童声合唱团荣获“小合唱”一等奖，柳州市工人医

2014年11月7日，鱼峰区在区机关六楼会议室召开争创全国文明城市工作推进会（王　惟　摄）

院代表队荣获“大合唱”三等奖，鱼峰区委文明办荣获组织奖。

学雷锋志愿服务 2014年，学雷锋志愿者队伍150余支，3.3万余人。全年开展学雷锋志愿服务活动510余场次，服务群众4万余人次。在宝莲社区召开“雷锋超市”观摩学习会，在10个社区新建雷锋超市，2014年“雷锋超市”数量由原先的10个增加到20个。定制发放志愿者小红帽6000顶、文明交通志愿者装备600套(含马甲、旗子等)。9月始，坚持每周一组织志愿者在辖区7个主要交通路口开展文明交通劝导1小时，协助交警维护交通秩序，推动形成“关爱生命、文明出行”的和谐交通氛围。

“美好社区”创建 2014年，印发《中共鱼峰区委员会　鱼峰区人民政府　关于命名鱼峰区2013年度“美好社区”的决定》(鱼发〔2014〕1号)，命名23个“美好社区”。其中狮山社区、大龙潭社区、晶远社区、天山明珠苑社区、桃源社区、乘龙社区、荣盛社区、华林社区、丽都社区、龙泉山社区、阳光社区、莲花社区、南山社区、凤起社区和元江社区等15个社区命名为鱼峰区四星级“美好社区”，红锋社区、水南灯台社区、蟠龙社区、长虹世纪社区、云屏社区、宝莲社区、民泰社区和双龙社区等8个社区命名为鱼峰区三星级“美好社区”。6月，鱼峰区委文明委印发了《鱼峰区2014年“美好社区”评选表彰办法》，办法对“美好社区”创建进行了任务分解，明确了奖惩措施、评选标准、考核方式和加分规则。将创建情况与各街道、各部门的绩效考评成绩挂钩，并在鱼峰区重大决策执行监察平台立项，“美好社区”评选进一步规范。各街道、社区认真对照创建标准，深入开展“美好社区”创建活动。12月，“美好社区”全面测评。

主题活动 2014年，开展“感动鱼峰2014年度人物”评选、道德讲堂、“我们的节日”、“讲文明树新风”等主题活动130余次，加强公民思想道德建设。以“我的中国梦”为核心，在未成年人中广泛开展各项主题活动。评选表彰第四届鱼峰区“美德好少年”40人(含提名奖)。10月，在柳州市第二十四中学举办了为期一周的心理咨询专业技能培训班，邀请柳州市心理协会专家、学者授课，对辖区街道和社区60余名心理辅导员进行心理学基础知识和心理咨询技能操作相关知识培训。

(王　惟)

【政法】 2014年，区委政法委统筹政法工作、抓好政法队伍建设、督促政法各部门依法履职、为公正司法创造良好的环境，内设机构有综治办、维稳办、610办，工作人员9人，本科以上学历6人，大专学历3人，办公地址：柳州市鱼峰区静兰路10号鱼峰区政府办公大楼7楼。2014年，鱼峰区社会治安形势总体平稳，没有发生重大治安事故、暴力恐怖事件、重大群体性事件，被自治区评为先进平安县区。

维护社会稳定工作 2014年，鱼峰区内没有发生危害国家安全和社会稳定的重大政治事件。没有发生暴力恐怖事件，没有发生大规模群体性事件和重大个人极端事件，社会大局持续稳定。社会稳定动态7项排名大幅跃升至自治区111个县(区)中排名第30位。进京非访得到有效控制，全年非正常上访人次在2013年基础上下降60%以上，成功处置“11·21”公交车爆炸案。调整充实区反恐怖工作领导小组，制定《柳州市鱼峰区处置大规模恐怖袭击事件工作预案》，组建60人的反恐处突大队，开展反恐宣传教育，组织紧急出动等实战演练。全区44所中小学、幼儿

2014年10月17日，鱼峰区在柳州市第二十四中学举办心理咨询专业技能培训班。图为学员进行沙盘操作　(王　惟　摄)

2014 年 2 月 19 日，鱼峰政法综治工作会议在区机关一楼会议厅召开

（邱　娓　摄）

园与公安“天网”对接管理，安装视频监控探头正在施工中，已完成 41 所。在全国“两会”、自治区“两会一节”和四十五届世体赛、十八届四中全会、北京 APEC 峰会等重要敏感时段加强维稳安保工作。2014 年，鱼峰公安机关共立刑事案件 4100 起；破刑事案件 1333 起，其中立命案 6 起，破命案 6 起，破案率达 100%。区检察院共受理公安机关提请批准逮捕案件共计 683 件 915 人。区法院受理各类案件 5641 件，审执结各类案件 4744 件，审限内结案率为 100%，结案标的额 5.88 亿元。发挥“五位一体”一站式平台作用，调处交通事故 984 起。排查调解各类民间矛盾纠纷 858 起，成功率达 99.8%。公众安全感满意在全自治区 111 个县区中排名第 54 位，比 2013 年上升 8 位。

治安防控体系建设　2014 年，投入 36 万余元用于综治 E 通建设，目前辖区所有街道、社区、派出所及重点综治成员单位均已开通使用系统。投入 30 余万元用于防控技防改造，完成全区 44 所中小学、幼儿园视频监控系统与“天网”并网改造，同时建立“110”联网报警装置，提升对突发事件的预防、处置能力，提高技防水平。

此外，还抓好校园周边治安整治，定期联合公安、行政执法、卫生、食药、工商等部门对辖区校园周边治安进行整治，重点检查黑网吧、食品安全、侵害学生权益等群众关注度高的问题。对治安问题较突出，群众反映强烈的地段增配治安巡逻点，有效维护周边校园安全；积极发挥群众义务巡逻作用，建立“红袖标”义务巡逻队，与专职巡防队伍有机结合，减少防范盲区。在兴怡园等案件偷盗高发居民小区，联合派出所、物业对居民开展安全防范宣传，组织物业加强防范，使发案率有所下降。

禁毒工作　2014 年，鱼峰区出动警力 1500 余人次，警车 300 余辆次，清查场所 392 家次，排查 3000 余人。加强戒毒所强制戒毒及社区戒毒（康复）力度，积极开展“六进”禁毒宣传活动，继续推进禁毒宣传教育进社区、进学校、进单位、进场所、进家庭、进农村行动。全年共开展“六进”活动 26 次，分发禁毒宣传资料 2.6 万份，达到良好宣传效果。

反邪教工作　继续加强对“法轮功”“全能神”等邪教人员

2014 年 4 月 4 日，鱼峰区在区信访局二楼会议室召开校园周边整治工作部署会

（黄　艳　摄）

的摸排，对“法轮功”“全能神”等邪教组织在册人员进行梳理，摸清动向，把他们控制在视线当中。教育转化上对思想反弹的“法轮功”痴迷人员进行办班，加强巩固教育。针对“法轮功”重点对象实行“五包”责任制，做到无反复、无失控、无推诿。惩治上坚决查处违法传教行为。在3个街道建立反邪教宣传基地，通过发放宣传资料，建立长期固定的反邪教警示教育科普宣传橱窗、宣传墙，每季度定期更换一次反邪教及科普知识内容，使反邪教宣传常态化。同时，开设反邪教专栏，实现点对面宣教。在互联网“鱼峰区工会网站”上开设防范邪教工作专栏，设置工作动态、反邪百科、科学百科、政策法规、工作交流、他山之石等六个栏目，实现网上实时文字、图片直播，可辐射辖区所有行业及1500多个工会组织，涉及工会会员10万多人；同时网站与“中国反邪教网”、凯风网等专业反邪网站进行链接，起到良好的宣传教育效果。

出租屋和外来人员管理 全年派出便民服务小组400次，采集信息5000余条，办理居住证1.8万余人，服务群众3万余人次，登记暂住人口19758人，注销15530人，获取人口信息2万条，抓获网逃4名，印发宣传资料2万份。创新特殊人口管理体系，服务多元化实现新突破。在辖区用工量大、农民工聚集的大型建筑工地设立流动警务室，将服务平台前移到一线，由社区民警、社区干部共同做好安防工作。以公安人口信息为基础，融合计生、民政、教育等部门相关信息资源，加强流动人口服务管理信息化建设，实现对辖区流动人口底数清、情况明、管得住、服务好。在燎原新村、市八中警务室设立“出租屋”超市，为进城务工人员免费提供出租房信息，既方便务工人员，又时时掌握进城务工人员信息。完善“以证管人，以房管人，以业管人”，突出对流动人口人性化、亲情化服务，市民化待遇。

社会治安综合治理 2014年，在大型建筑工地、市场建立10个警务综合工作站。实行法官驻社区指导员制度，在61个社区、3个村派驻法官，全面实现司法调解、人民调解、行政调解对接。投入26万元，整合法院、检察院、司法局、交警大队、保险等部门的资源和力量，建立道路事故纠纷调处中心，构建调解联动、检察监督、保险衔接和卫生、物价等部门协作配合的道路交通事故纠纷调处“五位一体”一站式服务平台。在龙泉山、大龙潭医院设立警务室，调解医患纠纷，为医院及患者提供良好的医疗环境。为7个司法所配备调解工作专用车，成立“司法110”。“有困难找警察，有矛盾找司法”成了辖区居民的口头禅。 （钟春萍）

【统一战线】 2014年，鱼峰区委统战部开展经济统战、宗教管理、社会服务、党外干部工作及社区统战等，获得自治区首批“五好”工商联荣誉称号，统战理论研究和信息报送工作成效明显，被评为“2014年柳州市统战信息先进工作单位”。

经济统战 2014年4月18日，鱼峰区组织召开鱼峰区非公有制经济发展大会，请区相关经济部门对非公经济发展政策进行解读，并出台扶持工业、商贸、小微企业和入园企业发展的相关政策文件。牵头在清华大学组织举办两期清华—鱼峰区企业经营管理能力提升总裁研修班，辖区非公企业家及区经济部门干部共计120人参加培训。鱼峰区与浙江清华长三角研究院就进一步加强区域发展、人才培养与咨询服务

2014年8月27日，鱼峰区统战部率辖区非公经济人士一行赴融水苗族自治县英洞村捐资助学 （蒙 佳 摄）

合作签订合作备忘。组织各相关部门到蓝海科技、柳州莱博物馆、双英汽配、桂饼文化博物馆等非公企业进行现场调研,鼓励企业参与非公有制企业文化示范点创建活动,成功创建鱼峰区首批10家具有鱼峰特色的非公有制企业文化建设示范单位。

宗教管理　成功化解灵泉寺比丘尼长期越级上访问题,切实加强灵泉寺人、财、物管理,做好信教群众的宣传教育和思想稳定工作,确保灵泉寺各项宗教活动正常开展。赴南宁市和湖南省永州市对拟任灵泉寺住持人选进行考察,于7月份任命释诚敏为该寺新住持。同时会同相关部门完成新庙搬迁和旧庙拆除工作,千年古寺内外焕然一新。对华林外国语实验幼儿园违法使用涉宗教内容教材情况进行查实,会同政法、教育部门做好该园的整顿工作。组织对开元寺等宗教场所开展矛盾排查,切实做好重大节假日期间的维稳工作,实现宗教领域"零上访"。

社会服务　带领区工商联企业家和融水苗族自治县同练乡大平村干部到容县开展"走进群众、改进服务、解决难题"主题实践活动,与广西健宝石斛有限责任公司就都峤山铁皮石斛种植项目进行实地调研和洽谈,并组织协调大平村与该公司签订合作协议,以产业合作方式进行扶贫。下半年,区委统战部、区工商联组织企业向英洞村、党鸠村捐助75600元,用于村灯光球场及禾花鲤鱼池的建设,积极开展企业与贫困学子结对帮扶及过年过节对贫困村民的慰问工作。同时,带领英洞村第一支书邓兵林走访区地质队二七〇队领导,积极探索产业扶贫工作。联合区人社、司法、商务、发改、财政、卫计、工会、团委、妇联等部门集中开展农民工就业技能培训行动、农民工返乡创业服务行动、农民工法律服务行动、助推民营中小企业发展行动、关爱农村留守老人儿童服务行动、农民工招聘行动等六个方面的"同心·关爱农民工"活动,推动关爱农民工志愿者服务持续发展。

2014年11月24日,区委统战部举办党外干部培训班　(蒙　佳　摄)

党外干部工作　在柳州市社会主义学院举办一期鱼峰区科级党外干部培训班,有30名党外干部参加培训;贯彻《鱼峰区委常委重点联系党外干部工作实施办法》,广泛开展与党外干部谈心活动,增进与党外干部的沟通和联系,使统战部成为鱼峰区党外人士之家;派送一名科级党外干部刘莉到鹿寨县挂任政府办副主任,选派韦秋玉等3名科级党外干部到征地拆迁等急难险重岗位挂职,加强对党外科级干部的培养锻炼。

社区统战　将社区统战工作纳入街道社区绩效考评范围,加强社区统战工作示范点建设,打造基层统战工作"一街一品",年内新增10个社区统战工作示范点,下拨专项工作经费共3.6万元。利用网络平台定期开展理论教育、文体活动、依法维权、参观学习、志愿服务、专题讨论等活动,拓宽不同单位、不同层次的统战人士之间的联系和沟通,实现了统战工作向基层进一步延伸。

(蒙　佳)

【纪律检查　行政监察】　2014年,鱼峰区纪委、监察局注重纪检监察队伍建设、坚决惩治腐败、履行监督职责、创建重大决策监察平台、严格执行中央"八项规定"精神;机关作风建设、党风廉政建设和执行力建设取得新成效。2014年,区纪委、监察局实有8人。中共党员7人。设有纪委书记1名,副书记监察局局长1名,副书记1名,副局长2名。设置的内设机构有办公室、案件检查室、信访室、党风廉政室、行政效能综合室。办公地址：柳州市鱼峰区机关办公大楼6楼(静兰路10号)。

2014年2月19日，鱼峰区在区机关办公楼一楼会议厅召开中国共产党鱼峰区第九届纪律检查委员会第四次全体(扩大)会议。应到纪委委员19人，实到会17人。列席275人。会上，区委书记董凌作重要讲话。区纪委委员、各纪工委书记分组讨论区委书记董凌的讲话，讨论、审议并通过由区委常委、纪委书记郭继龙代表中国共产党柳州市鱼峰区第九届纪律检查委员会常务委员会作的题为《惩防并举，强化监督，扎实推进党风廉政建设和反腐败斗争》的工作报告和《中国共产党柳州市鱼峰区第九届纪律检查委员会第四次全体会议决议》。2014年11月12日，鱼峰区落实党风廉政建设“两个责任”暨惩防体系建设任务分解大会在鱼峰区机关大楼一楼会议厅召开，对区委2013—2017年贯彻落实建立健全惩治和预防腐败体系工作规划的有关工作进行任务分解。

2014年10月28日，区纪委举办科级党政正职领导干部述责评议大会。图为述责对象向大会述责　（秦东海　摄）

党风廉政　召开2014年度鱼峰区领导干部集体廉政谈话会，区委书记董凌对全区300多名党员领导干部作了集体廉政谈话。全区科级以上领导干部书面提交2014年度述职述廉报告共计320份。聚焦中心任务，积极落实“三转”要求，认真梳理和大幅度压缩了区纪委监察局牵头和参与的议事协调机构，退出区纪委、监察局班子及成员不应牵头的工作和不适合参与的议事协调机构共59个，继续参与鱼峰区委党的建设领导小组、鱼峰区精神文明建设委员会等17个议事协调机构。规范各纪工委书记的分工和兼职工作。发挥鱼峰区反腐败大案要案协调小组作用，完善线索移交、协作办案工作机制，进一步形成惩治腐败的合力。实行区纪委常委办案包干制。以开展党的群众路线教育实践活动为契机，深入查找整改委局班子及个人“四风”方面存在的突出问题。严格执行党风廉政建设责任制，进一步落实反腐败领导体制和工作机制。实行党风廉政建设绩效考评制度，将党风廉政建设责任制向社区延伸，2014年全区科级及以上的领导干部书面汇报了个人落实党风廉政建设责任制情况。

2014年2月19日，中共鱼峰区第九届纪律检查委员会第四次会议现场　（区纪委　提供）

实行鱼峰区纪委常委办案包干制，区纪委7位常委对全区50多个部门(单位)进行分片包干，定期下到包片单位和区域开展线索搜集和查办案件的指导，强化对各纪工委、纪检组的有效指导。推行“定领导、定人员、定方案、定时间、定责任，一包到底”的办案责任制。2014年，区纪委共接受信访举报件69件。共查办案件7件，全部为新立案，同比上升133.3%。区纪委自办案件7件，结案率100%，给予党纪政纪处分7人。

行政监察　利用重大项目监察平台对工程项目开展排查，深入查找政府投资工程建设项目在决策审批、招标投标、土地出让、规划管理、环境保护、资金使用、工程实施、质量安全等环节中存在的突出问题等。深入实施“大督查”（重点工作、项目督查工作）工作机制，加强对区委区政府重点工作进展情况的督查。深入开展安全生产大检查，重点监督安全事故隐患项目排查整治工作。

加强对各单位各部门贯彻落实“两违”（违法占地违法建设）专项清查工作和“美丽鱼峰·清洁乡村”等重大决策部署情况的督促检查，开展明察暗访14次，发出督查通报14次，发出《监察建议书》6份，对1个单位的责任人进行行政效能问责。

反腐倡廉宣传教育　深入开展“坚定理想信念，坚守组织纪律”党风廉政主题教育活动。开通鱼峰区纪委监察门户网站和政务微博。坚持把反腐倡廉教育内容纳入各级党员干部学习培训内容。通过党政“一把手”上党课、组织参观自治区党风廉政警示教育巡展和柳州监狱警示教育基地、开展村“两委”干部换届前警示教育、每月以编发廉政短信和廉政读本等多种形式认真抓好警示教育工作。大力抓好廉政文化示范点建设，投入经费重点帮助南山社区建设“六个一”廉政文化示范点。2014年，鱼峰区南山社区、狮山社区和盛科印刷有限责任公司被评为柳州市第一批廉政文化建设示范点。（韦威露）

绩效考评　2014年鱼峰区“二次创业”绩效考评领导小组办公室负责组织和指导全区开展“二次创业”绩效考评活动，协调解决重要事项，督促检查活动开展情况，完成自治区、柳州市年度绩效考评工作任务和鱼峰区“二次创业”绩效考评工作，建立健全鱼峰区绩效考评工作制度。2014年区绩效办实有4人。中共党员2人。本科及以上学历4人。办公地址：静兰路10号鱼峰区机关办公楼7楼。2014年，区绩效办组织31个数据采集责任单位对全区58个被考评单位集中进行指标考评，共涉及7个街道办事处83项三级指标、51个机关部门23项三级指标。制定《2014年度鱼峰区“二次创业”绩效考评公众评议工作方案》《2014年度鱼峰区“二次创业”绩效考评领导评价工作方案》，全面、客观、公平、公正地对全区58个被考评单位2014年度绩效进行综合评价。2014年初，鱼峰区区获得2013年度“二次创业”绩效考评优秀单位荣誉称号。（周　敏）

2014年9月30日，2014年鱼峰区绩效考评迎检动员和业务培训会在区机关一楼会议厅召开（周　敏　摄）

【机构编制】　鱼峰区机构编制委员会办公室是鱼峰区机构编制委员会常设办事机构，列入党委机构，既是党委的工作部门，又是区政府的工作部门，负责鱼峰区行政管理体制改革、事业单位管理体制改革和机构编制日常管理工作。2014年核定编制2名，实有3人。中共党员1人，本科及以上学历2人，大专1人。

政府职能转变和机构改革　2014年，鱼峰区政府机构进行了较大调整和职能整合：

一是组建区卫生和计划生育局。将区卫生局的职责、区人口和计划生育局的计划生育管理和服务职责整合，组建区卫生和计划生育局，为区政府工作部门，挂

2014年9月30日，鱼峰区在区机关一楼会议厅召开政府职能转变和机构改革工作会议　　（区编办　提供）

区爱国卫生运动委员会办公室牌子。将区人口和计划生育局的研究拟订人口发展规划及人口政策职责划入区发展和改革局。不再保留区卫生局、区人口和计划生育局。

二是组建区文化体育和新闻出版局。将区文化和体育局、区新闻出版局的职责整合，组建区文化体育和新闻出版局，为区政府工作部门。不再保留区文化和体育局、区新闻出版局牌子。

三是组建区食品药品监督管理局。将区食品安全委员会办公室的职责，区卫生局、区工商行政管理局的食品药品安全监管职责整合，组建区食品药品监督管理局，为区政府工作部门。区食品药品监督管理局加挂区食品安全委员会办公室牌子。

四是监察局与纪律检查委员会机关合署办公，列入区人民政府工作部门序列，不计入区人民政府机构个数。区人民政府办公室挂区民族和宗教事务局牌子，不再保留区宗教事务局、区民族事务局牌子；区发展和改革局挂区物价局牌子；区教育局挂区教育督导办公室牌子；区科学技术局挂区知识产权局牌子；区民政局挂区老龄工作委员会办公室牌子；区司法局挂区调解处理土地山林水利纠纷办公室牌子；区住房和城乡建设局挂区人民防空办公室牌子；将区现代服务业管理局的职责划入区商务局，不再保留区现代服务业管理局牌子。区招商促进局更名为区投资促进局，继续在区商务局挂牌；区卫生和计划生育局挂区爱国卫生运动委员会办公室牌子；区食品药品监督管理局挂区食品安全委员会办公室牌子；区安全生产监督管理局挂区安全生产委员会办公室牌子；区城市管理行政执法局挂区市容管理局牌子。

2014年8月26日，根据《关于确定部分参照公务员法管理事业单位机构规格的通知》（柳编〔2014〕18号）文件精神，确定鱼峰区劳动保障管理服务中心机构规格相当副科级，核定领导职数1正2副，副职不定级别。12月31日，根据《关于同意设立鱼峰区国家安全领导小组办公室的批复》（柳编〔2014〕47号）文件，在鱼峰区委政法委设立鱼峰区国家安全领导小组办公室，办公室主任由政法委副书记兼任，设专职副主任1名（副科长级），所需人员内部调剂。12月31日，根据《关于确定鱼峰区接待办公室机构规格的批复》（柳编〔2014〕79号）文件，确定鱼峰区接待办公室相当正科级机构规格，核定单位领导职数1名正职。年内，根据《关于核减各城区清扫保洁所编制的通知》（柳编〔2014〕30号）文件，核减鱼峰区清扫保洁所（鱼峰区环境卫生管理所）全额拨款编制20名，调整后，鱼峰区清扫保洁所（鱼峰区环境卫生管理所）编制106名。根据《关于核销置换公立医院举办的社区卫生服务中心编制的通知》（柳编〔2014〕41号）文件，核销原核定给天马街道社区卫生服务中心、五里亭街道社区卫生服务中心2个公立医院举办社区卫生服务中心的差额拨款编制共69名，同比例置换为控制数，作为政府购买基本医疗服务的财政补助依据。根据《关于成立柳州市鱼峰区低收入居民家庭经济状况核对中心的批复》（柳编〔2014〕82号）文件，成立柳州市鱼峰区低收入居民家庭经济状况核对中心，在柳州市鱼峰区城市居民最低生活保障管理服务中心加挂牌子，实行一个机构，两块牌子管理，并增加编制3名。调整后，柳州市鱼峰区城市居民最低生活保障管理服务中心（柳州市鱼峰区低收入居民家庭经济状况核对中心）

编制 8 名。

机构和人员编制核查　根据自治区、柳州市关于机构编制核查工作部署和“四清”“两个相对应”的工作要求，鱼峰区于 2014 年 8 月全面开展机构和人员编制核查工作。协同本级组织、人社、财政、审计、教育、卫生等相关部门，通过组织培训、单位自查、部门联审、信息汇总、检查验收等，完成本级党委、人大、政府、政协、法院、检察院、群团机关及事业单位等 122 个单位 2500 余人的核查，实现“四清两对应”的核查目标，为进一步推进和完善机构编制实名制管理，盘活机构编制资源，推进政府职能转变和机构改革提供保障。　（王　清）

2014 年 8 月 20 日，鱼峰区创新机构核查联审方式，区编办会同组织、人社、财政等部门仔细审核、共同确认书面数据　（区编办　提供）

【信访】　2014 年，鱼峰区信访局在职人员 8 人，在区委、人大、政府各设有信访办公室。各街道设有综治信访工作领导小组 7 个，专、兼职信访人员 10 人。

领导接待日及区委书记、区长公开大接访　2014 年，鱼峰区信访局共组织开展书记、区长公开大接访 11 次，领导干部下访 9 次、约访 12 次，参与公开大接访干部 255 人次，共接待来访群众 77 批件 272 人次，信访窗口接待来访群众 157 批件 604 人次，办结率或答复率均达到 100%。落实中央巡视组交办的信访事项共 19 批 52 件，完成自治区交办的信访件 10 件，领导批办的 5 件，办结率达 100%。

信访积案化解　年内，制定“化解信访积案及帮扶任务分解表”，对信访案件进行梳理并明确了责任领导、完成化解的时限以及化解帮扶措施，成功化解杨亚洪、廖殿秀、阚莉等三户涉及征地拆迁、福利待遇等方面的信访积案。通过加强宣传、深入基层工作，化解了原市东化纠纷、燎原建材市场纠纷、鸡窝洞纠纷和横漏山及水山片区违建户群体性上访等一批急难信访事项，维护社会大局稳定。

重点时段的信访维稳工作　在春节、全国“两会”、五一节、中秋节、国庆节、十八届四中全会等重大节假日及敏感时段，通过防控结合，对重点群体和重点人员严密落实稳控措施，基本上实现零非访的目标。　（覃达高）

【机关党建】　2014 年，中共鱼峰区直属机关工作委员会有工作人员 7 人，其中在编 5 人、党务工作者 1 人、招聘人员 1 人。工作责任主要是负责机关党的思想、政治、组织、作风、制度、党风廉政等各项建设以及机关离退休老干部服务管理等工作。

开展机关党的群众路线教育实践活动　年内，研究制定实施方案，从严督查把关各阶段各环节重点工作，结合实际组织开展主题突出的实践活动和赛事活动等。机关党组织党的群众路线教育实践活动主要以开展“走进群众、改进服务、解决难题”“机关在职党员进社区”“党风廉政教育和正风肃纪整治”三大主题实践活动和“三个活动赛事”作为“自选”动作来助推整个活动的顺利有序开展。区机关各支部（总支）积极组织开展机关在职党员进社区“十个一”活动，即“确定每周一天为‘党员奉献日’”“每季度召开一次党建工作协调会”“开展一次走访调研活动”“参加一次民情恳谈会”“开展一次社区工作体验日活动”“撰写一篇基层体验日记”“参加一次志愿服务活动”“为基层和群众办一件实事”“认领居民群众一个‘微心愿’”“开展一次结亲谈心活动”。据统计，在整个教育实践活动中，区机关各支部（总支）有 800 多人（次）党员干部利用每周五的“党员奉献日”参加“基层

2014年7月18日，区机关工委组织“心系群众跟党走”演讲比赛

（区机关工委　提供）

体验日”活动；有1070人（次）党员干部参与结对社区志愿服务活动，活动内容涉及“学雷锋”活动、为民修理家电、社区环境卫生清洁、治安巡逻、法律咨询、爱心捐款等活动；有950人（次）党员干部为基层和群众办实事好事595件，解决问题涉及法律援助、调解纠纷、修复公共设施、上党课、解决环境卫生等实际问题；有400多人（次）党员干部与460名帮扶对象开展“结亲连心”活动，为他们实现了“微心愿”。

机关党组织政治思想建设　以开展群众路线教育实践活动为契机，多种形式的组织开展“五项”教育，即组织党员干部参观爱国主义教育基地、瞻仰革命烈士陵园、重温入党誓词、参观警示教育基地——柳州监狱、听专题宣读、上主题党课等形式开展群众路线主题宣传教育，集中的政治理论、理想信念教育进一步提高机关广大党员干部政治理论素养。年内，工委优化调整年度党建目标考核程序和方式，采取指标考核、公众评议、领导评价相结合的方式进行。同时，依托区党建网格管理系统，考核以日常党建工作考核与年终集中考核、党建网格系统考核与年终实地考核的“两结合”方式进行；增加“向各级报送涉及党建、教育实践活动等方面稿件获采用”的加分项，区机关各党组织成为全区整个教育实践活动新闻宣传的主要力量。

机关作风和精神文明建设　工委负责起拟了《鱼峰区机关考勤与请休假管理暂行办法》并按照月考勤、请休假审批管理和季度通报制严格规范执行；加强机关有关党务干部、养身保健、政务礼仪和形象塑造等方面的培训辅导；配合区相关部门加强机关作风纪律的检查。将机关各党组织开展社会主义核心价值观学习教育纳入年度党建目标考评范围，以举行一年四次升国旗仪式、参观爱国主义教育基地、举办“机关道德讲堂”、组建群众路线宣讲团等形式积极开展形式多样的社会主义核心价值观教育。

机关离退休老干部服务管理　截至2014年11月，机关离退休干部为264人。结合机关离退休党组织年度创先争优评比表彰活动，认真组织机关离退休党支部开展教育实践活动，离退休支部的老党员们通过多形式开展社区结对帮扶、送法进社区学校、为社区志愿服务、关心下一代等活动，身体力行的积极践行群众路线，机关离退休党组织开展教育实践活动的情况得到多家新闻媒体的报道，区机关河北退休二支部书记罗崎获“自治区离退休干部先进个人”表彰。同时，加强机关

2014年6月10日，区机关工委组织区机关离退休老干部参观鱼峰区重点项目。图为老干部参观红街

（区机关工委　提供）

离退休干部"两个阵地"建设和温情服务工作，举办2014年老年节庆祝大会，表彰一批创先争优先进集体和先进个人，老干部们以歌舞表演的形式欢度节日；年内分批组织机关离退休干部参观游览鱼峰区七个重点项目建设情况，让老干部切身感受鱼峰的发展与变化。（谢凌燕）

鱼峰区人民代表大会

【区人大概况】2014年，区人大常委会设办公室、代表联络工委、民主法制工委、财政经济工委、教育科学文化卫生工委5个工作部门，有工作人员21人。本科及以上学历16人，大专学历3人，中专及以下学历2人。年内，依照宪法法律赋予地方人大常委会的职权，讨论决定重大事项、决定人事任免、依法监督"一府两院"，组织召开区人民代表大会会议1次，人大常委会会议7次，听取和审议"一府两院"年度工作报告和专项工作报告，就全区经济和社会发展、民主与法治建设等重大事项做出决定决议，落实法律监督，依法任免地方国家机关工作人员，认真履行宪法法律赋予人大常委会的各项职权，圆满完成全年各项任务，为促进鱼峰区经济社会持续健康发展作出贡献。

【重大事项决定】区人大常委会坚持抓大事、议大事、定大事的原则，听取和审查"一府两院"专项工作报告12项，先后就鱼峰区政府2013年财政预算执行情况和财政决算、2014年上半年经济运行情况、财政预算编制执行及调整、补选区十一届人大代表、人事任免、召开区人民代表大会、决定镇人大选举委员会成员等重大事项以及人民群众普遍关心的热点问题做出决议、决定6项。在决定重大事项之前，深入调查研究，广泛听取和征求各方面意见，了解掌握真实的情况；在审议程序上严格依照法律法规办事，常委会组成人员充分发表意见，加强审议监督，开展广泛讨论、进行深入研究，认真负责审议；在行使决定权时，按照民主集中制的原则，形成常委会决议决定。在代表大会闭会期间，对"一府两院"执行决定决议情况进行认真监督，保证代表大会和常委会的决议决定得到有效贯彻执行。年内人大常委会决定补选柳州市第十三届人民代表大会代表1名；决定许可司法部门对个别代表采取法律措施；决定同意个别人大代表和个别地方国家机关领导人员辞去职务。

【鱼峰区十一届人大四次会议】2014年1月20日—23日，鱼峰区第十一届人民代表大会第四次会议在鱼峰区机关办公大楼会议厅召开，应到代表192名，因事请假38名，实到代表154名。会议听取区长何世恰作的政府工作报告、区财政局长徐进辉作的鱼峰区2013年财政预算执行情况和2014年财政预算（草案）报告、区人大常委会主任高宁作的人大常委会工作报告、鱼峰区人民法院代院长罗金新作的鱼峰区人民法院工作报告、鱼峰区人民检察院检察长彭志作的鱼峰区人民检察院工作报告。会议表决批准以上各项报告，并表决通过关于人大常委会和"一府两院"工作报告以及上年度预算执行本年度预算报告的5个决议。大会还听取了区十一届人大常委会代表资格审查委员会主任委员陈文杰作的《鱼峰区人大常委会关于区十一届人大代表出缺情况的报告》、区十一届人大三次会议财政预算审查委员会主任委员阳秋香作的《关于鱼峰区2013年财政预算执行情况及2014年财政预算（草案）审查情况的报告》。会议收到代表议案5件，代表建议、批评意见64件。会议依照法律程序补选罗金新为鱼峰区人民法院院长。

【鱼峰区十一届人大常委会会议】2014年共召开区人大常委会会议七次（第十八次至第二十四次），均由人大常委会主任高宁主持。

第十八次会议　3月21日举行，出席会议的有区人大常委会主任高宁，副主任黄展图、阳秋香、梁学德、陈文杰及委员共20人。区政府副区长胡兰，区人民法院院长罗金新，区人民检察院检察长彭志，雒容、洛埠镇人大负责人列席会议。会议听取区人大常委会代表联络工委主任零霍香作的《关于区十一届人大四次会议代表议案调查研究报告》，审议《鱼峰区人民代表大会常务委员会关于区第十一届人民代表大会第四次会议代表议案审议情况的决议》。会议决定接受覃传会辞去柳州市鱼峰区人民政府副区长职务（挂任期一年）的请求。会议还通过其他人事任免事项。

第十九次会议　5月16日

举行，出席会议的有区人大常委会主任高宁，副主任黄展图、阳秋香、梁学德、陈文杰及委员共18人。区政府区长何世恰，副区长胡兰，区人民法院院长罗金新，区人民检察院检察长彭志，区财政局局长徐进辉、审计局局长刘家军、工信局局长陈冬炜、发改局局长范蒙、商务局局长彭云彪，雒容、洛埠镇人大负责人列席会议。会议听取和审查区政府《鱼峰区2013年财政决算报告》《关于鱼峰区2013年度财政预算执行情况及其他财政收支审计工作报告》、区人大常委会财经工委主任麦珂作的《关于2013年鱼峰区本级财政决算的初审报告》，会议做出《关于批准鱼峰区2013年本级财政决算的决议》。会议决定任命王铁、韩洪涛为鱼峰区人民政府副区长，会议还通过其他人事任免事项。

第二十次会议 6月12日举行，出席会议的有区人大常委会主任高宁，副主任黄展图、阳秋香、梁学德、陈文杰及委员共19人。区政府副区长王铁，区人民法院副院长罗华，区人民检察院检察长彭志，区司法局副局长韦海水、法制办主任杨柳生，区人大代表周建华、蔡利以及雒容、洛埠镇人大负责人列席会议。会议听取区政府副区长王铁作的关于区政府“六五”普法规划实施情况报告，区人大常委会民主法制工委主任罗树瑶作的关于开展“六五”工作情况的调查报告。经审议，会议表决通过“六五”普法情况的调查报告。会议决定任命庞清为鱼峰区人民政府副区长(挂职期两年)。

第二十一次会议 7月25日举行，出席会议的有区人大常委会主任高宁，副主任黄展图、阳秋香、梁学德、陈文杰及委员共18人。区政府常务副区长王铁，区人民法院院长罗金新，农林水利局局长陈祖刚、统计局局长谭梅、发改局局长范蒙、商务局局长彭云彪，区财政局副局长陈昆、工信局副局长华树岸、招商局吴榕，区人大代表黄欢雪、林伟屏，雒容、洛埠镇人大负责人列席会议。会议听取和审议区政府《关于2014年上半年经济运行情况的报告》《关于2014年上半年财政预算执行情况报告》，区人大常委会财经工委主任麦珂作的《鱼峰区2014年上半年经济运行及财政预算执行情况调查报告》。经审议，会议表决通过《关于2014年上半年经济运行情况的报告》《关于2014年上半年财政预算执行情况报告》。会议依法补选刘友谊为柳州市第十三届人大代表并通过其他人事任免事项。

第二十二次会议 8月30日举行，出席会议的有区人大常委会主任高宁，副主任黄展图、阳秋香、梁学德、陈文杰及委员共17人。区政府常务副区长王铁，区人民法院副院长罗华，区人民检察院检察长彭志，区人民检察院反贪局局长梁小东列席会议。会议听取区检察院检察长彭志作的鱼峰区人民检察院提请区人大常委会关于许可对区十一届人大代表丘柳忠采取强制措施的报告，并作案情简要说明。经审议，会议电子表决方式通过许可鱼峰区人民检察院对区十一届人大代表丘柳忠采取强制措施的决定。

第二十三次会议 9月25日举行，出席会议的有区人大常委会主任高宁，副主任黄展图、阳秋香、陈文杰及委员共16人。区政府常务副区长王铁，区人民法院副院长赵波，区人民检察院检察长彭志，区教育局局长张伟锋、政府办公室杨松柏，区法院刑庭庭长侯宇虹，区司法局梁单秀，雒容镇人大副主席陆瑞高，区人大民族法工委主任贾志娟、教科文卫工委主任郑杰彪，区人大代表周建华、蔡利、韦佩委、陈跃、朱毅列席会议。会议听取区法院副院长赵波所作的《鱼峰区人民法院刑事审判工作情况报告》，区人大常委会法工委主任贾志娟所作的《关于对鱼峰区人民法院刑事审判工作情况的视察报告》，听取区政府常务副区长王铁所作的《关于鱼峰区十一届人大四次会议代表建议办理情况的报告》，区人大常委会代表联络工委主任明婉清所作的《关于区十一届人大四次会议代表建议办理情况的视察报告》，会议听取区教育局局长张伟锋所作的《鱼峰区人民政府关于推进义务教育均衡发展三年攻坚执行情况的报告》，区人大常委会教科文卫工委主任郑杰彪所作的《关于鱼峰区推进义务教育均衡发展三年攻坚执行情况的视察报告》。经审议，会议表决通过《鱼峰区人民法院关于刑事审判工作情况报告》《关于鱼峰区十一届人大四次会议代表意见建议办理情况的报告》《鱼峰区人民政府关于推进义务教育均衡发展三年攻坚执行情况的报告》。

第二十四次会议　11月19日举行，出席会议的有区人大常委会主任高宁，副主任梁学德、阳秋香、陈文杰及委员共19人。区政府区长何世恰，区委副书记覃汉棠、区人民法院院长罗金新，区人民检察院检察长彭志，区财政局局长徐进辉、区检察院反渎职侵权局负责人，雒容、洛埠镇人大主席，区人大民主法工委主任贾志娟、教科文卫工委主任郑杰彪，区人大代表朱毅等列席会议。会议听取区政府财政局局长徐进辉作关于调整2014年本级财政预算情况报告，区人大常委会财经工委主任麦珂作调整财政预算的调查报告，区检察院检察长彭志作关于反渎职侵权工作情况报告，区人大常委会民主法制工委主任贾志娟作反渎职侵权的调查报告，区政府文体局局长陈波作关于国家公共文化服务体系示范区（项目）各项创建工作情况报告，区人大常委会教科文卫工委主任郑杰彪作公共文化服务的调查报告。经审议，会议表决通过《区政府关于调整2014年本级财政预算情况报告》《区检察院关于反渎职侵权工作情况报告》《区政府关于国家公共文化服务体系示范区（项目）各项创建工作情况报告》。会议决定任命刘宁为鱼峰区人民政府副区长（挂任期一年）。

2014年11月7日，区人大常委会组织听取区检察院反渎职报告

（区人大办　提供）

【代表建议督办】　2014年人代会上代表提出意见建议69件（包括由议案转为建议5件），常委会通过“三结合”即电话联络与现场指导、组织代表视察与组织法律学习、深入一线征求代表意见与组织办理部门专题介绍相结合的方式，加强与政府协调部门、办理部门、人大代表的联系，跟踪69件建议办理工作，组织代表联组针对建议意见办理情况，进行检查和评议，对办理不满意的要求重新办理。召开常委会会议审议代表意见建议办理情况，督促政府进一步改进办理工作，提高办理质量，服务人民群众。截至9月1日，人大代表建议办理答复共69份，答复率达到100%，满意和基本满意率达到100%。

【人事任免】　2014年，鱼峰区人大常委会依法决定任免国家机关工作人员123名，其中决定任命98名［区人大常委会5名，区政府15名，区人民法院75名（含人民陪审员60名），区人民检察院3名］，免去职务25名（区人大常委会4名，区政府12名，区人民法院9名）。决定任命王轶、韩洪涛会为区人民政府副区长，庞清为区人民政府副区长（挂任期二年）、刘宁为鱼峰区人民政府副区长（挂职一年）。人事任免工作严格依照法定程序，人事任命之前召开主任会，初审“一府两院”提请的人事任免材料，考察了解拟任人员德、能、勤、绩、廉等方面情况，通过法律考试、供职表态发言、现场回答提问、认真讨论审议、集体表决确定、举行就职宣誓、颁发任命书等环节，确保人事任命工作不走过场，受任命人员都具有较强的依法接受监督的意识和依法履职的能力。

【专项工作监督】　2014年区人大常委会及其主任会议围绕年初确定的监督议题，先后听取和审议“一府两院”刑事审判、反渎职工作、“两委”换届选举、财政预算、“六五”谱法规划、劳动就业、科技发展规划实施、社区养老、民办义务教育等专项工作报告12项，组织人大代表先后对柳东新区汽车城、东化社区、检察院法院、银泰城、福康医院计生“幸福家园”建设情况、建益电工材料公司、培智小学和羊角山小学等地的情况开展视察活动。代表们深入到荣军、

2014年6月18日，区人大常委会组织人大代表视察福康医院计生“幸福家园”建设情况（区人大办　提供）

五里亭、柳东新区、福康医院计生“幸福家园”，听取和审议政府绿化局议案办理情况、羊角山小学和培智小学视察情况等。围绕区义务教育工作，代表提出意见和建议：一是加强管理，发挥功能作用。对服务平台使用情况进一步规范，加大落实力度，加强宣传教育，进一步发挥服务平台引领作用，避免搞形式主义。二是加强学校建设，切实解决各方子女的读书问题，解决学校内外教学质量问题。三是加强沟通协作，鱼峰区的建设需要多部门通力协作，齐心协力才能顺利实施。（覃远奔）

鱼峰区十一届人大四次会议代表建议汇总表

主　办	编号	提案代表	标题内容	协　办	分类
信息中心	18	蒋继友	关于整合社区电子信息工作平台的建议	财政局	C
	51	李　庆	关于解决社区工作中多种管理系统并存的建议		C
发改局	7	梁静青	关于龙潭路22号前闲置空地拟建为大型停车场的建议		B
	15	黄琦慧	关于加快乐群路改造建设的建议	住建局	B
	27	陈秀强	关于尽快将于广西科技大学二附院接壤的4.5亩菜地划拨给二附院的建议		C
	55	张祖宇	关于整改西江路与社湾路交会口交通拥堵的建议	该建议：第1点、第2点由鱼峰交警大队办理；第3点由发改局办理	B
工信局	25	李　广	关于继续延用原三棉厂集资建房规划的建议		A
民政局	17	邓　霞	关于给予鱼峰区社区“低保评议小组”成员适当补助的建议	财政局	A
	26	李建新	关于箭盘山医院设立居家托老机构的建议	卫生局	A
	43	刘　军	关于协调解决白莲街道洛维社区办公用房的建议	白莲街道办事处	A
人社局	10	黄桂霞	关于为退管人员发放死亡慰问金的建议	财政局	A
	13	陈思华	关于建立功能完善的城区人力资源市场的建议		A
	29	彭玉芳	关于提高协管员工资待遇的建议	财政局	A
	39	刘　军	关于增设城镇医保系统的建议		A
住建局	3	李环宇	关于五菱柳机生活区危旧房改造的议案		B
	4	韦佩委	关于磁电机厂宿舍区危旧房改造项目的议案		C
	19	桂美玉	关于驾鹤村如何合理利用土地资源的建议	发改局	D
	31	彭玉芳	关于平整屏山大道北四巷马路的建议		A
	33	熊秋玲	关于阳光社区管辖市第二建筑工程公司宿舍违章搭建、危房存在安全、防火等隐患希望改造的建议	执法局、五里亭街道办事处	C

续表 1

主 办	编号	提案代表	标题内容	协 办	分类
住建局	34	陈政华	关于改造九头山路(原壮新职校路段)小街巷路面的意见和建议		D
	47	夏容军	关于增设洛维路、叶山路道路灯光设施的建议	鱼峰交警大队	D
	58	刘 平	关于人行道施工后的管理维护的建议		D
商务局	6	黎 波	关于取缔龙潭小区马路市场,建设临时过渡市场的建议		B
	23	龙仲文	关于继续打造“石尚 1966”文化艺术园项目建设的建议		B
	28	谢丽萍	关于在柳东路设立农贸市场的建议		B
	41	刘 军	关于在宝莲新都小区附近建立菜市场的建议		B
	59	韦志锋	关于迁移西江路华保市场口蔬菜批发场地的建议	执法局	
文体局	24	李 广	关于建设柳东路 220 号原三棉宿舍里运动场的项目的建议		C
	30	彭玉芳	关于取缔六合彩市场的建议	执法局、公安鱼峰分局	B
卫生局	11	邓 霞	关于恢复晶远社区卫生服务站的建议		C
环保局	2	魏务清	关于整治龙潭河水污染问题的议案	住建局、执法局、五里亭街道办事处	A
	50	潘成业	关于加强对柳石路莲花客运站附近路段粉尘管理的建议	该建议:第 1 点由区环保局办理;第 2 点由区环卫所办理	
执法局	1	韦祖能	关于整顿鱼峰山商业城周边环境的议案	该建议:第 1 点由公安鱼峰分局办理;第 2 点由行政执法局办理	B
	12	黄琦慧	关于对学校门口小摊小贩加强管理的建议	教育局	B
	14	钟秀梅	关于加强光明路白天马路市场管理的建议	公安鱼峰分局、驾鹤街道办事处	B
	21	符孝菊	关于要求取缔荣军一区南二环马路市场的建议	商务局、荣军街道办事处	B
	32	谢丽萍	关于拆除小区两违建筑的建议	箭盘山街道办事处	B
	35	吴荣坚	关于整治九头山路(燎原市场前路段)马路市场的意见和建议	环卫所、鱼峰交警大队	B
	48	夏容军	关于加大整治柳石路(南)洛维路口脏乱及乱摆乱卖等违章行为,确保区域道路畅通安全的建议		B
	54	钱柳育	关于加大城市道路文明建设的建议		B
	56	张祖宇	关于整治西江路与西江宾馆至西船大院路段夜市的建议	商务局、卫生局	B
绿化所	52	李 庆	关于对三无小区内危树、枯树处理的建议	财政局	A
环卫所	9	韦庆珍	关于提高垃圾下楼集中回收服务的建议		A
	22	廖立勇	关于将驾鹤村等城中村道路纳入城市道路保洁范围的建议		C
	37	欧阳朝锋	关于在洛维路段居民区建公厕的建议		D
	40	刘 军	关于在宝莲夜市一条街周围设置流动公厕的建议		D
	42	刘 军	关于增加社区保洁员,加强社区卫生管理工作的建议	各街道办事处	D
	45	范争荣	关于加强南环路 6 号道路卫生管理的建议		C

续表2

主　办	编号	提案代表	标题内容	协　办	分类
环卫所	46	夏容军	关于给白莲街道部分小区村屯配多功能垃圾箱的建议		B
	50	潘成业	关于加强对柳石路莲花客运站附近路段粉尘管理的建议	该建议：第1点由区环保局办理；第2点由区环卫所办理	A
	54	钱柳育	关于加大城市道路文明建设的建议	该建议：第1点由区环卫所办理；第2点由鱼峰交警大队办理，区教育局协办；第3点由区执法局办理	
后勤中心	38	陈荣登	关于在柳石路东七巷路口旁设置公交车停靠站的建议		B
园区办	8	梁　红	关于加快设置洛维工业集中区生活设施的建议		B
美丽办	20	黄文斌	关于完善城中村环卫基础设施的建议	环卫所	A
公安鱼峰分局	1	韦祖能	关于整顿鱼峰山商业城周边环境的议案	该建议：第1点由公安鱼峰分局办理；第2点由行政执法局办理	B
鱼峰交警大队	16	邓　霞	关于缓解老旧小区停车问题的建议	驾鹤街道办事处	A
	36	谭建才	关于取消柳石路257号柳州科技大学路段货车禁行牌的意见与建议		A
	44	范争荣	关于加强南环路6号道路管理的建议	公安鱼峰分局	A
	49	潘成业	关于加强对洛维路超载车辆治理的建议	鱼峰交通管理综合执法大队	A
	53	莫彦玲	关于在部分交通道路增加交通导向的建议		A
	54	钱柳育	关于加大城市道路文明建设的建议	该建议：第1点由区环卫所办理；第2点由鱼峰交警大队办理，教育局协办；第3点由执法局办理	A
	55	张祖宇	关于整改西江路与社湾路交会口交通拥堵的建议	该建议：第1点、第2点由鱼峰交警大队办理；第3点由发改局办理	A
	57	刘　平	关于加强工程车辆道路通行管理的建议	鱼峰交通管理综合执法大队	A
	5	蔡忠义	关于雒容大桥限高后给过往车辆通行带来不便的议案		D
柳东管委会	61	叶统江	关于在洛埠镇镇区建设公厕的建议		A
	62	叶统江	关于请求解决洛埠镇银鸥社区社会化管理问题的建议		B
	63	蔡文龙	关于对农村村级道路维修资金投入的建议		B
	64	俞卓新	关于硬化大正村与东泉镇思江村道路的建议		B
	65	廖泰光	关于加大对农村危房改造速度的建议		A
	66	张碧云	关于提高退休村干部待遇的建议		B
	67	许宗达	关于加快农村边远山区道路建设的建议		B
	68	覃引娇	关于规范午托市场的建议		C
	69	覃引娇	关于及时治理322国道进入雒容小学的道路的建议		A
阳和管委会	60	李冠飞	关于阳和工业新区老旧居民小区“一户一表”改造的建议		B

鱼峰区人民政府

【政府全体会议】 2015年1月8日鱼峰区人民政府全体会议在机关622会议室召开，由区长何世恰主持。会议审议并通过了即将提请鱼峰区十一届人大五次会议审议的《政府工作报告》、2014年代表建议办理情况；审议鱼峰区2014年财政预算执行情况和2015年财政预算(草案)报告、关于2014年为民办10项实事完成情况的报告。

《政府工作报告》其主要内容：坚持投资拉动，狠抓项目建设，经济发展保持强动力。坚持惠民利民，狠抓品牌创建，文化强区建设取得新突破。坚持以人为本，狠抓民生改善，社会事业全面发展。坚持建管并重，狠抓管理创新，魅力鱼峰再展风采。坚持依法行政，狠抓作风建设，政务服务取得新成效。

【政府常务会议】 2014年，鱼峰区人民政府召开常务会议10次。第一次常务会审议预支柳州市汽车配件三厂职工经济补偿金等事宜；第二次常务会审议表彰奖励2013年经济建设先进企业(单位)的方案等事宜；第三次常务会审议申请追加鱼峰区重大决策执行监察平台经费等事宜；第四次常务会审议《鱼峰区扶持限额以上企业发展暂行办法》等事宜；第五次常务会审议增强鱼峰区防控反恐基层基础力量建设的请示等事宜；第六次常务会审议2014年商贸扶持项目等事宜；第七次常务会审议关于要求拨付修建柳石路东七巷道路款报告等事宜；第八次常务会审议签订购买驾鹤街道社区卫生服务中心业务用房协议等事宜；第九次常务会审议成立柳州市龙翔资产投资有限公司董事会、监事会等事宜；第十次常务会审议《鱼峰区地震应急预案》等事宜。

【《关于鱼峰区人民政府机构设置的通知》】 2014年9月29日，按照《关于印发〈柳州市鱼峰区人民政府职能转变和机构改革方案〉的通知》(柳办〔2014〕37号)。中共鱼峰区委以鱼发〔2014〕16号印发《关于鱼峰区人民政府机构设置的通知》。就政府机构设置重新调整：监察局与纪律检查委员会机关合署办公，列入区人民政府工作部门序列，不计入区人民政府机构个数。区人民政府办公室挂区民族和宗教事务局牌子；区发展和改革局挂区物价局牌子；区教育局挂区教育督导办公室牌子；区科学技术局挂区知识产权局牌子；区民政局挂区老龄工作委员会办公室牌子；区司法局挂区调解处理土地山林水利纠纷办公室牌子；区住房和城乡建设局挂区人民防空办公室牌子；区商务局挂区投资促进局牌子；区卫生和计划生育局挂区爱国卫生运动委员会办公室牌子；区食品药品监督管理局挂区食品安全委员会办公室牌子；区安全生产监督管理局挂区安全生产委员会办公室牌子；区城市管理行政执法局挂区市容管理局牌子。

【人大代表议案建议　政协委员提案办理】 2014年，鱼峰区人民政府设置工作部门22个，即办公室、发展和改革局、工业和信息化局、教育局、科学技术局、监察局、民政局、司法局、财政局、人力资源和社会保障局、环境保护局、住房和城乡建设局、商务局、农林水利局、文化体育和新闻出版局、卫生和计划生育局、审计局、食品药品监督管理局、统计局、安全生产监督管理局、城市管理行政执法局、法制办公室、水产畜牧兽医局；监察局与纪律检查委员会机关合署办公，列入区人民政府工作部门序列，不计入区人民政府机构个数。2014年鱼峰区人民政府承办人大代表议案建议69件。其中，招商引资与项目建设类建议6件；城市建设与管理类建议43件；信息化建设类建议1件；科教文卫类建议7件；人事与劳动保障类建议4件；基层建设类建议3件；文明创建和旅游环保类建议3件；社会综治和法制建设类建议2件。A类25件，B类28件。承办政协委员提案20件。其中，商业建设类2件；信息化建设类1件；文化及文化产业建设类5件；法制类2件；教育类2件；绿化类1件；城建与交通整治类7件。A类7件，B类8件。

(杨松柏)

【政府法制概况】 2014年，区法制办有工作人员4人。本科及以上学历3人，大专学历1人。其主要职责是开展法规清理、行政复议、行政执法案卷评查、行政执法培训等。

三项清理　11月，区法制办对区政府及各工作部门、法律法

8月22日，鱼峰区召开2014年度行政执法案卷评查工作会议

（区法制办　提供）

规授权组织、自治区垂直管理部门制定的规范性文件涉及设定行政审批事项的规定、涉及限制非公有制经济发展的规定、涉及工商登记前置性审批的规定进行专项清理，23个清理主体没有行政审批设定依据、没有限制非公有制经济发展规定、没有工商登记前置性审批依据。

行政复议　年内专门制定行政复议工作方案，从受理、审理、决定等各环节规范行政复议工作。同时，规范行政复议保障工作，落实行政复议办案场所和必要设备。使行政复议在解决行政争议、建设法治政府、构建和谐社会中发挥更加突出的作用。全年共受理行政复议申请5件，结案4件，维持4件，所有已办结案件都依法按时按质完成，有效促进依法行政。

行政执法案卷评查　6—8月，区法制办组织区政府各行政执法部门对2013年6月1日至2014年5月31日已经结案的行政处罚、行政许可、行政强制等行政执法案卷进行全面梳理和评查，梳理出行政处罚案卷1169卷、行政许可案卷106卷、行政强制案卷211卷。并于8月22日召开案卷抽查现场会，邀请有关领导组成专家评审组，对11个行政执法部门案卷进行抽查评查和点评，提高案卷规范化水平和行政执法水平。

行政执法培训　年内举办行政执法培训班，邀请市委党校老师、区法院法官、区检察院检察官对全区行政执法人员进行行政强制法、行政处罚法、新行政诉讼法和如何预防职务犯罪等知识的专题讲座，收到良好效果。使得全区行政执法工作人员对行政强制与行政处罚有了更加深刻的认识，进一步提高了我区行政执法人员的业务知识和执法水平，为今后更好地开展执法工作打下了良好的基础。（顾　维）

【经济重点项目】　2014年鱼峰区经济发展注重以项目为载体，全年开发项目有银泰城、太平西街历史街区风貌改造、工博·红街、窑埠TOWN、恒大翡翠龙庭、华润置地以及海雅、卧龙湖等。

银泰城　2011年9月13日，银泰集团正式签约柳州新银都项目，项目更名为柳州银泰城，总建筑面积由6.54万平方米增加至9.1万平方米，裙楼部分于2014年9月开业，写字楼于同年12月交房。银泰城毗邻柳州著名的鱼峰山和蟠龙瀑布，东临“桂中商埠”，西有谷埠街国际商城，南靠4A级景区——鱼峰公园，北连柳江，柳州夜景尽收眼底。

银泰城由大型购物中心和高端写字楼组成。购物中心体量6.8万平方米，地上7层，地下1层，共八层。汇集时尚精品、特色餐饮、生活配套、休闲娱乐等主流业态，拥有珠宝、优衣库、博纳国际影城等知名企业，成为市民生活中不可或缺的一部分。写字楼体量2.3万平方米，外立面采用双层中空玻璃，总高148米，标准层面积约982平方米，分为11个标准间，层高3.3米，拥有5部品牌电梯及独立大堂，有良好景观视野，能270度俯瞰一线江景。

银泰城原名银都大厦，位于柳州市鱼峰路17号，于1993年2月由原柳州供电局、柳钢集团、柳泥集团、柳州汽车厂和柳州市服务总公司等5家公司，联合发起设立广西银都股份有限公司，并吸收其他社会法人股和采用定向募集方式共同投资组建的公有经济的股份制法人企业，股本总额为5769万元。工程占地面积7618.17平方米，总建筑面积6.54万平方米，由主楼和裙楼组成，主楼建筑层数为35层，其中地下3层，裙楼7层，塔楼25层，地面以上高148米，属超高层建筑。1993年开工，1998年完成工程主体建设及大部分外墙装修，由于资金不足等原因停工6年。2004年，柳州市投资控股公司通过股权和债权转让方式进入银都公司，成为银都公司第一大股东负责建设，账面资产价值（在建工程）为2.85亿元，银都大厦改称银都大世界，完成主体结构施工及大部分的外部（玻璃幕墙及铝合金饰板）装饰，安装中央空调主机、裙楼自动扶梯、给排水及通风空调、消防管道、电梯等设备。2007年12月29日下午，银都大世界在市土地交易储备中心进行公开挂牌拍卖，新加坡海峡置业私人有限公司以1.52亿元的最高应价，成为银都大世界的买受人，未开发。被称“烂尾楼”。

（项目开发单位柳州新银都房地产开发有限公司）

太平西街历史街区风貌改造 太平西街，南眺马鞍山、鱼峰山公园，北连柳江南岸江滨公园，与东门城楼隔江相望，占地1.31公顷。其建筑物大都为20世纪70年代以前所建，骑楼风貌明显，沿街常以经营日杂、小五金、刻章等商铺为主。2013年10月立项改造，项目单位——柳州市龙建投资发展有限责任公司，投资金额1800万元。2013年12月公开招标，柳州市建筑工程集团有限责任公司中标实施，由柳州市广厦工程建设监理公司负责监理。该项目于2014年1月开工，主要施工内容为太平西街南北方向街区改造，包括拆除修补工程、屋面钢结构油毡瓦坡屋面、墙面仿古文化砖、铝合金窗更换、铝单板窗线、装饰线、屋面造型、铝单板装饰柱、墙面清漆、落水管更换安装、墙面乳胶漆、防盗网改装等工作。至2015年5月，所涉69户门面及沿街楼栋(600米）外立面改造工作已完成。

（项目开发单位鱼峰区住房与建设局）

工博·红街 “柳州工业博物馆”规划配套特色文化产业街区，因大红色建筑装饰寓意而故名。位于柳州市鱼峰区东堤路东段，北临文昌路，南接柳东路，东连桂中大道，全长250米，宽120米，由原柳州市第三棉纺厂生产车间改建而成。

2012年9月20日启动，同年11月开始招商，次年10月1日局部开业，2014年16家商业企业全部营业。投资金额超亿元，从业人员达1000人。其建筑造型、商业特色、经营业态形成“河东新商圈”，成为拉动柳州市旅游、文化休闲的新型“城市会客厅”。

“工博·红街”面向柳江，四面环路，交通顺畅。街内有近600个泊位的大型停车场，商业面积约2万平方米，由前后街构成，前街为商务休闲业态，后街为风情餐饮业态。商业形态各异，现代风格、欧陆风情、中式传统均有，其文化艺术酒店、养生水疗、大型KTV酒吧、茶庄、西餐、特色家乡菜馆、特色夜宵夜市等，成为“百里柳江”整体布局的一道风景。

（项目开发单位广西智然投资置业有限公司）

窑埠TOWN 2009年柳州市政府规划再现窑埠古朴风貌项目。净用地面积20多万平方米，位于柳州市鱼峰区蟠龙路9号（东堤路南），鱼峰区负责该项目国有土地上房屋拆迁，城中区负责集体征地拆迁。拆迁户数187户，拆迁面积19162.46平方米。2009年开始拆迁，2011年3月2日，阳光100置业集团以5.8亿元竞拍价在柳州市土地交易储备中心购买这宗土地，按百里柳江、柳州城市会客厅规划开发建设。2012年将其窑埠古镇更名为窑埠TOWN。项目规划分ABC三个地块开发建设，项目一期(AB地块）占地129亩，总建筑面积21万平方米。2013年4月完成所有拆迁工作，2014年12月陆续交房。一期建筑100多栋，属于低密度多层中式仿古街区。整个工程是集合地下大型停车场、地下商业街、大型购物街区、商贸流通、娱乐餐饮、旅馆客房等多功能的街区式商业综合体。

柳州窑埠TOWN，源于窑埠码头的发展。早在西汉元鼎六年（前111年），潭中县的这一带村庄有大量优质黏土，适合烧制砖瓦，窑埠由此得名。明清时期，柳江成为岭南的水运交通要道，连通内陆，并通过广东连接出海口，不少远销东南亚的产品都经水上转运。砖瓦也靠水运外销，设窑埠码头。上下游的香菌、八角等农产品以及金、铝、银、朱砂、锡等矿产都汇集在此转运，本地出产的精美碗、碟、杯盘等瓷器也于此集散，融江两岸质地坚实的棺木亦闻名于世。

商品贸易聚集了广东、贵州、湖南等外省商贾。随着经商和从事手工业而定居下来的外乡人日趋增多，他们先后建立粤东会馆、湖南会馆、江西会馆、福建会馆、广东会馆、庐陵会馆。这些会馆建筑甚是辉煌,见证着一个时代。柳州窑埠TOWN的开发建设,源于历史,见证历史,创造历史。

(项目开发单位柳州阳光新千年房地产开发有限公司)

恒大翡翠龙庭 东环路东段、炮团路北侧,净用地面积138.89亩,需征收集体土地面积41.63亩,需拆迁8个门牌(8户)的集体房屋及附属物,总拆迁面积为5760.1平方米。征收125户国有房屋及附属物,面积13751.88平方米。国有土地上房屋征收任务于2012年6月下达鱼峰区,2013年6月动迁,9月底全部完成签约。项目累计完成征地面积41.63亩,完成拆迁133户(其中集体土地上房屋8户,国有土地上房屋125户),拆迁面积19511.98平方米(其中集体土地上房屋面积5760.1平方米,国有土地上房屋面积13751.88平方米)。

2013年12月30日恒大集团斥资8.539亿元,购买柳州市P(2013)28号东环路地块。土地性质为城镇住宅、商服用地。与龙城呼应,命名为"恒大翡翠龙庭"。项目以65~150平方米精装实用户型为主户型,并袭承欧洲经典的建筑精髓,引入世界级皇家园林,超五星级居住理念,将建筑、自然、人居完美融合,领创名流生活格局,以奢华精品豪宅建筑傲居龙城东扩重点区域。

2014年2月动工;5月17日,恒大翡翠龙庭位于市区的展示中心开放,活动当日有数千名客户关注项目;49天后,即7月5日,恒大翡翠龙庭乔装园林开放并接受预约,"公园式家园"让柳州市民对皇家园林、五星会所、9A精装等恒大标志性概念有了新认识。7月27日,恒大翡翠龙庭开盘,至12月31日,销售面积达63089.06平方米。

(项目开发单位柳州恒大金碧置业有限公司)

华润置地 位于柳州市文昌路、静兰路交接处西南侧,净用地面积171795平方米。2014年1月24日,华润置地以11.05亿元摘得第P(2013)30号地块,2月20日,华润置地(柳州)有限公司成立;5月1日动工;开发总建筑面积100万平方米的综合性商业地产项目,包含购物中心、社区商业、写字楼、酒店、住宅等建筑形态。年内,华润置地项目有16幢30层以上住宅项目在建。

2014年9月17日,区长何世恰与华润集团代表签约

(吴 榕 摄)

华润(集团)有限公司,1938年于香港成立,是一家运营多元化控股企业集团,全球五百强企业之一,是万科地产的单一最大股东,有上市公司11家。至2013年12月,华润置地总资产2800亿港元,净资产935亿港元,土地储备面积3580万平方米,在中国内地50个城市开发项目110个,2014年来柳建设。

[项目开发单位华润置地(柳州)有限公司]

责任编辑:朱继清

【为民办实事】 2014年,鱼峰区人民政府立足教育帮扶、群众文化、基层医疗、市政设施、创业就业、社会保障、农村环境、网络建设、科技普及、法律援助10个方面为民办实事。

教育帮扶 2014年,经过学生申请,学校和街道、社区评定,教育局审核,有218名贫困家庭子女获得8.72万元资助;生源地信用助学贷款,申请贷款的学生人数507人,符合贷款条件签约505人,其中首贷180人,续贷325人,申请贷款金额301.83万元。春季学期实施免费午餐工程的社湾中心小学、阳和小学两所农村学校受惠学生846人,中央下达6.95万元,自治区配套20.23

万元，已使用伙食费23.34万元，城区配套食堂工人工资18万元；秋季学期受惠学生946人，城区配套经费28.625万元，其中伙食费13.625万元，食堂工人工资15万元；接收进城务工人员随迁子女就读19756人，其中初中生6189人，小学生13567人。

群众文化　2014年为辖区居民放映电影148场，举办文艺骨干培训班4期，培训文艺骨干430人次；"每月一星"歌手PK赛12场，参与歌手达500多名；举办街道文艺展演14场、"柳江之夏"群众文艺会演13场、"刘三姐"大舞台展演6场。2月14日，鱼峰区在大龙潭公园举办"中国梦　柳州梦——龙城元宵灯会"，辖区内11个参展单位、23件作品和40名学生分获组织奖、单项制作奖及学生制作奖。

健康医疗　2014年免费孕检2156人，免费婚检5680人次，(男、女)符合生育政策并计划在半年内怀孕的已婚育龄夫妇(包括流动人口)参加孕前优生健康检查，覆盖率为107.8%；有晶远、华林、东环、鸡喇、凤起、响水、洛维、大桥、柳开、燎原、宝山、屏山新村、和华、红锋、天山、蟠龙16个社区(村)级"幸福家园"建立新家庭文化屋；爱心保险第一批为4265户，投入金额12.795万元，第二批为1848户，投入金额5.544万元；65岁以上老年人进行免费健康检查17122名；龙擎苑社区卫生服务中心业务综合楼建成，3.5万居民群众接受便民医疗保健服务。荣军街道社区卫生服务中心标准化建设项目作为荣军路宜居馨苑的配套设施已开工建设；白莲洛维街道社区卫生服务中心、驾鹤街道社区卫生服务中心和箭盘山街道社区卫生服务中心标准化项目建设按流程有序推进。基层中医药特色项目，7月通过自治区级评审，11月通过"全国基层中医药工作"考核验收。

市政设施　2014年，完成配套投资100万元对蝴蝶山路口至龙潭路口和箭盘山路370家门面的门头招牌实施美化亮化工程。完成6座固定式公厕、4座移动式公厕、2座垃圾中转站(柳机中转站、荣新路中转站)改造并投入使用。完成白云路东一巷和静兰工业园绿化带改造，投入资金2.4万元，种植黄素梅8800株、红花檵木球20株，改造绿地面积500多平方米。

小街巷改造完成项目总投资203万元，改造道路总长550米，面积3800平方米，改造排水沟长度580米，安装路灯29基。完成荣军路西二巷电线、电缆整治改造。老旧住宅小区硬化小区道路约3000平方米；拆除违章搭建约380平方米；因地制宜划定机动车位20个；新建花池7个；装修翻新门卫室1个；新建山体边围墙65米；新砖砌挡土墙93米；新建休息娱乐场1个；配休闲石桌(4张凳子)2套；安装路灯8盏；安装不锈钢文化宣传栏4套；清运垃圾300立方米；新建钢结构单车棚1处，约70平方米；安装监控设备2套；整治排污水沟约3692.26立方米。

创业就业　1月开展"就业援助月"活动，2月在区人力资源市场举办"2014年春风行动"招聘会，3月开展"鱼峰区市级三支一扶、公益性岗位招聘活动"，5月举办"民营企业招聘周"招聘会，8月举办高校毕业生就业"双向选择"洽谈会，11月配合市人社局开展"2014年第三批三支一扶招聘活动"，已完成创业就业招聘活动6次。全年城区新增就业人员11158人，城镇失业人员再就业3794人，就业困难人员再就业1553人。

养老体系　全年建成居家养

2014年，鱼峰区实施街巷改造项目6项。图为改造后的羊角山路延长线
（黄似良　摄）

老服务站1个，日间照料中心1个；发放60岁以上居民养老保险2786人。为203名符合条件的被征地农民办理养老保险财政补贴，共支付金额199.25万元。为133名16周岁以上失地农民办理养老保险，为9名16周岁以下失地农民办理助学金，共支付金额624.29万元。

农村环境 全年为农村配备保洁员52名，配备电动三轮车28辆、人力三轮车10辆、密闭式垃圾箱28个，垃圾桶1644个；组织8300人次志愿者开展“校村共建”活动；送戏进村4场；组织美丽乡村志愿者3500人次开展“天天捡”活动；硬化、修建乡村道路28条，整治排污沟11条，规范建设宣传长廊5条，打造食品安全示范街1条，修建化粪池13个。

网络服务 2014年，全面推进智慧基础设施、智慧应用体系和居民信息应用能力建设，公共信息平台工程完成了数据交换平台、统一地理信息服务平台等建设，公共基础数据库平台工程整合了人社、民政、卫生、计生、公安等多个部门信息资源，数据入库率达90%以上，云平台工程重点打造“光域城区”，建设“无线社区”，光纤入社区达到100%，城区无线覆盖率达100%。完成社区数字化全响应社会服务管理信息平台建设，为50个试点网格配置移动终端，实现对群众需求全方位、快速、高效、精细化响应，形成“政府、街道、社区、网格”四级服务管理模式，提升政府服务和管理社区的能力。信息平台共登记走访日志12万条，登记、受理各类案件10161件，按时办理10080件，按时结案9667件，按时结案率达96.14%，解决10余件长时间沉积的挂办案件。接受各地考察团20多批次700多人次参观考察。政府门户网站建成并投入试运行，网站域名：www.yfq.gov.cn。开设了“走进鱼峰”“政务公开”“政民互动”“鱼峰资讯”“政务服务”“公共服务”等11个子栏目，通过信息的网上报送、网上发布，有效实现了政府信息公开和政务公开。

科技普及 选定15处新建科普宣传栏的建设位置，新建社区科普宣传栏202.5米。确定科技馆建设设计方案，完成科技馆场地铺设和设备招投标工作。完成科技馆第一批29件设备的采购工作并安装调试完毕，完成对相关教师的操作培训工作项目验收完毕，并投入使用。

法律援助 2014年制定下发《鱼峰区法律援助中心年度工作方案》，按计划组织放映法制电影30场。依托柳州市三八妇女维权周、鱼峰区三八妇女维权周、政务公开日等活动在市五星步行街、柳州书市、凤起新都、鱼峰公园等公共场所、居民小区向群众重点开展了《法律援助条例》宣传教育，发放法律援助审查规范流程》宣传单，就申请法律援助的条件及流程向群众进行了详细的讲解和说明。2014年共指派案件205件，其中包括民事案件78件(包括中央彩票公益基金项目案件)，援助对象(身份有重合)包括妇女28人，未成年人1人，残疾人8人，进城务工人员34人，老年人10人；刑事案件127件，包括侦查阶段7件，审查起诉阶段57件，审判阶段63件，其中援助对象为未成年人的123件、精神病人的1件。

(郑　玮　杨松柏)

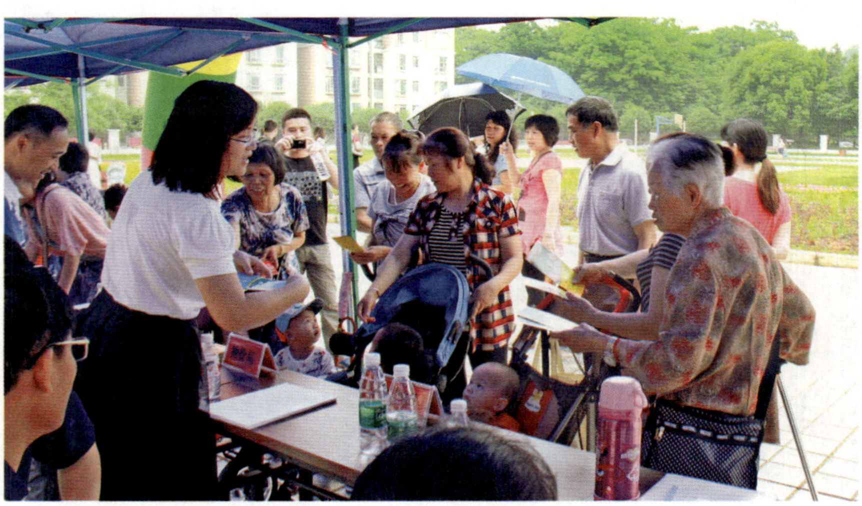

2014年5月23日，鱼峰区第二届政务公开活动日在凤起新都社区小学举办　(杨　波　摄)

【政府工作统筹】 2014年，区人民政府办公室挂区民族和宗教事务局牌子、下设区政务服务管理办公室。区人民政府办公室设主任1名，副主任5名，有工作人员20人。在柳州市静兰路10号鱼峰区政府5楼办公。年内，承办区政府全会、政府常务会、区长办公会、区政府专题会议等各类大小会议50余次；接收各级公文2000多件，发文150多件；政府信息上报柳州市采用62篇；办理“12345”热线及市长信箱转办件254件，办结225件；督办市级和本级重点工作、重点项目、为民办实事项目187件次；办理市建议提案20件，区十一届人大四次会议建议69件，区政协八届五次会议提案20件，回复率、答复满意率、基本满意率达100%；基层信息化应用平台办理街道和社区行政审批、服务事项6941件；制定和完善自然灾害、突发事故、公共卫生、社会安全等涉及人民群众生命财产安全和社会稳定的各种应急处理预案656个，建立了紧急信息报送机制，为政府准确及时处理突发性公共事件发挥了枢纽作用。

【推进审批制度改革】 2014年，对行政审批事项进行4次清理，鱼峰区29个实施主体，除各分局87项（公安33项、交警2项、国土5项、规划4项、国税10项、地税18项、工商15项），其余182项行政审批项目已进入区政务服务中心办理，另有1项（迁移城市古树名木审批）因特殊情况，经区人民政府批准不进入政务服务中心办理。上级下放到鱼峰区的行政审批项目，除特殊情况外，也已全部进入政务服务中心集中办理，实现行政审批项目的“应进必进”。根据需要，适当调整部门在大厅的办理时间，先后调整4个部门共10天的办公时间。

【政务及政府信息公开】 2014年5月23日，在麒麟街道办事处凤起社区小学开展鱼峰区第二届政务公开日活动。辖区24个部门参加活动，制作23块宣传展板，印发各种公开资料5000多份。柳州新播报、《柳州日报》《柳州晚报》进行跟踪报道。在自治区政府信息公开统一平台公开政务信息22860条，公开数量居柳州市四城区第一。2014年，完成对屏山新村社区、红锋社区、柳依社区、洛维社区、和华社区、天和社区、鸡喇村委等7个社区（村委）的政务服务中心建设，截至2014年12月31日，建成“一站式”政务服务中心达52个。

（杨松柏）

【后勤管理】 鱼峰区机关后勤服务中心内设机构有办公室、业务和公共节能3个工作部门。负责全区公共机构节能监督管理工作；负责区机关办公设备的采购管理工作；负责区机关公车管理；负责区机关办公用房及有关固定资产的综合管理；负责区机关办公区域建筑设施、电气设备建设、管理使用及维护、维修；负责机关安全保卫、环境卫生保洁、绿化养护、会务保障等物业管理工作。

2014年，鱼峰区完成公共机构人均综合能耗、水耗同比分别下降3.2%，单位建筑面积能耗同比下降2.5%的年度工作目标，全区公共机构节能管理水平持续提高；鱼峰区行政中心创建公共机构节水型单位工作已进入验收阶段。区机关后勤保障工作水平得到进一步提升，机关大院办公环境和秩序得到进一步提高。3月3日鱼峰区人民政府荣获柳州市2013年度公共机构节能工作先进单位，3月6日被国家机关事务管理局授予第一批节约型公共机构示范单位称号。

服务保障　2月投入20万元对区机关部分办公室进行改造，严格实行办公用房使用标准；3月完成机关办公大楼物业管理的招标工作；7月投入1.5万元改造机关大院道路200米，设置停车位标志60多个；三季度投入21万元在机关办公大楼五楼、六楼安装门禁系统，在其他各楼层及电梯安装视频监控系统；10月投入35万元加盖办公大楼天面钢架结构挡雨棚；11月投入1.1万元在机关大院围墙路边安装10盏节能路灯，有效提高机关大院安全综合能力；年内完成各种大小会议保障服务97次，各种设施大小维修560次，保障了机关办公的正常运行。加强公务车辆管理，年内召开4次交通安全例会和举办4次车场日活动；全年没有发生重大交通安全责任事故；完成2014年征调第十届中国—东盟博览会接待用车和驾驶员服务保障工作。加强对机关食堂的日常管理，杜绝食品卫生安全事故的发生。

机关办公用房建设　鱼峰区司法综合楼位于静兰路34号，于2013年3月2日正式开工建设，2014年底竣工完成验收投入使用。该综合楼2011年由区司法局以司法办公业务用房建设项目立项，2012年获市发改委批复通过。综合楼共7层，总建筑面积为4190.16平方米，其中地上建筑面积3291.84平方米，地下建筑面积为898.32平方米，项目总投资1710.15万元。2015年春节前区司法局、区民政局、区卫计局等10

个区直部门进驻办公。该综合楼安装1部通力电梯，各办公室安装分体式三菱电机空调，为保障日常办公用电正常运行，配备价值19.32万元功率为100千瓦的广西玉柴柴油发电机组。综合楼安保、保洁由区政府招投标单位——柳州市海纳百川物业管理服务公司统一管理。

节能降耗 2014年，鱼峰区公共机构总建筑面积约25.43万平方米，平均用能人数28693人，全区综合能耗483.64吨标准煤，用水总量25.29万立方米。人均综合能耗16.86千克标准煤，同比下降8.89%；单位建筑面积综合能耗1.90千克标准煤/平方米，同比下降7.91%，人均水耗8.81立方米，同比下降7.94%，全面完成年度节能指标。5月推选鱼峰区行政中心申报创建自治区级公共机构节水型单位并积极开展创建申报工作。6月组织辖区各街道办事处、学校及有关单位开展以“携手节能低碳、共建碧水蓝天”为主题的公共机构节能宣传周活动。统一印制200多张节能宣传图片发放至社区，张贴在居民区、办公区宣传栏；各公共机构悬挂节能宣传横幅、标语100条。6月12日，组织辖区公共机构开展能源紧缺体验日活动，所有单位停开空调一天，办公室区域照明停开一半，区机关停开电梯一台。6月19日组织辖区公共机构单位50名工作人员参加柳州市开展的全市公共机构“千人绿色健步走”活动；开展节能减排进校园行动，倡导节能环保从学生抓起。辖区各中小学校出黑板报208块，制作小手抄报、绘画作品300多张，学生利用废旧生活用品开展手工制作100多件，开展节能主题班会60多节。加大既有建筑节能改造力度，在辖区范围内全面更换使用T5节能灯和节水龙头。区节能办下拨节能改造专项辅助资金5万元，用于街道、社区和学校开展节能改造工作，12月底全区更换节水龙头1260个，使用率达84%；更换T5节能灯10024支，使用率达100%，完成全年节能产品应用目标。

10月16日，鱼峰区在机关办公大楼一楼大厅举办创建节水型单位主题宣传活动 （赖 敏 摄）

创建公共机构节水型单位 5月鱼峰区积极开展公共机构节水型单位申报创建工作，推选区行政中心作为区首个申报自治区级创建公共机构节水型单位，经自治区对相关申报材料进行审核认证，鱼峰区人民政府行政中心为广西2014年第一批节水型单位创建单位。鱼峰区节能办根据《广西壮族自治区节水型单位创建标准》开展创建工作，建立计量、统计、定期维修等节水管理规章和制度，明确节水目标责任制和考核制度；举办专题培训和讲座各1场次，10月16日在区机关开展“创建节水型公共机构示范单位”主题宣传活动，发放“节水”标识环保袋2000个，节水小常识宣传册3000张。对食堂、厕所用水设施、中央空调冷却塔等进行节水改造和节水设施建设，安装使用的节水设备和器具均为国家质检总局、水利部和节水办公布的合格产品。年内水量计率为103.9%，节水器具普及率100%，人均用水量为24立方米/年，用水器具漏失率为0，中央空调冷却塔补水率0.4%，达到广西节水型单位创建标准。11月创建节水型单位工作通过市公共机构节能办的初审，已进入自治区考核验收阶段。

政府采购 鱼峰区政府采购是根据《中华人民共和国政府采购法》及自治区、市等相关法律、规章和文件的规定实施，本区内货物、服务类的招标、投标工作的指导和协调由鱼峰区政府采购领导小组负责，下设政府采购小组办公室（以下简称“采购办”），办公室设在区机关后勤服务中心，负责日常工作。采购办根据采购资金额度大小按以下方式进行采购。①单项采购(货物、服务类)预算金额过50万元以上的，按国家自治区及柳州市相关规定实施公开招标投标采购；②单项采购(货物、服务类)预算金额过20万元以上(含20万元)不足50万元的，由区采购办采用邀请招标方式进行招投标，邀请3个以上单位参加投标，经采购办和采购单位进行评标，确定供应商；③单项采购货物预算金额过10万元以上20万元以下的，由采购单位推荐至少3个单位参加投标并经区采购办组织小组成员和采购单位进行评标，确定供应商；④单项采购货物预算金额5万元以上10万元以下的，由采购办在区政府采购办确定的中标供应商中采用询价采购方式，确定协议供货，并报区监察局、区财政局备案；⑤单项采购货物预算金额在5万元以下的，由采购单位自行选定在区政府采购办确定的中标供应商，报请区政府分管领导同意后组织采购并报区财政局，采购办备案。2014年区采购办完成政府物资采购共39批次，预算支出政府采购资金363.13万元，实际支出政府采购资金342.79万元，政府采购节约率为5.6%。　(黄月凤)

责任编辑：杨松柏

中国人民政治协商会议鱼峰区委员会

【区政协概况】 2014年，鱼峰区政协机构有鱼峰区政协办公室、鱼峰区政协经济科技联谊委、鱼峰区政协提案法制委、鱼峰区政协文史文教卫体委4个工作部门，有工作人员22人。其中大专以上学历21人、高中学历1人。年内，区政协认真履行政治协商、民主监督、参政议政职能，以服务大局、服务群众为出发点和落脚点，召开政协常委会会议7次；向区委、区政府报送专题调研报告4份，提出了一批有价值的意见和建议；办理委员提案32件，办结率为100%；收集到社情民意线索89条。2014年，鱼峰区政协根据《鱼峰区政协委员管理暂行办法》的规定，有3名政协委员因调离辖区和退休，辞去政协委员资格，经考核增补了9名新委员。

【政协鱼峰区八届五次全会】 2014年1月20日—21日，政协鱼峰区委员会八届五次全会在鱼峰区机关办公大楼一楼会议大厅召开。朱德增主席代表政协常委会作工作报告；邢远坤副主席代表政协常委会作区政协八届三次会议以来提案工作情况的报告；中共鱼峰区委书记董凌讲话。大会听取"一府两院"工作报告，2013年财政预算执行情况和2014年财政预算(草案)的报告；审议通过政治决议(草案)。大会收到提案33件，经审查立案28件，其中本级政府办理15件，转市政协12件(并案1件)。

【政协常务委员会议】 2014年政协鱼峰区第八届委员会共召开常务委员会议7次(即第13次至第19次)。各次会议均由区政协主席朱德增主持。

第十三次会议　1月10日在鱼峰区机关办公大楼923会议室召开。会议协商增补政协委员；协商任命区政协办公室副主任；协商决定召开区政协八届五次会议事宜；审议区政协常委会工作报告；审议区政协提案工作情况报告。

第十四次会议　1月21日在鱼峰区机关办公大楼923会议室召开。会议听取政协各委员活动小组汇报区政协八届五次会议期间讨论常委会工作报告、提案工

2014年1月20日，政协鱼峰区八届五次会议开幕　(卫　青　摄)

作情况报告和“一府两院”工作报告,2013年财政预算执行情况和2014年财政预算(草案)情况报告;审议通过区政协八届五次会议《政治决议》(草案)。

第十五次会议 5月8日在鱼峰区机关办公大楼923会议室召开。会议就开展党的群众路线教育实践活动进行集中学习;征求对政协领导班子在“四风”方面的意见及工作建议。

第十六次会议 7月11日在鱼峰区机关办公大楼(办公室调整,923改为926,下同)926会议室召开。会议审查《政协鱼峰区委员会领导班子党的群众路线教育实践活动对照检查材料》;任命鱼峰区政协文史文教卫体委副主任。

第十七次会议 7月28日在鱼峰区机关办公大楼926会议室召开。会议根据鱼委〔2014〕40号《中共鱼峰区委员会关于提名魏文同志免职的通知》,协商通过人事任免事项。

第十八次会议 10月17日在鱼峰区机关办公大楼926会议室召开。会议主要学习习近平总书记在党的群众路线教育实践活动总结大会上的讲话和习近平总书记在庆祝人民政协成立65周年大会上的讲话;听取鱼峰区2014年1月—9月财政运行情况的通报。

第十九次会议 12月30日在鱼峰区机关办公大楼926会议室召开。会议协商决定召开政协八届六次会议事宜;审议政协常委会工作报告和提案工作报告以及政府工作报告;协商评选2014年先进委员活动小组、先进委员、优秀提案事宜;审议决定同意钟爱民、雷红、刘红因工作变动等原因辞去鱼峰区政协委员资格。

【调研视察活动】 2014年,根据政协常委会年度工作安排,分别以“鱼峰区史前遗址保护”“扶持鱼峰区民办教育”“促进鱼峰区纺织企业发展”“关于加快鱼峰区电子商务发展”为主题,按季度组织政协常委开展专题调研视察活动,撰写《关于社区矫正工作情况的调研报告》《关于扶持辖区民办教育的调研报告》《关于组织部分政协常委、委员视察鱼峰辖区的史前洞穴遗址的报告》《关于赴杭州、金华、义乌等地学习电子商务发展的考察报告》等四篇专题报告,报送区党委、政府决策参考。

2014年10月14日,区政协调研组一行到鱼峰区国税局,了解2014年前三季度鱼峰区经济运行情况 (卫 青 摄)

【扶贫帮困工作】 2014年11月6日—8日,区政协对口扶贫工作组赴中讲村,为融水苗族自治县杆洞乡中讲村小学修缮教室,购置有线广播、乒乓球桌、篮排球等文体器材,赠送文具用品;资助村民发展禾花鱼养殖产业,帮助村委会建设宣传、文体活动场所,慰问困难党员和群众。经过一年多方努力,还争取到当地县、乡政府部门支持,共投入资金40多万元用于杆洞乡至中讲村公路建设。5月9日,区政协主席朱德增带领机关干部职工一行18人到区颐康苑(原工疗站)看望慰问残疾人及其工作人员。给他们赠送风扇、粮油、苹果、糖果等慰问品。

【“迎新年”书画笔会】 2014年12月30日下午,鱼峰区政协“迎新年”书画笔会在区政协机关902委员活动室举行。区政协主席朱德增主持笔会并致辞,区政协副主席邢远坤、周尚达、梁洁华、谷音也一同出席。区政协文体组委员及辖区机关、学校、企事业单位的书画爱好者30多人慕名而来,一睹名家风采。来自全市书画界的十多位书画家现场创作“三羊开泰”图、“春和景明”图、书法《海纳百川》等一批高质量的书画作品,赢得参观者的赞叹。

政协鱼峰区委员会八届五次全会提案登记表

序号	提案者	内　容	审理	备注
1	潘业辉	关于提升大龙潭公园周边环境　打造龙潭商圈的建设	立案	1～19件本级政府办理
2	章志玲等4人	关于搭建中小微型纺织企业行业服务平台的建议	立案	
3	潘嘉寅	关于重振鱼峰商圈的建议	立案	
4	薛丽琼	关于助推柳州市桂饼文化博物馆建设的建议	立案	
5	赵　波	关于深入开展鱼峰区社区矫正工作的建议	立案	
6	周国庆	关于学校聘请法律顾问的建议	立案	
7	陈西刚	关于对社会举办的午托班实施监管的建议	立案	
8	孙　鸣	关于建设柳州山歌博物馆(陈列馆)的建议	立案	
9	蔡雪静	关于建设特色文化墙,打造全区文化新名片的建议	立案	
10	蔡雪静	关于加快推进夫子路特色文化街区的建议	立案	
11	郑钰华	关于探讨中小学生近视及用灯的建议	立案	
12	章志玲等5人	关于加强柳州市九头山路道路交通整治和管的建议	立案	
13	黄树柏等3人	关于在桂柳路与东环路交叉路口安装交通信号灯的建议	立案	
14	潘仁辉等7人	关于综合治理鱼马公园路边市场的建议	立案	
15	杨柏桂	关于加强整治和管理迎宾路的建议	立案	
16	马践等2人	关于修建以茅山为中心的“山体公园化绿地”的建议	立案	
17	郑良佐等2人	关于把工人医院周边人行道让还给行人的建议	立案	
18	马　践	关于优化推进“鱼峰歌圩”国家公共文化服务体系示范区(项目)工程的建议	立案	
19	潘业辉	关于在大龙潭公园周边建停车场的建议	立案	
20	黄　坚	关于做强河东汽车枢纽中心区的建议	立案	20～32件转市政协(其中序号22号提案为两级办理)
21	潘嘉寅	关于大力推广合同能源管理加大节能减排力度的建议	立案	
22	周国庆	关于学校聘请法律顾问的建议	立案	
23	梁　戈	关于尽快修建鲤鱼嘴遗址保护展示中心的建议	立案	
24	林奕辰	关于促进民营医院发展的建议	立案	
25	叶永峰	关于严厉打击“非法”医院广告期刊的建议	立案	
26	关晓云	关于将大桥、洛维片区域内公共基础设施纳入市政建设管理的建议	立案	
27	关晓云	关于增设柳石路段大桥片区公交车班次并延长运营时间的建议	立案	
28	李　钊	关于增设迎宾路人行道的建议	立案	
29	刘　悦	关于对城市地下光缆、电缆进行规范化管理的建议	立案	
30	吴少文	关于治理雒容镇火车站煤矿加工厂环境污染的建议	立案	
31	蔡雪静	关于大力发展柳州市社区养老服务体系的建议	立案	
32	蔡雪静	关于在全市实施城市生活垃圾分类的建议	立案	
33	郑文进	关于加快建设大型特色专业市场的建议	不立案	33～35件转社情民意
34	曹子中	关于加强对电动车驾驶员进行交通法规和交通安全常识培训的建议	不立案	
35	杨素春	关于让残疾人提前退休的建议	不立案	
36	潘天伟	关于加强对辖区内飙车行为治理的建议	不立案	所辖范围不属鱼峰区

【协商议政】 2014年，鱼峰区八届五次全会期间，政协委员听取和审议政府工作报告、财政预结算报告，提出意见建议，并围绕建设大型特色市场、文化产业发展、保护未成年人权益、社区矫正工作等9个热点、难点问题在全会作发言。先后4次组织政协常委围绕"鱼峰区史前遗址保护""扶持鱼峰区民办教育""促进鱼峰区纺织企业发展""关于加快鱼峰区电子商务发展"四个专题进行协商议政，撰写专题报告，报送党委政府决策参考。第四季度常委会议，在走访视察有关委员单位和区地税局、国税局后，认真听取区政府关于财政运行情况汇报，重点对政府财政在为民办实事方面的资金投入情况进行问政分析，同时为拓宽税源渠道建言献策。各专委会组织委员先后到市日鹏纺织有限公司、润澄针织有限公司、市真晖中学、京师双语幼儿园、荣军街道、福康医院等单位视察，围绕扶持纺织企业、民办教育发展、开展社区矫正等问题，与政府有关职能部门进行对口协商。区政府拨付100万元用于辖区民办学校发展；柳州白莲洞洞穴科学博物馆将白莲洞及周边9处遗址进行规划整合保护，申报第二批国家考古遗址公园，充实提升鱼峰区建设历史文化核心区的项目和内容。

【提案工作】 2014年区政协委员和政协各组成单位积极推动提案履职建言，提交提案35件，经审查立案31件，立案率88.5%。其中区本级办理19件，转市政协13件（其中有1件为两级办理），不立案作为意见建议转相关部门参考的4件。截至2014年8月底，提交本级提案全部办复。其中委员所提问题已经或基本解决的7件，占36.8%；正在或列入计划逐步解决的8件，占42.1%；因条件限制暂不能解决的4件，占21%。委员对提案办理的反馈意见均表示满意，满意率100%。 （韦玉清）

5月13日，区政协在荣军司法所举办政协提案办理专题协商会
（区政协 提供）

人民武装

【思想政治建设】 2014年鱼峰区人民武装部组织开展党的群众路线教育实践活动，开展"牢记强军目标、献身强军实践"教育，通过培育当代革命军人核心价值观等方式和途径加强思想政治教育。利用宣布命令、民兵训练、工作例会、战备执勤等时期对专武干部主要抓职责教育，提高对履行基层武装的"专职"职责的认识。利用2次点验、2次战备拉动、2次集中训练，抓民兵预备役队伍的形势任务和职能使命教育；利用短信平台，在昆明市火车站"3·1"等社会突发事件和"汛期"等季节性自然灾害期，进行"随时准备履职和加强自身防范"的短信提示教育，强化民兵预备役人员"兵的身份意识，随时准备应急应战的职能使命意识，加强自身防范和开展自救互救的意识"。全年刊发新闻稿件33篇，其中《解放军报》2篇、《战士报》7篇、其他中央级、省市级24篇。

【军事备战训练】 上半年组织专项战备拉动。下半年结合高炮分队演习和区民兵应急分队集训，组织有预案的出动演练。严格落实节日和敏感期的首长机关和民兵分队战备值班。3月8日桂林发现疑似恐怖活动情报，人武部首长机关15分钟内全部赶到值班室值守，在2小时内组织40名民兵待命；组织民兵高炮分队42

2014 年 3 月 4 日，鱼峰区民兵应急分队进行推动演练。图为 125 名民兵进行全装徒步 30 公里训练　（区人武部　提供）

人参加“柳字 –14 号”防空指挥所演习、防空袭疏散和消除空袭后果、湛江靶场实弹射击等系列演习。落实民兵年度训练计划，在军分区组织的年度比武竞赛中，机关总评第 4 名，民兵取得了 1 个团体第 2 和个人第 1、第 3 各 1 个的突破性成绩。在柳机试点组织民兵进行为期 3 天训练。针对反恐防暴要求，在柳职院进行保安队、护校队和学生临恐临爆的自发自救互救的应急组织指挥问题摸索。6 月 5 日人武部机关全体和 90 名民兵预备役人员，出动到雒容镇河水倒灌内涝现场，转移群众物资，挽回经济损失 500 多万元。投入 37 万余元建立市民兵应急营第三连战备物资器材库。预算 26.74 万元用于基层武装部建设，解决“训有器材、防有工具”问题，提高民兵应急分队出动反应速度。

【兵员征集工作】 年内完成 100 个男兵(1 个因思想问题退兵)、7 个女兵、7 名直招士官的征集任务。从 5 月份开始进大、中院校，6 月进厂矿企业宣传，到街道、社区调研、督导；主动协调辖区街道组织深入再动员，定期听取征兵工作进展情况汇报，利用户籍系统、计生系统和网格中心对辖区适龄青年做详细统计，到人才市场把辖区应届毕业青年的个人信息反馈至街道。基层武装部和绝大部分社区对照信息挨个打电话、上门“一对一”反复做工作。年内征召的 113 个兵员中有大学生士兵 40 人，占 35.4%，比例全市最高。回访后部队普遍反映鱼峰区选送的兵员素质过硬。

【后勤保障建设】 年内坚持专款专用，区财政划拨的 2 笔专项建设经费，全部投入到市民兵应急营第三连和基层武装部战备库室建设。从营院维修等经费拿出 12 万余用于文印室、保密室、营区和重点场所监控、营门安保等物防、技防设施建设。把三栋楼之间的电路线路进行全面整治，最大限度消除安全隐患。按照军分区“美化、绿化、亮化”的建设要求，投入 35 万元，整修大门外墙和院内围墙、整治饭堂、安装灯光球场、路灯、建晒衣场、更换交班室会议桌和视频交班系统。发扬“勤俭建设，自家自建”的优良传统，干部职工统一划分卫生责任区，人

2014 年 9 月 4 日，鱼峰区召开新兵欢送大会，100 名新兵整装待发　（区人武部　提供）

武部营院“军队的样子、军营的样子”进一步树立。

【拥军优属】 5月到融水苗族自治县四荣乡初级中学开展“传递爱的种子,奉献一片爱心”捐资助学活动,为学校送去电脑2台和学习用品一批;7月组织全体干部职工到融水苗族自治县红水乡芝东村扶贫点给贫困户、贫困生送去7000余元的慰问金以及价值近万元的慰问物资(电脑一台、打印机一台、米油一批、学习用品一批、衣物一批)。

【扶贫助学】 年内先后协调解决3名军属的安置、5名军人家庭小孩入学入托,协调解决2名退伍军人申请困难救助金的问题。6月、9月先后协调民政部门慰问121旅炮兵团、123师367团参演官兵近600人,送去慰问金2万余元。春节、八一节等期间,区“四家班子”领导到41集团军、军分区以及辖区驻军单位进行慰问,“同呼吸、共命运、心连心”的优良传统得到传承和体现。(覃　爽)

人民防空

【人民防空概况】 2014年,区人防工作围绕“人防建设科学发展、提高信息化条件下防护体系能力”主题,根据人防工作管理目标任务,突出市民体验互动,加强人防工作宣传教育,抓平战结合,提高山洞利用率,加强人防工程的管理维护和人防指挥能力建设,完成目标任务,年内被市人防办评为工作目标管理达标先进单位。

2014年9月18日,市第八中学进行防空疏散演练 (区人防办　提供)

【组织指挥建设】 围绕人民防空应急准备需要,加紧调整人防预案和区人民防空指挥机构,补充完善各级人防组织和人防工作志愿者组织,加强人民防空训练和管理,提高遂行任务的能力。对换届后各社区、村疏散人数进行重新统计存档,9月份结合领导工作岗位的变化调整区人民防空指挥部机构。新装14台防空警报器,现有警报器28台,9月全市防空警报试鸣活动中鸣响率达100%。与融安县人防部门沟通协调早期疏散基地建设事宜,12月完成4个村的疏散基地建设,战时对应安置荣军街道办事处宝山、景中苑社区共3900名重点人员。

【应急防空疏散演练】 9月18日,组织辖区所有中学、驾鹤街道办事处蟠龙社区、桃源社区共1万多人参加应急疏散演练。演练前,组织参演单位研究讨论应急疏散演练实施方案,邀请市办领导现场培训指导,各参演单位多次组织训练和预演。演练中,各参演单位按照既定的实施方案,组织本单位人员按照规定的路线快速向疏散地域疏散,市人防应急疏散指挥中心通过现场直播的方式观摩了十三中的演练情况,达到了预期效果。其中,八中、十三中和蟠龙社区被评为先进单位。

【宣传教育】 人防宣传教育,采取科普专栏、入户宣传、专题宣传等形式,推动人防宣传制度化、常态化。9月初,结合“9·18”防空警报器试鸣及疏散演练工作,委托红锋社区在鱼马公园举办人防专题宣传活动,采取与市民互动的方式,让市民亲自体验如何利用和使用人防工事、装备,收到良好的效果。推进人防教育“五进”示范建设,11月将桃源社区建成人防教育示范社区,市人防办定为全市示范点。全年分别为街道办事处、初级中学和有关职能部门订购《中国人民防空》杂志 20 份，制作《人防知识手册》6000 份。

【工事维护管理】 2014 年重新对辖区工事进行普查，辖区内共有 134 个人防早期工事（坑道），56 个人防地下室，属鱼峰区维护管理的人防早期工事（坑道）有 32 个。全年投入 20 多万元新装 4 个铁门，补漏翻新 1 栋洞口房，安装 3 个工事的水电设施，清除 5 个工事内部塌方和危石。引进社会资金投入到工事的管理维护当中，引进 3 家酒庄来投资，投入近 200 万元对工事进行整修。与水产局合作，引进公司养殖野生鱼种。年内平战结合收入 13.7 万元，比上年增加 16%。横漏山人防工事口部工程年内正式动工建设。

【马鞍山人防配套工程竣工】 马鞍山人防配套工程 2010 年立项，次年 6 月由柳州市城市建设投资公司开工建设，工程分两期投资 4900 多万元，2014 年全面竣工。从山脚到山顶的高度 173 米，竖井内安装 2 部电梯，相邻电梯之间，每隔 2.5 米有一个救援平台相连通。当一部电梯有故障时，另一部电梯可过电梯内有线电话报警实施救援。电梯采取市政电源和自备电源两种供电方式，即使在市政电源和自备电源都中断的情况下，也能依靠自身的停电应急装置，自动降落到地面。工程由横向坑道和竖井两部分组成，通风竖井和长达 200 多米的横向隧道等都出于人防建设需要建设，与山体内其他人防工事形成一个整体。竖井高度约 170 米，从山脚坐电梯直达山顶只需不到 1 分钟时间。在山顶，电梯一侧设置有一个扇形观景台，整个平台采用钢框架结构，半径为 6.2 米，中心角为 150 度，结构安全为 2 级，可容纳 30 名游客同时观景。按照兼顾“战备效益、社会效益、经济效益相结合”原则，在经过物价等部门批准后，采取“以洞养洞”（收门票）模式进行管理。马鞍山海拔 272.11 米，其观景平台，可以俯瞰的城市概貌。（何仁福）

责任编辑：零霍香

民主党派和工商联

【中国国民党革命委员会柳州市委员会鱼峰基层组织】 2014 年，中国国民党革命委员会柳州市委员会在鱼峰辖区有 2 个基层支部，党员 54 人，其中女党员 21 人。在机关工作 7 人，从事教育 10 人；有研究生学历 4 人，大专以上学历 31 人；高级职称 9 人，中级职称 25 人。党员中有柳州市政协委员 3 人；鱼峰区政协委员 3 人，其中常委 1 人，占鱼峰基层组织党员总数的 11.11%。

组织建设　1 月，支部党员参加市委会组织的新春茶话会，通过开展联谊、文体和爱心互助等活动，慰问老党员及到医院探望生病的党员 30 余人（次），增强了基层组织的凝聚力。9 月辖区 2 个基层支部按照市委会换届工作方案顺利完成换届工作。陈西刚当选为鱼峰一支部主委，梁德铨连任鱼峰二支部主委。换届后的新支部优化了支委组织结构，一批年富力强、充满朝气、有学历、有干劲的党员迈上基层支部支委的发展平台，实现“老中青”合理搭配。年内，梁德铨被评为民革广西区委“博爱活动”先进个人。

思想建设　年内，民革鱼峰基层组织把握“做老一辈优良传统和高尚风范的传承者，做巩固和发展政治交接成果的实践者”的宣传主线，持续组织党员开展学习、树立和践行社会主义核心价值体系思想建设活动及政治交接教育实践活动。3 月支部党员参加市委会组织的传达和解读全国“两会”精神会议，统一思想认识；6 月，支部党员参加主委付建文以“同心同向同行　坚持三个自信”为主题的学习报告会，认真学习、深刻领会中国特色社会主义理论，进一步增强坚持和发展中国特色社会主义道路自信、理论自信、制度自信。10 月参加市委会精心策划的“柳州民革成立 60 周年”纪念大会和知识竞赛等一系列纪念活动，2 个基层支部均获得知识竞赛三等奖。

参政议政　2014 年民革鱼峰基层组织组织党员开展“一党员一建议一信息，一支部一提案一活动”。党员提出的议案和提案《关于在荣军路上两个十字路口处修建机动车地下直行通道的建议》等 8 件，内容涉及交通、教育等方面。支部党员撰写的社情民意信息《加强我市突发事故应急培训的建议》等被市委、市政府采用。有 2 名支部党员被机关及企事业单位聘为特约四员（即特约监察员、检察员、审计员和教育督导员），参与地方国家政治生活，发挥参政议政和民主监督的作用。

促进祖国统一工作　年内，民革鱼峰基层组织把“伸出博爱之手，牵手基层困难群众”和“关爱统战老人”两个活动有机结合起来，为老党员，抗战老兵等基层困难群众提供物质和精神关怀。同时注重利用党员中“三胞”关系（台胞、海外侨胞、港澳同胞），做好民革党员“三胞”亲属工作，扩大两岸民间交流与往来，鼓励民革党员通过探亲、访友，帮助台湾亲友进一步了解大陆，传达台湾人民真实的社情民意。

社会服务　年内民革鱼峰基层组织继续组织党员开展以社会主义新农村建设、“扶贫助学”为重点的社会服务工作。鱼峰二支部梁德铨给家乡教育基金会捐款2万元，给家乡小学捐助钱物共计4万元，资助800元给融水县同练乡英洞小学1名学生。8月底至9月初，基层支部根据民革广西区委会及民革柳州市委会部署，在首个中国人民抗战胜利纪念日（9月3日）到来之际，慰问柳城县和鱼峰区的13名原国民党抗战老兵，并代民革广西区委会发放39000元慰问金。　（范盛任）

【中国民主同盟柳州市委员会鱼峰基层组织】　2014年，中国民主同盟柳州市委员会在鱼峰辖区设立的基层组织有柳州职业技术学院支部、一中支部、河南科技一支部、河南科技二支部共4个支部和八中、四中2个小组，盟员总数95人，其中女盟员35人，盟员中高级职称56人，中级职称30人。有各级政协委员4人，其中柳州市政协委员2人，

自身建设　2014年民盟鱼峰区各基层组织根据民盟柳州市委的安排，认真开展基层组织工作，其中柳州职业技术学院发展新盟员1名。各支部小组除按照盟章规定过好组织生活外，主要工作是围绕民盟柳州市委《民盟柳州市委关于开展基层组织建设年活动的通知》，结合自身实际，按照《2014年民盟柳州市委开展基层组织建设年活动实施方案》，组织本支部、小组的盟员开展“基层组织建设年”活动。4月22日，民盟柳州市委召开十三届四次全体委员（扩大）会议、民盟基层组织建设年活动动员会。民盟鱼峰区各基层组织支委、市委委员、政协委员以及新盟员参加会议。会上对2013年度“我为民盟增光添彩”活动先进集体和个人进行表彰。柳州职业技术学院支部、河南科技二支部、一中支部被评为先进集体，黎渝林、廖学新、谭界忠、刘悦、庞凌、汪茜、王明明、莫怀远等被评为先进个人。

参政议政　2014年，民盟鱼峰区各基层组织及其所属盟员围绕全市和本单位的中心工作以及人民群众普遍关心的热点、难点问题，开展调查研究，提出意见和建议，共向民盟柳州市委提交提案、信息5份。其中河南科技二支部李保民执笔的《关于加快我市一体化航空运输发展的建议》作为民盟柳州市委集体提案提交市政协十一届五次会议获立案，并被评为优秀提案，其个人被盟市委评为2014年提案工作先进个人。　（项攀峰）

【中国民主建国会柳州市委员会鱼峰基层组织】　2014年中国民主建国会柳州市委员会在鱼峰辖区设立基层组织有鱼峰总支1个，下设汽车厂支部、鱼峰工商一支部和工商二支部3个，会员56人，其中女会员14人，占会员总数26%，大学以上学历47人，占会员总数84%。会员中当选柳州市政协常委1人，柳州市政协委员2人，鱼峰区政协委员2人。

思想建设　2014年民建鱼峰总支每两月召开组织生活会，组织会员学习中共十八届三中、四中全会和民建中央十大精神，组织传达全国、自治区、柳州市“两会”精神，学习民主党派发展历史、多党合作和政治协商制度的由来。5月中旬参加由市委会组织召开的宣传工作会议。全年向《柳州民建》和民建柳州市委网站等媒体发表宣传报道及各类文章4篇。

组织建设　3月3日，民建鱼峰总支派员参加民建柳州市第十届委员会第六次全体（扩大）会议。年内，加强后备干部人才培养、举荐，向市委会推荐优秀年轻会员为新一届总支常委委员候选人。

参政议政　2014年民建鱼峰总支委员和会员密切关注民生，围绕群众普遍关心的问题，认真开展调研，向市委会提供提案线索。民建鱼峰总支主任王怀德向市委会提交《关于完善公有住房维修制度的建议》等社情民意1份。6月底，组织会员参加市委会“柳州市农村土地流转机制研究”课题组，到柳州六县四城区进行调研，针对全市农村土地的流转情况和存在的问题进行了分析研究，并形成调研报告。

社会服务　2014年民建鱼峰总支根据中共柳州市委统战部、

民建柳州市委会号召,结合“坚持和发展中国特色社会主义学习实践活动”,开展社会扶贫及服务会员等社会服务工作。10月22日,安排会员陪同民建柳州市委会主要领导到柳江县流山镇调研,协助镇种养殖基地解决产品销售问题。11月29日,组织29名会员到雒容参观会员企业——日高滤清器厂,了解会员企业发展情况,反映企业诉求,协助解决困难,促进企业健康发展。

主要活动　10月9日,民建鱼峰总支派出三名会员参加市委会举办的“我是民建会员”演讲比赛,并获得组织奖一等奖。11月上旬,民建鱼峰总支参加市委会开展的总支气排球比赛,获冠军。　（刘希茜）

10月9日,民建鱼峰总支主任参加民建柳州市委会举办的“我是民建会员”主题演讲比赛　（民建鱼峰总支　提供）

【中国民主促进会柳州市委员会鱼峰基层组织】　2014年,中国民主促进会柳州市委员会在鱼峰辖区内设置有柳州市第一中学支部、市第八中学支部、市第二十五中学支部、柳州职业技术学院支部、市医卫支部、市科技支部、市美术支部、河南退休支部、鱼峰退休支部共9个基层支部,会员总数163人。会员以从事教育和卫生工作为主,其中大部分具有中、高级职称。会员中当选全国人大代表1人,自治区政协委员2人,柳州市政协常委4人、委员12人,城区政协常委4人、委员22人。

思想建设　2014年,民进鱼峰区各基层组织继续深入开展坚持和发展中国特色社会主义学习实践活动,夯实共同奋斗的思想政治基础。在民进柳州市委的领导下,在实际工作中强化“主线意识”,进一步巩固全会的道路认同、目标认同和价值认同,夯实共同奋斗的思想政治基础。参与研究制定《民进柳州市委学习实践活动方案(2014—2017年)》,明确活动开展阶段,确定年度工作主题和重点。各支部组织专题学习,组织参加4月民进广西区委主委陈自力来柳传达全国“两会”精神宣讲会,8月市委会举办的暑期学习班。通过系统的理论学习,引导和组织广大会员深刻认识中国特色社会主义政治发展道路的历史必然性和现实优越性,不断增强接受中国共产党领导的自觉性和坚定性,同时,引导广大会员理解改革、支持改革、参与改革、宣传改革,从建设中国特色社会主义参政党的高度出发,继承优良传统,立足本职,双岗建功,进一步推进政治交接。

组织建设　认真贯彻落实民进中央“组织建设工作主题年”的工作部署和要求,按照强化“人才强会”理念,立足加强领导班子建设、人才队伍建设、后备干部队伍建设和机关干部队伍建设,采取切实有效的措施,组织建设取得新成绩。顺利完成了2014年民进鱼峰区各支部的基层组织换届工作,发展新会员9人。在民进全国“创先争优”活动,民进鱼峰区基层支部柳职院支部荣获“民进全国先进基层组织”;医卫支部主任唐柳平荣获“民进全国基层组织工作先进个人”光荣称号。在广西民进2014年度基层组织“创星争旗”活动总结评选中,柳职院支部和医卫支部被评为“红旗支部”。

参政议政　2014年,民进鱼峰基层各支部的会员和各级委员密切关注民生,围绕群众普遍关心和平时工作中反映出的各种问题,认真开展调研,撰写提案和建议,在各级政协会议上,履行参政职责。职业技术学院支部会员黄思松写的《关于创建无障碍城区厕所的建议》提案被评为鱼峰区政协优秀提案。医卫支部提交的《关于缓解我市“血荒”的建议》《加强对我市各中小医院抗生素规范化管理的建议》得到市政协采纳，以及《进一步完善柳州公共自行车租赁服务系统的建议》关注市民生活。下半年，医卫支部联合职业技术学院支部、机关支部就柳州市医患关系开展深入调研，并在充分调研的基础上形成《柳州市医务工作者的现状分析及构建和谐医患关系的对策研究》调研报告，积极参与柳州市卫生事业改革发展。

社会服务 2014年，民进鱼峰区各基层支部继续发挥在教育、卫生方面的资源优势，不断拓展社会服务领域，组织开展多项社会服务活动。5月14日，柳州一中支部、柳职院支部与其他支部的十多位优秀教师会员，来到柳城县实验高级中学开展支教送学活动。针对柳城县实验高中高三年级的同学进行公开授课，科目包括了语文、数学、英语、物理、化学、地理、历史以及考前心理辅导等课程。9月21日，医卫支部率中医、儿科、心血管、推拿、肾病、肿瘤、内科、针灸等十多名专家会员来到市中西医结合医院正门举行大型义诊活动，当天专家们为周边社区小区的上百位居民进行义诊。柳职院支部还开展特色送医送药活动，会员黄思松发挥自身优势，一年来，先后率领区荣军医院医疗服务队前往区内10个县43个乡镇，共为3650多名在乡优抚对象免费体检和送医送药，投入公益经费约190万元。8月3日，云南省昭通市鲁甸县发生6.5级地震后，民进鱼峰区各基层支部会员积极为地震灾区捐款，共筹集捐款人民币6850元。

（谭　鹏）

【中国农工民主党柳州市委员会鱼峰基层组织】 2014年鱼峰区辖区有农工党基层组织6个，即市工人医院总支部委员会、广西脑科医院支部委员会、广西龙潭医院支部委员会、广西地质医院支部委员会、广西科技大学支部委员会、广西科技大学二附院支部委员会。有党员133人，大学以上学历58人，其中研究生学历13人，博士3人；党员中从事医疗卫生工作129人，从事文教工作4人；副高以上职称48人，中级职称85人。党员中担任柳州市第十一届政协委员5人，其中常委2人；鱼峰区政协委员4人，其中常委1人。2014年发展党员5人。

10月10日，农工党广西脑科医院支部组织党员到柳城县六塘镇中心卫生院开展世界精神卫生日义诊　（农工党柳州市委　提供）

思想建设 2014年农工党鱼峰区基层组织坚持每季度过一次以上组织生活，组织党员学习党的方针政策和新的统战理论，传达贯彻上级指示精神，深入学习贯彻中共十八大，十八届三中、四中全会精神，积极开展坚持和发展中国特色社会主义学习实践活动。5月24日，广西科技大学支部党员岳娟参加农工党广西区委坚持和发展中国特色社会主义学习实践活动“中国梦·农工情”演讲比赛，经过激烈角逐荣获二等奖。

参政议政 2014年农工党鱼峰区基层组织坚持科学发展大局，围绕中共柳州市委、市政府的中心工作和战略部署，紧紧抓住柳州市经济社会发展的重要问题，积极建言献策，反映社情民意，提出意见和建议。辖区农工党员上交市政协提案4件，鱼峰区政协提案3件。

社会服务 农工党鱼峰区基层组织与市政协、农工党市委平台对接，多次到融安县、柳城县等开展社会服务活动，为群众义诊，送医送药。7月18日，组织党员专家到融安县大坡乡开展“三下乡”服务活动，为来自大坡乡各村屯的近200名村民提供送医送药服务，同时发放健康、科技宣传资料，为乡镇干部群众举办健康专题讲座，并向中心捐赠价值1万元的器材设备和500余册书籍。10月10日，广西脑科医院支部组织党员到柳城县六塘镇中心卫生院开展世界精神卫生日宣传及义诊送药活动。支部主委潘天伟开展“保持心理健康，促进社会和谐”的心理卫生健康讲座，六塘镇中心卫生院公共卫生科的医务人员、病人及其他群众参加讲座。讲座结束后潘天伟、毛希祥、黄善民等进行义诊和免费送药活动。就诊及咨询80余人次，测血压近60人次，心电图、血常规、肝功能检查60余人，发放药品价值0.8万余元，发放健康教育、就医政策宣传单100余册。5月30日，市工人医院总支党员黄福文、谭广萍、袁天柱等组成服务小组到融水县人民医院进行对口技术支援。他们分别进行教学查房、疑难病例讨论、专业培训并进行相关手术指导。年内，市工人医院总支、广西脑科医院支部荣获农工党广西区委先进基层组织，潘天伟、首家保等7名党员荣获农工党广西区委优秀党员称号。

基层组织换届选举 2014年6~7月，农工党鱼峰区基层组织市工人医院总支部委员会、广西脑科医院支部委员会、广西龙潭医院支部委员会、广西地质医院支部委员会、广西科技大学支部委员会、广西科技大学二附院支部委员会先后召开党员大会举行换届选举。出席选举会议党员85名，分别选举袁天柱、潘天伟、杨小兵、莫庆芬、陆桂喜、赖一民6名为主任委员，6个总支、支部新委员27名。

【中国致公党柳州市委员会鱼峰基层组织】 2014年中国致公党柳州市委员会鱼峰区设立有鱼峰支部、柳石支部、柳州职业技术学院支部。党员总数84人，其中女党员33人；大学以上学历48人，其中研究生5人；具有高级职称18人；城区政协委员3人。党员主要从事教育、医卫及在大中型企业、事业单位工作。

思想建设 根据致公党广西区委会下发的《关于在全区各级组织中开展坚持和发展中国特色社会主义学习实践活动的通知》（致桂发〔2014〕5号）精神要求，鱼峰支部和柳石支部联合组织开展“我与中国梦”的主题活动，同时以座谈会及换届工作会的形式，牢牢把握中共十八大和十八届三中全会精神，准确把握中国特色社会主义理论体系的真谛要义，紧密联系自身实际，积极投身到建设中国特色社会主义的伟大实践。柳州职业技术学院支部党员王双虎以《高培苗寨》等五幅摄影作品参加了致公党广西区委的“美丽中国”摄影展，通过照片展现祖国的大好河山及人文风貌，获得一致好评。

参政议政 2014年致公党鱼峰支部、柳石支部和柳职院支部围绕中共柳州市委、柳州市政府的中心工作和人民群众关心的热点问题，组织党员，精选课题，开展调研，通过致公党柳州市委积极反映社情民意。鱼峰区政协马践委员提案《关于优化推进“鱼峰歌圩”国家公共文化服务体系示范区（项目）工程的建议》获鱼峰区2014年优秀提案奖。

组织建设 2014年是致公党柳州市委基层支部换届年。鱼峰支部、柳石支部和柳职院支部全体党员，认真按照致公党章程和广西区委会有关会议精神及《致公党柳州市委关于基层支部换届工作方案》。在换届过程中，严格按照组织工作程序，经过充分协商，以不记名投票和协商推举的方式选举出其支部的支部主委、副主委及委员。鱼峰支部、柳石支部和柳职院支部换届协商充分，程序合规，换届工作圆满完成。

社会服务 2014年1月，柳职院支部的3名书法家党员参与致公党柳州市委会新春送温暖活动，到柳州市廉租房小区北祥小区为当地3000户困难群众书写新春祝福春联。该活动得到当地居民的热烈欢迎。2014年致公

2014年7月1日，致公党柳职院支部党员参加“鹅山漓水·翰墨传情”书画两地写生及书画展座谈会（中国致公党柳州市委 提供）

党柳州市委以致公画院为平台，与桂林市委会开展两地画家赴柳州、桂林写生创作，并分别于桂林柳州两地举办庆祝致公党柳州市委桂林市委成立三十周年“鹅山漓水·翰墨传情”书画联展。鱼峰支部、柳职院支部共计5名党员参加两地写生及两地画展，展现两地致公党人的风采及桂柳文化的强大实力。

蜡染作品广西获奖 由自治区工信委、自治区二轻工业联社主办的2014年广西工艺美术作品暨大师精品展中，柳职院支部党员马践主创的蜡染《花山印象之欢腾图》获得银奖。同年其蜡染作品《花山印象之蛙人庆功图》获广西文联、广西民协设立的广西刘三姐民间文艺奖。（潘思静）

【九三学社柳州市委员会鱼峰基层组织】 2014年九三学社柳州市委员会在鱼峰辖区设有东风支社、工人医院支社、柳机支社、卫校支社、地质地矿支社5个基层组织。有社员150人。其中女社员77人，从事工程技术工作72人，从事其他工作78人，具有高级职称67人，中级职称83人。社员中柳州市政协委员3人，鱼峰区政协委员2人，其中鱼峰区政协常委1人。

主要活动 2014年九三学社鱼峰基层组织5个支社根据社区委要求开展了基层组织换届工作。在换届过程中水文、地质、地矿三个支社根据实际情况提出申请，经社市委批准合并为地质地矿支社。换届完成后，鱼峰基层组织现有5个支社，新任主、副委员16人。2014年鱼峰区基层组织无新社员入社。

社会服务 2014年6月，卫校支社组织赴沙塘镇开展免费义诊活动，来自内、外、儿、甲状腺、肿瘤、口腔等多个科室的16位医疗专家利用周末休息时间进行义诊和免费送药，为当地群众送温暖、办实事，展现精湛医术、崇高医德和九三人服务社会的情怀，受到当地群众的热烈欢迎。（刘云飞）

【工商联工作】 2014年，区工商联工作达到“五好”标准，即领导班子好、会员发展好、商会建设好、作用发挥好、工作保障好。工商联拥有会员300多个，组建7个街道商会，1个非公有制经济联谊会，形成覆盖鱼峰区的工商联（民间商会）组织网络。10月，鱼峰区工商联作为六县四城区唯一的代表随柳州市工商联参加自治区非公有制经济法律服务座谈会，并作题为“认真履行服务职能，切实维护合法权益，努力为非公有制经济持续快速健康发展保驾护航”的经验介绍。11月，柳州市县区“五好”工商联经验交流现场会在鱼峰区召开，全市六县四城区工商联近百名领导干部到鱼峰区进行参观考察和经验交流。（蒙　佳）

人民团体

【工会】 2014年，鱼峰区工会共有基层工会组织531个，涵盖企事业单位2533个（其中涵盖非公企业2431个），下辖天马、驾鹤、荣军、箭盘山、五里亭、白莲、麒麟7个街道工会联合会，57个社区（村）工会联合会，147个直属企业工会（其中规模以上非公企业70家），以及区直机关工会、教育工会、法院工会、检察院工会和区工商联、卫生、环卫等行业工会。工会组建率达99%；会员人数达39322人，入会率达97%。

机构人员编制情况：年内部门有编制2名，聘用专职工会工作者7人，工资集体协商专职指导员1人，实有10人。其中，中共党员4人。本科及以上学历7人，大专学历3人。

鱼峰区工会第六次代表大会 2014年2月26日，在区机关大楼一楼会议厅召开鱼峰区工会第六

2014年7月4日，天马街道商会成立　（蒙　佳　摄）

次代表大会，选出鱼峰区工会第六届委员会委员25名、常委9名、主席1名、副主席1名。区人大常委会副主任梁学德当选为鱼峰区工会第六届委员会主席，工会主席首次实行职级高配。

管理制度 深化“党建带工建，党工共建”工作格局，拓展建会领域，全面完成工会组建及会员发展任务。广泛开展“三亮三赛三评”活动，促进职工之家建设；探索区域性职代会新模式，推行厂务公开民主管理工作；以“双爱双评”为载体，加强和谐企业创建。2014年，“三亮”及会员评家活动覆盖面达96%以上，合格职工之家的比例达到基层工会总数的96%；辖区50人以上的企业以职代会制度为基本形式的企业民主管理制度的建制率达97%以上，方鑫公司厂务公开民主管理工作获第八次全国厂务公开民主管理调研检查组肯定；15家企业、12名经营者、12名职工分别荣获柳州市“双爱双评”先进单位、“关爱员工的优秀经营者”及“热爱企业优秀员工”称号。

劳动竞赛 健全完善竞赛活动、竞赛评估、竞赛激励、劳模选树、竞赛保障等工作机制，涌现出一批先进集体和先进个人：柳州市八中荣获广西“五一劳动奖状”单位；柳州市建益电工材料有限公司电镀车间电镀班荣获广西“工人先锋号”称号；柳州环宇预拌混凝土有限公司机修班组获柳州市“工人先锋号”称号；2家企业获市“安康杯”竞赛优胜单位，6人获得优秀组织者。举办鱼峰区首届焊工职工职业技能竞赛，创建“先模创新工作室”2个。

2014年12月26日，鱼峰区举办焊工职业技能竞赛技能培训班

（区工会　提供）

服务农民工 积极打造项目工会工作站，在河东综合交通枢纽中心项目建筑工地成立鱼峰区首家工会工作站，依托工会工作站广泛开展安全生产、健康教育、维权帮扶、职工文化等主题活动，为农民工提供直接、方便、快捷的帮助和服务。2014年，开展“暖流行动”、送健康、送清凉、送文化、送欢乐等各类活动40余场；帮扶救助困难农民工30余名，帮扶金达6万元；举办技能培训6期，培训农民工560多人次；农民工入会率达86%以上。

维权帮扶 创新职工信访“五字”工作法，11月6日在广西工会信访工作会议上进行经验交流，是广西唯一一家典型发言的县级工会代表。深入推动企业普遍开展工资集体协商，辖区签订工资专项集体合同企业2405家，其中单独签订295家，区域、行业工资专项集体合同26份，覆盖企业2110家，建制率超过95%，女职工权益保护专项集体合同签订率为100%。全力开展就业帮扶、生活救助、金秋助学和法律援助为主要内容的帮扶行动，全年帮扶救助困难职工406人次，帮扶金达22万元；超额完成职工医疗互助保障参保工作，完成10995份，完成率230.35%；组织专场招聘会21次，为3000多人提供免费就业服务；办理职工维权案件5件，办结率达100%。

（黄珊珊　何　敏）

【共青团】 2014年，共青团鱼峰区委员会积极践行党的群众路线，充分发挥组织青年、引导青年、服务青年、维护青年合法权益的基本职能，被评为柳州市“团建先进县区”“五四红旗团委”，2名青年分别被评为广西优秀团员和优秀团干，鱼峰区成为柳州市两个广西少先队活动课示范区之一，鱼峰区“雷锋超市”志愿服务站获评为共青团中央2014年重点支持建设的青少年综合服务平台项目。

机构人员编制情况：年内有编制2名，实有8人（挂职1人）。

其中,中共党员2人,本科及以上学历6人,大专学历2人。

组织建设 4月16日,共青团鱼峰区第八次代表大会在区机关一楼会议厅召开,大会应到代表100名,实到88名,审议并通过共青团鱼峰区第七届委员会所做的工作报告,选举产生新一届委员会,崔苗当选为共青团鱼峰区第八届委员会书记。10月,辖区57个村(社区)团组织集中换届工作顺利完成。11月,在共青团柳州市第十九次代表大会上,鱼峰区团委书记崔苗当选为共青团柳州市第十九届委员会常务委员。12月联合鱼峰区委组织部举办“青春引擎”团干培训班,共培训基层团干85名。

少先队 年内,东环路小学、箭盘山小学、柳石路第三小学3所学校少先队鼓号队在广西少先队鼓号队比赛中分别获得特等奖、一等奖、二等奖,东环路小学鼓号队代表广西参加全国少工委主办的“红领巾相约中国梦”中国少年先锋队鼓号队交流展示活动荣获“最佳精神风貌奖”。在全市率先打造“亲子义工”活动品牌,鼓励家长更多关注和参与孩子的成长过程,与孩子一起参加公益活动。

青少年思想引领 年内,以培育社会主义核心价值观和践行党的群众路线教育实践活动为思想教育重点。以五四青年文化节为契机组织50名团员青年到水南村体验劳作、了解民情;8月份以“培育社会主义核心价值观 践行青春‘中国梦’”为主题,开展包括社会主义价值观宣讲、国防教育、自护教育、传统文化教育4项内容的暑期青少年活动12场。

服务青少年 帮助青少年健康成长,中考前夕在各中学毕业班开展“12355轻松备考”活动,引入社工专业力量开展青少年权益创新试点工作,完成对闲散青少年、困难青少年、流动青年等重点青少年群体状况的摸排登记并形成调研报告。提高青年就业创业技能,举办电子商务培训班培训创业意向青年200名,青年就业创业见习基地全年实现岗位对接253人;指导辖区街道开展8场“创业创新沙龙进社区”活动;推荐7支队伍参加柳州市“创青春”第五届柳州市青年创业方案设计(实践)大赛。

青年志愿服务 增强“雷锋超市”服务群众的能力,分片区走进进校园招募志愿者600多名,为每个“雷锋超市”配备站长助理和“五老”志愿者顾问,探索开展“一站一特色”建设,鱼峰社区志愿服务积分兑换制度、凤起社区环保志愿服务特色突出。春节前夕、3月、8月和“12·5”国际志愿者日,组织各“雷锋超市”集中分别开展“让温暖一起回家”、学雷锋志愿服务活动和社区青少年暑期活动。 (刘婧佶)

1月24日,共青团鱼峰区委及凤起社区“雷锋超市”的志愿者开展送关爱活动。图为志愿者与辖区烈士家属共同包饺子 (团区委 提供)

【妇联】 2014年,鱼峰区街道、社区(村)妇联组织64个,其中街道妇联7个,社区妇联54个,村妇代会3个。机构人员编制情况:年内有编制2名,实有2人。中共党员2人。本科及以上学历2人。年内,组织召开鱼峰区妇女第八次代表大会,开展妇女儿童维权、文明家庭创建有关的系列活动。

建设“美丽家庭”,弘扬良好家风 年内,开展“寻找美丽家庭”活动,树立“美丽家庭”典型9户,征集家规家训15条,摄影作品30幅,大力倡导平等和谐、友爱互助、清洁卫生、节能生态等文明家风。举办“美丽家庭”故事分享会,树立优秀典型,以故事分享会的形式弘扬文明家风,引起广泛关注。

构筑禁毒防线,打造平安家庭 6月,在柳东路小学举办由家

2014 年 11 月 20 日，国务院妇儿工委办一行考察龙擎苑社区儿童家园

（覃现芬　摄）

长与学生共同参与的“不让毒品进我家”专题讲座，在龙擎苑社区举办以“禁毒知识一堂课”为主题的宣传教育活动，使儿童更深刻地认识到毒品给个人、家庭和社会带来的危害，增强他们的禁毒、防毒、反毒意识。6 月 26 日，在鱼马公园开展禁毒知识宣传活动。同时依托“妇女之家”，组织巾帼志愿者走访入户，发放印有禁毒标语的环保袋、禁毒资料，向社区居民宣讲毒品的危害，做好禁毒知识的普及和重点人群的干预，取得良好宣传效果。

开展家庭教育，传播和谐文化　举办 10 期“家庭教育大讲堂”活动，引导未成年人提高思想道德素质。六一节前夕，开展庆六一、中国梦之“争做美德儿童”，共绘“美丽家庭”美术创作画大赛。在龙擎苑社区儿童家园开展以“放飞梦想、展望未来、亲子共建美丽家庭”为主题的亲子活动，营造亲子和谐、快乐教育的家庭氛围。7 月，开展“弘扬传统国粹文化艺术　墨香画韵挥洒金色童年　实现我的中国梦”暑期主题活动，40 多名儿童作画扇当场捐赠义卖，善款用于帮扶社区困难残疾儿童。

巾帼志愿服务，共建和谐家园　组织大学生志愿者在节假日期间服务儿童家园，通过户外扩展训练和室内读书让孩子们在参与活动中接受教育。继续做好居家养老巾帼志愿服务工作，根据志愿者的特长，组建巾帼志愿者服务队开展爱老、敬老、助老活动，获得社会一致好评。（韦兴华）

【残联】　2014 年，鱼峰区有 6916 名残疾人，其中肢体残疾人 3975 人，视力残疾人 60 人，智力残疾人 666 人，听力残疾人 444 人，言语残疾人 71 人，精神残疾人 945 人，多重残疾人 185 人。

机构人员编制情况：年内有编制 3 名，实有 6 人。中共党员 1 人。本科学历 1 人，大专学历 5 人。

残疾人康复　为 13 名贫困肢体残疾人免费装配假肢 14 例，解决贫困家庭因经济困难而无法安装假肢的实际困难。创建“全国白内障无障碍县(区)”工作。采取来一例免费检查一例的办法，确保发现一例，输送检查一例。年内 320 多名白内障疑似患者到定点医院进行初筛和复诊，近 40 人实施复明手术后康复出院。继续定期请专家为精神病患者免费诊治。组织辖区内 0~6 岁残疾儿童进行辅助器具需求筛查；免费发放“爱心轮椅”50 辆；免费配发助视器 29 台；免费发放重度残疾人辅助器具 12 例、残疾儿童辅助器具 3 例；实施孤独症康复训练 2 例；脑瘫儿童康复训练 1 例；智障儿童康复训练 1 例。

残疾人就业　为用人单位和

5 月 16 日，鱼峰区残联开展关爱残疾人活动。图为在活动现场给双下肢残疾人捐赠轮椅

（区残联　提供）

残疾人牵线搭桥，帮助残疾人就业，共推荐7名残疾人就业；继续依法开展分散按比例安排残疾人就业工作，1至10月，共对352个单位依法进行审核，已收残疾人就业保障金1.51万元。

扶贫助残活动 年内有2367人(次)残疾人享受城市残疾人特困生活补助，共发放补助金80.34万元；有4966名重度(一级、二级)残疾人享受柳州市重度残疾人生活补助，每人每月300元，共计149万元；有616名重度残疾人家庭享受自治区残联发放的重度残疾人护理补贴，每人每年360元，共计22.18万元；有650人享受到“阳光家园托养补助”，每人1000元，共计65万元；有30名残疾人与辖区党员签订了帮扶协议，享受“党员扶残温暖同行”项目扶持金，每人1000元，共计3万元；有110名残疾人享受“个体工商灵活就业人员养老补助”，每人1000元，共计11万元；有475名残疾人领取了“残疾人机动轮椅车燃油补贴”，每人260元，共计12.35万元。（林立琮）

【侨联】 鱼峰区侨联第四届委员会委员共17人，其中女性委员5名，中共委员6名，少数民族委员2名，委员中文化程度在大学学历以上的9名，委员中是非公企业家的有12名。鱼峰区侨联第四届委员会有主席、副主席7名，秘书长1名，另聘请名誉主席2名。

2014年春节、中秋节期间，区委统战部、区工商联、区侨联组成的慰问团对辖区内困难归侨进行走访慰问活动。（蒙 佳）

【红十字会】 2014年5月15日，区红十字会在区政府大楼前小广场组织开展无偿献血活动。区机关各部门、街道、社区、辖区医院、基层医疗单位及市民积极响应参与献血活动。此次活动共采集血液8800毫升。5月20日，鱼峰区首个红十字会应急救护指导站在麒麟街道西船社区挂牌成立，柳州市红十字会丁会长、鱼峰区副区长梁冬琦以及柳州市各县区的红十字会领导及专干参加揭牌仪式。该应急救护指导站，现有3名经过培训具有应急救护授课能力的师资，以西船社区的多媒体活动室和社区为阵地，对社区居民和企、事业单位开展以心肺复苏术等急救技能为主要内容的应急救护普及和宣教工作。已先后开展应急救护宣教与培训7场，对1000余人进行应急救护培训。（陈凤平）

【关心下一代工作委员会】 2014年，鱼峰区各级关工组织共有95个，在区机关、区教育系统、区企业离退休干部队伍中，成立有帮扶帮教组、法制组、科技组、教育组、宣讲组、网吧义务监督组的基础上，不断扩大关工队伍，动员更多的“五老”参与关心下一代工作，成立有“五老”（老干部、老专家、老教师、老战士、老模范）报告团28人，报告会人员平均年龄70多岁。

年内对开展活动的街道办事处、社区下拨活动经费12800元。组织“五老”到各中小学、社区作报告20场，受教育的青少年和在校生人数达2724人。安排25名“五老”担任校外辅导员、帮教员、宣传员、志愿者人员。创建青少年活动场所7个，建立“留守儿童”活动中心、活动场所、爱心帮扶站7个，组织开展暑期活动187次，开展青少年清明节祭扫烈士墓活动、“感恩教育”主题教育活动和学雷锋活动。继续发挥“五老”网吧义务监督组作用，派出65人次不定期对辖区内的网吧进行巡查监督，“五老”监督员坚持教育引导、劝阻说服的方式，及时制止未成年人进入网吧，敦促业主和网民守法经营、文明上网。（吴小冰）

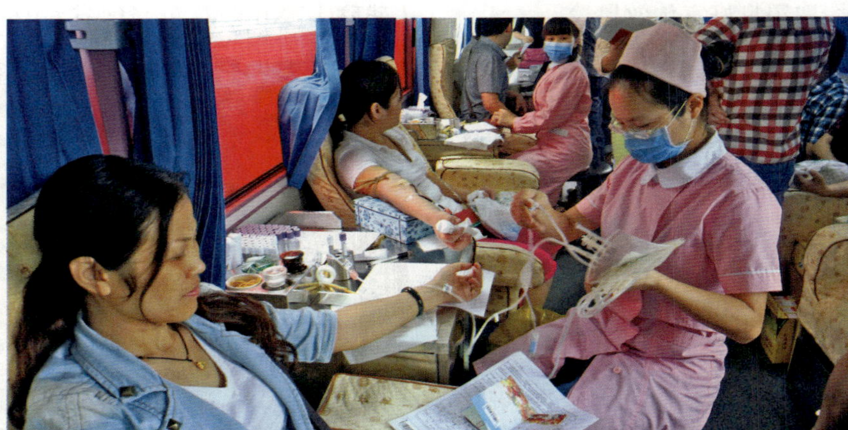

5月15日，鱼峰区红十字会开展义务献血活动。图为献血活动现场（区委宣传部 提供）

2014年11月18日，鱼峰区法院召开“强制执行行动”专项活动新闻通报会暨执行款集中兑现大会

（区法院　提供）

审　判

【审判概况】 2014年，鱼峰人民法院设11个部门：办公室、政工科、监察室、法警大队、立案庭、刑事审判庭、民事审判第一庭、民事审判第二庭、行政审判庭、执行庭、审判监督庭。下设雒容人民法庭、阳和开发区人民法庭。有人员编制102名，实有95人（本科及以上学历88人，大专学历7人。）。年内受理各类案件5641件，结案4744件，结案率84.10%，审限内结案率100%，结案标的5.88亿元，。

【刑事审判】 刑事案件收案809件，审结795件，结案率98.27%。审结"两抢一盗"、绑架、强奸等严重危害人民群众生命财产安全的刑事犯罪案件435件，审结涉毒案件145件，审结贪污贿赂、渎职犯罪案件5件，审结未成年人犯罪案件50件；贯彻落实宽严相济刑事政策，全年依法判处缓刑案件173人。

【民事审判】 受理各类民商事案件3522件，审结2971件，其中，调解撤诉案件1642件，调撤率为55.87%，诉讼标的4.57亿元。审结房地产案件142件，劳动争议案件195件，人身损害赔偿案件22件，机动车交通事故责任纠纷486件，婚姻家庭纠纷案件490件，买卖合同案件181件，金融、民间借贷案件609件；依法审理涉外、涉港澳台民商事案件2件。

【行政审判】 坚持把提供法律支持、创新服务内容、推动市政重点项目建设作为工作重点。全年受理行政案件45件，其中，有关征地拆迁案件24件，经协调原、被告达成征地拆迁补偿协议19件，原告主动撤回申请19件。

2014年11月18日，鱼峰区法院组织召开"强制执行行动"专项活动新闻通报会暨执行款集中兑现大会，该日共兑现执行款400万元。图为工作人员向申请人兑现执行款　（区法院　提供）

【案件执行】 全年收案1178件，结案936件，结案率73.64%，执行到位标的1.49亿元。综合运用强制申报财产、公开曝光、限制高消费、限制出境、罚款、司法拘留等措施，在各类媒体上公布失信名单173人；限制高消费173人，限制出境3人，罚款32万元，实施司法拘留34人，因涉嫌拒不履行法院生效裁判文书罪而移送公安机关侦查1人，堵塞被执行人可能规避执行的通道，最大程度挤压其活动空间。

【陪审员工作】 年内通过有计划的增补，人民陪审员数量由24名，增至74名。新增陪审员均为辖区社区工作人员，他们可以从社会的视角参与审判活动，保障公民陪审权利。年内人民陪审员参审案件达695件，通过陪审员与法官的良性制约，利用陪审员注重从社会道德标准等方面对案件进行分析、判断，与法官法律意识形成思维互补，更有利于查清案件事实，正确适用法律，确保裁判公正，体现司法公开民主的功能。

【审判监督】 年内收到业务庭移送评查已审、执结的各类案件4312件，已评查4312件，评查率100%；对案件流程进行全面监督，全年发出正式督办通知531次，其中审限督办381次，查封期限督办150次；审批扣除审限和延长审限794次；对53件二审发改案件进行了审查，其中发回重审4件，改判49件。

2014 年 6 月 12 日，鱼峰区法院环境保护法庭揭牌成立

（区法院　提供）

【阳光司法建设】 全年通过广西裁判文书网，公开裁判文书 1559 件，其中刑事 729 件，民事 813 件。同时按照立案阶段、执行阶段、结案阶段公开执行业务流程的节点信息。3 月 10 日，鱼峰区人民法院司法信息公开网正式启用，这也是广西首个基层法院开设信息公开网站，内容包括信息公开、诉讼服务中心、互动平台、组织机构、法院动态、视频图片等六大模块，同时设置网上信访、互动专区等模块，公布院长信箱，开通法院官方微博。实行公众开放日常态化，年内组织公众开放日活动 8 次。

【法官宣讲团成立】 5 月 21 日，鱼峰区人民法院宣布法官讲师团正式成立。法官讲师团根据法官的工作内容及专长分为四组，针对机关行政单位、企业、学校以及街道社区的不同授课对象，分别策划设计不同的授课内容及形式，实现法制宣传教育的个性化定制，满足不同人群的法制需求。年内法官宣讲团开展法制宣传教育活动 15 场次，取得较好的社会效果。

【广西首家环保法庭成立】 6 月 12 日，广西首家环保法庭——鱼峰法院环境保护法庭成立。环境保护法庭实行“三审合一”审判模式，从高校聘请两位环境技术专家作为人民陪审员与审判员组成合议庭。将所有涉及环境保护类的民事、刑事和行政案件集中审理，运用司法手段改善、减轻或者消除破坏资源、污染环境的危害状态，建立资源环境案件的恢复性司法机制。为保证案件判决执行到位，要求法官不定期到污染现场回访，查看被告履行判决的情况，若发现消极履行或者敷衍了事等情况，可按规定启动强制执行。

（陈　程）

检　察

【检察概况】 2014 年，鱼峰区人民检察院有 14 个部门：纪检组、政工科、办公室、公诉科、侦查监督科、反贪污贿赂局、职务犯罪预防局、反渎职侵权局、控告申诉检察科、民事行政检察科、法警大队、监察室、人民监督员办公室、案件监督管理科。有政法编制 57 名，实有在职干警 50 人（本科及以上学历 44 人，大专学历 6 人）。2014 年内，积极参与整顿规范市场经济秩序专项行动，重点打击危害民生的案件；打击各类刑事犯罪，维护社会稳定。

【诉讼监督】 2014 年，分别在公安局鱼峰分局与柳东分局设立侦查监督室，建立刑事案件信息通报制度，每月定期到辖区公安机关了解刑事发案、报案、立案、破案等情况，掌握第一手资料；与公安机关定期相互通报刑事发案、报案、立案、破案和刑事立案监督、侦查活动监督、批捕、起诉等情况，重大案件随时通报。全年受理申请监督案件 17 件，提出执行监督检察建议 2 件，不支持监督申请 13 件（其中，不支持抗诉申请 5 件，不支持执行监督申请 8 件），未结 2 件。检察院在鱼峰区交警大队设立了民事检察工作站，对交管部门的调解程序、调解结果和办案机关或调解人员在调解工作中的行为进行法律监督，参与监督调解道路交通事故纠纷案件 29 件，所监督的案件未发现

2014年5月29日，鱼峰检察院邀请民泰社区工作人员、居民代表和企业、个体代表等参加检察开放日活动 （唐 波 摄）

职能机关有违法、违规、不公正的情况。

【职务犯罪预防】 2014年，检察院通过举办“举报宣传周”“检察开放日”“人民监督员接待日”活动，组织干警宣传检察机关职能、国家涉农惠民新政策、职务犯罪预防和举报知识，以讲座、座谈会、参观等方式开展职务犯罪预防警示教育34次，发放宣传资料300余份，接受法律咨询30余人次；每月按时“下村”走访，开展走访工作10次，接待现场预防咨询群众50余人，收集群众的情况反映表23份，收集意见和建议25条，现场答复涉及劳动争议、惠民补助款项、教育医疗等民生问题20余件。采取“请进门”与“走出去”相结合的方式，走访农林、卫生、国土、民政部门调查涉农惠民资金的来源、发放依据、项目种类、项目金额、项目审批和发放程序，梳理涉农领域职务犯罪的风险点和隐患源，适时对农村基层组织人员、资金管理发放人员和其他相关人员开展预防职务犯罪法制教育活动。结合查办职务犯罪案件情况进行案例分析，形成案例剖析材料8份，仔细分析罪案件发生的原因、存在的问题及预防的措施，以检察建议的形式向发案单位和上级主管部门提出具有针对性、可操作性的预防工作方案，发出检察建议7件，帮助相关单位堵塞管理漏洞，建立规章制度。

【维稳工作】 2014年，受理公安机关提请批准逮捕案件683件915人，其中已逮捕631件829人，不（予）批准逮捕49件80人。受理移送审查起诉案件876件

2014年鱼峰区检察院刑事检察情况案件受理批准逮捕情况统计表

案件受理数		批准逮捕	不批准逮捕
公安			
件	人	人	人
683	915	829	80

2014年鱼峰区检察院刑事检察情况案件受理审查起诉情况统计表

受理		起诉		上调	简易程序	免诉	不诉
件	人	件	人	件	次	件	件
876	1149	818	1051	10	665	1	38

2014年鱼峰区检察院职务犯罪检察贪污贿赂案件立案侦查、追赃情况统计表

受理	立案		起诉		免诉		不诉		撤案		追缴赃款及挽回经济损失
件	件	人	件	人	件	人	件	人	件	人	万元
21	16	16	15	15	0	0	0	0	0	0	870余

2014年鱼峰区检察院控告申诉检察、民事行政检察，包括受理来信来访和办理控告申诉情况统计表

举报、控告		申诉	
受理（件）	本院查办（件）	受理（件）	本院复查（件）
8	8	20	19

1149人，审结各类刑事案件856件1093人，其中审结后提起公诉818件1051人，不起诉38件42人。认真贯彻宽严相济刑事政策，对25件27人的轻微刑事案件作出不起诉决定，积极化解社会矛盾，增进社会和谐。提前介入朱某爆炸案、“11·21”公交车纵火案等群众关注的案件，确保案件顺利办结，保障群众生命安全。

2月22日至27日，鱼峰分局在辖区开展“黄赌毒”专项整治行动，清查娱乐场所、宾馆、旅社、网吧等272家，破获“黄赌毒”案件24件

（公安鱼峰分局　提供）

【检察信访】 受理各类信访71件（次）98人；受理举报线索8件9人，其中举报贪污4件4人、行贿1件1人，滥用职权2件2人、徇私舞弊不移交刑事案件1件2人；受理刑事申诉3件3人，立案复查2件2人，不属本院管辖直接答复1件1人；受理民事监督案件17件17人，移送民行科审查处理17件17人；开展刑事被害人救助4件4人，均已向鱼峰区政法委申请报批。继续落实“检察长接待”制度，开展检察长接待活动“检察长接待日”活动26次，检察长共接待群众来访24件30人，批办案件13件15人。

（梁漪然）

公　安

【公安概况】 2014年，鱼峰公安分局下辖6个派出所（天马派出所、加合派出所、荣军派出所、箭盘山派出所、鸡喇派出所和大桥派出所）；3个责任区刑侦大队（天马责任区刑侦大队、箭盘责任区刑侦大队、鸡喇责任区刑侦大队）；6个业务大队（即综合、禁毒、预审和国保队、法制、经侦）；5个科室（政秘、户政、治安、内保科、纪委监察室）。有编制310个，实有310人（包括事业编文职人员10人）。分局有党委班子成员7名，配备科室派出所及大队领导84人。本科及以上学历180人，大专学历113人，中专及以下学历17人。聘用协管巡防队员353人。年内辖区刑事案件与上年相比，发案率下降15.2%，全部刑事案件破案率上升94.4%，打防控工作考核成绩在全市各分局第1名。天马派出所获评“自治区区优秀公安基层单位”，分局刑事侦查大队民警粟传璨获评“自治区区优秀人民警察”；荣军派出所荣获2013—2014年区厅和谐警民关系示范单位。

【打击刑事犯罪】 全年立刑事案件4100件，侦破3244件，分别比2013年下降15.20%、上升94.40%，抓获犯罪嫌疑人603人（其中抓获网上逃犯33人），刑事拘留689人，逮捕546人，移送起诉751人；打掉犯罪团伙35个、120人。立命案6件，侦破6件，破案率100%。立“两抢一盗”（抢劫、抢夺、盗窃）等侵财犯罪案件3254起，侦破1114起，抓获犯罪嫌疑人253名。年内侦破“2·6”马鞍山公园命案、“4·29”水南路居民区命案以及6月26日一夜连破获2件命案等，获上级领导和人民群众的充分肯定。

【打击经济犯罪】 2014年共受理各类经济案件89件（其中百万元以上案件20件），破50件，打击处理违法犯罪嫌疑人36人。捣毁制假窝点4个，查获6378箱假冒“仁和”牌托盘秤，假药500公斤、有毒有害豆芽1万公斤、添加剂一批以及不明死因猪肉25220公斤。7月25日，经9个月缜密侦查，鱼峰分局查获公安部督办的特大非法传销活动组织一个，共抓获涉嫌非法传销人员41名，其中9人已被依法提起诉讼。

【流动人口管理】 年内推行“以房管人”“以证管人”“以责管人”,不断探索流动人口管理的新模式。加大对流动人口实施分类管理和服务的力度,加强与工商局、人力资源部门、办事处、社区、单位、企业老板之间的协调联动,有针对性地为“打工族”“经商族”“投亲族”“休养族”等各类流动人口提供服务。2014年登记流动人口9.03万人,登记出租房屋1.18万间,办理居住证1.58万张,签订出租房屋治安、计生责任保证书和用人用工单位及个人雇佣人员治安责任保证书8280份。采集流动人口与出租房屋的信息登记率、录入率、准确率99%。

【社区警务】 年内配备专职社区民警、村警56人,全面实现社区(村)警力“1+2+N”[每个社区(村)配备一名社区(村)民警和两名协警,配备巡防队员、社会治安积极分子N名]模式,在57个社区(村)组建57支450余人参加的社区(村)治保巡逻队伍,走访辖区群众930户1518人次,搜集意见建议和诉求52条次,回访群众426人次,做出专项承诺3条,慰问特困群众40人,为群众办实事62件。建立、完善辖区“八大员”组织基础档案,6个派出所、61个社区共组建“八大员”488人,一人一档。年内,牵头、联合其他政府部门,加强平安创建工作,促使辖区新增平安小区3个,平安小区达到55个。

【执法规范化建设】 年内累计投入建设改造资金200多万元,对分局所有执法办案场所进行改造和功能分区,至年底已全部完成执法场所的标准化建设改造,设立办案区、办公区、服务区、生活区4个功能区,分局11个基层执法办案所队改造完成率达100%,改造合格率达100%。分局对办案中心实行看守所式管理方式,为办案中心配备管理民警5名,实行24小时轮班制。此外,分局将执法办案的全流程录音录像资料与网上电子案卷并轨,实现“一案一视频一光盘”的标准。在全市率先实现网上执法办案的全程可视化和可回溯监督管理,构建起网上执法办案的监控体系。

【户政管理】 年内贯彻落实户政便民利民措施17条,推行加班延时服务、错时服务、预约服务、上门服务、网上受理服务、绿色通道服务等服务举措。设立网上派出所6个,网上警务室61个,开通鱼峰公安官方微博,68名民警、社区民警均开通微博、微信。全年户政部门审批各类户口准迁手续3340人;办理居民户口簿2766本,办理户口准迁证2229张、户口迁移证1785张;办理第二代居民身份证1.26万张;办理流动人口居住证1.65万张;办理出生登记2751人,死亡注销登记1202人;登记出租房屋11886户35950间;钉挂门(楼)牌2540块。

【反恐应急演练】 6月12日,组织分局6个派出所、3个刑侦大队、综合大队、便衣大队共11个单位,开展夜间反恐应急联合紧急集结演练,全方位测试在发生突发事件时,分局的应急指挥调度、通信保障能力,以及各一线单位处突反应速度和人员、车辆、装备的保障情况。综合大队、国保大队、纪委等部门领导现场指挥演练,各单位共派出50人参加演练。

【“警民相约互动日”活动】 年内,鱼峰公安分局认真组织各派出所、社区民警深入社区、党政机关、大专中小院校、小学、幼儿园等重点单位,组织约谈、召开警民恳谈会、相约警务室、进行法制宣传、组织反恐演练、走访排查安全隐患等活动。出动警力、发动其他社会力量共2233人次,出动车辆891台次,开展警民恳谈活动657次,走访重点单位295所次,发放宣传资料2.12万份,收到群众咨询意见建议582条,当场办结332条,提供线索57条,依据线索破案19件,抓获嫌疑人24人,补登补录流动人口信息765人,注销流动人口信息262人。

【专项行动】 年内,鱼峰公安分局结合社会治安实际,开展缉枪治爆、护校安园、净化治安环境大整治、禁毒百日攻坚等专项行动。

缉枪治爆行动 出动警力84人次,车辆42台次,深入辖区内对可能私制、私存枪支弹药、爆炸物品的重点区域、部位和人员进行检查,反复开展地毯式滚动排查;全年收缴仿军用枪2支,气枪3把,火药枪6支,军用弹37发,仿真枪2449支,管制刀具310把,BB弹1.5万颗。

“护校安园”行动 2014年,鱼峰辖区全部学校、幼儿园87所,实现封闭式管理校园55所,配备保安员的校园43所，技防设备与公安机关联网校园17所。在各所学校、幼儿园配备保安和协管员138人，配备专职治安保卫人员95人，配备防护装备设施263件，安装技防设备267套，其中一键式报警设备11套。鱼峰分局每天安排118名警力加强对校园周边等重点区域、上下学等重点时段的巡逻防控，设立治安岗亭4个，设立“护校岗”12个，设立警务室6个。全年，排查周边治安乱点15处，整治乱点5处，发动群治力量56人，参与巡逻值守活动248人次。

净化治安环境大整治行动 年内出动警力3000余人次，警车800余辆次，清查场所653家次，排查6000余人，查处赌博案件164件，查处违法犯罪人员481人，其中行政拘留427人，刑事拘留54人，收缴销毁赌博机具151台。查处卖淫嫖娼案件170件，刑事拘留6人，行政拘留196人。查处涉毒行政案件797件，破获毒品刑事案件51起，刑事拘留56人，行政拘留1302人，缴获毒品海洛因55.47克、氯胺酮2197.69克，冰毒684.43克，麻古189.69克。1月25日，鱼峰分局联合市局治安管理支队，对辖区娱乐场所拉斯维加国际娱乐场所进行突击清查，当场查处吸毒人员300余人，刑事拘留1人，行政拘留200余人，该娱乐场所被责令停业整顿。

禁毒百日攻坚行动 年内，鱼峰分局禁毒大队完成对辖区15家较大娱乐场所禁毒工作落实情况的跟踪检查。对禁毒工作重视不够，不抓落实的场所，责令限期整改；侦破毒品刑事案件162件（其中新型毒品案件140件），其中特大案件4件、重大案件10件、一般案件148件；查处毒品治安案件1件；缴获各类毒品3.3千克；抓获毒品违法犯罪嫌疑人195人，逮捕160人；抓获吸毒人员35人，强制隔离戒毒338人，社区戒毒6人，社区康复75人，药物维持治疗368人，吸毒人员管控率95.33%。建有社区戒毒、社区康复人员安置就业基地和安置点1个；集中安置、分散安置、公益性岗位安置社区戒毒、社区康复人员就业3人，自主创业1061人。

（覃颖双）

【交通安全】 2014年，鱼峰交警大队有在职民警49人；本科及以上学历33人，大专学历12人，中专及以下学历4人。至年底，鱼峰辖区道路交通事故，造成7人死亡、5人受伤、直接财产损失2.1万元，比上年事故次数减少6起，下降46.15%；死亡人数减少5人，下降71.42%；全年未发生一次死亡3人以上道路交通事故。

“畅通工程”管理 年内大队通过科学调整城市交通微循环系统、优化交通组织、设置交通信号灯、设置临时停车区域、施划和设置交通标志标线等措施，解决天山路、柳石路等路段车辆通行、停放和交通拥堵问题。持续组织开展交通秩序专项整治行动21项，纠正交通违法行为16万起。联合辖区执法局在辖区各主要路口对派发小广告人员进行查处，强力整治多处脏、乱、差重灾区路口等，推动了市容秩序进一步改善。积极做好快速公交(BRT)开通运行后的道路交通管理工作；联合辖区执法局、交通运输管理局、鱼峰公安分局等部门，以柳石路为辐射点，全面开展应对雾霾天气治理扬尘污染专项行动，整治市区“泥头车”“撒漏车”交通违法行为。

柳州首家交通巡回法庭开庭 5月19日，韦先生驾驶的货车在柳石路与吴女士驾驶的电动车发生侧面相撞，造成吴女士脚部受伤及电动车损坏。交警勘查认定后，事故双方对事故赔付达不成一致意见，选择上诉至鱼峰区人民法院。9月15日，鱼峰区

2014年9月15日，鱼峰法院交通巡回法庭首次开庭（区法院 提供）

交通巡回法庭开庭审理这起由交通事故引发的民事诉讼案件。该巡回法庭是全市第一个进驻辖区交警大队的正规化、专业化法庭，专门处理道路交通事故的相关诉讼。从即日起，所有鱼峰辖区内的交通事故案件都将在此进行开庭审理。

创建卫生城市 全年开展创卫交通秩序联合执法31次，查处无证驾驶677起，违法停车9845起，非法营运563起，货车洒漏539起。其中，对光明路、屏山大道马鞍山公园门前、九头山路等多处脏、乱、差重灾区进行强力整治，邀请广西电视台等媒体曝光在机动车道随意穿行乱发小广告的违法行为，减少车辆违章行驶、乱停乱放等行为的发生。（莫　庄）

【消防】 2014年鱼峰消防大队所辖三个中队（鱼峰中队、静兰中队、燎原中队），公安现役消防站有3个，均为一级普通消防站；消防官兵85人（干部13人、士兵45人），合同制消防员23人，消防文员4人；有各类执勤消防车14辆，其中水罐消防车7辆、泡沫消防车3辆、登高平台消防车1辆、抢险救援消防车3辆。执勤车辆共载灭火剂62.2吨，其中载水57.2吨、泡沫5.5吨。现有消防员防护装备163件（套），其中消防员基本防护装备1052（套）、特种防护装备265件（套）；各类抢险救援器材266（套）。依据《城市消防站建设标准》，辖区市政消火栓应建684具、实有483具、缺建201具。消火栓覆盖率70.6%，欠账率29.4%。

抢险救火 年内辖区发生火灾72起，死亡1人，直接财产损失121万元。4月14日傍晚19时41分，柳州市消防支队指挥中心接到报警称社湾路垃圾中转站二楼着火。接到报警后，静兰消防中队立即出动2车10人前往处置，询问得知，着火源是一个垃圾中转站的二楼杂物间，面积约50平方米，里面主要堆放了平时清扫的杂物，确定现场没有被困人员且断电后，一支水枪打压火势，另一支水枪控制火势蔓延，20分钟过后，大火被成功扑灭。2月9日21时02分，柳州市消防支队接到报警称柳石路莲花城小区2栋1单元7楼起火，燎原中队奉命出动2个编队21名官兵火速赶赴现场，指挥员立即命令灭火，两支水枪直攻火源部位，救援组深入房内探明没有被困人员，随即打开窗户进行排烟。10分钟后，现场火势基本被扑灭。11月17日23点整，在西江路北二巷一民房发生火灾，静兰中队出动3车15人，到达现场后，只见一个小型的木头加工厂内一堆木糠冒着滚滚浓烟，旁边全是易燃的木头，侦查发现着火面积大约45平方米的平房，着火物是石棉瓦、木糠，且无人员被困，老旧的平房随时都有倒塌的可能，通过官兵们将近1个小时的努力，成功将大火扑灭。

2014年3月，静兰中队消防官兵开展演练　　（鱼峰消防大队　提供）

消防监管 年内，召开消防工作会议5次，印发《关于进一步加强火灾隐患排查整治工作的紧急通知》等消防工作文件5份，组织召开公安派出所消防工作部署会，推进“一村一警”警务机制行动，与各相关职能部门、各社会单位签订消防安全工作责任书。组织力量对涉及人员密集场所、商贸企业、烟花爆竹仓库等14类行业单位开展安全检查。元旦、除夕、元宵节当晚，组织有关部门组成21个工作组同步开展“零点”夜查行动，清查和集中整治重大火灾隐患，督促公众聚集场所和烟花爆竹生产储存、经营销售单位落实消防安全措施。发动街道、派出所、社区、村民委员会和物业企业以及学校学生、消防志愿者等社会力量近万人次，深入社区开展居民家庭“三清两规一通”活动，印制发放《居民家庭“三清两规一通”消防安全自查活动倡议书》2000余份，推动居民群众共自查自纠各类火灾隐患3000余处。

全民消防宣传 鱼峰消防大队成立社区火灾隐患纠察队、消防志愿队，开展消防宣传和隐患清查行动；发动消防志愿者、社区工作人员与孤寡老人、留守儿童、病残空巢老人等社会弱势群体结成帮扶对子，确保消除监管盲点。全年开展集中消防宣传活动1次，发送短信3万条，发放消防安全知识读本1万余册，粘贴宣传标语、悬挂消防宣传牌50多处，设立社区消防宣传栏64块，开展社区消防培训10余次，在各电子显示屏上滚动播放消防安全警示标语200余条。

“四项整治” 区消防安全委员会先后部署开展“雷霆”系列行动及在建工地消防安全、人员密集场所设置影响逃生灭火障碍物、建筑消防设施和重大火灾隐患集中整治专项行动，重点对各类人员密集场所、在建工地、设有自动消防设施建筑、政府挂牌督办的隐患密集区域和重大隐患单位进行集中的排查整治。检查单位977家，督促整改火灾隐患818处，下发责令改正通知书428份，办理行政处罚案件63件，临时查封单位24个，责令“三停”单位6个，罚款36万元。拆除阻碍灭火逃生门窗障碍物400平方米、广告牌150平方米，增设逃生装置81处，拆除彩钢板600平方米。年内出动警力1500人次，排查单位682个，督促整改火灾隐患682处，下发《责令改正通知书》689份，办理行政处罚案件2起。

（韦柳红 汤博超）

司法行政

【司法行政概况】 2014年鱼峰区司法局行政编制为10名，实有人数8人，其中协政员2名。鱼峰区法律援助中心编制为6名，实有人数3人，本科以上学历11人。年内鱼峰区依法治区办获自治区先进普法办称号，鱼峰区获柳州市“六五”普法中期先进县区称号。

【法制宣传教育和法治城区创建】 2014年初，制定下发《关于印发〈鱼峰区2014年法制宣传教育和法治城区创建工作意见〉的通知》（鱼治区办〔2014〕2号），确定年度法制宣传教育工作的主要任务和具体内容。6月，在各社区、村放映法制电影30场，丰富群众的法治文化生活。9月，在“鱼峰法治”微信公众平台推出7期法制宣传专题，宣传鱼峰区法制教育和法治城区创建的工作动态及成效。年内，50余家单位征订“六五”普法学习教材2000余套、普法考试卷1.8万余份，组织开展了“六五”普法第四单元考试，700多名机关干部参加考试，普及率达100%，参考率达100%，考试合格率达100%。12月，鱼峰区依法治区办在鱼马公园广场举办鱼峰区首个国家宪法日暨“12·4”全国法制宣传日集中宣传活动，发放法律法规宣传手册500余份、法制宣传袋600余个，提供法律法规咨询10余人次。

【人民调解】 年内有街道调解委员会7个，社区、村委调解委员会57个，专业性调解委员会9个，调解员410名，纠纷信息员875名。各级调委会排查调解各类民间矛盾纠纷860件，赔偿纠纷3起，其他纠纷202起，调处成功858件，成功率为99.76%，发放调解补贴2.36万元。开展村级人民调解委员会规范化建设示范点创建活

2014年10月28日，区司法局工作人员向群众宣传鱼峰司法微信公众平台

（冯浩威 摄）

12·4普法宣传日鱼峰区司法局在鱼峰公园小广场摆摊设点开展法律咨询服务（区司法局 提供）

动，其中的3个社区人民调解委员会通过柳州市司法局的检查验收，获“柳州市村（社区）人民调解委员会规范化建设示范点”称号。道路交通事故人民调解委员会成功调解案件984件，发放案件调解补贴3.88万元。

【社区矫正】 辖区内7个司法所全部落实所长，并配备1～3名协政员。有社区矫正志愿者93人，社区矫正工作者56人，社区矫正专职人员26人。全年接收各类社区服刑人员100人，全部建立个人执行档案，未出现脱管、漏管等情形；对社区服刑人员给予警告决定14人次，向原转出单位提请撤销3名社区服刑人员监外执行或非监禁刑的建议。年内对61名拟在鱼峰辖区适用社区矫正的社区服刑人员开展调查评估。对65名社区服刑人员实施GPS手机定位，每日进行两次定位。9月邀请“袁茵热线”的主持人袁茵授课，组织鱼峰区所有在册社区服刑人员开展了一次集中教育暨心理矫治活动。

【安置帮教】 年内，鱼峰区在册刑满释放人员277人，收到《刑满释放人员通知书》63份，帮教63人，帮教率达100%。一方面对89名刑满释放人员的信息进行核实，核实成功46人，系统转入矫正期满的社区服刑人员5人，剩余38人由于地址拆迁或空挂户等原因无法核实。同时开展服刑人员未成年子女排查帮扶工作，核实各类服刑人员的未成年子女63人。另一方面做好刑满释放人员的生活保障工作，年内鱼峰区共有40名刑满释放人员享受低保待遇，11名刑满释放人员获廉租房。

【法律援助】 年内法律援助中心办理各类法律援助案件227件，其中民事案件91件（涉及劳动争议56件；涉及婚姻家庭7件；涉及侵权赔偿19件；涉及其他9件），援助对象（身份有重合）包括妇女35人，残疾人8人，进城务工人员40人，老年人10人，未成年人2人。刑事案件136件（包括侦查阶段9件，审查起诉阶段59件，审判阶段68件），其中援助对象为未成年人的133件、精神病人的1件，经济困难自行申请的2件。发放法律援助办案补贴6.4万元；接待来电来访、接听“12348”法律援助热线接待电话咨询520多次。（周 莹）

责任编辑：零霍香

产 业

欧维姆公司全貌　　（朱继清　摄）

农　业

【农业概况】 2002年9月，撤销柳州市郊区，羊角山镇划归鱼峰区管辖，鱼峰区增设农林水利局和鱼峰区农业服务中心，鱼峰区农业服务中心属鱼峰区农林水利局二层机构。2014年，农林水利局有工作人员11人，农业服务中心有3人。办公地址在静兰路10号鱼峰区政府大楼；水产畜牧兽医局有工作人员5人，办公地址在柳州市柳石路394号。农林牧渔业总产值4413万元；农民人均纯收入16343元；水南村整村改造完成征地面积13.93亩，拆除建筑面积18.71万平方米，有证建筑面积6.96万平方米，无证建筑面积11.75万平方米，落实村集体经营性安置用地，位于东环路东侧、炮团路北侧的建设净用地面积为6.08万平方米(合91.20亩)，第一期安置房建设工程进展顺利，高层部分地面已建成六层，地下室部分已完工；办理“鱼峰区被征地农民登记证”579份。2014年没有发生重大动物疫情和水产畜牧产品质量安全事件，高致病性禽流感、猪瘟、猪口蹄疫、猪高致病性蓝耳病免疫密度达100%，全年免疫抗体合格率70%以上。获柳州市重大动物疫病防控和动物产品质量安全工作优秀奖。

2014年，主要做好农业项目的申报立项和组织实施，协调农业产业结构的合理调整、农业资源的优化配置，指导、实施生态农业、休闲农业建设，指导、监督减轻农民负担工作，抓好农民矛盾纠纷调处，实施农民人均纯收入倍增计划，协助做好农业行政执法和“城中村”改造等工作，促进农业增效、农民增收、农村社会稳定。

【粮食作物及经济作物种植】 2014年，辖区农业经济主要种植蔬菜和水果，养殖水产品和家禽家畜，农民经济收入主要来源出租房屋、经营农贸市场、从事个体经营、外出务工等。由于城市建设的快速发展，农村土地不断被征用，鱼峰区仅有耕地面积330公顷。柑橘种植面积20公顷，产量300吨；橙子种植面积1公顷，产量28吨；葡萄种植面积12公顷，产量50吨；草莓种植面积3公顷，产量10吨；西瓜种植面积1公顷，产量28吨；香瓜种植面积1公顷，产量20吨；花生种植面积50公顷，产量185吨；蔬菜种植面积316公顷(含菜瓜)，产量5670吨。

2014年9月，金福葡萄庄园钓鱼岛一角　　　　（覃学娟　摄）

【农业技术推广】 2014年，区举办培训班4期，宣传培训240多人次；组织知识抢答1次，现场参加人员数280人；通过政务公开栏张贴粮食良种补贴、农机具购置补贴、生态公益林补偿、水库移民后扶补贴等政策宣传资料420多份，向村民发放宣传资料4000多份。发放各种补贴资金264.11万元。

【羊角山现代休闲观赏农业示范区建设】 鱼峰区羊角山现代休闲观赏农业示范区建设地址羊角山路15号，计划占地面积约1500亩，示范区分为三个片区，第一片区为羊角山牛奶场东面约400亩；第二片区为羊角山牛奶场奶牛养殖区约300亩；第三片为羊角山牛奶场西面约800亩。分别规划为绿色种植区、特色养殖区和休闲观光旅游度假服务区。按照市农业局关于申报示范区项目的有关要求，鱼峰区与业主策划了示范区内项目的申报工作，申报项目6个，总投资807.57万元，申请市财政扶持资金492万元。

（刘晓彬）

【畜牧业、渔业生产】2014年，辖区畜牧业养殖主要以猪、奶牛、肉鸭为主。由于城市化进程发展需要，辖区养殖用地逐年减少，2014年底，辖区内有肉鸭养殖场4家、奶牛养殖场2家，年出栏500头以上规模猪场3家。原区内两个大型猪场（柳州市天蓬种猪繁育有限公司和柳州市洛维养猪场）分别在2013年11月底和2014年2月进行了关闭和搬迁，两个猪场占鱼峰区生猪饲养量的70%以上，因此，2014年生猪出栏量大幅减少。水产畜牧业生产情况：2014年肉猪出栏0.56万头，同比减少71.52%；家禽出栏17.94万羽，同比减少16.4%；肉类总产量726吨，同比减少61.16%；奶类产量1600吨，与2013年持平。由于近年来鱼峰区鱼塘逐步减少，2014年用于养殖的鱼塘面积是512亩，水产品产量660吨。

2014年1月27日，鱼峰区畜牧水产局兽医工作人员进行家禽禽流感免疫注射　　　　（区畜牧水产局　提供）

【防控检疫】2014年1月27日—28日，区水产畜牧兽医局组织工作人员对辖区内6个农贸市场（前进市场、四中市场、大桥市场、燎原市场、白云市场、东环市场）和2个肉鸭养殖场进行随机采样，共采集家禽棉拭子235份、市场环境水棉拭子60份。经市动物疫病预防控制中心反馈鱼峰区采集的样品检测结果全部为阴性。按照鱼峰区重大动物疫病防控工作布置会部署安排，2014年1月30日上午，鱼峰区组织区畜牧、商务、卫生、工商等部门组成的技术人员专项检查组，对辖区16个有活禽交易的农贸市场进行休市消毒工作检查督促，指导开展消毒防范工作。2014年2月1日到5月4日期间，辖区内全面开展春季重大动物疫病防控工作，期间，完成猪口蹄疫免疫0.55万头次；猪瘟免疫0.6万头次；高致病性蓝耳病免疫0.4万头次；牛O-I-A型口蹄疫免疫0.05万头次；家禽禽流感免疫5.95万羽。

2014年5月19日，水产畜牧兽医局组织兽医工作人员对辖区内的2家奶牛场进行奶牛两病检测。2家奶牛场现有存栏528头奶牛，奶牛结核病检测517头，共448头8月龄以上奶牛血清送市动物疫病预防控制中心检测布鲁氏杆菌病，结果全部为阴性。2014年7月—9月，区畜牧水产局分别与白莲街道办事处、西江社区签订《水产畜牧产品质量安全工作联动合作协议》，并从市局下拨给的2万元水产畜牧产品质量安全监管示范市创建活动经费中分别拨付1万元、4000元给他们作为工作经费。通过协议的签订，加强了对重点部位及隐患区域的监管，打击了动物产品违法犯罪活动，有效防范了水产畜牧产品质量安全事故发生，促进了辖地监管，确保了水产畜牧产品质量安全监管示范创建活动顺利开展。2014年9月1日到10月31日期间，辖区内全面开展秋季重大动物疫病防控工作，期间，完成猪口蹄疫免疫0.42万头；猪瘟免疫0.39万头；高致病性蓝耳病免疫0.37万头；牛A型口蹄疫免疫0.055万头；牛O-I型口蹄疫免疫0.055万头；家禽禽流感免疫3.42万羽。　　　　（陈珍玉）

工　业

【工业概况】鱼峰区工信局成立于2010年4月。鱼峰区工信局2014年有编制5个，实有11人，其中在编干部7人，“三支一扶”1人，聘用制工作人员3人。在静兰路10号鱼峰区政府办公楼307、308、309办公。2014年，鱼峰区全部工业总产值278.74亿元，增长14.1%，其中规模以上工业总产值262.3亿元，同比增长14.7%，更新改造完成70.67亿元，同比增长14.7%。

【工业结构】2014年，全区共有工业企业约450家，其中规模以上企业81家，汽车零部件及配件制造行业27家，占总数的33.33%；年产值68.98亿元，增长14.99%，占总数的26.30%；机械制造行业16家，占总数的19.75%，年产值61.07亿元，增长16.20%，占总数的23.28%；电气机械和器材制造业9家，占总数的11.11%，年产值41.29亿元，增长13.97%，占总数的15.74%；水泥制品制造（混凝土预拌）行业9家，占总数的11.11%，年产值24.06亿元，增长3.34%，占总数的9.17%；其他行业（船舶制造业、化工等）20家，占总数的24.696%，年产值66.88亿元，增长18.09%，占总数的25.5%。

2014年鱼峰区规模以上企业名单

序号	企业名称	主要产品	所属行业	地址
1	柳州市东鹏汽车配件厂	汽车零部件及配件制造	汽车零部件及配件制造	燎原路东三巷3号
2	柳州市久源水轮机有限责任公司	水轮机及辅机制造	通用设备制造业	西江路48号
3	广西柳锅锅炉制造有限公司	锅炉及辅助设备制造	通用设备制造业	荣军路248号
4	柳州市龙城化工总厂	化工	化工	洛维园艺场内
5	柳州中特高压电器有限公司	配电开关控制设备制造	电气机械和器材制造业	洛维工业集中区内
6	广西柳电电气股份有限公司	配电开关控制设备制造	电气机械和器材制造业	洛维工业集中区内
7	柳州市东南汽车配件有限责任公司	汽车零部件及配件制造	汽车零部件及配件制造	石烂路
8	柳州市造漆厂	化工油漆	化工	龙潭路18号
9	柳州柳连机械制造有限责任公司	齿轮、传动和驱动部件制造	机械制造	洛维工业集中区内
10	柳州市菱宝汽车部件有限责任公司	汽车零部件及配件制造	汽车零部件及配件制造	洛维工业集中区内
11	广西佳力电工集团有限公司	电动机制造	电气机械和器材制造业	洛维工业集中区内
12	柳州市建益电工材料有限公司	其他输配电及控制设备制造	电气机械和器材制造业	柳石路382号
13	柳州雅乐食品有限责任公司	食品制造	食品制造业	九头山路12号
14	一汽解放柳州特种汽车有限公司	汽车制造	汽车制造业	社湾路26号
15	柳州威立雅水务有限公司	水的生产和供应	水的生产和供应业	东环路81号
16	柳州市民政五金配件厂	汽车零部件及配件制造	汽车零部件及配件制造	静兰工业园内
17	柳州市微电开关成套厂	配电开关控制设备制造	电气机械和器材制造业	燎原路东三巷8号
18	柳州市环兴汽车配件厂	汽车零部件及配件制造	汽车零部件及配件制造	鸡喇路17-1
19	柳州市丰捷汽车配件厂	汽车零部件及配件制造	汽车零部件及配件制造	箭盘路东一巷4号
20	柳州市万达汽车配件厂	汽车零部件及配件制造	汽车零部件及配件制造	西江路北二巷36号
21	柳州市强威锻造厂	锻件及粉末冶金制品制造	机械制造	洛维工业集中区内
22	柳州市银盾机床有限责任公司	机械制造	机械制造	白云路糖机配件厂后山边西6栋内
23	柳州市新方龙机械制造有限公司	机械制造	机械制造	洛维工业集中区内
24	柳州市威尔姆重工机械有限公司	砼结构构件制造	机械制造	洛维工业集中区内
25	柳州市凯新汽配有限责任公司	汽车零部件及配件制造	汽车零部件及配件制造	西江路北二巷41号静兰工业园内
26	柳州市东方预拌混凝土有限公司	水泥制品制造	水泥制品制造	柳石路东七巷165号

续表 1

序号	企业名称	主要产品	所属行业	地址
27	利达(柳州)化工有限公司	其他专用化学产品制造	化工	静兰工业园内
28	柳州市明阳机电制造有限责任公司	配电开关控制设备制造	电气机械和器材制造业	燎原路东三巷八号
29	柳州邦德塑料管道有限公司	塑料板、管、型材的制造	橡胶和塑料制品业	柳邕路二区八号
30	柳州市乘丰汽车车厢厂	汽车零部件及配件制造	汽车零部件及配件制造	南环路中段(七彩山庄路口斜对面)
31	国药控股广西中药饮片有限公司	医药	医药行业	柳石路 470 号
32	华润混凝土(柳州)有限公司	水泥制品制造	水泥制品制造	雒维园艺场雒维砖厂内
33	柳州市日鹏纺织有限公司	棉、化纤纺织加工	纺织业	九头山路 12 号
34	柳州市吉墙建材有限公司	黏土砖瓦及建筑砌块制造	水泥制品制造	柳石路洛维(原柳州市综合冶炼厂内)
35	柳州市东风线缆有限公司	电线、电缆制造	电线、电缆制造	南环路中区新坡弄 2 号
36	柳州市经久机械有限责任公司	金属表面处理及热处理加工	汽车零部件及配件制造	九头山路 12 号
37	柳州市恒特仪机械制造有限公司	机械制造	机械制造	柳石路响水河口
38	柳州市煜乾机械制造有限责任公司	机械制造	机械制造	燎原路东三巷
39	市顺行汽车配件厂	汽车零部件及配件制造	汽车零部件及配件制造	静兰工业园内
40	柳州市福业机械厂	汽车零部件及配件制造	汽车零部件及配件制造	白云路 148-1
41	柳州柳二空机械股份有限公司	气体压缩机械制造	机械制造	龙潭路 39 号
42	柳州市舜天电线电缆厂	电线电缆制造	电线、电缆制造	燎原路 27 号(九星电镀厂内)
43	柳州市方鑫汽车装饰件有限公司	汽车零部件及配件制造	汽车零部件及配件制造	西江路北二巷 39 号
44	柳州市静兰电镀厂	金属表面处理及热处理加工	汽车零部件及配件制造	静兰工业园友佳橡胶厂内
45	柳州市五顺汽车配件厂	汽车零部件及配件制造	汽车零部件及配件制造	静兰工业园内
46	柳州华隆机械弹簧制造有限公司	紧固件、弹簧制造	汽车零部件及配件制造	九头山路 6-1 号鸡喇七队工业区内
47	柳州市杉风橡胶制品厂	橡胶板、管、带的制造	橡胶和塑料制品业	东环路 45 号
48	柳州市新菱汽车配件厂	汽车零部件及配件制造	汽车零部件及配件制造	静兰工业园内
49	广西桂飘香食品有限公司	糕点、面包制造	食品制造业	柳石路 382 号
50	柳州正菱桂林机床有限公司	机械制造	机械制造	柳东新区正菱集团工业园内
51	柳州市华夏标准件工业有限公司	其他通用零部件制造	汽车零部件及配件制造	白云路 17-3 号
52	柳州江南轴瓦厂	汽车零部件及配件制造	汽车零部件及配件制造	鸡喇路 16 号
53	柳州天隆汽车部件制造有限公司	汽车零部件及配件制造	汽车零部件及配件制造	鸡喇路 16 号
54	柳州明宇机械有限公司	汽车零部件及配件制造	汽车零部件及配件制造	鸡喇路 16 号
55	柳州市诚信机械厂	汽车零部件及配件制造	汽车零部件及配件制造	九头山路 29 号
56	柳州市华力汽车零部件有限公司	汽车零部件及配件制造	汽车零部件及配件制造	柳石路 151 号
57	柳州市润澄针织有限公司	棉、化纤印染精加工	纺织业	九头山路 16 号
58	柳州市料海机械配件厂	汽车零部件及配件制造	汽车零部件及配件制造	燎原路 50 号
59	柳州市威林超硬材料设备厂	其他专用设备制造	其他非金属矿物制品制造	屏山大道北四巷 64 号

续表 2

序号	企业名称	主要产品	所属行业	地址
60	柳州市盛兴机械制造有限公司	钢铁铸件制造	机械制造	柳石路响水路口(商业机械厂内)
61	柳州柳开电气集团有限公司	配电开关控制设备制造	电气机械和器材制造业	柳石路 338 号
62	柳州市天颐汽车零部件有限公司	汽车零部件及配件制造	汽车零部件及配件制造	九头山路 12 号
63	柳州市新银磊印刷厂	包装装潢及其他印刷	印刷和记录媒介复制业	荣军路一区 218 号
64	柳州市南环环保水泥制品厂	黏土砖瓦及建筑砌块制造	水泥制品制造	南环路七彩山庄路口东面
65	柳州市猛狮动力机械有限公司	营林及木竹采伐机械制造	机械制造	龙泉路 5 号
66	柳州市昌盛混凝土有限责任公司	水泥制品制造	水泥制品制造	柳石路 410 号
67	柳州市豪杰特化工机械有限责任公司	炼油、化工生产专用设备制造	机械制造	洛维工业集中区内
68	广西柳州大都混凝土有限公司	水泥制品制造	水泥制品制造	柳石路 420 号
69	柳州市明阳水轮机有限责任公司	水轮机及辅机制造	通用设备制造业	燎原路东三巷 8 号
70	柳州青山变速器有限责任公司	汽车零部件及配件制造	汽车零部件及配件制造	鸡喇路 16 号
71	柳州吉燕峰汽车有限公司	改装汽车制造	汽车制造业	柳石路 424 号
72	柳州环宇预拌混凝土有限公司	水泥制品制造	水泥制品制造	白云东路元宝山村对面
73	柳州一品机械制造有限责任公司	机械制造	机械制造	九头山村西口
74	柳州市柳泰预拌混凝土有限责任公司	水泥制品制造	水泥制品制造	白云路元宝山新村白云矿石旁
75	柳州市新新柳机热处理有限责任公司	金属表面处理及热处理加工	汽车零部件及配件制造	鸡喇路 16 号
76	柳州威罗动力机械有限公司	机械制造	机械制造	鸡喇路 16 号
77	柳州市天保蜂业有限公司	其他未列明的食品制造	食品制造业	龙泉路 5 号
78	柳州柏安变压器有限公司	变压器、整流器和电感器制造	电气机械和器材制造业	燎原路东
79	柳州市明生机械制造有限公司	机械制造	机械制造	鸡喇路 4 号
80	柳州欧维姆机械股份有限公司	建筑工程用机械制造	机械制造	龙泉路 5 号
81	柳州东方工程橡胶制品有限公司	橡胶和塑料制品	橡胶和塑料制品业	鸡喇路 5 号

【实施五大提升工程】

产业提升工程 为服务企业发展，鱼峰区前后共出台相关扶持政策措施 5 条，分别为《柳州市鱼峰区人民政府工业经济发展扶持资金管理办法(试行)》(鱼政发〔2010〕45 号)《鱼峰区应用技术研究与开发经费管理办法》(鱼政办发〔2012〕41 号)《柳州市洛维工业集中区经济发展扶持政策(试行)》《柳州市洛维工业集中区入驻标准厂房企业(项目)评审办法》《柳州市洛维工业集中区企业(项目)准入实施办法(试行)》。2014 年上半年，鱼峰区召开中小企业政策解读大会，由鱼峰区各业务部门为辖区中小企业讲解各级政府扶持政策，帮助中小企业更好地了解、领会、掌握、运用各种政策，加快发展步伐，同时编制下发了《鱼峰区“中小企业服务月”政策汇编》。

服务提升工程 2014 年每逢单月举办“区长企业接待日”活动，由区长何世恰亲自主持，活动为美之峰、中兴日用化工、新菱汽配厂等 8 家企业协调和解决融资贷款、厂房开工建设、扶持奖励、搬迁安置等问题 9 项。制定《鱼峰区网格化企业服务管理系统建

6月26日，鱼峰区召开静兰工业园搬迁协调会议 （区工信局 提供）

设工作方案》，将中小企业服务工作纳入网格化管理，实现信息无缝对接，通过服务管理机制的创新，构建适合鱼峰区区情的中小企业服务体系。

空间提升工程 2014年，在与柳州市农村信用合作联社达成战略合作协议的基础上，与光大银行、民生银行、柳州银行开展政银企合作。召开“政银企”座谈会，加强政府、金融机构、企业间的信息交流和业务合作，促进金融机构针对辖区中小企业所设计金融产品，多方面拓宽企业融资渠道。

能力提升工程 2014年，根据辖区企业培训需求，针对各行业特点，多次组织企业管理者、技术员等参加培训，如开展了两期“清华—鱼峰区企业经营管理能力提升总裁研修班”，与鱼峰法院联合开展两期法律培训，组织辖区规模以上企业统计员开展业务培训，组织辖区企业参加市工信委两化融合、节能、能力提升、企业大讲堂培训等。

环境提升工程 通过定期开展内部培训、学习，为部门领导、干部树立正确的服务企业观念，让干部真正认识到，加快经济发展，出路在环境。同时建立健全各项工作制度，规范各项工作业务，利用鱼峰工信论坛在网上办理相关行政审批业务，提高业务信息、政策公开透明度，营造公平竞争的市场环境。

（李 程）

【洛维工业集中区】 柳州市洛维工业集中区于2008年1月经柳州市人民政府批准建设，2010年3月获批自治区A类产业园区，位于柳石路南段东片区。2014年，洛维工业集中区管理委员会（以下简称管委会）内设综合部、规划建设部、招商和企业服务部、科技办、工信办。2014年，管委会实有24人（在编18人，聘用6人）。办公地址位于柳石路424号大桥新村89号。

2014年入驻企业总数达到37家，已完成土地出让企业24家，已建成投产企业6家，累计在建企业14家，新开工企业8家。2014年，洛维工业集中区完成工业产值108亿元，同比增长12.5%；完成固定资产投资33.26亿元，同比增长29.4%，完成工业项目招商引资38.5亿元，同比增长20.3%；投产企业6家，在建企业14家。修建园区道路2.82千米，累计建成道路9.22千米，中北部区域骨干路网基本形成。迁改110千伏及以上高压供电线路8.3

2014年10月11日，鱼峰区与柳州市投控公司签订合作开发协议

（洛维工业集中区管委会 提供）

千米;建成排污管道9.68千米。园区公租房一期共600套已竣工。园区共出让土地1213亩,基础设施用地约1063亩,除预留项目地块外,高速路以西区域全部开发完毕。2014年6月,成立中共柳州市洛维工业集中区管理委员会党组;2014年7月31日,讨论通过管委会领导班子分工职责,研究决定内设机构部门负责人,讨论通过《洛维工业集中区管委会工作规则》《洛维工业集中区管委会领导分工》《洛维工业集中区管委会内设机构职责》《关于蒋年发等同志任职的决定》及洛维工业集中区管委会项目挂点责任分工制度。2014年10月11日,鱼峰区政府与市投资控股有限公司签订《洛维工业集中区合作开发协议》。洛维工业集中区管委会与广西吴大药业有限公司签订投资协议书。

柳州欧维姆机械股份有限公司,国内外预应力行业知名民族品牌,在桥梁建设方面有着重要地位,为洛维工业集中区重点工业企业。主要产品有OVM锚固体系、张拉机具、缆索制品、橡胶支座和伸缩缝、环氧喷涂钢线线、钢丝、体外预应力材料、钢绞线拉索体系、液压提升、顶推及转体系统、悬索桥产品(锚碇等)、真空辅助灌浆(含塑料波纹管)系统、砂浆料、钢绞线整体挤压式吊杆、CPS岩锚体系、磁通量传感器等新产品为企业注入了新的活力。项目坐落于洛维工业集中区11号地块,规划面积222亩,固定资产总投资4.6亿元,项目全部达产时年收入17亿元。 （彭　娟）

商贸　流通　服务业　房地产

【商贸服务业概况】 2014年,商务局核定编制6名,实有12人。在静兰路10号鱼峰区政府407办公室办公。2014年末,辖区有专业市场16个,经营面积33.07万平方米,从业人员约1.14万人。汽车专卖街区分布于西江路、燎原路及柳石路一带,聚集汽车专卖店、4S店、经销店24家,代理汽车品牌30多个,2014年柳州首家路虎、捷豹汽车4S店落户西江路。2014年,鱼峰区完成第三产业增加值58.33亿元,同比增长6.6%;完成社会消费品零售总额157.7亿元,同比增长13.66%。

【商业贸易】 2014年,银泰城正式开业,引进时尚精品、美食广场、游乐城、星级影院、KTV等商业业态;工业博物馆商业红街引进高端餐饮品牌等业态17家入驻;太平西街历史文化街区保护与改造项目、文化科技广场(书市)改造项目、海雅缤纷城休闲娱乐和游山湖体育公园项目开工建设;窑埠古镇项目一期建设完工并完成销售及招商工作,二期项目正在建设当中;华润凯旋门、华润商业中心和恒大翡翠龙庭项目开工建设;三胞广场举行开工奠基仪式;柳州首家路虎、捷豹汽车4S店落户西江路。

【商贸服务业区域发展导向】 2014年鱼峰区根据区域的功能定位、历史文化积淀、消费习惯等综合因素考虑,依托项目引进及商业业态引导,确定以“四片区一组团”为今后三年商贸服务业发展格局,即城市滨江商业核心区、水南现代都市形象区、荣军旧城改造提升区、九头山产城融合区和南片区休闲旅游组团。

城市滨江商业核心区　核心区南北走向为柳江南岸至屏山大道,东西走向为河南桥头至文昌桥头的百里柳江南岸沿线,直至

2014年9月6日,柳州三胞广场开工奠基仪式　（区商务局　提供）

窑埠 TOWN 一景　　　　（区商务局　提供）

文昌西片区的新商业中心。此片区为鱼峰区传统商业中心，有着悠久的消费、休闲传统，2013年启动夫子路特色文化旅游街、太平西街骑楼改造、新鱼峰商厦、文昌西路高层商业楼等项目，2014年完成银泰城、窑埠古镇、工博馆商业红街等项目的建设和招商工作，打造成为鱼峰区高端购物圈与滨江休闲带相融合的城市滨江商业核心区。

水南现代都市形象区　包括文昌路、静兰路、东环大道和西江路包围而成的水南片区，以及西江路东段南侧区域，社湾路南段东侧区域。片区以水南村整村改造为重点，将该片区打造成鱼峰区的CBD核心区，成为经济功能集中及现代都市形象体现的主要载体和平台。2014年重点推进的重点项目包括：东环路182、184地块，恒大翡翠龙庭项目，华润商业中心及凯旋门地产项目，水南村整村改造，河东交通枢纽（BRT）商业地块，静兰园区搬迁。

荣军旧城改造提升区　主要包括荣军路两侧周边区域，重点推进东风柳汽厂部搬迁和屏山小区旧城改造项目。该区域人群居住密度大，以发展便民商贸服务业为主，以荣军路改造完成为契机，做好荣军路沿线闲置厂房的调查和利用工作，围绕荣军路布局多个商业节点，大力发展社区便民商业，提升城市生活服务功能。

九头山产业升级区　着眼长远，实现鱼峰区经济结构调整转型升级的重要区域。通过推动鸡喇村整村改造、燎原工业园区搬迁，利用腾退出来且相对集中的土地资源，在该区域策划建设电子商务产业园、金融保险产业园，以及引进包括创意研发、工程设计、管理咨询、法律咨询、广告营销、人事培训、物流仓储、物业保安等相关为全市各行各业提供专业化、个性化服务的生产性服务业态，将该片区打造成柳州市产业发展后勤服务基地。

南片区休闲旅游组团　区域主要包括龙潭、都乐、响水河三个片区，可充分利用区域内山清水秀的自然风景和相对成片的土地资源的优势，大力引进旅游、休闲、文化为主的大型项目。重点推进卧龙湖体育公园、海雅缤纷城、白莲洞古人类遗址博物馆、龙潭生态旅游示范园区、万聚自驾车营地、开元寺商业配套等项目，引进大型主题公园，打造成为西南地区知名的新兴休闲旅游集散地。

【市场建设与管理】　2014年，鱼峰辖区有农贸市场15个、专业市场16个，大型商场、超市7个。其中："石尚1966"文化艺术园区、白云批发交易市场、鑫大地五金机电市场、南方花鸟市场、文化科技广场、驾鹤商业街等专业市场在柳州市专业市场中较具影响。

【其他服务业】　2014年，辖区有物业管理、互联网服务、租赁业、彩票业、网购快递业、家政服务等1000多家。

【物流业】　2014年末，辖区有物流企业4家，即九头山物流信息中心、宝元物流中心、广西联华物流配送中心和老邻居连锁超市配送中心。

【房地产业】　2014年，鱼峰区房地产开发项目4个，即柳州恒大金碧置业有限公司开发的恒大翡翠龙庭、华润置地（柳州）有限公司开发的凯旋门和商业中心、柳州悦景房地产开发有限公司开发的盛天悦景台。　（朱丽萍）

责任编辑：杨松柏

鱼峰区专业市场经营情况一览表

序号	市场名称	经营地址	经营面积（平方米）	经营户数量（个）	2014年末从业人员（人）
1	柳州燎原建材市场	燎原路59号	25000	231	650
2	柳州石尚1966文化艺术园区	柳东路226号	35000	265	560
3	柳州市白云批发交易市场	蝴蝶山西路5号	12500	378	1225
4	柳州市摩托车商场	燎原路58号	9500	340	950
5	柳州市鑫大地五金机电市场	鸡喇路2号	40000	600	2010
6	柳州南方花鸟市场	荣军路158号	52000	600	1380
7	柳州文化科技广场	屏山大道306号	25000	123	752
8	柳州市驾鹤商业街	屏山大道95号	14000	298	856
9	柳州市屏山电脑商城	屏山大道289号	13367	250	850
10	柳州市金地五金市场	荣军路323号	3000	78	295
11	柳州岩村家具市场	荣军路122号	1800	32	83
12	柳州市保利捷二手车交易市场	燎原路26号	12000	98	258
13	柳州市西江综合批发市场	西江路25号	35000	350	875
14	柳州美联家居	鱼峰路68号	25000	38	218
15	柳州润和时代广场	飞鹅路3号	7500	106	223
16	柳州白云奇石市场	荣新路46、47号附近	20000	108	252
合计					11437

2014年鱼峰辖区房地产在建（新建、续建）项目开发一览表

序号	公司名称	项目名称	开发地点	备注
1	柳州市双福房地产开发有限公司	双福雅苑	东环大道228号	续建
2	柳州市同和房地产开发有限公司	同和佳境	柳石路151号	续建
3	广西金森林房地产开发集团有限公司	悠客优优	西江路12号	续建
4	柳州市永意房地产开发有限公司	永意·山语城	荣军路160号	续建
5	广西协和房地产开发有限公司	集美郡	西江路24号	续建
6	广西和佳房地产开发有限公司	大美天地	龙潭路22号	续建
7	广西周大房地产开发有限责任公司	汇东·一品	学院路2号	续建
8	柳州美欣置业有限责任公司	紫荆花园	荣军路中段花鸟市场旁	续建
9	柳州市尔海房地产开发有限公司	尔海南山御景	南环路6号	续建
10	柳州国盛房地产开发有限责任公司	凤起新都	西江路	续建
11	柳州阳光新千年房地产开发有限公司	阳光壹佰窑埠古镇	蟠龙路9号	续建
12	柳州新银都房地产开发有限公司	新银都大厦	鱼峰路17号	续建
13	柳州恒大金碧置业有限公司	恒大翡翠龙庭	东环路	新建
14	华润置地（柳州）有限公司	凯旋门	桂柳路	新建
		商业中心		
15	柳州悦景房地产开发有限公司	盛天悦景台	蟠龙路	新建

信 息 业

【网格化信息指挥中心概况】 2014年，区网格化信息指挥中心没有确定正式人员编制，有工作人员6名，其中中共党员3人，本科及以上学历5人，大专学历1人。主要职能是负责鱼峰区网格化社会管理服务信息系统业务处理、指挥、协调及督查工作，负责系统建设、开发及培训工作，负责区政府网络、OA办公系统管理和维护工作。网格化社会管理服务信息系统功能进一步拓展和完善，作用进一步发挥，实现了对群众需求全方位、快速、高效、精细化响应，形成了“政府—街道—社区—网格”四级服务管理模式，提升了政府服务和管理社会的能力。信息平台全年共登记走访日志12万条，登记、受理各类案件10161件，按时办理10080件，按时结案9667件，按时结案率达96.14%。特别是对一批群众关注度高、解决难度大的挂起案件，信息指挥中心在区委分管领导带领下，通过召开现场会、每周汇报事项办理进度等措施，推动相关职能部门真抓实干、上下协调，最终解决10余件长时间沉积的挂起案件。先后接待自治区党委副书记危朝安、自治区党委常委、组织部长周新建以及各地考察团20多批700多人次的参观、考察，鱼峰区社会治理创新的新经验、新成效，得到了各级领导的肯定和媒体的关注。

【国家试点项目建设】 2013年，鱼峰区成功申报国家住建部第二批“智慧城市”建设试点单位和国家科技部“科技惠民”试点项目，是广西唯一成功申报这两个项目的城区。2014年，鱼峰区加大了这两个试点项目的推进力度，取得重大进展。区委、区政府成立项目工作领导小组，区委书记董凌、区长何世恰亲自担任组长，有关区领导任副组长，区属相关部门主要领导任成员。全面推进智慧基础设施、智慧应用体系和居民信息应用能力建设，公共信息平台工程完成了数据交换平台、统一地理信息服务平台等建设任务，公共基础数据库平台工程整合了人社、民政、卫生、计生、公安等多个部门的信息资源，数据入库率达90%，云平台工程重点在于打造“光网城区”，建设“无线社区”，光纤入社区达到100%，城区无线覆盖率达100%。对网格化社会管理服务信息系统进行全面升级改造，完成了社区数字化全响应社会服务管理信息平台建设，并为50个试点网格配置移动终端，为智慧社区建设打下良好基础。完成重大决策监察系统和文明城市创建系统建设，启动企业网格化管理服务信息系统、食品药品监督管理信息系统建设。保障项目投入，全年本级财政投入370万元，最近两年财政投入累计达1310万元，并储备资金680万元。12月23日，自治区住建厅督查组到鱼峰区检查项目年度工作进展，对鱼峰区的工作进度、成效给予高度肯定。

（蒋继友）

【鱼峰区政府门户网站】 2013年6月开始筹备建设，经过3个月的方案设计和技术质询，2013年9月开始制作，2014年初正式建成并投入试运行，网站域名为www.yfq.gov.cn。门户网站的服务器架设在市工信委下属的柳州市网络管理中心，以界面的简洁化、功能模块的灵活变通性为原则，并具有可进化性、技术无关性、大粒度构件复用、业务对象复用等一系列新的特点。网站开设了“走进鱼峰”“鱼峰资讯”“政务公开”“政务服务”“政民互动”“公共服务”等11个子栏目，通过信息的网上报送、网上发布，有效实现了政府信息公开和政务公开，为打造阳光政务、促进信息交流、资源共享提供了重要平台。网站由区委宣传部和区网格化信息指挥中心共同管理，区委宣传部负责网站日常管理和数据更新，区网格化信息指挥中心负责网站技术支撑、信息安全管理、技术防护、应急措施、安全教育培训和安全问题整改等保障工作。

（曾琴慧）

【基层信息化应用平台建设】 2014年4月，鱼峰区政务完成对7个街道管理员和窗口人员进行相应技能培训；5月，各街道负责完成对所辖社区（村）管理员和窗口人员进行相应技能培训；6月，全部街道和社区（村）各窗口在应用平台正式运行后按照要求规范做好每个事项办理的台账。在分发账号与授权后，各级管理员和窗口人员，按照三级保密要求做好登记，由街道、社区管理员统一保管，更改密码时需在各级管理员处登记备案。窗口人员负责行政审批和服务事项受理，按照要求

2014 年 12 月,鱼峰区数字化网格系统管理平台主页面

（区网格化信息中心　提供）

实时录入。各级管理员负责对各窗口人员事项办结情况实施监察和监督,2014 年,街道和社区在应用平台办理行政审批和服务事项 6941 件,全部办结。　（徐　武）

【通信业概况】 2014 年辖区内中国移动、中国电信、中国联通三大通信运营企业均设有分公司,业务全面涵盖移动通信、移动终端销售、固定电话、互联网数据等领域。

中国移动广西公司柳州分公司　简称柳州移动公司,2014 年鱼峰分公司与城中分公司合并为营销中心,负责经营柳州市区所有中国移动通信业务(包括语音、数据、终端、流量、多媒体、集团信息化业务等)及互联网接入服务等多种通信和网络服务业务。目前柳州移动公司客户数超过 200 万户,营业服务网点超过 2000 个,优质便捷的服务遍布柳州市区、县域各街道及大小乡镇。

柳州移动公司拥有柳州地区最大的移动通信基础网络,截至目前 2G、3G、4G 通信网络全面覆盖市区、县城、乡镇和行政村。而柳州移动公司也成为柳州首家实现 4G 网络覆盖的网络运营商,在 2014 年实现市区、6 县及部分乡镇以上区域连续覆盖,乡镇农村热点覆盖,党政军机关、高档宾馆、写字楼、机场、火车站等重点场所的室内良好覆盖。

柳州移动公司进一步发挥移动通信技术优势,借助物联网发展契机,针对社会关注的关键行业,在交通物流、医疗卫生和教育事业等领域创新推广信息化解决方案,为社会生活提供便捷、高效、安全服务。秉承"客户为根、服务为本"的服务理念,为客户提供更加高效、实惠、安全、便捷的"优"服务,让网络更流畅、资费更优惠、消费更透明、信息更安全、服务更便捷。2014 年,柳州移动公司在鱼峰辖区有营业厅 4 个:鱼峰路鱼峰商厦 1 楼鱼峰路营业厅,东环路 1 号长城财富广场西江营业厅;文昌路 1 号友谊馨苑文昌营业厅,驾鹤路 1 号驾鹤营业厅。　（刘　敏）

中国电信股份有限公司柳州分公司　中国电信股份有限公司柳州分公司,属于国有控股。在柳州市鱼峰区共有 3 个城市支局,分别为鱼峰支局、白云支局和西江支局。主要经营范围:在本市行政区域内经营 CDMA 移动通信业务,固定网电话业务、互联网数据业务等。

2014 年中国电信柳州分公司在柳州市鱼峰区设有营业网点 43 个,分别为蝴蝶山路 69 号的申讯蝴蝶山路社区营业厅,古亭山开发区东洋房开公司门面 32 号的古亭山合作营业厅,飞鹅路 3 号润和时代广场 380 号的佳兴飞鹅路天翼手机精品店,飞鹅路 3-1-2 号的谷埠街国美店,古亭大道香港新城正门旁的讯达古亭山 2 合作厅,箭盘路 4-14 号的箭盘山合作营业厅,东环路 19 号的东环路合作营业厅,柳石路 338 号花样年华小区 12 号门面的腾达花样年社区厅,柳石路 384 号香山丽景 26 号门面的天天合作营业厅,柳石路 171 号宝莲新都 25 栋 1 层 3 号门面的宝莲新都合作营业厅,柳石路宝莲新都 65-02 号门面的柳召宝莲新都营业厅,荣军路 242-1-2 号的圣展荣军路营业厅,屏山大道 304-3 号门面的金翼箭盘山路营业厅,屏山大道的屏山电信营业厅,柳石路南城百货超市入口的立诚社区营业厅,东环路金圣广场门面东环综合市场对面的诚信东环路营业厅,鱼峰路 68 号鱼峰山商业城 1-197 号的飞腾鱼峰商业城店,洛维路 103 号的洛维苗圃厅,谷埠街国

际商城D区1层20号的谷埠电信天翼智能手机卖场，西江路独秀农贸市场11号门面的独静路营业厅，飞鹅路谷埠街国际商城D区51-1、2号的中域鱼峰一号店，鱼峰路68号鱼峰山商业城一层191-1号的中域柳州四号店，谷埠街国际商城E区一层99-1、99-2号的中域鱼峰四号店，荣军路126号3栋5号门面的宇顺荣军营业厅，东环路1号长城财富广场第一栋1层24、26号的宝鑫东环精品店，蝴蝶山西路5号白云批发交易市场第一层外8号的融亨通信蝴蝶山店，白云路13-4-1号的丰信元宝山营业厅，阳和工业新区古亭山工商市场80号门面的金宏兴亭路营业厅，蝴蝶山路58号阳光花园1-1-3号的翼达蝴蝶山路阳光花园营业厅，屏山大道313号-10的翼晟屏山大道营业厅，西江路2号西江造船厂门面的喜洋洋西江路精品店，北雀路81号2楼的尚龙柳州市东风商场专卖店，飞鹅路3号时代商业广场1-302号的益辉柳州市鱼峰专卖店，柳石路364号8-1-9号门面的华连柳州市柳石路营业厅，柳石路384号香山丽景1-28号的至尊柳州市柳石路精品店，飞鹅二路1号谷埠街国际商城D1栋904的洲隆柳州市谷埠商城VIVO专卖店，飞鹅2路1号谷埠街国际商城D区1层的苏宁云商柳州市谷埠街专卖店，屏山大道185号小桃源3号楼电信营业厅内的璟天柳州市屏山大道精品卖场，城站路107-109号门面的亿毅柳州市城站路营业厅，飞鹅路3-1-2的涛明柳州市飞鹅路开放卖场，飞鹅路3-1-2的嘉讯柳州市谷埠商城开放卖场，谷埠街国际商城华强电子世界1层1C018-A、1C018、1C019号的文韵柳州市谷埠商城开放卖场，飞鹅路三号客家缘购物广场一楼的笙腾柳州市客家缘开放卖场。各营业网点主要负责电信业务的咨询服务、投诉接待、综合受理等工作。

年内智能机销售环比大幅提高，集约化终端管理还制造出单一机型爆炸性的销售效果。加深“百兆宽带”的社会影响和品牌传播。在保证新增量的同时，推进本地网宽带AD平移H、H提速提价项目，实现宽带存量用户的保存工作对宽带业务发展起到积极促进作用。成功推进民营资本投资宽带资源建设，解决了因用户需求和投资不足产生的矛盾。

网络建设，完成柳州农村无线宽带及少数民族地区CDMA网络优化建设工程及网络测试，将柳州行政村覆盖率从79.68%提高到92.94%。完成湘桂高铁、柳南高铁红线外基站工程，建成后湘桂高铁CDMA覆盖率现已达到96.6%，柳南高铁CDMA覆盖率达到98.3%。大力推动行业应用项目建设，全面提升网络服务能力。按时完成天网工程、电子政务云等项目的建设推进等工作：开展天网五期支撑工作，完成天网一二期标清改高清项目，完成天网工程监控室改造、柳江天网标清改高清子项目建设，完成数字城管软件系统的升级工作及柳州数字城管原监控点标清改高清工作。做好政企项目响应实施工作，完成柳州市自行车租赁项目、柳州市社保组网项目以及柳州市公安局搬迁项目的实施管控工作。

服务以“中国电信服务进小区，贴心服务零距离”为口号进驻小区开展营销活动。以服务进小区活动形式，让用户体验到中国电信有线及无线高速上网的畅快，了解高速网络的丰富内容，使用户实实在在体会中国电信贴心的装、营、维服务。（李 娟）

中国联合网络通信公司柳州市分公司 简称柳州联通，属于国有控股。迎来改革创新的一年，开创柳州联通的4G时代，以丰富的终端、成熟的技术、畅快的网速、广泛的漫游、实惠的价格，给广大用户敞开一幅绚烂多彩的移动互联生活画卷和移动互联体验的无穷魅力。4G是指集3G与WLAN于一体，并能够传输高质量视频图像，它的图像传输质量与高清晰度电视不相上下。4G系统能100Mbps-150Mbps的速度下载，不同的运营商采用不同的4G技术，速度通常与3G相比快20～30倍。

柳州联通鱼峰分公司充分运用4G网络手机终端更多、上网速度更快、智能性更高、费用更便宜、全球漫游和应用广的5大网络优势，鼓励区域内代理商灵活运用区公司开发的沃易购平台资源，降低终端和运营成本，丰富4G终端，大力发展4G用户。新增合作型服务门店5家，开发集团项目6个，宽带线路扩建新小区12个，宽带固话用户新增6000多户，基本完成80%的任务目标。

（皇甫凌）

责任编辑：朱继清

旅　游

【旅游概况】 鱼峰区旅游资源丰富,文物胜迹、旅游景点众多。2014年著名旅游景区有鱼峰山风景区、龙潭风景区。免费开放的公园有以原生态自然山水环境著称的龙潭公园;以"三姐传歌"著称的鱼峰公园;以洞穴奇妙闻名,堪称洞天奇绝的都乐公园;山水人文形态交融的蟠龙山公园;有"柳州外滩"之称的江滨公园;奇石玲珑的箭盘山奇石园,以及入选上海大世界基尼斯纪录的"百里柳江"蟠龙山瀑布群和柳江大型音乐喷泉。享誉海内外的柳州古八景和新八景,有半数之多位于鱼峰区范围。

【旅游服务】 据柳州市旅游局统计资料,2014年,驻鱼峰区的主要旅游服务机构有:桂林盛景国际旅游有限公司柳州分公司、广西民航国际旅游有限公司柳州分公司,在辖区驾鹤路驻点开展旅游业务。驻区有星级旅游接待酒店、宾馆8家。其中有四星级酒店2家:望泰国际大酒店、柳州尊皇祥兴大酒店。三星级酒店、宾馆4家:西江宾馆、东方大酒店、柳州宜家静兰酒店、屏山宾馆,以及二星级酒店2家:江滨鱼峰酒家华辰店、金座商务酒店。

从8月1日开始的由市委文明办、市旅游局、市总工会、团市委联合举办的"寻找柳州最美导游"活动,经过市民推举、单位推荐、资料审核,再经过网络投票、专家评审,于10月16日得出结果;有4名选手获得"柳州最美导游"称号,10名选手获得"柳州金牌导游"称号。鱼峰区龙潭公园景区导游张东兰获得上述两项称号。柳州奇石园管理处的韦昕获得"柳州金牌导游"称号。

【旅游活动】 2014年鱼峰区注重通过各种民间组织开展各类特色活动,促进旅游的发展。

特色民俗旅游观赏项目 2014年,鱼峰辖区有两个兼具旅游文化休闲娱乐功能的花鸟市场开展特色民俗观赏活动,一个是位于荣军路的南方花鸟市场,另一个是位于西江路的西江花鸟市场。

其中位于荣军路158号市政山庄旁的南方花鸟市场,是柳州市2010—2012年"十大旅游工程"建设项目之一,2011年10月竣工开业,占地5.34万平方米,设有大型停车场,内有大小铺面及地摊600多户。经营的品种有阴生植物、古玩玉器、各种工艺品、字画、宠物鸟类、园林盆景、根雕工艺、花卉、水族鱼类、刺绣、明清家具等十多个品种,吸引众多区内和外省各地的客人前来观赏洽谈。

西江花鸟市场位于西江路25-1号,面积1000平方米,市场管理员工有13人,有83户个体经营业主,主要从事花卉、苗木盆景经营。

作为吸引游览客人的民俗文化活动,2014年5月2日第三届柳州"南方杯"斗鸡王争霸赛在南方花鸟市场隆重举行。前来参加比赛的有湖南省、贵州省凯里市、台江县,以及广西区内的南宁、柳州(柳江县、鹿寨、雒容)选手近200名,参加比赛的画眉鸟有106笼;参加斗鸡比赛的选手有30多位,携带41只斗鸡参加比赛。经过2天的角逐,决出了名次。

传统文化观赏项目 2014年4月1日至2日是广西壮族自治区"三月三"节日假期,自治区文化厅、柳州市政府联合主办、鱼峰区政府承办的首届"三月三'鱼峰歌圩'全国山歌邀请赛"在鱼峰公园歌仙广场举行,来自广西、陕西、四川、宁夏、重庆、湖北、江西等省具有代表性和知名度的11支代表队登台激情放歌。同时,作为由市委宣传部、市文化局、鱼峰区政府主办的"三月三"节庆活动重头戏之一的柳州民俗文化博览会,在位于文昌路的石尚1966文化广场开幕。有少数民族非物质文化遗产技艺、民族歌舞、创意手工艺品、东南亚风情展。

2014年5月16日—18日,由柳州市体育局、柳州市德邦市场开发有限公司主办、柳州市象棋协会、南方花鸟市场等单位协办的柳州市第二届"南方杯"中国象棋争霸赛在南方花鸟市场举行,有来自广西、湖南、广东、浙江、湖北、贵州、河南、辽宁等省、自治区共92位选手通过自由报名参赛,经过三天的博弈,最终有16名选手,分别获得第一名至第十六名。其中第一名为湖北省的选手获得,第二、第三名均由广东省的选手获得。

2014年6月1日,柳州文庙举行"追忆屈原端午祭祀"传承民俗体验活动,来自驾鹤小学等学校的小学生,观看了上香敬酒祭天地仪式,进行了经书诵读、自己动手包粽子蒸煮粽子等活动。

(吕培贤　林伟屏　胡韦青)

责任编辑:吕培贤

交通运输　邮政快递

设置于江滨公园的水上公交停靠站　　（吕培贤　摄）

交通运输

【交通运输概况】 2014年，鱼峰辖区有道路交通、水上交通、民用航空三种交通类型。道路交通有过境国道209、322、323等3条；G72泉南高速公路1条，进出口雒容、静兰两处；辖区道路有快速路4条、主干道2条、次干道（包括支路、巷）49条。水上交通除游船客运外，年内开通水上公交。民用航空年内新增1条航线，在飞航线11条，通航城市15个。

据柳州市交通运输行业名录，2014年在鱼峰区驻有各种类型的公路客、货物流运输企业31家。其中国有企业3家：客运企业——广西瑞通运输集团有限公司莲花客运站，经营柳州通行区内、外各条客运班车线路。货物运输企业——广西瑞通运输集团有限公司（莲花分公司）。公共交通企业——柳州恒达巴士股份有限公司快速公交分公司，经营市内公共交通客运线路。其余28家企业主要集中于宝元、九头山两个大型物流园，为连锁经营物流公司、民间股份合资及独资经营的货物运输物流公司及其分部。分布在燎原路、白云路、九头山路、柳石路一带。重点企业有：柳州市中储物流有限公司、九头山物流信息中心、宝元仓储配送中心、桂中海迅物流九头山配送中心、广西德邦物流有限公司、柳州市二运公司燎原分公司。连锁经营企业有：广西联华物流配送中心、老邻居连锁便利配送中心。（吕培贤）

2014年驻鱼峰区的主要公路客、货物流运输企业

名　　称	所有制	驻地
广西瑞通运输集团有限公司莲花客运站，	国有	柳石路
广西瑞通运输集团有限公司（莲花分公司）	国有	柳石路
柳州恒达巴士股份有限公司快速公交分公司	国有	东环路
柳州邦俊物流设备公司	民营	荣军路
广州万隆华江物流公司柳州分公司	民营	南亚风情小区
广西北流三环物流有限责任公司柳州分公司	民营	东环路
柳州市凯达汽车运输有限责任公司	民营	白云小区
柳州市中储物流有限责任公司	民营	东晋大道
宝元物流园	民营	白云路
宝元仓储配送中心	民营	白云路
广西德邦物流公司营业部	民营	白云路
柳州市永晟运输代理有限责任公司	民营	九头山路
九头山物流园	民营	九头山路
九头山物流信息中心	民营	九头山路
柳州华泰运输有限责任公司	民营	西江路
柳州市吉瑞运输有限责任公司	民营	蝴蝶山路
柳州市双赢运输有限责任公司	民营	蝴蝶山路、西江路
柳州市惠泽运输有限责任公司	民营	东环路
柳州市运天运运输有限责任公司	民营	燎原路
广西路海运输有限责任公司	民营	蝴蝶山路
柳州市捷华运输有限责任公司	民营	燎原路
柳州市建华运输贸易公司	民营	洛维路
柳州市广邦汽车运输公司	民营	燎原路
柳州市二运公司燎原分公司	民营	燎原路
柳州地区供销运输贸易公司	民营	柳石路
柳州市欣荣汽车运输有限责任公司	民营	五月阳光小区
柳州鹰航货运代理有限责任公司	民营	柳石路
来宾市诚信运输有限责任公司驻柳业务部	民营	东环路
桂中海迅物流九头山配送中心	民营	九头山路
广西联华物流配送中心	民营	燎原路
老邻居连锁便利配送中心	民营	九头山路

【道路基础设施】

过境道路 2014年，辖区有209、322、323等3条国道过境：209国道，自市区北面经柳江大桥入境、经由鱼峰路，至柳石路出境。322国道、323国道，均自市区东面鹿寨县入境，境内重合，经屏山大道至鱼峰山脚往柳邕路出境。G72泉南高速公路，由雒容进入辖区，过静兰，在洛维出境。在雒容、静兰各设立一个进出口收费站。

辖区道路 辖区主要道路有快速路4条：东环大道、燎原路、银桐路、南环路。主干道2条：屏山大道、荣军路。次干道（包括支路、巷）49条。自2013年8月开始封闭修路改造的水南路连通天山路一段，于2014年10月20日恢复通车。

2014 年 9 月，柳石路步行和自行车慢行道路建成　　（吕培贤　摄）

10 月 1 日，柳邕路上全长 470 米，双向六车道的跨铁路立交公路桥竣工通车，与之连通的辖区内南外环路也同日通车。南面柳石路至荣军路一带通向柳江县拉堡的车辆，可以在莲花立交桥经过南外环路分流，不须再经过桐油山、银仔山隧道，减缓这些路段的交通压力。

9 月 1 日，柳石路建成柳州市首条步行和自行车慢行交通道路。这个慢行道路利用道路两侧原有人行道和非机动车道改造而成，自行车道为红色路面，宽 2 米，两侧总长 18 千米。

辖区桥梁　年内，鱼峰辖区无新建桥梁。境内有各类型道路桥梁 6 座。其中跨柳江普通道路桥梁 3 座：柳江大桥、文惠桥、静兰大桥。跨柳江高速公路大桥 1 座：洛维大桥。跨辖区境内都乐河公路大桥 1 座：园艺场大桥。跨路桥梁 1 座：乘龙人行天桥。

（吕培贤）

【公路客运】

长途客运　驻鱼峰区柳石路的柳州市莲花客运服务站，隶属广西瑞通运输集团有限公司，属国家一级车站。2014 年在职员工 96 人。客运站占地面积 59172 平方米，总建筑面积 8000 平方米，设有售票窗 15 个，检票口 14 个，站内客车泊位 200 个，客车发车位 21 个，设计日均发送旅客能力可达 2 万人次。进站发班线路 49 条，其中省际 16 条，省内 14 条，市辖各县 16 条，市内 3 条。始发 23 条，过往 30 条，直达 3 条，农村班 3 条。进站车辆 242 台，其中卧席高二 8 台，卧席高一 25 台，卧席普通 4 台，卧席中级 8 台，座席高一 150 台，座席普通 23 台，座席中级 24 台。主要经营来宾、武宣、象州、八一、里雍、正龙等短途班线始发班，及途经开往平南、桂平、博白、北流、东莞、海口、汕头、珠海、宁波等方向的长途过往车辆配客运输业务。

城乡客运　9 月 1 日，柳州市首条城乡公交线路 601 线开通，由广西瑞通运输集团下属佳兴公交公司经营。线路由文笔路汽车总站经过辖区柳石路到达柳江县穿山镇。全程票价 7 元 / 每人，起步价 2 元。　（莫雪媛　吕培贤）

【水路运输】　2014 年，鱼峰辖区范围的柳江河段水路运输业主要有水上公交巴士、水上旅客游船客运。

水上公交　水上公交巴士客运由柳州顺达水上公交公司于 2014 年 3 月 31 日正式投入运营。共投入 10 条船，开通 4 条线路，分别在柳江沿岸的城中区、鱼峰区、柳南区水域设置停靠码头。1 号环线每人次 3 元，2、3、4 号横渡线

2014 年 3 月 31 日，柳州市水上公交开通，图为海员码头停靠点

（吕培贤　摄）

夜游柳江的旅客正在驾东码头登船　（吕培贤　摄）

每人次2元。9月30日水上公交二期顺利开通运营。新增3条线路12个停靠点。停靠码头增加到23个，线路增加到7条。鱼峰区有驾东码头（海员码头）停靠点。自3月31日开通至11月3日，共发班21752班次，接待人数达19.02万人次，日均接待881人次。

水上旅客游船客运　柳航游船公司于1998年开始从事水上旅客游船客运业务。柳航游船公司为广西柳州泰升航运公司（原柳州航运局）旗下的客运分公司。2014年有员工17人，其中拥有持中华人民共和国海事局颁发的《航运安全管理体系国家审核人员》资格证书的高级管理人员2人。主要经营业务为：柳州市区至红花水电站；市区至环江村；市区至碧芙蓉景区等多条柳江水上游的经典航线。年运送旅客能力近5万人次。驾东码头为旅游客船停靠点。

该公司拥有大小游船14艘，2014年5月拨付10艘给水上公交经营，现有船舶4艘，客位数共172个，是年完成旅客运输量3.29万人/次。2014年水路旅游客运价格如下：

金龙号画舫龙船（双层、100客位），票价：100元/人；柳航1号游艇（双层、52客位），票价：80元/人。儿童身高1.2m以下免票。

（黄作林　吕培贤）

【水路运输设施】　2014年，辖区有1个客运码头、2个水运码头、5个河沙装运码头。其他一些原来服务于水路客、货运输的小码头和渡口，大多已经停止使用或是废弃。

驾东码头　又称海员码头，属于客运码头，位于驾鹤路东段北侧柳江河南岸边，作为柳江河旅游客运游船乘客上、下船码头。

河东码头　位于静兰大桥下游约1000米柳江右岸，码头年通过能力20万吨。经营单位为柳州市河东码头货运站，有2个500吨级泊位，其中一个为危险化学品装卸泊位。码头设装卸机械、堆场，主要装卸货种是硝酸、液碱等化工产品。

阳和作业区码头　位于阳和大桥下游约2.5千米的柳江左岸，距红花水利枢纽上游13.1千米。共规划建设11个千吨级泊位，占用岸线长967米。2014年阳和作业区有5个1000吨级泊位（多用途泊位3个，件杂货泊位2个），码头拥有7台轨道式龙门起重机，最大起重能力40吨，主要装卸货物为水泥、煤炭、白糖等大宗货物。

河砂装运码头　辖区柳江河

2014年6月1日，夜色中的驾东码头　（吕培贤　摄）

远眺阳和码头　　（吕培贤　摄）

段有民间自建河沙装卸码头5个，分布在静兰桥头、九头山、社湾、鸡喇、洛维等处。码头装卸机械是自制的简易起重机，主要经营码头河沙装卸、河沙销售、零散小件货物装运等。（彭　欣　吕培贤）

【民用航空】　截至2014年底，广西机场管理集团有限责任公司柳州机场有职工326人。2014年，位于辖区南面的柳州机场因全场道改造，停航至3月29日。3月30日，柳州机场顺利复航。3月30日—12月31日，保障飞行6908架（次），其中，运输飞行6882架次，其他飞行（含调机、公务）26架次，完成旅客吞吐量60.65人次，实现货邮吞吐量2787.9吨。累计主营业务收入2760万元，完成利润总额（税前数）–2007万元。

2014年，柳州机场恢复9条航线，新增1条航线，较快恢复了柳州航空市场的正常运营。其中

柳州机场航班表（2014年）

航　线	班　期	航空公司	执飞飞机	备　注
柳州—北京	每周11班	中国国际航空公司	B738	10月26日前每日1班，之后后加密至每周11班，每周1246每日两班
柳州—上海虹桥	每日一班	中国东方航空公司	A320	
柳州—上海浦东	每日一班	中国东方航空公司	A319或A320	
柳州—广州	每日二班	中国南方航空公司	A319、A320、EMB190	
成都—柳州—深圳	每日一班	成都航空公司	A319或A320	
昆明—柳州—厦门	每日一班	成都航空公司	A319或A320	
重庆—柳州—珠海	每日一班	华夏航空公司	CRJ900	
柳州—长沙—南京	每日一班	中国东方航空公司	A319	7月1日起减少为每周4班，8月7日停航
武汉—柳州—三亚	每日一班	中国东方航空公司	EMB145	由于航空公司原因，6月21日起停航
柳州—天津—大连	每周四班，每周一、三、五、日	华夏航空公司	CRJ900	7月9日开航，10月26日航班换季停航
柳州—丽江	每周三班，每周三、五、日	首都航空公司	B733	7月11日开航，10月26日航班换季停航
武汉—柳州—海口	每周五班，每周一、二、三、四、六	中国南方航空公司	B737	9月20日开航，12月1日之前每周3班
每周一、二、三、四、六	中国南方航空公司	B737	9月20日开航，12月1日之前每周3班	10月26日开航
贵阳—柳州—汕头	每日一班	天津航空公司	E190	10月26日开航
柳州—深圳	每日一班	春秋航空公司	A320	10月26日开航
柳州—郑州—青岛	每周三班，每周一、三、六	中国东方航空公司	A320	11月15日开航

柳州机场公司生产任务完成情况表(2014年)

项目 \ 指标	旅客(人)	货邮(吨)
吞吐量	606572	2787.9
同比增长(%)	无法同比	无法同比
出　港	346426	1061.3
同比增长(%)	无法同比	无法同比
进　港	260146	1726.6
同比增长(%)	无法同比	无法同比

飞北京航线由每周7班增加到11班,且有7条航线调大了机型。7月11日起,柳州—丽江航线恢复开通。每周三班。(2013年7月初,柳州机场首开飞往丽江航线,后因机场跑道维修于当年10月底停航)。柳州机场在飞航线增至11条,通航城市增至15个。每周运输起降230架次,航班量恢复到停航前的80%左右。日均旅客吞吐量达到2400人次。客座率达到70%。

航空安全　2014年5月7日—13日,柳州白莲机场接受中南地区管理局的空管综合保障能力评估,形成了《柳州白莲机场空管综合保障能力评估报告》。面对国内反恐的严峻形势,结合"平安机场"建设和"六打六治"打非治违专项行动,重点加强机场要害部位的治安防控工作,开展反恐实战演练以及枪支弹药、易燃易爆危险物品的清查活动,落实搬运人员双向检查要求等一系列措施,确保维稳工作取得成效。据统计,全年航班正常率为54.9%,设备完好率94%,地面安全行车171574千米,安全形势持续平稳。

运营管理　受跑道施工影响,柳州机场停航6个月至2014年3月29日。柳州机场加强了对市场的调研,为航空公司恢复航线运营、设立运营基地提供了数据和可行性分析,为政府和主管部门出台支持、补贴政策提供了决策依据。同时为服务旅客,创建柳州机场微信平台,至12月30日,柳州机场微信平台累计发布微信128期,相关图文信息193条,图文阅读累计43.8万人次,成为旅客及时了解航班信息的又一个重要平台。

机场基础建设　重点实施全场道盖被工程,2014年2月12日,民航通航必备的分项工程全部施工完毕;3月21日,工程竣工并通过预验收,3月27日工程通过广州军区空军组织的竣工验收。3月30日,柳州机场顺利复航。

柳州机场停机坪机配套设施工程共8个子项目,2014年,场道工程、站坪照明工程、飞行区消防工程、仪表着陆系统工程、飞行区通信管道工程等5个子项目已竣工验收;总图工程正在施工中;配置的特种车辆已全部到位。截至年底,停机坪扩建工程项目累计支出5011万元。此外,柳州白莲机场航站楼及配套设施扩建工程初步设计已获得民航中南地区管理局出具的行业意见,初步设计已获自治区发改委批复;项目业主同步开展施工图设计阶段工作;供水加压站已提前施工。　（申宏菲）

责任编辑:吕培贤

邮政　快递

【邮政业概况】　2014年3月7日,柳州市邮政局正式更名为广西壮族自治区邮政公司柳州市分公司。年内,经营邮路9条,其中自办汽车邮路5条;邮路总长4480千米。邮政车辆376辆,其中汽车149辆、二轮摩托15辆、三轮摩托30辆、二轮电动辆163辆、三轮电动车(单位集中采购)19辆。生产用房面积32066.35平方米。市内投递段道119条,户外信筒126个,挂式信箱105个,箱式信箱12个,信报箱138442户。2014年柳州邮政全辖累计完成业务收入16021.36万元。市区完成业务收入7176.27万元。

机构设置　2014年,广西壮族自治区邮政公司柳州市分公司机关部室有6个,二级生产机构(分局)7个,邮政所121个(其中电子化支局120个),邮政储蓄网点35个(不含邮政储蓄银行);2014年12月,在职员工1378人,其中市区在岗员工813人,各县在岗员工565人。中共党员410人。本科及以上学历187人,大专学历516人,中专及以下学历675人。专业技术职称人员108人,其中高级职称4人。办公地址:柳州市广场路2号。

邮政营业网点建设　2014年在鱼峰辖区有邮政营业网点6

财税　金融

2014年12月29日，鱼峰区召开2015年部门预算“二下”工作布置会　（区财政局　提供）

财　政

【财政概况】 2014年，鱼峰区财政局（办公地址在区政府大楼）下设鱼峰区国库集中支付中心。2014年鱼峰区财政局有编制5名，实有8人；国库集中支付中心有编制9名，实有11人。柳州市龙翔资产投资有限公司（办公地址在柳州市龙潭路39号）为鱼峰区人民政府国有资产管理公司，于2005年由柳州市人民政府批准区政府成立的国有独资公司。公司下设机构有综合行政部、投资项目部、资产经营部、资金财务部。2014年，有董事长1名，员工10名。2014年鱼峰区财政局以加快结构调整和经济发展方式转变为主线，突出抓收入、抓管理，确保正常运转、经济建设和改善民生支出，深入推进国库集中支付制度改革，进一步完善部门预算编制，不断提高预算编制的科学性和准确性，全面推行政府收支分类改革。开展行政事业单位固定资产清查，采用行政事业单位资产管理信息系统进行记账，对国有资产实施更为有效地监管。全面推进预算绩效管理，全区所有预算单位均开展财政资金绩效评价工作，积极探索绩效评价模式，引入第三方参与评价，对2013年的小微企业补助和网格化信息系统建设项目进行绩效评价，逐渐发挥绩效财政职能，财政工作由资金分配向注重资金绩效管理转变。全年组织财政收入292598万元，完成预算调整的100.45%，同比增长10.49%。公共财政预算支出63502万元，完成预算调整105.62%。2014年10月，鱼峰区人民政府厉行节约、反对浪费，转发《柳州市本级党政机关差旅费管理办法》《柳州市本级会议费管理办法》《柳州市本级培训费管理办法》。同时，区财政局集中财政财务人员对新政策、新规定进行培训，并贯彻执行。进一步加强制度管理。按照中央八项规定要求，健全完善各项内控制度，严格财务管理。加强日常监管，规范公务消费行为，对报账单据、凭证等资料的合规、合法、真实性进行严格审核。2014年，鱼峰区财政局将各预算单位的本级预算资金和上级补助资金全部纳入国库集中支付系统管理，提高了资金的运行效率和使用效益，也提高了预算支出执行透明度。加快推广公务卡结算制度，推行公务卡强制结算目录制度，对区机关所有在职在编人员办理公务卡，进一步扩大刷卡范围，逐步规范和减少预算单位现金支付，全年公务卡余额同比增长33.87%。

【财政收支】 2014年财政总收入实现313663万元。其中：全年组织财政收入292598万元（税收收入288300万元、非税收入4332万元），完成预算调整的100.45%，同比增长10.49%；公共财政预算收入实现52514万元，同比增长16.39%；上级补助收入21041万元，完成预算调整的100.20%，同比增长8.8%；上年结余24万元。

2014年财政总支出完成313663万元，完成预算调整的100.43%。其中上划中央、自治区、柳州市税收240084万元，完成预算调整98.50%。上解上级支出9138万元，完成预算调整120.06%。调出资金922万元，完成预算调整109.63%。公共财政预算支出63502万元，完成预算调整105.62%，结余17万元。在一般预算支出中，一般公共服务支出7383万元，公共安全支出6946万元，教育支出22639万元，科学技术支出1028万元，文化体育与传媒支出397万元，社会保障和就业支出10468万元，医疗卫生支出4233万元，环境保护支出618万元，城乡社区事务支出7884万元，农林水事务支出492万元，交通运输支出20万元，资源勘探及电力信息等事务支出1648万元，商业服务业等事务支出192万元，住房保障支出628万元。

【民生保障】 2014年，鱼峰区财政多方蓄力保障各项民生事业，提升公共财政保障水平，全年民生支出达到46791万元，占公共财政预算支出的73.68%。贯彻落实各项惠农政策，全年发放农资综合补贴、粮种补贴、农机购置补贴等资金共计206万元，有效减轻了农民的负担，增加农民收入。继续推进义务教育均衡发展，安排4006万元用于生均公用经费、免学杂费等项目；安排1742万元用于发放教师绩效工资及奖励，提高教师工作积极性，改善教学质量；安排2255万元教育费附加项目用于辖区中小学基础设施建设，保证教育持续稳定发展。不断提升公共医疗服务水平，其中安排1955万元用于基本公卫、重大公卫和新农合资金，大力推进公共卫生服务体系建设。继续推进鱼峰区社会保障事业发展，安排1642万元用于发放城市居民低保；安排441万元用于发放优抚慰问金和退役士兵安置；安排129万元用于残疾人康复示范区建设及残疾人补助。安排600万元用于社区办公用房设施建设，为居民服务提供良好的环境；安排"费随事转"资金237.57万元；安排1500万元用于社区工作人员和聘用人员增资。统筹安排资金862万元，落实"美丽广西，清洁乡村"工作，为营造"五美五好"魅力鱼峰打下了良好的环境基础。

【财政管理】 2014年，鱼峰区部门预算的基本支出和项目支出第一次按经济分类科目细化，预算管理的精细化水平提高，预算批复的格式进一步规范。鱼峰区财政局结合实际全面推行收支分类改革，在预算编制和会计核算方面都统一按功能分类科目和经济分类科目进行编制和核算，逐步形成了统一、规范的收支分类体系，使政府收支反映更为完整、准确，并为预算管理创造了有利条件。开展行政事业单位固定资产清查，采用行政事业单位资产管理信息系统进行记账，对国有资产实施更为有效地监管。鱼峰区财政局牵头，区纪委监察、审计共同参与成立工作领导小组及时将"三公"经费清查通知下发各预算单位共63个，要求各预算单位认真开展此项工作。2014年，鱼峰区对公车购置及运行费用按项目进行明细核算，定点维修、定点加油、统一保险和统一报废更新制度，财政"三公"经费支出为636.8万元，较上年减少157.2万元，压缩21.57%。其中：公务用车购置及运行维护费支出490.8万元，公务接待支出146万元，无公费出国（境）经费支出。"三公"经费开支情况在广西壮族自治区政府信息公开统一平台鱼峰区政府信息公开专栏公开。根据《柳州市整治领导干部多占办公用房工作实施方案》文件要求，鱼峰区整治工作由区发改局牵头，区财政局、住建局、后勤中心等部门配合，严格按照《党政机关办公用房建设标准》（计投资(1999)2250号）标准执行。鱼峰区领导干部超标多占办公用房按照《柳州市党政机关办公用房清理整改意见》进行清理整改。整改前办公用房使用面积为1498.4平方米，整改后798.9平方米，共清退699.5平方米。在全区组织开展财政供养人员"吃空饷"问题专项清理检查工作。自查单位总计126个，其中包括60个行政单位，62个全额拨款事业单位，3个差额拨款事业单位，1个自收自支事业单位。行政单位公务员编制核定数446人，事业人员编制核定数2人；公务员实有数398人，事业人员实有数1人。全额拨款事业单位的参公管理人员核定编制数154人，事业人员核定编制数1719人；参公管理人员实有数147人，事业人员实有数1635人。差额拨款事业单位的事业人员核定编制数125人；事业人员实有数48人。自收自支事业单位的事业人员核定编制数57人；事业人员实有数为0。根据各单位上报的"机关事业单位'吃空饷'问题自查自纠情况统计表"统计，鱼峰区未发现"吃空饷"人员。对13个预算单位进行重点抽查，主要采取现场查阅资料、岗位核查、走访座谈等方式进行。重点抽查阶段结束后，鱼峰区领导小组通过对检查资料进行整理，核对相关信息，分析座谈

2014年5月6日，鱼峰区审计组讨论村委换届经济责任审计事宜

（区财政局　提供）

内容后,并未发现以上13个预算部门存在“吃空饷”情况。

【村“两委”成员任期经济责任审计】 为确保村委换届选举工作的顺利开展,加强农村党风廉政建设和农村基层组织建设,为考核、选拔村干部提供重要依据,维护农民的合法权益,由鱼峰区委组织部牵头,区财政局、审计局等部门组成的审计组,于2—5月在全区开展村“两委”成员任期经济责任专项审计工作。通过开展村“两委”成员任期经济责任审计,进一步强化村级财务管理制度,为即将选举继任的新一届村级领导班子创造一个规范透明的财务环境,全面推进社会主义新农村建设。

【财政投资评审】 健全投资评审制度,完善投资评审管理办法和操作规程,政府投资建设项目一律进行项目预结算评审。2014年累计完成政府投资建设项目预算评审78个,送审金额3200万元,核减453.2万元,核减率为14.16%。

【行政事业管理】 加强非税收入信息化平台建设,全面实行非税收入收缴管理体系,实现上线运行,为缴款人和执收单位提供优质、高效、快捷、方便的服务,目前非税收入收缴系统运行状况良好。不断扩大非税收入管理系统覆盖范围,完善动态监控体系,通过非税征管系统,及时了解与掌握执收单位的收入进度及上缴国库情况,确保非税收入持续增长,实行“单位开票、银行代收、财政统管”的征管模式。掌握资金量大的非税收入收缴信息,完善执收执罚单位基本信息和收费项目库,规范非税收入征收范围及标准,全面优化非税收入结构,实现非税收入总量、质量“双提高”,强化监督管理机制,做到应收尽收。

(樊晓丹)

【国有资产管理】 2014年,开展行政事业单位固定资产清查,采用行政事业单位资产管理信息系统进行记账,坚持实事求是的原则,全面进行固定资产清查。按照实物盘点同核查账务结合起来,对各行政事业单位的固定资产进行全面清理和核对,以物对账,以账查物,查清资产来源、去向和管理情况。

龙翔公司现共管理房产235处,其中出租门面220间,其他为社区及老年公寓和武装部用房。过去相关单位管理的门面租金普遍偏低。龙翔公司接管后,通过市场化管理2012年租金比2011年增加收入约98万元,增长率为54.7%;2013年租金收入比2011年增加约113.7万元,增值率为63.5%。2014年在拆除箭盘山小学、柳石二小门面56间的情况下,租金收入为302.32万元,比去年增加收入9.37万元。龙翔公司通过对鱼峰区内各部门,鱼峰区属改制企业非经营性资产进行摸底调查、登记、分类、汇总,已核实有100宗非经营性资产,并且上报柳州市政府后获批复将100宗非经营性资产无偿划拨至龙翔公司名下。龙翔公司现阶段经与多部门协调,已办理24宗房产证,6宗土地证过户到龙翔公司名下,其他证件仍在办理中,为进一步探索投融资领域途径,提升龙翔公司投融资能力提供重要保障。2014年2月,鱼峰区政府委托龙翔公司清查静兰路6号约600平方米土地被占用事件。经过多次协调沟通,于2014年12月取得了静兰路6号600平方米的土地权属,避免了国有资产流失。(宋文才)

责任编辑:杨松柏

税　务

【鱼峰区国家税务】 柳州市鱼峰区国家税务局为柳州市国家税务局下属正科级单位。2014年设置有内设机构12个,级别为正股级,分别是办公室、财务管理股、政策法规股、税源管理一股、税源管理二股、税源管理三股、收入核算股、纳税服务股(办税服务厅)、征收管理股、人事教育股、监察室、机关党办。派出机构1个,级别为副科级;西江税务分局。事业单位1个,级别为正股级;信息中心。2014年有编制82名,实有74人。中共党员44人。本科及以上学历40人,大专学历31人,中专及以下学历3人。专业技术职称人员56人。办公地址:柳州市鱼峰区屏山大道312号

鱼峰区国家税务局主要承担鱼峰辖区河南片北至文昌路、桂柳路以南,南至洛维工业园;东至三门江大桥头,西至鱼峰路、柳石路以东的税收征管工作。截至2014年末全局管辖纳税人8055户,其中一般纳税人1435户,小规模纳税人1933户,个体工商户

4314户，纯消费税纳税人3户、纯企业所得税纳税人2203户。2014年，鱼峰区国税局全年累计组织税收收入（鱼峰区政府考核口径）11.6344亿元，同比增收1.1392亿元，增长10.85%。获自治区国税系统廉政文化建设示范单位、柳州市依法行政示范单位、柳州市直机关先进基层党组织等荣誉称号。

增收措施　定期召开组织收入分析会，强化汇报沟通和强化市场巡查。与工商、地税联合开展辖区内奇石、建材专业市场税收巡查活动，督促业主办理税务登记336户，清理入库税款18.5万元。强化税收分析。掌握企业生产经营、税款收入预测、税款入库情况。强化风险管理。开展工商已办证税务未办证、收购发票用量大、销售额大税负低、开票额与申报额不一致等风险识别，对风险进行排查，共补税及加收滞纳金42.24万元。强化纳税评估。抓好房地产、汽配、“营改增”物流运输税负异常企业的纳税评估工作。全年累计开展评估47户，评估入库增值税31.12万元，企业所得税717.70万元，加收滞纳金26.82万元，调减增值税留抵税额118.72万元，调减企业所得税亏损1638.14万元，纳税评估成果合计2532.50万元。

税收征管改革　抓好“三化”管理。抓科学化管理，坚持“管住源头、控住过程”的思路，研发“柳州市电动车行业发票信息共享系统”，建立交警车管部门与税务部门数据交换与比对机制，在广西率先实现车管部门与税务部门电动车行业发票信息共享。系统运行后，发现低开发票3575份，套开日期发票2985份，假发票620份。补征税款及加收滞纳金31.40万元，处以罚款10.68万元。2014年，电动车行业共入库税款360.45万元，同比增长121.94%。抓专业化管理，探索实施“属地管理与分类管理相结合，重点突出行业管理”的税收专业化管理机制。随着“营改增”工作的不断推进，引入4项风险分析指标，建立陆路货物运输行业评估模型，实施行业专业化风险管理。“模型”运行以来，已对26户企业发出指标异常预警提示。其中，对异常指标在2个以下的16户企业确定为“低级别”风险纳税人，对异常指标在3个以上、评估模型得分在30分以下的10户企业确定为“中、高级别”风险纳税人。共指导纳税人修正涉税偏差和评估疑点57个，涉税金额597921.66元，评估入库税款125.87万元。模型成效初步显现，有力提升了税收风险管理水平。抓精细化管理，坚持推进“五员”管理（即税收宣传员、信息采集员、纳税辅导员、纳税评估员、税收监督员）以及与地税、工商部门的征管协作，始终抓牢户籍、发票、申报和欠税管理，确保了基础牢固，质量提升。通过内控系统风险预警指标提示，通知申报异常的纳税人90户进行了补充申报，共补缴税款75228.53元，加收滞纳金1969.85元。通过发票验旧金额大于申报收入比对，共对175户个体工商户及时调整了定额，税款月增长10.5万元。

纳税服务　以“四个提速”服务品牌为抓手，助推春风行动。提速多元服务，国地税联合办税实现“三方共赢”。2014年，鱼峰局辖管个体工商户纳税人4314户，个体发票使用户数1776户。自2014年8月起，在办公楼二楼单独设立个体办税服务厅，解决了纳税人办税拥堵、排队等候时间长的问题。提速登记办理，研发“鱼峰区社会化协税服务信息系统”。该系统的研发实现了三

鱼峰区国税局工作人员指导纳税人进行网上办税，实现网上办税提质增效

（区国税局　提供）

大目标。第一，实现了鱼峰区工商、国税、地税等部门之间登记信息的顺畅交换和有效共享。第二，可以及时比对发现纳税人差异信息并对其干预防范，有效降低了纳税人涉税风险。第三，工商登记信息自动比对筛选后导入区局“免填单”系统，实现了税务人员、纳税人的“免填单、免录入”，税务登记办理由原来的20分钟缩短至不足5分钟。提速服务规范。按照“流程更优、环节更简、耗时更短、效果更佳”的要求，认真实施《全国县级税务机关纳税服务规范》，实行办税服务机构前后台一体化管理，纳税人的各类涉税申请事项均可在办税服务厅窗口办结，真正实现“窗口受理、内部流转、限时办结、窗口出件”的“一站式”闭环运行模式，避免纳税人“多头跑、多次跑”。实现办税资料出件环节无纸化运作，减少纳税人重复报送、多次报送纸质资料。提速网上办税，研发“鱼峰区网上税务局”为纳税人提供网上申报、网上申请、网上咨询、网上预约、网上查询等功能，实现了涉税事项受理有提醒，过程可查询，审批可公开，结果可反馈，环节能监控的服务目标，充分依托该系统，实现网上办税。2014年共受理网上审批办结273项，提速办结率达69%。

依法治税 规范执法。通过强化税收执法责任制和执法责任追究制，建立“人机结合”的执法监督考核机制，严格单项与集中性的内部执法检查。同时推行“网上税务局”依法行政信息管理系统，有时限要求的涉税事项全部纳入系统进行管理，并实行内外网并轨运行，公开透明、限时办结，解决纳税人两头跑、多次跑和税务人员办事拖拉、办事不廉等问题。2014年，被柳州市依法行政小组授予“柳州市依法行政示范点”称号和“法治税务示范单位”。强化核查，加强出口骗税风险防控。组成核查小组对辖区内的出口企业进行核查。落实政策，抓好减免税规范管理。通过“四个真实性”核查(一是加强对残疾人工作岗位真实性的核查，二是加强对“五险一金”、工资薪酬真实性的核查，三是加强对企业报送资料真实性的核查，四是登录柳州市民政局网站，加强对残疾人身份真实性的核查)，规范民政福利企业管理；通过“三个实地查验”(一是实地查验仓库产品对照产业目录审核是否一致，二是实地查验企业销售发票开具项目对照“西部地区鼓励类产业目录”审核是否一致，三是实地查验企业产业目录、产品销售收入与企业年度总收入逻辑比例，对不达70%以上的取消减免税资格)，落实西部大开发税收优惠。2014年，落实民政福利企业8户，减免税81万元；西部大开发税收优惠政策企业7户，减免税577.30万元；高新技术企业税收优惠政策3户，减免税190.49万元；小型微利企业所得税税收优惠政策245户，减免税51.97万元。评估清算，强化对注销企业的评估清算管理，严格审核，消除风险，防范税款流失，2014年，共清算注销企业75户，补缴税款72.63万元。

2014年5月21日，鱼峰区国税局开展小微企业纳税人培训

（区国税局　提供）

干部队伍建设 以“四个注重”抓党的群众路线教育实践活动。即：以注重学习教育、注重群众利益、注重统筹兼顾、注重解决“最后一公里”问题。开展优秀政治教员一帮十活动。在党员干部中评比出优秀政治教员，让每位教员负责10名干部的思想教育。加强“道德讲堂”建设，进一步提升鱼峰国税干部的文明素养和道德修养。深化学习型组织建设。开展基层一线干部实战练兵等教育活动，提升干部队伍的综合素质。开展“3+1”主题实践活动激

活党组织生活。通过该活动评选出在业务技能、工作效率、服务态度等方面突出的三名先进个人和一个先进集体及其负责人，提升了纳税服务水平，税务行政审批事项提速办结率达69%，荣获市直机关先进基层党组织示范点等多项荣誉。认真抓好党风廉政工作。将四大风险防范（即组织收入管理风险、执法管理风险、队伍管理风险和社会管理风险）作为内控机制建设的重点和抓手，全面排查梳理风险点，提出有针对性的防控应对措施。2014年内控系统共发出预警及风险提示429条，已处理429条；查补入库税款223271.24元，滞纳金825.12元。抓绩效管理。2014年，税务总局、自治区国税局全面推行绩效管理，为此，鱼峰国税局多次召开研讨会明确指标，细化责任，确定了132条个性指标和40条共性指标。同时举办了绩效管理培训班，确保绩效考核系统2.0版顺利运行。抓"两基"建设。2014年，重点是在取得全区"模范职工小家"的基础上创建全国级的"模范职工小家"。自治区总工会副主席廖志刚、柳州市总工会副主席付和艺等领导先后到鱼峰局检查指导工作。　（黄煜辉）

2014年6月25日，鱼峰区地税局办税服务厅房产交易分厅办税中

（区地税局　提供）

【鱼峰区地方税务】 2014年，鱼峰区地方税务局有内设机构7个，分别为办公室、收入规划核算和财务管理股、监察室、人事股、征管和科技发展股、征收服务股、法规税政股。派出机构3个，分别为第一税务所、第二税务所、第三税务所。2014年有编制52名，实有49人。中共党员37人。本科及以上学历49人，大专学历18人。专业技术职称人员33人，其中高级职称8人。办公地址：柳州市鱼峰区蝴蝶山路5号。

鱼峰区地方税务局主要承担鱼峰辖区地方税收工作，研究制定本区地方税收发展规划和年度工作计划并组织实施。负责本区地方税收、有关基金和规费的征收管理工作；组织税收收入。2014年全年完成市政府口径税收收入94183万元，同比增收9929万元，增长11.78%；完成鱼峰区政府口径税收收入44679万元，同比增收6330万元，增长16.51%。

税务登记　2014年共办理新办税务登记1620户，同比增长3.71%；办理注销508户，同比增长26.7%；办理变更848户，同比增长11.1%。

税源管理　鱼峰区地方税务局税款来源主要由正常经营税收、存量房税收、增量房税收三部分构成，2014年正常经营税收入库26729万元，同比增收4535万元，增长20.43%；存量房交易税收入库35023万元，在办理件数仅比去年增加74件的情况下，税收收入比去年同期增收6090万元，增长21.05%。

税收征管　对重点企业推行精细化管理，对年缴税30万元以上的重点企业及其所属关联企业，实行纳税评估、约谈制度。对非重点企业推行规范化管理，根据非重点企业规模小、分布广、行业多、工作量大的特点，引入"风险管理"理念，建立纳税人风险指标体系，按照管理事项集中分类实行标准化管理，尤其是对户籍、申报、缴税、发票等核心指标集中进行动态分析监控实施风险评估和风险应对，促进非重点企业按期足额申报缴税。加强小税种管理。探索建立健全房产税、土地使用税等税种的管理制度，抓好房产税与土地使用税分析预测，

2014 年 4 月 1 日，鱼峰区地税局与国税局一同在 99.10 交通广播电台举办税月之声税法宣传活动（区地税局 提供）

加强信息对比和税源动态管理和征收管理，确保收入稳定增长。

发票管理 加强“以票控税”。严格按照规定发售发票，以一个月的用量为限度，在税款入库及时方面取得主动权。做好“营改增”后续工作。做好发票提示预防工作。耐心向纳税人讲解和提示发票开具、保管等相关规定办法，对拒开发票行为依法处罚，并提高双定额。

纳税服务 简化办税流程，简并纳税资料，优化涉税审批管理。将审批事项前移至办税服务厅统一受理。实现涉税事项“集中受理、内部流转、限时办结、窗口出件”的一站式办税工作模式。同时全面推行“免填单”服务，在税务登记、纳税申报、代开发票、发票领用等方面实行免填单，实行免填单共 5000 多份。全面实施服务承诺制和领导责任制。分别利用配置的电子屏公告系统，公开纳税人权利与义务、税收政策法规、管理服务工作规范、税务违法违章处罚标准等事项，做好欠税公告、非正常户公告、处罚公告等工作，做到内容翔实、更新及时、数据准确。认真执行《广西壮族自治区地方税务局涉税服务事项承诺书》，严格按承诺内容、承诺时限开展业务，杜绝超时限办结现象发生。在办税服务厅设立领导值班岗，由分管领导轮流于每月征收期在办税服务厅内值班，便于解决纳税过程中的实际问题。建设国地税联合办税代征点项目。为解决纳税人两头跑等问题，鱼峰地税局和国税局联手成立国地税代征点，涉及新办、定税、注销等。搭建“鱼峰地税 QQ 群”、“yfds12366”微信朋友圈等沟通平台，积极开拓服务领域，大力实施“点对点”服务。

优惠政策 依据国家税收优惠政策，全年共减免小微企业 366 户次，金额为 100 万元；减免房产税 2 户，金额为 12 万元；减免城镇土地使用税 2 户，金额为 20 万元。已办 2013 年度企业所得税减免税 19 户，其中：西部大开发 7 户，申请西部政策企业所得税减按 15% 征收企业所得税 2 户，申请西部政策企业所得税地方分享部分税收优惠企业有 1 户，关于生产和装配伤残人员专门用品的企业所得税减免确认申请企业有 1 户，申请高新技术企业所得税减按 15% 征收的所得税企业有 1 户，申请安置残疾人员所支付的工资加计扣除备案的企业有 8 户，申请高新技术企业开发新技术、新产品、新工艺发生的研究开发费用加计扣除企业 1 户。

信息化建设 大力推进税银一体化网络办税系统的应用，开通基于互联网的办税服务厅，为企业网上申报、实时缴纳提供技术支持；做好中心机房内网络设备的防护，重点检查网络设备的安全策略配置有效性、账号口令强度和更新情况、定期对网络设备进行漏洞扫描。做好软件的推广、运行、维护工作，建立应用软件运行通报制度，及时整理并通报软件运行中发现的典型问题和解决方法。（卢春钰）

金　　融

【金融概况】 2014 年，在鱼峰辖区有中国工商银行股份有限公司、中国银行股份有限公司柳州分行、中国交通银行股份有限公司柳州分行、中国建设银行股份有限公司柳州分行、中国农业银行股份有限公司、柳州银行股份有限公司、光大银行股份有限公司、深圳农村商业银行、广西鱼峰信合村镇银行有限责任公司、柳州市区农村信用合作联社、上海浦东发展银行股份有限公司、中国民生银行股份有限公司等12家银行或者信用社，设立有分行或者是支行、分理处（分社），或者设立自助银行（柜员机）。这些金融机构面向辖区客户，分别开展各种金融业务。

【中国银行股份有限公司柳州分行】 2014年，中国银行股份有限公司柳州分行（简称中国银行柳州分行）属于国有控股，设职能部门9个、县域支行2个、城区支行25个，有员工523人。全辖人民币各项存款余额125.53亿元，比上年增长9.5%，人民币各项贷款余额89.46亿元．比上年减少6.66%；外币各项存款余额5298万美元，比上年增长9.49%，外币各项贷款余额4859万元，比上年减少44.69%。

网点建设 2014年中国银行柳州分行在鱼峰辖区设有支行4个，分别是营业部、柳石支行、龙潭支行和屏山大道支行。截至2014年底，中国银行柳州分行在鱼峰区的4个营业网点累计完成各项人民币存款余额29.75亿元，比上年增长7.4%；各项贷款余额48.02亿元。（毕闻世　韦　颖）

2014年中国银行柳州分行在鱼峰区的营业网点情况表

机构名称	机构地址
中国银行股份有限公司柳州分行	柳州市屏山大道178号
中国银行股份有限公司柳州市柳石路支行	柳州市柳石路372号
中国银行股份有限公司柳州市龙潭支行	柳州市柳石路82号
中国银行股份有限公司柳州市屏山大道支行	柳州市屏山大道199号1-2#一楼门面

【中国工商银行股份有限公司柳州市鱼峰支行】 2014年，中国工商银行股份有限公司柳州市鱼峰支行（简称工行鱼峰支行）属于国有银行，设置有综合管理部、市场拓展部及下辖网点机构。办公地址：柳州市鱼峰路68号鱼峰商业城内。

2014年实有员工199人，中共党员48人。本科及以上学历63人，大中专学历98人，中专及以下学历38人。

2014年末，工行鱼峰支行各项存款余额37.1亿元，各项贷款余额34.4亿元，实现拨备前利润1.28亿元。

网点建设 该行辖内有营业网点12个，其中有11个网点分布在鱼峰辖区内的屏山大道、柳石路、鱼峰路、荣军路一带，有1个网点位于柳州雒容镇荣庆路中段。另有离行式自助银行3个，分别位于驾鹤路、温州商贸城、东环路。2014年完成了1个网点的新建和2个自助银行的立项工作。

资产业务 2014年，工行鱼峰支行结合柳州经济运行和项目投资实际需要，进一步优化信贷结构，积极开展业务创新，在促进以汽车、机械、冶金三大支柱行业产业为核心的工业基础上，对上市公司和大型企业集团板块、优质投资主体和大型施工企业板块等加大融资投放，开拓了公司贷款发展新路径。全年累计发放本外币各类法人贷款8.1亿元。同时，通过以个人住房贷款、信用卡分期付款为产品核心助推城乡居民购房、购车等消费需求，年末个人住房贷款余额为2.6亿元，全

2014年1月7日，位于雒容镇容庆路的工商银行雒容支行开业

（工行鱼峰支行　提供）

年实现汽车分期付款金额3135万元。

负债业务 2014年末，工行鱼峰支行对公存款、储蓄存款余额分别为6.2亿元和30.9亿元。一方面，通过代发工资、商友卡、“存贷通”等业务，大力拓展个人优质客户，提升个人客户的满意度和忠诚度，进一步提高储蓄存款余额；另一方面，继续抓好社保“五险”资金、住房公积金资金在该行的归缴工作。通过认真分析行内对公客户，了解其社保“五险”资金、住房公积金的应缴金额，采取上下联动等多种方式，合力开展营销工作。

中间业务 2014年，工行鱼峰支行实现中间业务收入2674万元。一是通过对外汇大客户的重点营销，国际业务实现有效突破；二是抓住旺季开展营销，加大新兴贵金属产品市场推介，以法人积存业务为代表的新产品营销取得成效；三是加大互联网金融产品推广力度，积极拓展融e购客户，互联网金融产品推广初显成效；四是及时把握市场机遇，理财产品销售、代理产品销售、信用卡营销实现增长。

客户服务 2014年，工行鱼峰支行以“人民满意银行建设年”活动为契机，构筑“二线为一线，全行为客户”的大服务格局，把网点服务竞争力的提升作为网点业务与发展的有效形式。一是积极探索提高中高端客户服务效率、缓解客户排长队问题的方法，及时搜集并下发解决问题的技巧，下大力气解决中高端客户服务、客户排长队等突出的服务问题。12月份，客户平均等候时间为8.3分钟，比1月份减少了7.3分钟，降幅为46.79%。二是进一步优化网点布局，在推进业务发展的同时，着力提升网点竞争力和客户服务质量，并积极构建网点运营标准化管理体系、优化网点布局和网点人员结构，提升网点运营效率。（韦　钰）

【中国农业银行股份有限公司柳州东环支行】 中国农业银行股份有限公司柳州东环支行（以下简称“农行东环支行”），属于国有控股。位于柳州市东环大道93号，成立于1994年12月28日。2014年末，有在职员工138人，机构设置有行长室及综合管理部、运营财会部、风险管理部、公司业务部、个人金融部5个职能部门，管辖有10个对外营业网点（其中6个设立在鱼峰区）和2个自助银行，拥有75台金融自助机具，

2014年鱼峰区各营业网点概况

机构全称	地址	人数	所有制	是否辖属鱼峰区
东环支行营业室	柳州市东环大道93号	15	股份制（国有控股）	是
中国农业银行股份有限公司柳州箭盘分理处	柳州市屏山大道387号商住楼门面	8	股份制（国有控股）	是
中国农业银行股份有限公司柳州天山支行	柳州市屏山大道295号天山阁1-4号门面	9	股份制（国有控股）	是
中国农业银行股份有限公司柳州鱼峰支行	柳州市鱼峰路68号鱼峰山商城	9	股份制（国有控股）	是
中国农业银行股份有限公司柳州龙晶分理处	柳州市柳石路380-1号1-4号门面	10	股份制（国有控股）	是
中国农业银行股份有限公司柳州阳和支行	柳州市阳和工业新区古亭大道西侧古亭春苑小区路口综合楼一层北面	8	股份制（国有控股）	否

2014年营业网点存款规模情况（2014年12月31日数据）

单位：万元

机构名称	各项存款余额	储蓄存款余额	对公存款余额
营业室	99936	39858	60074
箭盘分理处	18370	16993	1377
荣军分理处	25411	16359	9052
天山支行	32485	23420	9064
鱼峰支行	19596	16970	2625
龙晶分理处	27108	23157	3950
高新支行	22681	19324	3357
阳和支行	29592	24744	4848

农行东环支行重点支持了林业、医疗、城市建设、保障性住房、汽配制造等重点产业和项目，金融产品主要有“金光道”对公系列产品、“金钥匙”个人系列产品、“金穗”银行卡系列产品和“金e顺”电子渠道系列产品共四大类产品，能满足不同层面客户多层次、全方位的金融需求。2014年被总行授予第三届“全国农行文明单位”荣誉称号。

金融业务 2014年为鱼峰区政府及下属130个事业行政单位的公务人员办理预算公务卡，合计450张；为鱼峰区50余家企事业单位提供信贷服务，累计签发银行承兑汇票38594万元，办理票据贴现29801万元，办理保理业务1952万元，发放贷款28842万元(其中小企业贷款707万元)。

客户服务 首先积极组织“进企业、进机关、进校园、进社区、进市场”等“五进”营销活动，结合汽车展销时机积极开展多项宣传活动，主动参加鱼峰区政府组织的政银企座谈会，加强银政企业务合作，深入了解鱼峰辖区企业的经营状况和金融需求，为客户的需求提供一揽子业务合作方案。其次是加大与柳东新区和阳和开发区各部、委、办、局的沟通与合作力度，根据阳和开发区众多入园企业的金融需求，切实为企业提供结算、融资等多方面的金融业务支持，力争为入园企业解决融资难等实际问题。再次是深入开展群众路线教育实践活动，开门办行，通过召开客户座谈会、到企业走访、在社会上开展随机调查、向客户发《征询函》和查阅《回音壁》等方式，认真听取群众对该行的文明优质服务、业务合作与发展等方面的意见和建议，更好地实现客户与农行互利共赢的良好目标。 （胡 蓉）

【中国交通银行股份有限公司柳州分行】 2014年，中国交通银行股份有限公司柳州分行(简称交通银行柳州分行)属于国有控股。在鱼峰区的营业网点有4个，分布在驾鹤路、东环路、柳石路、屏山大道等路段。有员工53人，其中：党员9人，本科毕业29人，大专24人，有专业技术职务任职资格15人。

业务发展 2014年，交通银行柳州分行鱼峰区各营业网点以定期存款和理财产品为抓手，促进储蓄存款稳步增长。以销售理财产品、贵金属、保险、基金为主，推动中间业务发展。2014年末各项存款余额为291351万元，其中个人存款100634万元，各项贷款余额为144355万元。

网点建设 交通银行柳州分行在鱼峰区范围设立有为零售高端客户提供专业化理财服务的沃德网点4个，离行式自助银行8个，离行式服务点6个；存取款自助设备15台，自助查询机8台，自助发卡机1台，网银体验机4台，自助回单打印机4台，电子宣传机4台，提供存贷款等多种金融服务。2014年末，鱼峰区营业网点新增免费wifi、无障碍通道等多项服务方式，改善服务环境，提升客户体验，支撑业务转型。

信贷服务 2014年，鱼峰区各营业网点加大对实体经济的投放力度，大力推进贸易融资和供应链融资，加大对中小企业、民生消费等领域信贷支持。贷款重点支持对公客户中的重点项目、高新技术项目；支持小微企业发展。在重点支持的制造业方面，主要投向汽车、石油化工产业，持续推进信贷行业结构调整，不断优化资源配置。夯实客户基础，加大新客户拓展工作力度。继续加强汽车供应链业务拓展；拓展电子资金交易结算平台。

2014年，鱼峰区营业网点开展对重点领域、行业的风险排查。加强信贷全流程管理，重点是提升贷后管理水平。落实强化具体措施，风险防范和内控管理稳健提升。 （仇海建）

【中国建设银行股份有限公司柳州分行】 2014年，中国建设银行股份有限公司柳州分行(简称建行柳州分行)属于国有控股。有营业机构55个，其中营业部1个、网点型城区支行48个(在鱼峰区有10个)、综合性县支行4个(县支行下辖2个分理处)，在职员工987人。年末，全口径存款291.60亿元，比上年增长26.87亿元，增幅9.21%，实现人均存款2951.42万元，网点平均存款5.30亿元。各项贷款余额216.30亿元，比上年增长10.98亿元，增幅5.08%。贷款不良率0.36%，比年初增长0.311%。实现净利润6.01亿元，增幅13.48%，人均创利60.83万元。

网点建设 建行柳州分行在鱼峰辖区设有东环路支行、西江路支行、天山路支行、屏山大道支行、柳石路支行、柳石中路支行、白云小区支行、龙泉路支行、柳东支行、雒容支行等10个营业网点，有员工112人，网点数、员工数分别占全辖的18.18%和11.35%。

存款业务 2014年，建行柳州分行在鱼峰辖区的网点完成全口径存款余额38.00亿元，占柳州分行全行全口径存款余额的13.03%，同比增长0.37个百分点；存款余额比上年增长4.49亿元，占全行新增存款的16.72%，同比增长5.36个百分点。

负债业务 2014年，各个支行重点推进行外资金拓展和理财软着陆两大工作，大力推进聚财宝业务，通过客户推荐客户、以代收代付业务批量拓展客户、公私联动挖掘客户等方法拓展存款资金源头。对主营业务和重点产品制定旺季营销和全年竞赛活动方案，加强过程管理，全年共举办大型贵金属展销会6场，实现销售额约800万；开展“基金健诊”活动20余场，四季度实现偏股型基金销售6100万；大力改善用卡环境，与工贸、尚龙等大型商城共同开展了刷卡有礼活动。截至年末，各个支行个人时点存款余额150.33亿元，比年初新增14.24亿元，增幅9.47%。实现个人中间业务收入8236万元，比2013年增长769万元，增幅10.30%。个人有效客户新增36345户，信用卡客户净增24290户。

基础管理 2014年，各个支行在信用风险管理方面，建立了主动识别、提前研判风险的运行机制，开展收息收贷系统管理创新，建立投行产品投后管理制度，对个贷业务实行全流程台账管理等。加强运营操作管理，全年平均稽核差错率为0.026‰，离行式自助设备的开机率、缺钞率等考核指标位列全区建行第一。通过全面清理网点环境，组织“最美网点”评比，配置新的填单模板和无线呼叫器。

客户服务 2014年，各个支行把提高客户服务满意度作为一项重要内容，在各营业网点营造良好的服务氛围。利用每天的晨会进行“彬彬有礼5分钟”的练习，晚课上也会对日常不规范的营业行为进行提醒和纠正。大堂经理在迎接客户时，针对不同的业务为客户提供更快捷的解决途径，积极利用自助设备分流柜面压力，进一步改善银行排队问题。保持网点环境的舒适与整洁，在各网点布置绿色盆栽，工作台面保持干净整齐，指示牌和温馨提示清晰明了，为来办理业务的客户提供最有效的帮助。

（姚宏峰）

【柳州银行股份有限公司鱼峰支行】 截至2014年末，柳州银行股份有限公司鱼峰支行（以下简称“鱼峰支行”），属于股份制，在职员工82名，内设职能部门办公室及业务发展部，下辖营业部，主要为鱼峰辖区机关企事业单位及广大个人客户群提供方便、快捷、心贴心的金融服务。

2014年末，鱼峰支行各项存款余额52.67亿元，比年初增长2.85亿，各项贷款总额16.83亿元。全年实现安全运营，无安全责任事故发生。

业务发展 2014年，鱼峰支行不断提升服务区域实体经济发展的力度，一是优化信贷结构，加大对小微企业、实体企业信贷倾斜，与辖区内中小微企业建立全面的业务合作关系，助推中小企业发展；二是加强与鱼峰区人民政府的联系与沟通，签订《政银企合作协议》，建立良好的政银企关系。

内控管理 2014年，鱼峰支行深化内控管理，推进各项工作平稳开展。一是严格遵守各项规章制度，坚持合规、合法经营，重视服务质量；二是狠抓案件防控，以风险可控、确保安全为前提，重点抓好操作风险、流动性风险和道德风险的防范和管控，努力提升服务内涵，为业务发展奠定坚实的基础。

队伍建设 认真开展党的群众路线教育实践活动，做好党员培养和党组织建设，加强干部队伍建设，倡导勇于创新、争创一流的企业文化精神；通过切实有效

柳州银行鱼峰区网点一览表

网点名称	地　址
柳州银行鱼峰支行营业部	柳州市红锋路23号
柳州银行柳石路支行	柳州市柳石路35号嘉靖花园2栋1层2-5号门面
柳州银行东环路支行	柳州市东环大道1号长城财富广场1-1号
柳州银行大东支行	柳州市西江路27号大东星城国际3号楼一层门面
柳州银行河东支行	柳州市东环路81号东环商厦底层1-3号

的“百日大练兵”活动，全面提升了员工的综合能力，进一步优化支行服务工作，提升员工队伍的战斗力。在“百日大练兵”活动技能比赛中，支行参赛选手荣获“十佳柜面业务能手”第二名、“翻打传票”三等奖等奖项，在礼仪风采展示中，荣获二等奖的好成绩。

（谢　薇）

【中国光大银行股份有限公司柳州分行鱼峰支行】 中国光大银行股份有限公司柳州分行鱼峰支行（以下简称光大鱼峰支行），属于股份制，成立于2009年6月28号，位于屏山大道286号24栋东风柳汽综合楼一楼。截至2014年，共有27名在职员工。其中，中共党员5人。本科及以上学历25人，大专学历2人。员工平均年龄在28周岁。

网点建设 经过4年的发展，光大鱼峰支行总共设立了3台在行式自助设备及6台离行式自助设备，分别位于飞鹅商业市场、鱼峰区嘉汇龙潭广场及白云批发市场，分布于成熟的居民小区，较好地满足了市民的日常存取款需求。并于2014年3月底，在银监局的许可下，成功在温州商贸城开立了一个社区银行，方便服务周围的社区居民。

2014年鱼峰光大支行辖区营业网点

名　称	地　址	业务范围	存款（万）	贷款（万）	员工数	备注
光大银行鱼峰支行	屏山大道286号	对公、对私等业务	74400	31100	23	
飞鹅社区支行	温州街1号	对私	3700	700	4	2014年3月成立

存贷业务 ①存款：截至2014年12月31日，光大鱼峰支行全口径存款7.44亿元，较年初新增5800万元，日均存款6.32亿元，较年初新增1.51亿元；其中对公存款4.11亿元，较年初新增3100万元，对公日均存款3.44亿元，较年初新增8200万元；储蓄存款3.33亿元，较年初新增2700万元，储蓄日均存款2.88亿元，较年初6900万元。②贷款：截至2014年12月31日，光大鱼峰支行对公贷款2.45亿元，较年初新增1.6亿元；传统个贷累计投放6650万元，完成全年投放任务。

资产业务 截至2014年12月31日，光大鱼峰支行新增对公授信客户7户，主动推出钢铁、工程机械及部分有风险隐患的贸易公司授信客户5户；对私优质及财富客户共完成41户，新增准私客户1户，新增批量代发单位数25户，新增代发个人客户数2021，零售电子银行活跃客户占比23.13%，完成108.81%，新增电子渠道签约客户数5365户，完成103%，出国金融完成114.79%，信用卡新增金、普卡717张，完成179%，信用卡新增高端卡498张，完成99.6%，新增收单207台，完成115%。

中间业务 2014年，光大鱼峰支行中间业务方面取得了较好的发展。在公司方面，形成了以资产业务，票据业务等为主体来带动中间业务收入。个人方面，则是通过代理理财、基金、贵金属、保险等方面，同时大力发展电子银行以及信用卡，提升中间业务收入。

客户服务 光大鱼峰支行在服务方面，坚持“让每一个客户都满意”的理念，不断提高服务水平。严格按照每天晨迎五分钟，迎送接待每一位客户。此外，还创立了“叫号站立式”服务，每个柜台窗口的柜员都会站立举手迎接下一个办理业务的客户，真真正正让客户感受到光大的贴心服务。

（杨政文）

【柳州市区农村信用合作联社】 2014年，柳州市区农村信用合作联社（以下简称“柳州市区联社”），属于股份合作制。内设办公室、人力资源部、稽核监察部、财务会计部、电子银行部、信贷管理部、基建办、票据中心、小微贷款部、市场开发部、资产风险部、法律合规部、安全保卫部等13个职能部门，下辖14个信用社和1个营业部，共49个对外营业网点，现有在职员工552人，是广西农村信用社系统内第二大机构，在柳州市18家金融机构中排名第5位。办公地点设在柳州市桂中大道6号。其中在鱼峰区设有营业网点11个，从业员工93人；中共党员22人。本科及以上学历56人，大专学历24人，中专及以下学历13人。专业技术职称人员22人。

存款业务 2014年，柳州市

2014 年 11 月 1 日，位于市阳和工业新区阳和大道阳和中路的柳州市区联社阳和工业园分社挂牌营业　（柳州市区农村信用合作联社　提供）

区联社鱼峰辖区内 11 个营业网点深入市场，充分营销辖内事业单位、学校、企业、专业市场、商业区和社区，抓好 POS 机和电子银行业务营销、“五险一金”、社保资金归集和代收代付业务。截至 2014 年末，柳州市区联社各项存款余额 174.99 亿元，较年初增长 27.6 亿元，增幅为 18.7%，存款余额在柳州市银行同业中排名第五，增量排第一。其中，鱼峰区内 11 个营业网点的各项存款余额为 17.99 亿元。

贷款业务　2014 年，柳州市区联社各项贷款余额 121.92 亿元，较年初增长 24.60 亿元。贷款余额的市场份额为 8.69%。其中小微贷款余额为 78.86 亿元，比年初增 14.23 亿元，占各项贷款的 64.68%；涉农贷款余额 29.99 亿元，比年初增 1.84 亿元，占各项贷款的 24.6%。其中，鱼峰区内 11 个营业网点的各项存款余额为 20.58 亿元，为辖区内的中小微企业和“三农”提供了强有力地资金支持。

网点建设　2014 年，柳州市区联社加大网点建设力度，不断提高工业新区的金融服务能力。11 月 1 日，柳州市区联社第 48 个营业网点一阳和工业园分社正式挂牌营业，成为全市唯一一家进驻阳和工业园区的银行网点。该网点实际使用面积达到 4000 多平方米，不仅配备了一流的工作人员团队，还配备了最新最全的办公硬件：银行柜面、信贷室、VIP 室、理财室、自助银行等设备一应俱全，还设有一个可进行排球、羽毛球、乒乓球等球类运动的职工活动中心，是目前全广西农合机构使用面积最大的银行网点。

2014 年柳州市区农村信用合作联社鱼峰辖区 11 个营业网点

名　称	地　址	业务范围	存款（万元）	贷款（万元）	员工人数
羊角山信用社	柳州市蝴蝶山路 56 号	存款、贷款、中间业务	22046	58982	15
五里亭分社	柳州市柳石路 159 号	存款、贷款、中间业务	21833	0	8
阳和分社	柳州市阳和工业新区社湾村 8 队	存款、贷款、中间业务	22902	826	5
驾鹤分社	柳州市荣军路 120 号 6 号门面（宝山宾馆旁）	存款、贷款、中间业务	6968	0	5
东环分社	柳州市东环路 18 号	存款、贷款、中间业务	25536	6532	9
谷埠分社	柳州市飞鹅路 1 号	存款、贷款、中间业务	10983	18130	12
红峰信用社	柳州市屏山大道 95 号鞍山大厦 3、4 号门面	存款、贷款、中间业务	23219	79845	11
屏山分社	柳州市屏山大道 278 号长虹世纪一号楼门面	存款、贷款、中间业务	9289	50	5
大桥信用社	柳州市柳石路 424 号（弘康医院旁）	存款、贷款、中间业务	21553	41184	10
宝莲分社	柳州市柳石路 171 号（宝莲新都门面）	存款、贷款、中间业务	14152	0	7
阳和工业园分社	柳州市阳和工业新区阳和大道阳和中路广西汽车零部件展示中心附楼一楼	存款、贷款、中间业务	1448	300	6

位于屏山大道的广西鱼峰信合村镇银行 （吕培贤 摄）

市民卡营销 11月23日，柳州市民卡实现首发。柳州市区联社作为发卡行之一，参与了柳州市民卡的发行。鱼峰区各信用社网点积极深入企业、社区、学校、村屯，开展市民卡宣传和营销。 （覃振管）

【广西鱼峰信合村镇银行有限责任公司】 广西鱼峰信合村镇银行有限责任公司（以下简称“鱼峰信合银行”）成立于2011年12月，属于股份制。位于柳州市鱼峰区，是经中国银监会批准设立的地方性法人金融机构，依托广西农村信用社（合作银行）业务系统办理业务。是柳州市首家以农村信用社（合作银行）发起的村镇银行。办公地址在屏山大道218号。

截至2014年底共有从业人员45名，本科学历21人，大专学历22人；20～30岁（含）占比75%、30～40岁（含）占比15.9%、40～50（含）占比9.1%。计划在2015年新增2个网点，吸收新就业人员20名。

网点建设 目前有位于雒容镇象岩路2号的营业部和位于屏山大道218号的屏山支行两个网点。

经营范围 鱼峰信合银行经营范围包括吸收公众存款，发放短期、中期和长期贷款，办理国内结算、票据承兑与贴现，从事同业拆借、银行卡业务，代理发行、兑付、承销政府债券、收付款项和保险业务以及经银行业监督管理机构批准的其他业务。

存贷业务 2014年，鱼峰信合银行携手浙江大学经济学院、浙江大学金融研究院、浙江省金融研究院共同签约启动“AFR微贷项目”，无抵押“鱼峰微贷”应运而生。“鱼峰微贷”旨在为有强烈劳动意愿和一定劳动能力的人群提供强势金融服务，解决个体工商户、微小企业等金融弱势群体资金需求，满足其“金额小、期限短、需求急、次数频”的特殊要求。

2014年末，公司资产总额7.43亿余元，其中各项贷款余额32770万元，含涉农贷款27137万元、占比83.32%；各项存款余额55247万元，五级分类不良贷款余额为零；营业收入4239万元，营业支出3486万元；实现利润1002万元，净利润852万元。资本充足率、核心资本充足率均为19.67%，流动性比率55.71%，超额备付率1.55%，各项监管指标优于监管标准。（龙 腾 陈 婵）

证 券

【国海证券股份有限公司柳州驾鹤路证券营业部】 2014年，国海证券股份有限公司柳州驾鹤路证券营业部（简称国海证券营业部），属于股份制。位于驾鹤路，营业面积约1500平方米。目前共有25名员工。下设3个部门，其中市场发展部、财富中心，属于业务部门，主要负责客户开发、渠道拓展及业务培训等，另外一个部门为综合管理部（包括财务部、交易部、办公室及信息技术部），主要为国海证券营业部的正常运营提供后勤支持。

业务范围 证券经纪、证券投资咨询、与证券交易、证券投资活动有关的财务顾问、证券投资资金代销、代销金融产品、融资融券、为期货公司提供中间介绍业务。

经营业绩 2014年，国海证券营业部加大创新力度，努力实现营业收入多元化，进一步开展融资融券业务、期货IB业务、信托业务、资管业务及券商投行业务等一批创新业务，创新收入显著增长，达到2600万元，比上年增长117%，收入占比上升至营业部全年收入的50%以上。2014年完成交易总额360亿元，比上年增加170亿元，增长89%，2014年末总客户数为5.5万户，托管资产市值22亿元，与上年基本持平；2014年营业收入4500万元；实现代收印花税1750万元；实现地方营业税金及附加242万元，比上年增加60万元，增长33%。（黄　磊）

保　险

【保险概况】 2014年，有中国人民财产保险有限公司柳州市分公司、民生人寿保险股份有限公司柳州中心支公司、华安财产保险柳州中心支公司、太平财产保险有限公司柳州支公司等保险企业，在鱼峰辖区设立机构，开展保险业务。

【中国人民财产保险股份有限公司柳州市分公司鱼峰支公司】 2014年，中国人民财产保险股份有限公司柳州市分公司鱼峰支公司（简称人保鱼峰支公司），属于股份制。位于柳州市屏山大道286号24栋群楼第三层。下设4个营销服务部，拥有团队人员18人，其中：中共党员5人。本科及以上学历2人，大专11人，中专及以下学历5人。专业技术称职人员12人，其中高级职称1人。人保鱼峰支公司主要经营财产损失保险、责任保险、信用险、意外伤害保险、各类财产保险的再保险业务、国家政策性保险业务、国家保险监管部门批准的其他业务等。2014年度实现保费规模3796.48万元，赔付支出约2153万元。（张亨麟）

【民生人寿保险股份有限公司柳州中心支公司】 2014年年末，民生人寿保险股份有限公司柳州中心支公司（以下简称“民生保险柳州中支公司”）属于股份制，位于柳州市驾鹤路89号3楼，实有营销员22人。内勤员工13人，其中：中共党员2人，共青团员1人；本科及以上学历6人，大专学历4人，中专及以下学历3人。

民生保险柳州中支公司主要经营个人意外伤害保险、个人定期死亡保险、个人两金寿险、个人终身寿险、个人年金保险、个人短期健康保险、个人长期健康保险、团体意外伤害保险、团体定期寿险、团体终身保险、团体年金保险、团体短期健康保险、团体长期健康保险等保险业务。

2014年，民生保险柳州中支公司累计实现规模保费收入1075.81万元，个人保险业务13个月继续率达成63.98%；银行保险13个月继续率达成89.97%。个人保险业务、续收拓展、银行保险25个月继续率达成分别为95.35%、102.9%和102.3%。2014年累计赔款支出3.1万、死亡给付15.76万、医疗给付10万、年金给付108.25万，累计总赔款及给付占2013年的98.01%。（陈　敏）

【华安财产保险柳州中心支公司】 2014年，华安保险柳州中心支公司位于柳州市驾鹤路89号四楼，属于股份制。现有职工人数64人（包括各县域人数），70%的人员是大专学历及以上，30%是中专、职高学历。中共党员共3名，柳州本部共设立客服部、承保部、计划财务部、综合管理部、营业一部、营业二部、营业三部、营业五部，下属各县域设有融水支公司、鹿寨支公司、柳江营销服务部。公司经营范围包括企业财产损失险、家庭财产损失保险、建筑工程保险、安装工程保险、货物运输保险、机动车辆保险、船舶保险、能源保险、一般责任险、保证保险、信用保险（出口信用险除外），短期健康保险、意外伤害保险、经保险监督管理部门批准的其他财产保险业务。参保的客户分为个人、公司等类别，2014年度保费收入4800多万元，赔付支出3007.96多万元，综合成本率93%，2014年在三江、柳城两个县城设立了远程出单点。（谢芳琪）

【太平财产保险有限公司柳州中心支公司】 太平财产保险有限公司，为中国保险业历史最悠久的民族保险品牌，肇启于1929年在上海成立的太平水火保险公司，总部设在深圳。柳州中心支公司于2012年6月开业，位于柳州鱼峰区驾鹤路89号，属于股份制，2014年有员工40人。该公司引入互联网技术，推进业务技术创新，在传统的业务基础上，利用互联网，为客户提供财产损失险、责任保险、信用保险和保证保险、健康保险及意外伤害保险等保险产品，向客户提供简单快捷的理赔服务。2014年柳州中心支公司保费收入突破4000万元，接受理赔报案5015起。（周晓琴）

责任编辑：吕培贤

城乡建设　公用事业　环境保护

2014 年，柳州市对太平西街街区商铺外立面实施改造，图为改造后的太平西街风貌

（区住建局　提供）

城乡建设

【住建机构概况】 2014年，鱼峰区住房和城乡建设局设3个内设机构，分别为办公室、工程股、房管股；挂鱼峰区人民防空办公室牌子。有编制11名，实有23人。在柳州市静兰路10号鱼峰区政府机关办公。

【城市基础设施建设】 2014年，区住建局有序推进燎原路东三巷东段及巷口道路改造、羊角山路延长线道路改造工程、九头山路东端路口段改造、鸡喇街巷路改造、江四村排水改造及鱼峰片区乐群路南一巷路灯改造等6项工程建设，总投资565万元。共硬化道路7400平方米，改造人行道2950平方米，排水管道改造1250米，新建绿化面积1350平方米，安装路灯52基。年内，对原双力仪表厂宿舍区和原合金材料厂宿舍区2个老旧住宅区基础设施进行整治改造工作，改造涉及总建筑面积近4.5万平方米，改造户数708户。共硬化小区道路约3000平方米；新建钢结构单车棚2处，约300平方米；拆除违章搭建约380平方米；整治排污水沟约88米；新建花池7个；新装路灯共计10盏；装修翻新门卫室1个，安装监控设备1套，不锈钢电动大门1套，安装宣传栏4套，总投资约120万元。

【村镇建设】 截至2014年年底，水南村1~5组炮团路北面需拆迁342户，累计完成签约293户，签约建筑面积18.71万平方米。完成西江路北二巷19号的两处共7间砖瓦结构的违法建筑强制拆除，拆除违建面积540多平方米；水南村与投资商签订第三产业项目合作协议，参照周边城市综合体项目开发方案，按照区别性、互补性的原则，完成水南村集体经营性安置用地概念性设计方案，制作完成项目总平图；市规划部门同意在居住和第三产业用地总量不超标的前提下，划定6.08公顷建设净用地作为第三产业用地，并定点位于炮团路北侧、东环路东侧，总用地面积7.77公顷土地，已出具关于水南村第三产业用地土地规划设计条件；专题拟定失地农民办理养老保险的意见，累计为945名村民办理养老保险，办理率达到99%。8月14日，来宾市中院已向双方出具债务案件执行裁定书，解决水南村以箭盘山大厦抵押担保的一系列债务案件得到。

【建设规划】 2014年，以柳州市市域新型城镇化为引领，围绕建设“五美五好”魅力城区和传承柳州历史文化核心区的总体目标，确立创建“全国生态文明先进区”的发展定位和“全面提升、重点向南”的发展战略的总体规划布局。抓好以交通专项规划为重点的基础设施规划，积极打造便利交通体系，最大限度拓展主城区发展空间，力争打通交通节点，优化城区空间布局。加快历史文化风貌街区建设，结合老城区改造，落实历史文化街区保护专项规划，以“鱼峰歌圩”项目为重点，制定文化发展规划，年内精心实施了太平西街历史文化街区改造、羊角山小区老

鱼峰区城市基础建设统计表

序号	工程名称	项目属地	类别	工程内容
1	羊角山路延长线道路改造	五里亭街道大龙潭社区	道路、排水、路灯	道路长200米，宽8米，人行道400平方米，路灯16基，排水150米
2	九头山路东端路口段改造	五里亭街道天和社区	道路、排水、路灯	路面500平方米，人行道300平方米，排水100米，路灯5基
3	鱼峰片区路灯改造工程	荣军街道岩村社区	路灯	安装路灯5基（岩村路184-188号、乐群路南一巷1-28号、63-77号、96-101号、102-106号路灯安装）
4	鸡喇街巷路改造	白莲街道鸡喇社区	道路、排水、路灯	道路1000平方米，排水300米，安装路灯13基
5	江四村排水改造	白莲街道南山社区	道路、排水	道路250平方米，排水150米
6	燎原路东三巷东段及巷口道路改造	五里亭街道	道路、排水、路灯	道路长450米、路面4050平方米、人行道2250平方米、排水550米、绿化1350平方米、路灯13基

2014年10月16日，改造后的燎原路东三巷　　（黄似良　摄）

旧片区整治。同时，加快推进“智慧城市”建设，进一步完善“智慧鱼峰”信息化基础资源综合服务中心，提升拓展鱼峰区城市管理智能数字化信息系统，提高辖区城市综合管理能力和服务水平。突出抓好单体规划、色彩规划、地上地下设施规划的编制和相互衔接，完成柳石路南段东片区控制性详细规划修编、南环路中段控制性详细规划修编等规划编制工作8项。

【住房保障】 2014年，危旧房改造工程“柳开馨苑”项目和“盛通馨苑”项目全面竣工，建成保障性住房1359套，总建筑面积133940平方米；危旧房改造原灯泡厂地块项目已完成地块内7栋、9栋、13栋、16栋旧房拆除工作，地块原地回迁安置房已于2014年7月开工建设。水南村1–5组炮团路北面需拆迁342户，累计完成签约293户，签约率85.7%。办理物业管理区域划分10起，物业服务合同备案6起，前期物业招标和中标备案各8起，审批协议选聘物业企业2起，新建小区承接查验备案5起。全年完成新增廉租住房租赁补贴发放256户，累计向符合条件的保障对象发放廉租住房租赁补贴2110户，发放补贴655万余元；圆组织廉租住房分房大会，为142户家庭配租廉租住房；危旧房改造工程“柳开馨苑”项目和“盛通馨苑”项目全面竣工，建成保障性住房1359套，总建筑面积13.39万平方米。

【物业管理】 2014年，完成物业服务合同备案6起、前期物业招标和中标备案各8起，审批协议选聘物业企业2起，物业区域划分备案10起，承接查验备案5起，物业费调价备案6起。建立和完善了辖区物业主管部门、街道办事处、社区三级参与的物业矛盾纠纷调处机制，建立了物业管理投诉日常登记台帐和物业纠纷调处档案。全年共接待来电来访反映物业问题383人次，召开协调会31场，调处物业纠纷投诉379起，其中，政府热线和市长信箱158起，数管87起，社区网格报送41起，通过其他方式反映93起，投诉处理率达100%。

【危险房屋管理】 2014年，落实房屋安全管理制度，开展房屋安全隐患排查工作，共排查房屋2432栋，其中存在疑似安全隐患的370栋，经鉴定为危险的5栋，并对危险房屋进行分级分类建档管理。制订出台《鱼峰区老楼危楼整治方案》，指导房屋业主对老楼危楼进行分类处置，避免发生老旧危楼倒塌事件。已对紫荆花园、原方便食品厂、晶远花苑等3处存在安全隐患的围墙采取解危措施，消除安全隐患。　（覃柳群）

3月28日，鱼峰区给142户家庭配租廉租住房。图为廉租住房分房会议现场　　（区委宣传部　提供）

2014年8月28日，燎原路东三巷口新种的绿化带　（李　英　摄）

【园林绿化概况】 2014年，鱼峰区园林绿化管理所在编人员为12人，实有人员18人。在柳石路394号（原羊角山镇政府）办公。2014年，新增绿地面积1万平方米（洛维工业园9757平方米、炮团路243平方米），乔木（木棉600株、洋紫荆1660株、小叶榕37株、八月桂3株）2300棵。下半年接管洛维工业园部分绿地。

（杨媛媛）

【环境卫生概况】 鱼峰区环卫所有职工1342人，其中在编在职职工93人，退休工人217人，合同工974人，公益性岗位人员58人。在乐群路144号办公。7月31日，环卫所召开全所职工代表大会，通过《鱼峰区环卫所合同制职工岗位及工资改革方案》，经过工资改革，合同制职工的月均收入由1750元提高到2192元（含节日加班费、暑期降温费和过节费）。

数字城管三级平台管理 2014年，鱼峰区环卫所按照市数字化城市管理要求，对各类案件快速反应，及时处理，鱼峰区环卫所"数管"三级平台是全市唯一的数字城管三级平台。全年办理处置数字城管中心转办件5333件；政府热线转办件250件；市民投诉39件；办结反馈率100%。

环卫"职工之家" 1月15日，银铜路环卫之家正式启用，成为柳州市第一座建成使用的环卫之家。该环卫之家的建成使用，为一线环卫工人提供休息之地、谈心之室、读书之屋，以及党员下基层工作室。全年启用6个"环卫之家"，分别坐落于银桐路、荣军路、荣军路288号、屏山大道西、乐群路、东环路，可供8至10个保洁班使用，共有200多名环卫工人受益。

设施建设 2014年，鱼峰区环卫所逐步对辖区内街道果皮箱进行更新改造，将原来铁质、玻璃钢等材质的单体果皮箱全部更换成为垃圾分类式果皮箱，全年共完成更新果皮箱558个。年内，环卫所新增环卫作业车辆11台，配套密闭式垃圾箱5个，发放垃圾桶1500个。完成乐群路213号公厕、荣军二区公厕、岩村路西一巷绿化队宿舍旁公厕、荣新路钟厂中转站公厕、炮团路中转站公厕、社湾路中转站公厕等6座固定公厕及五岔路口移动公厕、箭盘山公园旁移动公厕、东方大酒店旁移动公厕、莲花客运站旁移动公厕等4座移动公厕的全面提升改造。鱼峰区环卫所自筹资金将柳机旁垃圾中转站和荣新路垃圾中转站等2座老式中转站提升改造为新型密闭式机械化垃圾转运站。9月4日，位于白云路南的柳州市首座餐厨垃圾处理试点

2014年1月15日，银铜路环卫之家正式启用　（朱保超　摄）

2014年9月4日，位于白云路南的柳州市首座餐厨垃圾管理房完成验收　（朱保超　摄）

完成验收工作。

维护与治理　道路清扫保洁580多万平方米，辖区主要干道进行洒水降尘。2014年，共组织人员4416人次，清洗主干道及隔离栏底部72次；清理路面积水3.5万多平方米；清理各种撒漏约33吨；清理河堤淤泥50多吨。积极推进居民生活垃圾收集清运及垃圾费收取工作，提升上门收垃圾高服务质量，对于符合垃圾费减免政策的特殊群体，实行下社区上门办理服务。全年垃圾费收取908万多元，超额完成全年收费任务。上门收垃圾服务户数9.5万多户，沿街门面3200多间，服务范围覆盖辖区城郊接合部。生活垃圾日产日清。全年共清运生活垃圾1.43万车，约13万吨。加强对辖区48座公厕、11座中转站日常管理，按标准对公厕、中转站进行清洗消毒，确保卫生达标。全年共清粪430车，约2150吨。

（朱保超）

【城市管理概况】　2014年，鱼峰区执法局共有队员310人，其中在编人员80名聘用队员204名，公益性岗位协管员26人，另有借调人员6人。为了便于开展工作，全局下设5个中队（鱼峰中队、屏山中队、柳石中队、特勤中队、督查中队）、12个分队一科（法规科）一室（办公室），其中市容中队3个，鱼峰中队、屏山中队、柳石中队，3个中队分别设有2个机动分队和2个路段管理分队。设有鱼峰区控制和查处违法建设管理大队、鱼峰区数字城管信息中心，并兼挂鱼峰区城乡清洁办、鱼峰区两违办、鱼峰区五项整治办牌子。共装备执法车辆27台。借大数据之力，充分运用网格理念和现代信息技术，创新城市管理：按照每个网格200～300户，600～900人的规模，将54个社区划分为7个责任区，817个网格，每个网格明确监管责任人，将机关及街道干部、民警、调解员等管理人员全部纳入服务团队，建立“七大员”（网格员、网格支部书记、网格指导员、网格信息员、网格警员、网格司法员、网格消防员）工作新机制，形成“一人负责，多人协同”的服务和管理新格局。

行政执法　2014年，积极开展违规占道整治活动，先后组织开展了“爱国卫生月活动”“校园

2014年11月柳州市容局给鱼峰环卫所调拨一辆微型洗地车，改善小街巷人行道的清洗条件　（吕培贤　摄）

2014 年 5 月 28 日，鱼峰执法局工作人员上门为业主办理门头招牌设置手续，为业主解了燃眉之急 （周 知 摄）

周边市容秩序整治活动”“食品类早夜市和占道流动摊贩专项整治行动”“市场周边违规占道专项整治活动”等。全年共查处马路市场 30 余处，清理店外跨槛经营 1500 余处，取缔违规占道促销 30 余处，流动摊点 2000 余个。积极督促沿街门店落实“门前三包”责任制，签订责任书 6000 余份，签订率超过 95%；对市区 27 条主次干道，近 7000 余家单位和门店进行常态化监管；清理乱搭挂 500 余处、乱张贴的小广告等 4.8 万余张（条），纠正和查处乱倒垃圾的行为 220 余次。发放宣传资料 5000 余份。按照《柳州市开展应对雾霾天气治理扬尘污染专项行动的实施方案》的工作安排，加大对偷排乱倒、沿途洒漏、污染路面等情况的巡查监督。排查建筑工地 20 余处，下发责令整改通知书 300 余份，查处违章开挖城市道路案件 22 件，查处车轮带泥、撒漏案件 30 余件，责令当事人清扫路面 80 余次。组织门头招牌、户外广告整治行动 10 次，出动执法人员 800 多人次，车辆 350 台次，主要对鱼峰路、屏山大道、驾鹤路、柳石路等主次干道沿街门面的门头招牌进行专项整治，共查处违规店面门头招牌 390 余个、教育违规设置招牌商户 200 多家，清理沿街店铺的各类招贴广告 3.5 万余条。规范商业促销、折扣、招工等店堂广告 3000 余处，办理门头招牌备案登记 330 份。配套投资 100 万元，对蝴蝶山路口至龙潭路口和箭盘山路门头招牌实施美化亮化工程。

数字城管建设 2014 年，鱼峰区城市管理信息中心实行早班（8∶00 ~ 15∶00）、晚班（15∶00 ~ 22∶00）及行政班三班轮换的工作制度，晚班结束之后由专人负责电话值班。同时，为保障城区数管案件的正常顺畅的流转，区执法局、区环卫所、区园林绿化所、区住建局、街道办事处等各处置部门均安排有一名以上人员实行 24 小时案件处置人员，负责三级平台的操作及案件的处置。全年，共受理案件 3.95 万件，其中市容巡查员上报案件 3.35 万件，“12319”市民投诉案件 2138 件，“12345”电话转办案件 46 件，“12345”电话转接案件 863 件，网站上报案件 67 件，公众微信举报

2014 年 4 月 1 日，鱼峰区依法对东化违建进行拆除 （周 知 摄）

案件754件，视频立案2107件，各类案件的按期处置率及合格结案率均能达到99%。对市民反复投诉、责任划分不明确的疑难案件，鱼峰区执法局联合市政、城投、住建、街道办事处等各相关部门，到现场对难点案件进行现场协调处理。

“两违”整治 2014年鱼峰区继续开展打击两违“风暴行动”对蟠龙宝邸小区、三柳大院、汇金壹号小区、东化宿舍区、龙泉路1号内、荣军路一区等问题集中突出、群众反映强烈的违法建筑拆除达181处，拆除面积达18万平方米，维护了鱼峰辖区的建设秩序，保证重点工程项目的顺利实施。

执法宣传 年内，鱼峰区执法局首创“双语”宣传，录下柳州话版的鱼峰区关于依法取缔马路市场的通告，和普通话版一起循环播放，向流动摊贩宣传相关法律法规，提升群众维护城市环境的意识。 （黄程兰）

【征地拆迁概况】 2014年，鱼峰区征地拆迁办有工作人员14人，其中，编制人员9人，协管人员5人。在柳石路147号办公。年内，区征地拆迁项目共26项，涉及征地面积121.6公顷，完成征地面积11.65万，征地完成量占任务量的9.58%。完成集体土地上房屋拆迁面积12.76万平方米。2014年，鱼峰区启动国有房屋征收项目共15项，完成征收面积3.03万平方米。

重点项目征地拆迁 2014年，重点推进南二环路安置工程项目、洛维路改造工程项目、水南村整村改造项目、天山公园及周边城中村改造项目等。落实历时11年之久的南二环路26户遗留的安置地问题落实；洛维路改造工程项目圆满完成国有房屋征收，道路改造建设正在推进；水南村整村改造项目进展顺利，需征地面积约920亩，累计完成征地面积718亩，剩余202亩未征收。需拆迁房屋约400户，累计完成拆迁281户，拆迁面积17.94万平方米，年内完成拆迁175户，拆迁面积9.83万平方米；天山公园及周边城中村改造项目有序开展，需征地面积约10.4公顷，累计完成征地面积6.13公顷，剩余4.27公顷未征收。需拆迁房屋约172户，累计完成拆迁74户，拆迁面积2.81万平方米，年内完成拆迁68户，拆迁面积2.72万平方米。

“四位一体”征地拆迁模式 2014年，成立鱼峰区征地拆迁总指挥部，明确一名四家班子主要领导任总指挥长，统一领导和部署各项征地拆迁及房屋征收工作的开展，区党委、政府主要领导定期召开征地拆迁工作例会，研究和部署征地拆迁各项工作。根据项目需要设立具体项目指挥部，具体协调推进项目各项工作；针对水南村项目和天山公园等重点项目，完善项目指挥长总负责，区征地办和辖区街道办事处综合协调，分组包干推进的工作机制，根据项目进展情况不断充实和调整各工作组的人员配置。建立完善征地办综合协调，办分管领导统筹处理，联络员具体指导项目的工作机制；根据区委关于选派优秀年轻干部到重大项目实践锻炼的工作部署，把选派的12名优秀年轻干部全部分配到7个有征地拆迁任务的街道，并安排到各具体项目上开展工作。各街道办事处党政主要领导及班子分管领导实际参与到辖区各项目推进具体工作中。各项目指挥部按旬向区征地拆迁办报进度，区征地拆迁办按旬向区四家班子领导汇报进度。每月通过《鱼峰周报》、区重大项目监察平台等向通报进度情况。同时区大督查组每月对重点

2014年4月24日，鱼峰区举办国有房屋征收与补偿业务培训班

（石丹华 摄）

项目进行一次督查，并将督查情况向通报，对各项目推进过程中好的做法及时总结印发各项目指挥部。（石丹华）

责任编辑：杨松柏

公用事业

位于屏山大道的柳州供电局（零霍香 摄）

【供电】 2014年，全年全社会用电量达166亿千瓦时，同比增长7.8%；柳州电网负荷最高达181.3万千瓦，电网日供电量创历史新高，达到3593万千瓦时。柳州电网供电量113亿千瓦时，同比增长7.5%，占全社会用电量68%。柳州供电局完成售电量108.47亿千瓦时，同比增长7.35%；固定资产投资6.9亿元；主营业务收入56.6亿元，同比增长6.7%；客户年平均停电时间9.9小时/户，同比下降78%；综合线损率5.03%，同比下降0.2个百分点；综合电压合格率99.685%，同比提升0.44个百分点；综合供电可靠率99.965%，同比提升0.133个百分点。

在电网规划建设上，柳州供电局落实《2013—2015年深化推进柳州市电网发展协议书》，制作《柳州市电网建设绿色通工作手册》（共四个分册），印发《加强电力用户安全用电管理的通知》，与柳州市发改委、工信委、住建委成立“三个联动小组”，建立经济发展用电需求保障联动机制。完成柳州市4个工业园区（洛维、阳和、河西、四方）以及4个县（柳江、鹿寨、柳城、融安）电力专项规划的编制。开展110千伏及以上项目前期工作共34个，110千伏及以上前期项目储备率2.89（26个/9个）。承接好柳东新区、河东商圈等城区发展的电力需求，制定220千伏九头山变电站、110千伏潭南、元宝、独凳送变电工程以及河东、西江变电站扩建规划，建设110千伏创业变电站，推进静兰、茅洲、南寨变电站等送出工程，满足大连万达广场、华润置地、恒大地产、上汽通用宝骏基地、东风柳汽基地、玲珑轮胎等重点项目用电需求。配合柳州市安居工程、城区改造、道路施工等市政重点建设项目，开展相关线路迁改120多条次。全年完成电网基建投资6.4亿元，投产变电容量43.5万千伏安，新增线路长度1354千米，110千伏及以上主电网项目投产7项，10千伏基建配

变电站、变压器容量表（2014年）

电压等级	变电站（座）	变压器数（台）	容量（万千伏安）
500千伏	2	3	225
220千伏	15	21	360
110千伏	45	76	311
35千伏	1	2	1.43
合　计	63	102	897.43

用户变压器容量表（2014年）

电压等级	数量（台）	容量（万千伏安）	备　注
220千伏	11	118.2	用户变
110千伏	37	103.8	用户变
35千伏	28	77.7	用户变
10千伏	4281	228	用户变
合　计	4357	527.7	

输电和配电线路表(2014年)

输电	条数(条)	长度(千米)	配电	长度(千米)
500千伏	5	232.38	10千伏	3351
220千伏	44	1142.43		
110千伏	85	1197.7		
35千伏	7	37.5		
合计	141	2610	合计	3351

供电情况综合表(2014年)

项　目		计量单位	2014年累计	2013年累计	同比增长(%)
全部供电量		万千瓦时	1130273.31	1051533.94	7.49
购系统电量		万千瓦时	1130273.31	1051533.94	7.49
售电量		万千瓦时	1086368.99	1009604.33	7.60
其中趸售	柳城县	万千瓦时	32098.99	28823.18	11.37
	融安县	万千瓦时	23934.96	23004.41	4.05
	鹿寨县	万千瓦时	86014.71	62154.02	38.39
	融水县	万千瓦时	18130.59	17634.04	2.82
	柳江县	万千瓦时	78860.57	71877.53	9.72
	三江县	万千瓦时	23459.89	19415.19	20.83
	趸售小计	万千瓦时	262499.71	222908.37	17.76
线路损失量		万千瓦时	43904.32	41929.60	4.71
线路损失率		%	3.88	3.99	−2.58
供电最大负荷		万千瓦	185.60	188.62	−1.60

网项目投产52项，10千伏及以下城市配网项目投产33项，县城配网项目投产19项，农网升级改造工程投产339项。

在客户服务上，柳州供电局提速业扩报装，为柳州卓通汽车零部件有限公司等180家企业完成用电报装，平均完成时间比计划提前20天，同比提速25%以上。拓展供电“社区经理”到210个社区，常态化开展“移动柜台进社区”活动21次，服务客户约6万人，在天山营业厅等9个营业厅建立自助缴费终端54台，让居民享受到便捷优质服务。为企业开展用电安全检查1292次，深化节能降耗“绿色行动”，无偿为27多家企业开展节能诊断，帮助企业降低能耗4550万千瓦时，节省标准煤约5000吨。安排农网改造升级投资2.1亿元，投产农网升级改造项目339项，新增变电容量8.5万千伏安，新增线路长度978千米，提高农村电网的电压质量和供电可靠性，助力提升农村生活品质。成立9支志愿服务队，深入开展“‘电’亮八桂青年行”“情至山村送温暖”等志愿服务活动42次，服务群众2800多人。

（游桂阳）

【供水】 2014年，柳州威立雅水务有限公司辖柳东、柳西、柳南、城中4座供水厂和旧机场、广西生态职业技术学院、新兴工业园、河西工业园、柳东新区五菱、花岭6座加压站，资产总值5.23亿元，日供水能力50.5万立方米。全年完成供水量1.73亿立方米，比上年增长4.50%；售水量1.42亿立方米，比上年增长4.07%。销售收入1.88亿元，水质综合合格率99.93%，管网压力合格率99.95%。

2014年，柳州威立雅水务有限公司投入供水管网及设施更新改造资金3549万元。其中，管网建设有阳和香港新城户表改造工程、南环航银路口至第一看守所DN400给水工程、三中路凯凌大厦给水工程、桂柳东环路口DN400给水改造工程、和平路延长线(文山路)DN400给水改造工程、柳长路沙塘街东面给水工程、北雀路DN400给水改造工程、五一路儿童少年活动中心至中交大厦段改管给水改造工程、柳东新区创业大道D线(1+445~1+625)给水工程等；供水设施更新改造有柳南水厂双阀滤池气水反冲洗及自控改造、柳东水厂取供水配电系统更新改造、城中水厂自控改造、各水厂加氯加矾系统管路改造、更换柳东水厂供水2#水泵机组、更换柳南水厂反冲洗泵、更换城中水厂反冲洗泵等。

全年新增供水管网长度56千米，新增用户9152户，其中户表改造3181户。全年管网维修11734单，爆管抢修(DN200以上)231单。管网抢修及时率99.97%。年末，DN100及以上的

供水管道总长1071.82公里，供水面积约167平方千米，在线水表总数36.5万块。（李名鹍）

【供气】2014年，辖区居民使用燃气由柳州中燃城市燃气发展有限公司、柳州市柳江石油气有限公司、柳州市柳煤液化石油气有限公司、柳州市澳华石油液化气有限责任公司、柳州市龙安液化石油气储气站、柳州市桂中燃气有限责任公司和广西宁铁燃气公司供应。据4月18日统计，上述7家公司在辖区设立网点75处。年内，天然气气价每立方米3.80元，罐充装气价每瓶110 ~ 130元不等。

【公共交通】柳州恒达巴士股份有限公司快速公交分公司于2013年12月30日由原恒达巴士四分公司改组成立，分公司设"公司—分公司—科室(场站)"三级管理机构模式，机关科室设办公室、安全科、运营服务科、技术机务科、财务科，辖雒容站、东园站、

燃气供应网点名单

（统计至2014年4月18日）

序号	编号	网点名称	地 址	电话	从业人员	设立本供应站点的企业
1	450200013	柳州中燃城市燃气发展有限公司蝴蝶山供气处	蝴蝶山西路51号	2822051	4人	柳州中燃城市燃气发展有限公司
2	450200240	柳州市柳江石油气有限公司第三门市部	柳州市九头山路2号	3122309	4人	柳州市柳江石油气有限公司
3	450200055	柳州市柳煤液化石油气有限公司雒容供应点	雒容镇民生街344号江滨现代城D栋第一层7号、8号门面	2612789	4人	柳州市柳煤液化石油气有限公司
4	450200066	柳州市柳煤液化石油气有限公司古亭山门市	古亭山六座村六座一队	2612789	4人	柳州市柳煤液化石油气有限公司
5	450200068	柳州市柳煤液化石油气有限公司箭盘门市	柳州市屏山大道308号	2612789	4人	柳州市柳煤液化石油气有限公司
6	450200071	柳州市柳煤液化石油气有限公司双龙供气站	柳州市西江路7号双龙市场8号门面	2612789	4人	柳州市柳煤液化石油气有限公司
7	450200263	柳州市柳煤液化石油气有限公司柳石门市部	柳州市鸡喇路2号	2612789	4人	柳州市柳煤液化石油气有限公司
8	450200002	柳州市澳华石油液化气有限责任公司汽车厂门市部	柳州市屏山大道113号	3162548	4人	柳州市澳华石油液化气有限责任公司
9	450200021	柳州市澳华石油液化气有限责任公司洛埠门市部	洛埠镇振鹤街193号	2750293	4人	柳州市澳华石油液化气有限责任公司
10	450200037	柳州市澳华石油液化气有限责任公司荣军路一区供应点	白云小区国美1号门面	3136641	4人	柳州市澳华石油液化气有限责任公司
11	450200045	柳州市澳华石油液化气有限责任公司水南液化气供应站	天山路52号1栋8号	3813687	4人	柳州市澳华石油液化气有限责任公司
12	450200053	柳州市澳华石油液化气有限责任公司久旺供应点	屏山大道北五巷1号、2号门面	3136299	4人	柳州市澳华石油液化气有限责任公司
13	450200058	柳州市澳华石油液化气有限责任公司屏山门市部	柳州市荣军路东三巷	2612789	4人	柳州市澳华石油液化气有限责任公司
14	450200067	柳州市澳华石油液化气有限责任公司光辉液化石油气供应站	市箭盘路32-8号	3197382	4人	柳州市澳华石油液化气有限责任公司

续表 1

序号	编号	网点名称	地　址	电话	从业人员	设立本供应站点的企业
15	450200081	柳州市澳华石油液化气有限责任公司白云液化气供应点	柳州市白云花园 8 号门面	2612789	4 人	柳州市澳华石油液化气有限责任公司
16	450200111	柳州市澳华石油液化气有限责任公司民乐供应点	箭盘路 25 号新居苑门面	3196901	4 人	柳州市澳华石油液化气有限责任公司
17	450200254	柳州市澳华石油液化气有限责任公司平龙液化气经营部	白云小区大门 1 号门面	3122894	4 人	柳州市澳华石油液化气有限责任公司
18	450200255	柳州市澳华石油液化气有限责任公司寅兴液化气具经销站	荣军路东三巷新 13 栋西 5-6 号门面	3803966	4 人	柳州市澳华石油液化气有限责任公司
19	450200258	柳州市澳华石油液化气有限责任公司双烁液化气经销部	乐群路 142-5 号	3838885	4 人	柳州市澳华石油液化气有限责任公司
20	450200276	柳州市澳华石油液化气有限责任公司中源液化气屏山供气点	白云路元宝山新村 14 号	3128117	4 人	柳州市澳华石油液化气有限责任公司
21	450200285	柳州市澳华石油液化气有限责任公司金福液化气门市部	柳州市雒容镇象岩路 21 号	6511706	4 人	柳州市澳华石油液化气有限责任公司
22	450200286	柳州市澳华石油液化气有限责任公司金发液化气门市部	柳州市雒容镇象岩南路 24 号	6514778	4 人	柳州市澳华石油液化气有限责任公司
23	450200287	柳州市澳华石油液化气有限责任公司柳东新区俊堂液化气门市部	柳州市柳东新区雒容镇容庆路 7 号	6514007	4 人	柳州市澳华石油液化气有限责任公司
24	450200343	柳州市澳华石油液化气有限责任公司荣军液化气供应站	柳州市荣军路一区 97-1 号	3142389	4 人	柳州市澳华石油液化气有限责任公司
25	450200346	柳州市澳华石油液化气有限责任公司白莲洞液化气供应站	柳州市柳石路 470 号白莲洞基地大院内	13768341783	4 人	柳州市澳华石油液化气有限责任公司
26	450200347	柳州市澳华石油液化气有限责任公司福隆液化气供应站	柳州市东环路 128 号	2607974	4 人	柳州市澳华石油液化气有限责任公司
27	450200349	柳州市澳华石油液化气有限责任公司第 6 门市部	柳州市东环路 4 号西船大院球场边门面 5 号、6 号	13977221096	4 人	柳州市澳华石油液化气有限责任公司
28	450200352	柳州市澳华石油液化气有限责任公司第 9 门市部	柳州市龙泉路 3 号宿舍 5 号门面	15307821873	4 人	柳州市澳华石油液化气有限责任公司
29	450200355	柳州市澳华石油液化气有限责任公司第 12 门市部	柳州市荣军路 248-2 号门面	3126528	4 人	柳州市澳华石油液化气有限责任公司
30	450200362	柳州市澳华石油液化气有限责任公司第 20 门市部	柳州市荣军一区 354 号	18775155885	4 人	柳州市澳华石油液化气有限责任公司
31	450200364	柳州市澳华石油液化气有限责任公司第 22 门市部	柳州市社湾村 7 队 44 号	18775128861	4 人	柳州市澳华石油液化气有限责任公司
32	450200366	柳州市澳华石油液化气有限责任公司宏达供应站	雒容广场路 62 号	6512689	4 人	柳州市澳华石油液化气有限责任公司
33	450200367	柳州市澳华石油液化气有限责任公司通达气站	雒容镇桂中监狱	6518113	4 人	柳州市澳华石油液化气有限责任公司
34	450200368	柳州市澳华石油液化气有限责任公司颜辉供应站	雒容镇广庆路 10 号	6511480	4 人	柳州市澳华石油液化气有限责任公司

续表 2

序号	编号	网点名称	地　址	电话	从业人员	设立本供应站点的企业
35	450200369	柳州市澳华石油液化气有限责任公司柳容供应站	雒容镇雒柳路 126 号	6515407	4 人	柳州市澳华石油液化气有限责任公司
36	450200192	柳州市龙安液化石油气储气站便民供应点	柳石路红园小区内(黄妹自家)	3352226	4 人	柳州市龙安液化石油气储气站
37	450200207	柳州市龙安液化石油气储气站永安供应点	西江路北一巷 7 号门面	3161263	4 人	柳州市龙安液化石油气储气站
38	450200213	柳州市龙安液化石油气储气站户户供应点	柳州市九头山路 4 号	3142079	4 人	柳州市龙安液化石油气储气站
39	450200129	柳州市桂中燃气有限责任公司宝莲供气点	宝莲新都 17 栋 14 号门面	3125781	4 人	柳州市桂中燃气有限责任公司
40	450200130	柳州市桂中燃气有限责任公司屏山供气点	屏山大道 314 号 6 号、7 号门面	3129108	4 人	柳州市桂中燃气有限责任公司
41	450200134	柳州市桂中燃气有限责任公司柳机供气点	鸡喇路 16 号 20 号门面	3960150	4 人	柳州市桂中燃气有限责任公司
42	450200137	柳州市桂中燃气有限责任公司洛维供气点	洛维公路边苗莆大队门面 2 栋 9 号、10 号	3351585	4 人	柳州市桂中燃气有限责任公司
43	450200139	柳州市桂中燃气有限责任公司古亭山供气点	柳州市阳河工业新区古亭山市场 2 号门面	3511968	4 人	柳州市桂中燃气有限责任公司
44	450200140	柳州市桂中燃气有限责任公司雒容供气点	雒容镇联华超市右侧一楼 24 号门面	6513777	4 人	柳州市桂中燃气有限责任公司
45	450200151	柳州市桂中燃气有限责任公司白云供应点	国美新村西侧 7 号、14 号门面	3113086	4 人	柳州市桂中燃气有限责任公司
46	450200181	柳州市桂中燃气有限责任公司水南供气点	荣军路一区 157 号银桐路边门面	3818757	4 人	柳州市桂中燃气有限责任公司
47	450200305	柳州市桂中燃气有限责任公司青龙供气点	白云花园三村 20 号门面	3720827	4 人	柳州市桂中燃气有限责任公司
48	450200310	柳州市桂中燃气有限责任公司洛维春哥供气点	洛维市场二栋 0 号、7 号门面	3350095	4 人	柳州市桂中燃气有限责任公司
49	450200316	柳州市桂中燃气有限责任公司宏城供应点	柳州市羊角山镇阳和村十队门面	3601717	4 人	柳州市桂中燃气有限责任公司
50	450200319	柳州市桂中燃气有限责任公司雒容新城供气点	雒容镇新城路 19 号北面 8 号、9 号门面	18977221388	4 人	柳州市桂中燃气有限责任公司
51	450200322	柳州市桂中燃气有限责任公司高岩村供应点	柳州市雒容镇高岩村双仁屯 16 号之一	18276233631	4 人	柳州市桂中燃气有限责任公司
52	450200324	柳州市桂中燃气有限责任公司雒容正通供气点	柳州市雒容镇雒柳路 50 号门面	6511061	4 人	柳州市桂中燃气有限责任公司
53	450200329	柳州市桂中燃气有限责任公司荣军供气点	柳州市荣军路 160 号永意山语城 1 栋 1-4	13977285599	4 人	柳州市桂中燃气有限责任公司
54	450200094	广西宁铁燃气公司柳州蓝美生活液化气经营部	柳州市羊角路 22-23 号	3128485	4 人	广西宁铁燃气公司
55	450200103	广西宁铁燃气公司柳州山峰供气站	柳州市西江路 22-18 号门面	2303070	4 人	广西宁铁燃气公司

续表 3

序号	编号	网点名称	地　址	电话	从业人员	设立本供应站点的企业
56	450200106	广西宁铁燃气公司柳州鑫华供气站	六座村五队十号	3510237	4人	广西宁铁燃气公司
57	450200108	广西宁铁燃气公司柳州长红液化气供应站	柳州市西江路武警基地1号门面	3162976	4人	广西宁铁燃气公司
58	450200120	广西宁铁燃气公司柳州华胜液化气站	蝴蝶山路白云小区国美新村西侧25号	3118211	4人	广西宁铁燃气公司
59	450200136	广西宁铁燃气公司柳州文华供气站	柳州市莲花村75号1号、2号门面	2097603	4人	广西宁铁燃气公司
60	450200143	广西宁铁燃气公司柳州穗丰液化石油气供应站	柳州市荣军路128-4-1号门面	3828484	4人	广西宁铁燃气公司
61	450200164	广西宁铁燃气公司柳州欣欣供气站	柳州市蝴蝶山路12号	3110650	4人	广西宁铁燃气公司
62	450200167	广西宁铁燃气公司柳州龙顺液化气供应站	柳州市狮山路狮山门面1-10号	3116290	4人	广西宁铁燃气公司
63	450200168	广西宁铁燃气公司柳州鸡喇新村供气站	柳州市九头山路鸡喇新村一区一排	3129492	4人	广西宁铁燃气公司
64	450200170	广西宁铁燃气公司柳州千群石油液化气供应站	柳州市白云路2号合金厂宿舍	3119636	4人	广西宁铁燃气公司
65	450200171	广西宁铁燃气公司柳州晶远液化气供应点	柳州市箭盘晶远花苑32号门面	3827370	4人	广西宁铁燃气公司
66	450200178	广西宁铁燃气公司柳州箭盘供气站	柳州市东环路71-3号	3407056	4人	广西宁铁燃气公司
67	450200179	广西宁铁燃气公司柳州柳环液化气经营部	柳州市柳石路雅乐饼干厂268-18号门面	3142989	4人	广西宁铁燃气公司
68	450200222	广西宁铁燃气公司柳州加能荣军供气站	柳州市荣军路208号	3115418	4人	广西宁铁燃气公司
69	450200223	广西宁铁燃气公司柳州柳穗供气站	柳石路366号景华苑小区内门面一间	3140730	4人	广西宁铁燃气公司
70	450200245	广西宁铁燃气公司柳州东环客户中心	柳州市箭盘路26号华达苑8栋1-6号	2035836	4人	广西宁铁燃气公司
71	450200267	广西宁铁燃气公司柳州蝴蝶山供气站	柳州市蝴蝶山路1-6号	3137265	4人	广西宁铁燃气公司
72	450200269	广西宁铁燃气公司柳州兴宁液化气站	柳州市柳石路392-23号门面	3110172	4人	广西宁铁燃气公司
73	450200331	广西宁铁燃气公司柳州阳和供气站	柳州市阳和工业新区社湾村八队80号	13481262387	4人	广西宁铁燃气公司
74	450200334	广西宁铁燃气公司柳州香港新城供气站	柳州市鱼峰区羊角山镇社湾村11队90号	3510237	4人	广西宁铁燃气公司
75	450200335	广西宁铁燃气公司柳州羊角山供气站	柳州市羊角山路5-6号门面	8295650	4人	广西宁铁燃气公司

（韦　懿）

古亭山站、龙潭站共4个运营场站。2014年实有364人。中共党员32人。本科及以上学历16人,大专学历61人,中专及以下学历287人。专业技术职称人员12人。办公地址:柳州市东环大道6号。

2014年,公司快速公交线线网统一使用"快"字为线路开头代号,经营"一主七支二区间"(主线为快1号线,七条支线分别为快2号线、快3号线、快5号线、快6号线、快7号线、快8号线、快9号线,二条区间线分别为快1区间线和快9区间线)。10条线路,呈放射状形态,各线路在柳南片区的火车站、城中片区的人民广场两个首末站分别向柳北片区、三门江风景区、柳东新区、河东片区、阳和工业区、古亭山风景区、龙潭风景区放射。2014年实现运营收入3058.13万元,行驶里程1012.44万公里,客运量3508.58万人次。

在安全管理上,柳州恒达巴士快速公交分公司每周进行三次以上日检(共计检查车辆8757台次),每周进行2次夜查(共计检查车辆3301台次),安全专项检查(2505台次)。查出一般违章22人次,严重违章16人次。公司联防互检查处违章行为2人次。2014年11月21日18时17分,恒达巴士快速公交分公司快9区间自编号B1600#(车牌号桂B39311)公交车由东往西行驶至屏山大道与天山路交叉口时,车厢内后部突发明火,危急时刻,驾驶员何静波沉着冷静,立即停车、开门、按下破玻器按钮,在起火短短数秒钟内处置迅速得当,有序疏散车上40多名乘客,18名乘客烧伤住院治愈无人员死亡。后经公安机关对这起人为纵火燃烧事件进行了查处。

在日常服务管理中,2014年6月,分公司组织驾驶员开展上半年"邓红英工作法"暨服务技能学习会;2014年10月,组织在服务工作上做得不到位的15名驾驶员进行返培;2014年11月,组织驾驶员开展下半年"邓红英工作法"暨"活地图"知识竞赛。(张馨予)

【市区照明】 2014年,鱼峰辖区拥有路灯及景观灯1.72万盏(不含阳和、古亭片区),其中路灯1.32万盏,景观灯0.4万盏,另外还有驾鹤路等沿街楼宇景观灯约1.8万盏。照明设施灯亮率在98%以上,设施完好率达90%以上。年内,改造、新建市政道路照明240套,其中颇家巷99–115号巷安装庭院灯3套、水南路安装景观照明灯22套、静兰路庭院灯改造更换新庭院灯120套、燎原路东三巷安装单挑灯16套、市东堤路(文昌大桥—柳东路段)安装双挑灯34套、羊角山路延长线道路安装单挑灯12套、鸡喇街巷安装庭院灯23套、西江路南一巷安装庭院灯10套。

2014年快速公交分公司运营线路一览表

序号	线路	线路起点	线路终点	运行方式	发车间隔(分钟) 高峰期	平峰期	首末班时间	线路类别	线路长度(公里)
1	快1	雒容站	火车南站	单向运行	6～8	9	6:30～21:30	市区线路	58.2
2	快1区间	人民广场	雒容站	单向运行	22	30	6:30～20:00	市区线路	51.5
3	快2	东园站	火车南站	单向运行	8	12	6:30～22:00	市区线路	23.2
4	快3	古亭山站	人民广场	环线运行	10	12	6:00～21:30	市区线路	26
5	快5	莲花站	科大一附院(白沙客运站)	单向运行	10	12	6:20～20:00	市区线路	30.6
6	快6	龙潭站	人民广场	环线运行	15	22	6:30～21:00	市区线路	20.8
7	快7	市人民医院东	柳东职教院	单向运行	20(平时) 11(双休)	20(平时) 12(双休)	7:00～19:00(平时) 7:00～20:30(双休)	市区线路	34.1
8	快8	东园站	火车南站	单向运行	15	18～20	6:30～21:30	市区线路	24.1
9	快9	火车南站	雒容站	单向运行	7～8	9～10	6:30～21:00	市区线路	60.1
10	快9区间	古亭山站	雒容站	单向运行	5	6～7	6:00～22:00	市区线路	28.1

屏山大道两侧的路灯 （零霍香 摄）

打造绿色照明，实施节能降耗，采用城市照明智能监控系统集中控制开关灯，替代传统钟控的开关灯方式，科学合理调控亮灯时间。积极推进“智慧照明”工作，合作开发的智能照明光伏载波通信单灯监控系统荣获2014年柳州市科学技术进步二等奖。

城市照明管理处是政府热线“12345”的联动单位，设立热线电话3116765，实行24小时值班，负责受理“12345”政府热线、“12319”柳州数字城管交办、转办的事项及市民对于城市照明方面的咨询、投诉、报修、报装等问题，同时负责全市路灯的监控及城市照明自动控制系统的管理工作。2014年共受理热线电话8182个，做到“事事有回音，件件有落实”。

（李绍峰）

【市政设施维护】 2014年，柳州市市政设施维护管理处管辖鱼峰区的城市市政道路36条，总长71.06千米，面积152.46万平方米；排水干支渠45条，总长58.55千米；桥梁6座。

2014年，柳州市市政设施维护管理处受理政府热线反馈的鱼峰辖区市政设施问题207起，处理反馈率100%，及时率100%，群众满意率100%。处置数字城管案件1119件，结案率100%。市政巡视大队全年出动队员1.77万人次，车辆2800台次对市政道路、桥梁及排水设施开展日常巡视，处理应急案件并及时更换雨水井盖、检查井盖，巡查处理违章开挖道路行为，同时处理交通事故损坏市政设施行为。

鱼峰辖区内日常维修有柳石路、燎原路、荣军路等主次干道路36条。其中铣刨沥青路面1.38万平方米，铺筑沥青砼层2.55万平方米，维修水泥路面0.09万平方米，翻铺人行道板0.61万平方米，新铺人行道1.83万平方米。清理疏通排水设施75.9千米，疏通雨水井6000个，清理检查井3400个。对鱼峰辖区白云干渠、柳石干渠、荣军干渠等45条干支渠及旁渠进行清淤。对鱼峰区范围内已安装的3400个检查井安全防护网进行隐患排查，覆盖率达90%。继续对排水井盖进行公众责任险投保，保障人民群众生命财产安全。

2014年，柳州市市政设施维护管理处完成对鱼峰辖区内的文惠桥、静兰桥、阳和大桥等6座桥梁的日常维修养护。铺筑桥面沥青砼面层367平方米，清理伸缩缝1218米，伸缩缝橡胶条更换329米，疏通泄水孔521个，桥梁栏杆油漆1974平方米，隔音板更换补缺273平方米，铺筑彩色人行道砼800平方米，安装泄水管135米。组织开展鱼峰辖区内的文惠桥、阳和大桥的定期结构检测；对静兰大桥的桥梁索力进行测试分析；对静兰大桥的桥梁索塔防雷装置进行检测；对静兰大桥、文惠桥、阳和大桥、柳江大桥、雒容大桥进行桥梁沉降观测。

2014年，柳州市市政设施维护管理处分别完成鱼峰辖区内的工程项目有柳石公路自行车专用道及人行道改造工程（试验段、一号标、二号标）。南北走向，北起五岔路口，南至通往柳州机场的迎宾大道路口，施工长度为8698.998米，工程造价987.98万元。柳石公路维修工程。对严重裂缝、唧泥脱空的路面采用水泥压浆或换基础的处理方法，并加铺筑沥青砼面层罩面，施工长度为1558.602米，工程造价583.831万元。乐群路维修工程。对乐群路车行道进行维修及排水管道的疏通改造，对人行道进行维修，重建人行道基层，更换或新建人行道板、路缘石，并给现状人行道上树木新建树池，工程造价181.01万元。社湾路市职业技术学院段排水工程。设置一座污水提升泵

8月11日，柳石公路自行车专用道及人行道改造工程施工现场

（蒋　丽　摄）

站对学校污水进行提升，通过压力管由东向西沿现状弯路进行输送，并在弯路道路最高点处由压力流变为重力流，最终排入社湾路现有D400排水管道，污水管网总长989米，工程造价170.15万元。（何　萍）

【房屋登记管理】 柳州市房屋登记管理中心位于柳州市鱼峰路68号鱼峰山商业城5楼，办公场地9000平方米，是柳州市住建委下属的二级正科级行政性事业单位，柳州市政务服务中心房产分中心设在该中心，具有独立的法人资格。现有职工221人，其中研究生学历12人，占5.4%，大专以上学历202人，占91.4%，具有专业技术职称92人，占41.6%。内设办公室、组织人事科、监察科、财务科、受理科、房产数据科、审核一科、审核二科、发证科、市场科、信息中心、档案信息科、档案管理科、基础测绘科、工会等15个科室，下辖市房产档案馆和市精诚房地产服务事务所。负责为房地产权利人提供确权发证服务，具体为房地产权属初始、变更、注销、转移过户登记、证书核发；商品房预售、租赁、抵押登记；柳州市房产档案馆向全市提供房产档案的收集、保管及利用服务；柳州市精诚房地产服务事务所向全市提供房产测绘、工程质量、房地产经纪、房地产咨询、策划、数据处理等服务。大厅窗口人员统一着装，持证挂牌文明上岗；业务办理实行“一站式”服务，办结时限、办结质量位居全国前列，现已发展成为一个“职工队伍年轻化、知识专业化、服务优质化、办证快捷化”服务型窗口单位；登记服务窗口开辟绿色通道，率先在广西荣获全国房地产交易与登记规范化管理先进单位；中心的档案管理已达到“科技事业单位档案工作目标管理国家二级”水平；开通柳州市房产交易管理网(www.lzfcjyw.com)和“宜居柳州网”(www.yjlzw.com)。

2014年，办理各类产权登记及备案18.9万件，登记总面积2341.96万平方米。办理房屋转移登记共3.20万件。其中，办理商品房转移登记1.63万件，买卖面积149.66万平方米。办理房屋他项权登记4.55万件，登记面817.65万平方米。办理合同备案2.32万套，合同备案面积219.35万平方米，合同备案金额182.58亿元。办理房屋注销登记2.97万件，登记面积472.24万平方米。办理查档业务12.7万件，协助市地税局收取房屋契税共2.74亿元；征收个人营业税及附加税等共2.12亿元。（付秋菊）

【防洪排涝】 2014年，柳州市防洪排涝工程管理处严格按照科学防洪的要求，汛前、汛期认真落实各项防汛措施，年内遇暴雨提升防洪闸门38次，累计抽排量333258立方米。投入运行的25768米堤防，28座泵站，72座闸门，88座穿堤涵情况良好。

2014年新建工程有广西主要支流柳江柳州市城区河段治理白露堤工程。位于柳江柳州市城区上游河段，堤路结合的防洪堤1.991千米，排涝闸2座，排涝泵站1座。保护面积3.43平方千米，保护人口近期为3.2万人，远期为8.3万人。工程估算总投资12544.63万元。其可行性研究报告于7月得到广西壮族自治区发展改革委员会的批复。

广西主要支流柳江柳州市城区河段治理工程官塘堤上段工程。位于柳江柳州市城区下游河段的柳东新区，堤路结合的防洪堤1.345千米，设排涝闸2座，排涝泵站1座。保护面积8.07平方千米，保护人口为6.7万人。工程估算总投资11527.57万元。其可行性研究报告于7月得到广西壮族自治区发展改革委员会的批复。

广西主要支流柳江柳州市城区河段治理工程阳和堤项目。位于柳江柳州市下游河段的阳和工业新区，堤防 5.169 千米，护岸 2.28 千米，暗涵 2.5 千米，排涝闸 7 座，排涝泵站 7 座。保护面积 20.32 平方千米，保护人口 7.7 万人。工程估算总投资 81101.71 万元。其可行性研究报告于 7 月得到广西壮族自治区发展改革委员会的批复。

广西柳州市鹿寨县洛清雒容镇铁路桥—桂柳高速公路河段治理工程(雒容镇段)项目。位于雒容镇湘桂铁路桥与桂柳高速路之间，治理河段长度约 3.13 千米，实际护岸整治长度 1.708 千米，概算总投资为 1004 万元，2 标段、3 标段于 5 月开始施工，完成护脚及修坡施工，累计完成投资 1140 万元。

柳州市执法公务船锚泊地工程。位于柳江二桥下游 500 米的柳江左岸，新建 10 个锚泊位区，20 个锚泊位，使用岸线长度 675.5 米，满足执法公务船锚泊需求，主要建设公务船锚泊位、水工建筑物以及其他防洪、避洪配套设施。工程估算总投资 8549 万元。5 月，柳州市发展和改革委员会以柳发改基础〔2014〕9 号文通知将该项目业主由柳州市港航管理处变更为柳州市防洪排涝工程管理处，至 12 月底，该项目已取得节能登记、用地预审批复及规划选址意见书，项目可研报告通过评估。

鸡喇堤沿线泵站新增二路电源及桩号 0+970—1+228 段护岸工程。敷设鸡喇堤沿线 10 千伏电缆 7800 米和岸坡护砌 258 米，估算总投资 1630.82 万元。年内完工送电。

2014 年改造工程有窑埠堤五座泵站景观提升工程。位于柳州市东堤路及沿江路的河东桥、王家村、目估冲、三桥东、三棉厂等 5 座泵站景观进行提升改造，内容包括泵站原有围墙拆除、监控系统、园林景观、生态停车场等项目，累计完成投资 1474.4 万元。

崩冲泵站扩容改造工程。旨在解决城市发展规划不断调整后，崩冲泵站流域控制范围相应变大和原设计范围内调蓄库容逐渐减小，导致现有防洪排涝工程规模不能满足防汛需求问题。8 月开工，至 12 月已完成投资 700 万元。

竹鹅溪泵站闸门改造工程。旨在解决竹鹅溪截污后防洪闸长期关闭，防洪闸及自排涵管无法检修维护的问题。项目估算总投资 5657 万元。工程项目建议书于 7 月通过柳州市发展与改革委员会的批复。

三桥西泵站及防洪闸改造工程。旨在解决三桥西防洪闸因常年运行，导致的运行、检修、维护困难问题，并作为试点实现泵站自动化及远程监控功能。项目估算总投资 1250 万元，其可行性研究报告于 9 月通过柳州市发展与改革委员会的批复。

华丰湾防洪闸改造工程。旨在解决华丰湾泵站因红花回水后，闸底淤积导致闸门长期无法正常关闭问题，估算总投资 950 万元。工程项目建议书于 10 月通过柳州市发展与改革委员会的批复。

（李湘晖　黄黎明　邓春虹）

责任编辑：朱继清

环境保护

【环境保护概况】 2014 年，鱼峰区环保局在市环保局的业务指导下，以建设生态文明为统领，紧紧围绕“美丽鱼峰 · 清洁乡村”活动这一中心内容，以治理改善环境质量为出发点，先后完成了农业源污染物减排、创建国家环境保护模范城市等重要工作。2014 年，继续严格执行《中华人民共和国环境评价法》和《建设项目环境保护条例》，遵守

2014 年 4 月 22 日，区环保局组织船只对柳江河面漂浮物及水生植物进行打捞

（区环保局　提供）

自治区、柳州市关于建设项目环保审批权限的有关规定，对辖区权限内的新建项目严格审批，上半年共对新建的45家企业进行环保审批，建设项目环境影响报告表（登记表）编报率达到100%，共受理群众反映的各类环境污染投诉652起，投诉量比去年同期增加100%。办结率、满意率基本达100%。

【环境保护执法】 2014年，鱼峰区环保局按《鱼峰区2014年环保目标责任书》的要求，坚持24小时值班制度，进一步完善对12369环保热线的管理，按照有诉必接、有接必查、有查必果，有果必复的要求，加大环保投诉处理力度，维护人民群众利益。全年共受理群众反映的各类环境污染投诉989件。针对群众投诉强烈、屡劝不改的3家建筑工地实施处罚，金额共计4.1万元。

污染减排 2014年，鱼峰区环保局大力推进辖区规模以上畜禽养殖场污染源治理工作：一是制定具体的实施方案。二是鼓励辖区内规模化养殖场采取全过程综合治理技术处理污染物，包括建设雨污分离污水收集系统，采用干清粪的方法收集粪便，污水厌氧处理，沼液经生化处理或多级氧化塘处理后达标排放，粪渣和沼渣通过堆肥发酵制取颗粒有机肥或有机复合肥，实现农业废弃物的资源化利用。柳州三元天爱乳业有限公司羊角山牛奶场新建日处理能力60立方米的废水处理设施一座，牛粪堆场一座，实现雨污分流，牛舍污水经处理后用于农地浇灌，牛粪经发酵脱水制成有机肥料，实现资源再利用。

饮用水水源保护 2014年，鱼峰区环保局结合“清洁乡村·美丽鱼峰”活动，确定了水体清理任务，及时开展清理工作；对水南村3队及4队的池塘、静兰村789队的污水塘、柳江河及支流都乐河、洛维河及响水河展开清理治理工作，出动510人次，清运垃圾200余吨，同时在各村屯配备专业保洁员43人，制定农村环境卫生管理村规民约以及专职（聘用）保洁员工作制度，确保辖区村庄内河流、池塘、沟渠无生活垃圾堆积和漂浮，池塘、沟渠得到初步清淤治理，水体无黑臭现象。

项目审批与管理 2014年，鱼峰区继续严格执行《中华人民共和国环境评价法》和《建设项目环境保护条例》，遵守自治区、柳州市关于建设项目环保审批权限的有关规定，对辖区权限内新建的67家企业进行环保审批，建设项目环境影响报告表（登记表）编报率达到100%，无越权审批的情况发生。依法对11家单位的建设项目进行环保验收。执行率、合格率100%。

创建国家环境保护模范城市活动 2014年，鱼峰区将“创模”工作作为重要工作纳入鱼峰区绩效考评体系，按照上级的工作部署，扎实推进“创模”各项工作，鱼峰区环保局组织开展丰富多彩的“五进”宣传活动，使创模工作深入机关、企业、学校、社区和家庭。全年举办文艺演出3场，发放标语、宣传资料6000余份，覆盖辖区各街道、社区。

环境质量（见表）

2013、2014年鱼峰区主要空气污染物监测情况表

单位：微克／立方米

年份	二氧化硫(SO_2)	二氧化氮(NO_2)	可吸入颗粒物(PM_{10})	可吸入颗粒物(PM2.5)
2013	30	31	81	76
2014	26	34	92	65

鱼峰区沙煲滩断面监测数据平均值

单位：毫克／升

年份	铅	高锰酸盐指数	镉	BOD	溶解氧	氨氮
2013	0.001	1.4	0.00017	0.7	8.76	0.236
2014	0.001	1.5	0.00012	0.8	8.27	0.232

鱼峰区环境噪声平均值（供电局监测点）

单位：分贝

年份	噪声平均值			
	一季度	二季度	三季度	四季度
2013（昼／夜）	55.3/48.3	52.8/48.6	59.5/46.6	50.6/36.6
2014（昼／夜）	54.5/45.3	52.8/46.7	53.5/48.3	53.9/41.1

（廖艳华）

责任编辑：杨松柏

文物胜迹　景区

2014 年，柳州古八景之“天马腾空”新貌　　（朱继清　摄）

文物胜迹

【文物胜迹概况】 鱼峰区是柳州历史文化的核心区，有白莲洞遗址、鲤鱼嘴遗址、响水遗址、兰家村遗址、蛮王城遗址等史前文化遗址5处，古代名人石刻、碑刻、古墓、古建筑、古寺庙宇遍布辖区，胡志明旧居、大韩民国临时政府抗日活动旧址、中共地下党特支活动旧址等纪念地保存完好。名胜风景区经过挖掘得到利用，观光农业成为旅游新行业，带动了旅游业的发展。2014年注重博物馆建设和古建筑物保护，加强文物收藏。

【博物馆建设】 2014年，鱼峰区范围在原有柳州五菱柳机企业博物馆、柳州工艺美术馆、柳州菜饮食文化博物馆、柳州市桂饼文化博物馆、柳州市咖啡文化博物馆、柳州市日增美术馆、柳州市云波摩尔石艺术馆、柳州工业博物馆、大韩民国临时政府抗日斗争陈列馆、柳州白莲洞洞穴科学博物馆等10家博物展馆、艺术馆的基础上，新增博物馆6家，位于鱼峰辖区“石尚1966”文化园区内的自然居石文化博物馆、大观杂项馆、苍圣阁印章美术馆、潭中博物馆、柳州市骆越博物馆、柳州市石尚艺术馆。其中于12月27日开放的柳州市骆越博物馆面积近500平方米，馆藏有骆越陶器、骆越青铜器、骆越玉等多种反映广西古代骆越远古祖先文化的珍稀藏品。

2014年12月31日《柳州日报》12版报道，柳州市已建成的各类文物博物展馆53家中，鱼峰辖区占有16家。

1956年建筑——广西机电技师学院教学楼

（吕培贤　摄）

【建筑物保护】 2014年12月14日，柳州市公布第二批历史建筑保护名录17处。其中有6处位于鱼峰区，具体为：屏山小学1号教学楼、雒容中山街民居建筑群、广西机电技师学院教学楼、雒容大桥、太平西街56号民居、柳东水厂取水塔。（吕培贤）

【大韩民国临时政府抗日斗争陈列馆】 2014年9月3日在市人民广场举办展出“抗战中的柳州”图片展，中共柳州市委书记郑俊康等市领导参观了展览。该展览随后在柳州市职业技术学院、市湾塘路小学和鹿寨县展出，之后，继续在大韩民国临时政府抗日斗争活动陈列馆内进行展出。展览延续一个月，很受市民欢迎，大量观众踊跃参观，该展览观众量达73562人次。

2014年10月，对陈列馆一层展厅的陈列重新进行制作，新增了展柜、灯光、实物和图片，其中实物有抗战时期日军在柳州投下的炸弹等15件，图片100余幅，高矮展柜12个。该陈列主要突出了抗战时期，到柳州的各界重要人物下榻柳州乐群社的场景内容。年内，参观陈列馆人数有167219人次。其中，国内观众124617人次，国外观众22602人次。（温其洲）

【广西工艺美术馆】 2014年，广西工艺美术馆的展览项目有基本陈列展览：工艺美术设计作品展。当年增加的展览项目有：根雕、奇石、工艺品展览以及广西工艺美术学校2014届毕业生作品展览等。全年接待参观人数达2600人次。（黄　颖）

【柳州工业博物馆】 2014年，柳州工业博物馆设立有办公室、宣传教育部、展览陈列部、藏品管理部、安全技术部。在编员工45人。其中本科及以上学历25人，大专学历12人，中专及以下学历8人。具有专业技术职称人员6人，其中高级职称4人。办公地址：广西柳州市鱼峰区柳东路220号。

从2012年8月开始筹备的“柳州生态宜居展馆”，于2014年6月14日建成并对外开放。该馆总占地面积11万平方米，总建筑面积6万平方米，陈列面积23000平方米，有1902年以来柳州所使用和生产的大中小型工业设备、产品等工业文物实物6200多件（套），文献资料和图片、影像资料等共25000多件。

年内，在六一儿童节、国庆节、暑假期间，各学校、机关、事业、企业、街道相继组织大中小学师生及干部群众到馆开展历史、环保、科普、爱国等各种教育活动，如“解读工业历史——走进柳州工业博物馆”暑期活动、“追忆火红岁月——工业历史讲座”、工业知识有奖系列竞答，小小讲解员培训班“印象工博”儿童画信比赛、“巧手造机械”手工模型比赛；围绕“5·18国际博物馆日”主题“博物馆藏品架起沟通的桥梁”、国家“文化遗产宣传日”等组织开展各种纪念活动。年内，先后接待“党的群众路线教育实践活动”“我的中国梦——柳州工博之旅”“桂港青年大联欢”等大型参观团香港特别行政区人大代表视察团、各地来柳旅游团队企事以及居民群众等共计105万人次。（陈　阵）

【柳州文庙】 柳州文庙管理所2014年在编人员8名，聘用合同制工作人员16名，市演出公司职工4名。柳州文庙从8月始实施夜间开放，开放时间19:30～22:00（每周一除外）。全年接待人数25万。

节日　春节期间举办“迎春灯会”，民间传统绝技、杂耍等。农历“七七”（七夕节），通过媒体邀请49对情侣到文庙，举办“愿天下有情人终成眷属——‘心心相印　爱圆七夕’系列”活动。农历八月十五日，举办“江映婵娟祭月祈福”系列主题活动。活动当天向市民赠送了200张门票。游客们一起分享重达300斤的“龙凤呈祥大贡月”。农历“九九”重阳节，与老年体协共同举办了大规模的“健康杯”太极拳、太极扇、太极剑展示赛，本次活动共有全市各城区老年爱好者近1000多人参加。重阳节当晚，文庙还举办“牵手人生　乐享天年”重阳节系列主题活动，邀请9对老人和家人共度重阳佳节，其中有2对是相守相伴50年的“金婚”老人。国庆期间，举办“汉服文化展示活动周”等活动。

祭孔　春节大年初一，柳州孔子后裔春节祭祖大典，通过祭祖的形式把孔子后裔联系在一起。4月清明节举行春季祭孔大典。秋季举行一年一度规模最大的秋季祭孔大典。2014年的秋季祭孔大典与往年不同，由“官办”变成“民办”。以往的“祭孔大典”由市财政下拨专项经费，今年改为“民办”后，通过向社会寻求支持，大力压缩和节减经费，组织员工进行自我策划，减除了策划费用。

公益　7—8月，举办了两期全免费的公益的国学夏令营，每期50多名学生参加。全年举办国学讲座7期，举办“道德讲堂”21期。“道德讲堂”日渐常态化，阅读推广特色化，古礼活动创新化。

启智礼、开笔礼、成童礼、成人礼“四大古礼”活动已成为柳州文庙传统文化活动的主题。年内，先后为文惠小学、白露小学、第雍学堂等9所学校举办各类古礼活动，共3500名学生参加。

汉服体验馆。以实物、绘画图片、香道及茶道的形式，将诗词歌赋琴棋书画等传统文化中的美学元素与汉服相结合，展示传统艺术，弘扬中华民族传统文化。

（柳州文庙管理所）

景　区

【龙潭公园景区】 龙潭公园景区位于柳州市鱼峰区龙潭路43号，公园设立管理处，是柳州市园林局下属事业单位。公园于1986年建园开放，游客购票入园。2007年6月起实行免票入园。2014年，景区规划面积1084公顷(10.84平方公里)，管理面积316公顷(3.16平方公里)。是年，大龙潭景区入园游客量达265万人次。

2014年，管理处下设四科一室，分别为办公室、财务经营科、民族文化科、园容建设科、保卫科，并有机务水电队、民族饭店、艺术团和客服中心4个二层机构。共有员工228名(在编职工88人)，专业技术人员26名，其中高级职称技术人员2名。

柳州大龙潭景区俗称“大龙潭”，位于鱼峰区西南部，素有“山青、水秀、洞奇、石美、林茂、花香”之美誉。2002年4月被国家旅游局评为国家4A级旅游景区，2011年8月被评为柳州市生态林业科普基地，2013年12月被广西壮族自治区旅游发展委员会、广西壮族自治区环境保护厅评定为广西首

2014年2月24日，龙潭公园景区春花岛　（梁　萍　提供）

批生态旅游示范区，2014年6月被评定为柳州市科普教育基地。

景观资源　龙潭公园景区以喀斯特自然山水景观为主，由24座山峰、一湖（镜湖）二潭（龙潭、雷潭）4个带状谷地组成。四周群山环抱，自成屏障，历史积淀深厚，民族风情浓郁，文化内涵丰富，南方少数民族风情文化突出。其中鲤鱼嘴贝丘石器时代人类遗址为国家级文物保护单位，雷山摩崖石刻为市级文物保护单位。景区内自然山水优美，植物特色突出，资源丰富，融亚热带岩溶植物科普、景观于一体，人文景观与自然景观相得益彰，富于艺术价值、科学价值、历史文化价值和观赏价值。2014年调查，景区内有152个科属近700种野生植物，誉称"柳州市亚热带岩溶景观植物园"。

景区建设　2014年，景区启动创建国家生态旅游示范区工作，从游客中心改造提升、园区标识系统升级、经营点周边服务设施功能完善、环境保护、新建广播、监控系统等九大方面进行提升。先后完成了标识系统升级、统一景区垃圾箱、新建自然生态展馆、游客中心改造提升、设立医务室、改造装修瑶寨民族乐器馆等工作。景区推进"生态花园"工程建设，重点打造"春花岛""夏花谷""秋意湖""冬日彩"特色季相景观及镜山周边亚热带岩溶植物景观。结合景区实际合理引种开花、色彩植物，提升景观效果。9月24日，受国家旅游局、环保部委托，由自治区旅发委、自治区环境保护厅的专家组成的"国家生态旅游示范区"考评验收组，对景区创建国家生态旅游示范区工作进行了现场检查，景区以1870分通过"国家生态旅游示范区"现场检查验收。

服务活动　2014年，龙潭公园景区积极探索志愿者管理模式，成立志愿者服务中心，启动了实名制，加强对志愿者队伍的管理。组织开展生态科普公益活动2次，组织志愿者活动18批次共332人次，营造了浓厚的生态科普文化氛围。景区从民族文化、民族风俗、民族歌舞、民族饮食和生态科普等多方面入手，常年开展多种民俗特色活动，比如元旦苗年活动、春节初一至初三的雷塘庙会（年初一进行模拟古代官员祭天仪式）、侗族油茶节活动、侗乡粽宴文化节活动。还与南国今报联办，举行了"萌趣换客嘉年华""仲夏夜亲子露营节""大手牵小手，冬日送温情"等主题活动。营造浓郁的特色文化氛围。

（杨　帆　梁　萍）

【鱼峰公园景区】　鱼峰公园设立管理处，为柳州市园林局下属自收自支型事业单位，地址位于柳州市鱼峰路59号。2007年2月对外免费开放。2014年公园面积为27.8公顷（包括鱼峰山、小龙潭、马鞍山），入园游客约143万人次。

2014年，公园管理处设办公室、财务经营科、园建科、安全保卫科、督查科共5个科室和1个三姐艺术团，全部员工有132名，其中专业技术人员11名，含高级职称技术人员2名。

年内，按柳州市园林局要求撰写了北海园博园柳州园主景鱼峰山的背景墙文字资料，并完成广西第四届（北海）、第五届（百色）园林博览会柳州园开园仪式的演出任务。10月份，得到国家公共文化服务体系建设专家、文化部公共文化司领导在鱼峰公园开展"中国民间文化艺术之乡"实地抽查及调研时的充分肯定，认为鱼峰歌圩具有独特的文化资源优势，是经济、文化交流的重要平台。

景观资源　主要有立鱼峰、小龙潭、刘三姐故居、三姐岩、三姐祠、对歌坪、景贤亭、戴钦墓、钢军亭、三叠泉、马鞍山、仙人迹、仙弈岩、梓潼岩、寿星岩、灵泉寺、罗汉寺、歌仙广场、天马广场、古摩崖石刻、古树名木和极具民族建筑风格的休闲吧等景点,"南潭鱼跃"和"天马腾空"为柳州古八景中的二景。

景区建设　2014年初,从桂林等地引进了花叶玉簪、紫花芦莉、德国鸢尾、紫竹等8个新品种丰富植物结构,改造提升天马广场、歌仙广场周边等15处区域绿地共4719平方米,新种植乔木158株、灌木14716株(丛)、草本地被60988株,补植移植乔木57株、灌木1170株(丛)、草本地被7760株。经改造提升后这些区域植物长势良好,显著提升景观效果。

打造立鱼峰精细化管理示范区。据调查,鱼峰山上有广西独一无二的国家三级保护树种青檀树共168株,其中胸径30厘米以上的有59株,有历史记载及挂牌登记的有6株(其中350年树龄的2株,250年树龄的3株,100年树龄的1株),这是前人留下的珍稀绿色古董。但由于山上人流量大,活动频繁,导致自然生态退化、林下植被减少、种群单一纯化,未能形成稳定发育的覆盖群,大多青檀树出现离心或向心枯死衰老,整个景区出现石漠化,因此亟须建立"鱼峰青檀古树群的保护复壮与生态重建"示范区。2014年年底前完成了示范区的方案制定与完善,拟定了示范区一期工作内容及步骤,同时也完成了青檀古树群的调查登记及资料收集工作,并对32株斜度较大的树木进行了塑木支撑,在林间种植红花石蒜、一叶兰等林下植物,逐步建立物种丰富、结构合理、生态持续稳定的自然生态群落。

加强对古树名木和大树的保护。对歌仙广场及马鞍山人民防空洞口古榕树采取支撑、引根、填土、施肥、病虫害防治等复壮措施,古榕树的长势有明显提升;为保护好马鞍山天马山庄的大紫花油麻藤,便于游客赏花观景,于9月份为其修建了一座仿木混凝土支撑花架;配合市规划局、市园林科学研究所对园内胸径60厘米以上大树及古树名木共80株开展重点调查,对此类树木进行了卫星定位、树高胸径冠幅测量、地理位置及长势进行描述,对园内大树及古树名木资料的归档统计和实地保护维护起到重要作用。

逐步进行绿化景观改造提升。年初随着马鞍山人民防空工程的基本完工,及时按设计要求对人民防空工程口部绿地组织施工,在整个施工过程中严把质量关,高标准地恢复绿地景观效果,共平整场地1645.27平方米、清理垃圾1000立方米,铺装卵石园路22平方米,种植乔木190株、灌木358株、草坪1262.62平方米、地被1995.6平方米,并及时做好资料整理和报审工作,顺利完成"1013"口部绿化重建工程;配合中标单位园建处完成了"2012年鱼峰公园绿化工程及给排工程",初步形成银杏景观道,营造出歌仙广场春夏秋季花团锦簇的景观效果。

2014年,增设马鞍山主山道(竹林路口至桃树林路口)安全护栏180米;将马鞍山西山道口平台130米方钢护栏改造为水磨石景观护栏;将小龙潭木栈桥改造为青石板铺装、水磨石景观护栏结合的亲水平台,改造面积210平方米;将鱼峰歌圩人群高度集中的大榕树下常遭踩踏的绿化带硬化成景观式步级看台约60平方米;改造提升灵泉寺北面绿地林荫小道140米;在马鞍山西山脚下、仙弈岩等处增设、改造木质座椅9套共57.3米。

公园景区因改扩建及其后多次景观提升施工使园内景观布局、位置走向等有所变化,为使游客准确了解公园景区景点位置和游览线路,同时为了迎接4A级景区复核工作,完成了导游图的修改及园内标牌重新设计等工作。

服务活动　2014年开展公益宣传活动共计46场次;春节、中秋节、国庆节组织公园三姐艺术团的演员们分别举办了文艺演出活动。1月17日,鱼峰公园在歌仙广场开展2014年"献爱心·暖人心"送春联活动,组织常在园内写"地书"的书法爱好者们泼墨挥毫,免费为广大游客书写、赠送春联200副;公园景区积极配合

2014年4月1日,举行柳州市首届三月三鱼峰歌圩活动(胡荣川　提供)

2014年12月29日，鱼峰公园举行山歌传唱社会主义核心价值观

（胡荣川　提供）

鱼峰区开展"鱼峰歌圩"示范项目创建申报工作，持续打造"三姐"文化特色品牌，致力于培育和传承鱼峰歌圩，使歌圩不断发展壮大和多样化。编排的舞蹈节目《灾难兴邦 挺起脊梁》在9月份举行的第21届鱼峰区"鱼峰之声"群众文艺会演荣获第一名及优秀组织奖项，该节目还被鱼峰区文体局选派参加第三届自治区基层群众文艺会演大赛的初赛和复赛。

12月29日举办山歌传唱"社会主义核心价值观"表演赛，活动邀请陆连芳等广西10位山歌歌王、好手，以山歌新唱的形式，唱响"社会主义核心价值观"，吸引了千余名观众驻足观看。柳州主流媒体给予多次报道。

安全管理　加强对娱乐健身活动的监管，高度重视反恐防暴工作。2014年8月，歌仙广场舞团体之间曾经发生严重冲突对立，园区安全保卫科随即采取措施，认真开展协调整治工作，禁止人为圈地收费。其次对所有入园的21个团体进行登记备案。邀请辖区派出所警官开办反恐知识讲座，加强安保人员处理恐怖暴力事件的能力；添置了木棍20根、叉子4个、通信保障设备4台等防暴器材，组织反恐防暴演练4次。年内，保卫科安保人员协助警方抓获涉赌人员3人；配合公安人员抓获马鞍山持刀抢劫犯罪嫌疑人2人；与警务人员一起制止打架斗殴持刀伤人事件1起。马鞍山西山一带时有卖淫嫖娼现象发生，为打击卖淫嫖娼的嚣张气焰，公园成立稳定专业的整治队伍、不分昼夜连续打击、加强宣传教育、与公安机关密切沟通等有效措施，对卖淫嫖娼行为进行严厉整治，共抓获卖淫嫖娼男女9对。经过3个月的综合治理，马鞍山卖淫嫖娼现象已大幅度减少，有效净化了游览环境。

（黄海英　黄昭梅）

【都乐岩景区】　都乐公园管理处，地址为柳州市鱼峰区柳石路西七巷289号，单位性质为事业单位，机构规格为正科级，经费形式为自收自支。2014年内置机构5个：办公室、财务科、保卫科、绿化管理科、基建经营科。在职职工48人，其中本科以上学历11人，大专学历8人，中专及以下学历29人；专业技术职称人员13人，其中高级职称1人。2007年2月起实行入园免费，参观岩洞每人门票25元。2014年11月26日，顺利通过广西壮族自治区旅游发展委员会组织的验收，12月2日公布成为国家4A级景区。全年入园游客约160万人次，参观岩洞游客约7.5万人次。

景观资源　都乐公园属综合性风景名胜公园。是集秀美自然山水、喀斯特溶洞奇观与浓郁田园风光于一体的游览胜地。公园内有12座山峰，46个岩洞，3个人工湖和流经景区的都乐清溪，另外有都乐岩、墨香斋现代书法碑林、书山碑林、柳州开元寺、柳州玉佛殿等人文景观。景区总面积126.67公顷，其中陆地面积64.93公顷，水域面积21.07公顷，石山山体40.67公顷。

景区建设　都乐公园持续加强各项绿化种植、补植及养护工作，2014年新种植乔木770株、灌木22万株、地被2600平方米；新育苗木19万株，草花8万株。推进精细化养护，提升景观品质。在龙珠湖边、玉佛殿旁、柳湖堤岸等区域种植植物5.84万株；移植植物94株，修剪三角梅500株，夹竹桃17丛，嫁接美丽异木棉、樱花、栾树、紫薇等共130株，整理水围900个，铲除生长肆虐的蟛蜞菊600平方米；牵引榕树气生根60处。在蜘蛛兰绿地里种植黄花石蒜4000株；在12株樟树、小叶榕树下的铺装面钻利于植物生长的透气孔300多个。完成酒杯地改造提升工程。平整场地6553平方米，铺设阳朔毛板石832平方米、生态砖1095平方米、路沿石558米，安装石桌凳13套、垃圾箱18套、指示牌5套；配套种植花木4.3万株。完成荷花湖片区一期改造工程。种植美丽异木棉30株，洋紫荆385株，红枫75株，荷花500株。完成都乐清溪老村口段改造提升工程。在清溪水渠旁铺设鹅卵石120平方米，制作混凝土风景桥一座。新建怡宾楼至岩洞售票厅登山道喷雾系统。安装铝塑管100米，铜制喷淋管100米，喷雾头100个，加压泵一台。高压水雾与周围的景色完美地融合在一起，营造出“烟雨”缭绕的水雾景观；同时也解决了登山道植物浇灌难、养护成本高的难题。新建一号洞入口休息平台。铺装毛板石道路200多平方米，踏步32级，安装石桌凳5套，砌筑假石路沿石50多米。完成都乐新村及公园部分路段路灯安装。整条路段安装路灯36套，其中在都乐新村安装LED路灯17套、办公楼前道路安装庭院景观灯19套。修补公园大门至老村口混凝土主干道约2000平方米；维修公园大门景区毛石板约400平方米、路沿石600多米，更换垃圾箱30个；翻新指示牌45套，新增指示牌10套、景点介绍栏5套，更换宣传牌32块；重新油漆墨香斋碑廊碑文60多幅。完成公园部分电缆更换工程，开挖电缆沟1314米，安装电缆1384米、配电箱6套、Φ160排水管80米，铺设路沿石410米，砌筑排水井6个。完成都乐清溪维修加固工程，共清理清溪沟底石块和淤泥5000平方米，维修挡土墙180平方米，在水渠渗漏处浇筑钢筋混凝土200平方米。12、铺设都乐新村垃圾池水泥道路，约120平方米；在木棉桥、烧烤场新建治安亭各1个；修建酒杯地垃圾池1个；完成三号洞尾报警亭屋面维修工作。更换大门区域垃圾箱10个，照明灯65盏、水龙头22个，维修水管25处，维修喷淋消防栓50个。清洗、消毒垃圾箱内箱、垃圾池、厕所化粪池、景区水面垃圾、都乐河沿岸垃圾26次，共清理白色垃圾9.6平方米，水面漂浮大藻等垃圾36平方米，登山道悬崖边白色垃圾4米平方米；冲洗硬化道路9800平方米，冲洗1.36万平方米的卵石滩及木棉桥硬地6次，清除淤泥、白色垃圾约142平方米。

创建国家4A级景区　都乐公园拥有岩洞、开元寺、书法碑林、史前文化遗址、都乐清溪等丰富的自然和人文旅游资源，是柳州市重点发展的旅游建设项目。2014年初，在柳州市旅游局的推荐下，都乐公园积极申报评定国家4A级旅游景区。进一步完善基础设施，提高旅游服务档次。修补公园大门至老村口混凝土主干道约2000平方米。维修公园大门景区毛石板约400平方米、路沿石600多米，更换垃圾箱30个。翻修倩影亭，重新布置游客中心，增设触摸屏、电视机、医疗救护设施，与广西地质职工医院签订合作协议。翻新指示牌45套，新增指示牌10套、景点介绍栏5套，更换宣传牌32块。重新油漆墨香斋碑廊碑文60多幅。加强生态环境保护，维护景区干净整洁。清理大门外停车场杂草、游览线路的枯枝落叶、遮挡标识牌和指示牌的植物。拆除开元寺乱搭的施工围墙，清除建筑垃圾。加强日常清洁工作，完善管理系统，提高服务水平。制定市场营销、质量、环保、统计等规章制度和各类安全预案，整理2012年至今的各项规章制度、导游执行记录、业务培训记录、投诉处理记录。提升形象宣传：制作了宣传视频短片、PPT、导游小册子；重新开放游客中心，不间断播放景区旅游宣传片；为游客提供纪念戳、本地纪念封纪念服务。

11月，都乐岩风景区顺利通过自治区旅游发展委员会组织的验收并经国家旅游发展委审核12月2日公布成为国家4A级景区。验收专家组对都乐岩景区的旅游资源及服务质量给予充分肯定，同时希望景区增加更多游客参与性较强的游览项目，加强游览线路建设、车辆停放管理工作，建设语音导游及电子商务系统，以满足不同

改造后的酒杯地园区道路　　（曾　艳　摄）

层次游客的需求，让都乐岩风景区各项设施及服务更完善。

安全管理 2014年在烧烤场、情侣岛各设置1处治安岗亭，于1月29日开始启用，并为所有的治安岗亭安装LED警示灯。在老大门、木棉桥头、苗圃垃圾池、盘龙洞登山道中段增加监控摄像头，使公园的监控摄像达到22组。在重大节假日等游客高峰期间以及暴雨、台风等特殊天气期间，保卫人员按照“定员”“定岗”“定范围”“定职责”的“四定”要求来开展安全防范工作。添置安全保卫设备，改善工作条件，购买了夏季工作服108套、警用伸缩警棍10根、对讲机10台；提供大门监控视频资料，协助公安机关追查在公园大门外发生的4起撬车偷盗案件。（曾　艳）

【江滨公园景区】 柳州市江滨公园依柳江河滨所建，1987年设立管理处，当时管辖江滨公园区域，是差额拨款正科级事业单位，隶属柳州市园林局。1998年升格为副处级事业单位，管理范围扩大包括蟠龙公园、驾鹤小桃园等。2014年，管理处下设办公室、绿化建设科、财务经营科、安全保卫科、蟠龙山公园、石山绿化站，有在编职工44名，聘用员工190名。具有专业技术人员职称人员28名，中级职称14名，高级职称1名。管理处地址位于驾鹤路82号。

景观资源 2014年景区范围包括江滨公园、蟠龙山公园、驾鹤小桃源、贤乐老人公园、白崖山小游园、蟠龙山瀑布群以及城市石山、河岸的公共绿地和防护林、纪念林等。共管护有83座石山绿化，2片防护林，1片纪念林，多条街道绿化和柳江沿河绿化。

景区建设 2014年，管理处在江滨公园、驾鹤小桃源、蟠龙山公园等共种植各类植物11.94万株，盆花摆展时令花卉3.67万盆。完成观音山绿化工程、鸡山绿化工程、蟠龙山相思谷、驾鹤小桃源桃花精品园等6个彩化设计。对白崖山山顶平台、登山道、休息平台改造修复；7月，完成驾鹤山下柳江边的观景台及人行步道工程。

服务活动 打造“书院文化”“蟠龙民俗文化”“鑫钟文化”“公园历史文化”“儒释道文化”等特色文化活动，共开展文化活动10次。在江滨公园办公室门前附近空地，改造为公共收费停车场，解决周边停车难问题；在江滨为游泳爱好者增设4座移动更衣室，解决更衣难题

安全管理 实现“三无”安全目标，与辖区派出所联防联治、综合治理，处理各类违章行为约8500人次，救助轻生人员2人，帮助老人和走失儿童找到亲人8起，为游人拾回丢失物品14起。清理与景区不相称、不协调的经营项目，共取缔“五粮液”“江韵楼”、小卖亭等经营网点20处。对保留经营门面的景区外围，进行包装改造，使公园经营点入景、便民。完成1次80.01米水位的抗洪清淤工作。扑灭石山火灾10起，过火面积约300余亩，修复防火线达7000米，面积5.5万平方米。处理危树39起，排查危石11处、查处违章建筑30起。（叶枝校）

【柳州奇石园】 柳州市奇石园管理处（前身为箭盘山奇石园），属于差额拨款事业单位，主要职责是负责柳州市奇石文化建设、宣传、对外接待及园林绿化工作的窗口服务单位，分管箭盘山奇石园（面积5.38公顷）与柳州奇石园（马鹿山奇石博览园/面积91.8公顷）两个园区。其中的箭盘山奇石园建于1994年，因园内有一名为箭盘山的奇峰而称柳州市箭盘山奇石园，为开放性免费园区。2005年改名为柳州市奇石园（为工作方便，在内部保留箭盘山奇石园名称）。

2014年管理处有员工172人，其中在编人员26人，聘用人员146人；柳州奇石馆导游讲解员8人；本科及以上学历13人，大专学历11人，中专及以下学历2人。专业技术职称人员7人，其中高级职称1人。办公地址位于柳州市屏山大道343号箭盘山奇石园内。

景区建设 2014年，柳州市奇石园所辖箭盘山奇石园，占地面积5.38公顷，其中绿化面积约为3万平方米，山体面积约为8000平方米，水面面积约为7100平方米，道路和广场面积约为8400平方米。

园内的八桂奇石馆展品 2011年10月28日整体搬迁至马鹿山柳州奇石馆后，八桂奇石一馆日常作为民间藏石馆用，二馆作为柳州市园林文化馆用，奇石节期间，一馆、二馆作为每两年一届举办的奇石节展览场地使用。

服务活动 2014年，根据市民提出对箭盘山奇石园内的石凳进行人性化改造的意见，管理处及时制定相关整改方案，提出在石面安装木质坐面解决石凳冰冷的问题，并将整改意见上报市园林局审批。5月底将箭盘山奇石园区70张石凳全部安装了木头坐面。（兰高鸿）

责任编辑：吕培贤

经济综合管理

东环路商住区　　（朱继清　摄）

宏观经济管理

【发展和改革机构概况】 柳州市鱼峰区发展和改革局(简称“区发改局”),成立于2010年3月19日,是原鱼峰区发展经济局的经济运行调节和综合协调经济社会发展职责分离后成立的业务主管部门,办公地址位于鱼峰区政府大楼。主管监测国民经济运行,调整和制订规划、产业布局及重大项目推进的职能机构。区发改局内设机构重大项目办公室,挂牌机构物价局。2014年全局在岗人员12人。

【经济规划实施】

固定资产投资经济指标 2014年初,发改局将全年的固定资产投资目标责任分解到各有关部门,并制定实施项目指标跟踪督促机制。每月月底跟进该项指标的进展情况并对完成目标落后的部门进行督促;跟进重点项目的投资进展情况,制作固定资产投资上报项目库备查;每月上报市发改委当月预计完成情况并上报一次投资分析;3月底、6月底及12月底重大时间节点行文通报指标完成情况;年末对各个有关责任部门的指标完成情况进行考评。

3月,召开2014年固定资产投资工作推进会。10月,鱼峰区固定资产投资进度位居柳州市县区第一的好成绩,喜讯登上2014年12月8日《柳州日报》头版。

全年完成固定资产投资105.6亿元,同比增长24.2%,完成市任务(94亿元)的112%,绝对值及增幅在全市排名第二。

项目建设 进一步完善重点项目推进机制,组织筹备好指挥部工作会议。安排项目办专人对接跟进各工程指挥部项目进展,三项自治区重点项目进展顺利,广西佳力电工迁建项目和柳电电气项目竣工投产,柳开电气项目年底竣工投产。一批市区两级重点项目取得重大突破性进展:一季度,洛维工业集中区内的柳州源创电喷技术有限公司、柳州市大荣非金属材料有限公司、柳州市金榜体育用品有限公司等7个项目集中开工,项目总占地22.5公顷,计划总投资约13亿元,项目建成后产出规模达25亿元以上。

2014年洛维工业集中区欧维姆公司生产线安装调试中 (朱继清 摄)

华润、恒大及盛天悦景台项目破土动工。银泰城正式开业。窑埠古镇一期已完工,二期工程正在紧张有序进行当中,同时也正在抓紧进行招商。卧龙湖18洞球场已投入运营,配套的地产和星级酒店项目已启动前期工作。海雅缤纷城27洞的球场造型已完成,6月底启动球场会所的建设,东边18洞球场投入运营。

做好协调服务工作,2014年全年共为南二环路26户回建安置项目协调市发改委顺利取得立项批复;协调市规划局调整城市规划道路走向以保留柳东路小学校史馆作为区文化馆场地事宜;协调市规划、国土调整斧头山北侧地块土地使用性质、调查核实该地权属争议历史遗留问题,使箭盘社区卫生服务中心和箭盘街道便民服务中心项目得以顺利推进;协调市建投公司按成本价出售其位于天山路猪头塘开发项目中约2000平方米商品房用于驾鹤社区卫生服务中心场地等。5月28日,市发改委、市住建委、市建投公司、驾鹤小学、区住建局、区教育局等相关部门领导现场讨论乐群路改造事宜。2014年,区发改局牵头开展了静兰工业园区搬迁改造前期资料收集的各项工作,对园区搬迁红线范围内的企业进行走访调研,全面收集涉及企业搬迁意向、土地面积、使用权类型、用途和地块现状等资料。与区住建局紧密配合开展屏山小区危旧房改住房改造项目前期资料收集工作,对项目地块现状进行调研,进行区位及现状分析。与区投促局共同洽谈引进广西富力地产公司,根据前期调研收集的相关资料数据和该片区的规划条件，编制项目改造初步方案。全年推进箭盘街道、麒麟街道便民服务综合楼项目，箭盘街道便民服务综合楼项目含箭盘社区卫生服务中心和街道便民服务中心两个子项目，已完成项目立项、规划选址意见、环评审批、用地预审，同步进行总平图和建筑单体设计和编制可研报告，项目用地地面上的违法建筑已全部拆除，水南村对该地权属争议问题已顺利解决。麒麟街道便民服务综合楼项目含区档案馆新馆和街道便民服务中心两个子项目，已完成项目立项、规划选址意见、环评审批，用地预审材料已上报市国土局，项目用地已征收完毕。

支持非公有制经济发展 2014年，经过全区项目的征集和筛选，9月28日，下发前期专项经费45万元，涉及23个项目。出台《鱼峰区本级前期经费使用办法(初稿)》，为下一步开展项目前期经费工作的统筹安排提供政策支持和资金使用约束。

10月13日，鱼峰区召开第三季度经济运行分析会议

（区发改局　提供）

【国民经济运行】 2014年的3月19日、7月10日及10月13日，分别召开了第一、二、三季度经济运行分析会，组织区工信局、区商务局、区投促局、区财政局等13个经济部门参加。对鱼峰区经济发展情况进行科学深入地分析和研判，对存在的困难和问题提出合理化建议和意见供区委、区政府决策参考，切实履行区委区政府参谋助手的职责。

2月12日，2013年度鱼峰区经济表彰大会召开，发改局获得工作贡献优秀奖。

2014年完成地区生产总值144.2亿元，同比增长9.5%；全部工业总产值278.74亿元，增长14.1%（其中规模以上工业总产值262.29亿元，增长14.7%）；社会消费品零售总额157.7亿元，增长13.66%；固定资产投资大幅增长，达105.6亿元，增长24%；引进市外境内到位资金(含续建项目)131.02亿元，实际利用外资1.26亿美元。完成财政收入29.26亿元，增长10.5%；城镇居民人均可支配收入28246元，增长10.5%；农村居民人均纯收入16342元，增长12.2%。城镇登记失业率控制在3.9%以内，人口自然增长率为6.07‰。

（梁嘉烨）

2014年鱼峰区主要经济指标完成统计报表(实际数)

数据来源单位：鱼峰区统计局

指标	计量单位	2013年完成数	2014年全年目标		2014年1月—12月累计完成			备注
			区目标	同比增长(%)	累计完成	同比增长(%)	完成区目标进度(%)	
地区生产总值(非在地统计)	亿元	131.71	146	11	144.2	9.5	98.8	由于规上工业11月下调了目标任务数，生产总值目标任务数以完成任务数为最终目标
#第一产业增加值	亿元	0.50	—	—	0.24	−55.0		
第二产业(工业)增加值	亿元	77.48	—	—	85.66	10.6		

续表

指标	计量单位	2013年完成数	2014年全年目标		2014年1月—12月累计完成			备注
			区目标	同比增长(%)	累计完成	同比增长(%)	完成区目标进度(%)	
第三产业增加值	亿元	53.73	—	—	58.33	6.6		
全部工业总产值	亿元	250.2	277	20	278.74	14.1	100.6	区目标任务原为300亿元,11月下调为277亿元
#规模以上工业总产值(市考核指标)	亿元	234.4	262	21	262.29	14.7	100.1	市任务280亿元11月下调为262亿元
#园区规模以上工业总产值	亿元	95.63	100	35	108.11	12.5	108.1	
社会消费品零售总额(市考核指标)	亿元	138.7	159.5	15	157.70	13.66	98.9	
财政收入(市考核指标)	亿元	26.48	29.13	10	29.26	10.5	100.4	
固定资产投资(市考核指标)	亿元	85.03	110	30	105.60	24.0	96.0	市任务94亿元
#更新改造	亿元	58.09	70	20	70.67	21.7	101.0	市任务70亿元
招商引资实际到位资金(市考核指标)	亿元	90.28	130	43	131.02	30.7	100.8	市任务89亿元。目前市级核定数为1—9月的100.47亿元,9月后的数据为鱼峰区完成数,最终数以自治区审批数为准
城镇居民人均可支配收入(第四季度)	元	25562	28118	10	28246	10.5	100.5	
农村居民人均纯收入(第四季度)	元	14566	16314	12	16342	12.2	100.2	

注:1.2014年区目标以区发改局制定为准。
2. 地区生产总值,第一、第三产业增加值,社会消费品零售总额,城镇居民人均可支配收入季度公布,农村居民人均纯收入年度公布。

投资促进

【投资促进机构概况】 2014年,鱼峰区投资促进局有在岗人员7人,办公地址为柳州市静兰路10号鱼峰区人民政府402室。制定全区招商工作联席会制度。区党政主要领导担任总召集人,下设工业及园区组、商贸旅游及房地产组、文教卫体组、综合组4个专业招商组,实行"三会一报告"制度。3月17日,在区政府六楼会议室召开首次鱼峰区招商工作联席会议。9月,根据《中共鱼峰区委员会 鱼峰区人民政府关于鱼峰区人民政府机构设置的通知》鱼峰区招商促进局更名为鱼峰区投资促进局。

【招商活动】 2014年,投资促进局紧紧抓住柳州市、鱼峰区发展的良好机遇,转变方式,主动走出去、请进来,借助各方力量,收集多方信息,广泛开展招商洽谈,采取以商招商、专题招商、小分队招商等多种形式招商,先后组织小分队到北京、上海、深圳、南京、成都、武汉等地开展招商洽谈活动;成功签约内资54亿元,外资12亿美元。同时,多次组团随市代表团外出参加专题招商洽谈会及一系列招商博览会。

第18届中国东西部合作与投资贸易洽谈会暨丝绸之路国际博览会 5月23日—26日，组团随柳州市参加在西安举行的第十八届西洽会。利用此次机会，进一步加强了鱼峰区与省外企业间的经济合作与文化交流，展示了鱼峰区各项事业所取得的成就，宣传了鱼峰区的资源优势、投资环境、合作项目。

上海、深圳招商推介会 6月19日—25日，区政府相关人员组成的招商小分队参加了由柳州市政府组队赴上海、深圳开展的小分队招商推介活动。围绕电子信息、汽车零部件等产业，赴上海、深圳拜访部分行业知名企业，举办小型座谈会，30家企业参加会议。

广西柳州2014年土地招商推介会 6—7月，组团随市里参加了柳州市分别在南宁、杭州、深圳开展的三场“广西·柳州2014年土地招商推介会”。推介会吸引来自浙江、上海、福建、广东等地近100家国内上市房地产商和全国百强企业代表参加。鱼峰区推介地块项目3个，13家企业参加活动。

第11届中国—东盟博览会 2014年9月16日—18日在南宁举行。在项目集中签约活动上签约项目4个，其中国际经济合作项目1个，投资总额12亿美金；国内经济合作项目3个，投资总额54亿元人民币。

第15届中国西部国际博览会 10月23日—11月3日参加在成都举行的第十五届中国西部国际博览会，就九曲河—都乐河小城镇项目与意向投资方进行进一步沟通，并考察该投资集团在四川的相关项目。

【落户项目】 2014年，鱼峰区招商引资落地项目51个，实际到位资金131.02亿元，同比增长30.7%；实际利用外资1.26亿美元，两项指标任务均超额完成，名列柳州市第一。

2014年2月25日，鱼峰区召开招商工作联席会暨2014年招商工作方案征求意见会
（路 鹏 摄）

2014年鱼峰区重点项目表

序号	项目名称	项目内容
1	华润商业中心	项目规划用地面积约257亩，总投资63亿元，拟建设城市综合体、高品质住宅、商业中心。
2	恒大·翡翠龙庭	东环路182、184地块，占地约120亩，拟建设星级酒店、商业广场，项目建成后将成为柳州市东部新商业中心。
3	窑埠TOWN	窑埠TOWN项目是柳州市政府十大重点工程之一，位于蟠龙路9号(文昌桥南)。总投资约为18亿元，总用地面积330亩。项目定位为柳州的城市休闲客厅，是一个集城市历史人文、旅游观光、娱乐消费、度假休闲、民俗风情于一体的复合型“文化”商业项目，规划包含休闲商业、特色酒店、国风大宅、企业会馆、风情广场等。
4	三胞广场	项目总占地50.23亩，建设柳州城市新地标的城市综合体。综合体的建筑形态以智能化写字楼结合特色商业建筑为主，集高端商务办公、华南西部金融中心、精品购物休闲广场、高端酒店等于一体，打造以文化、娱乐、餐饮、购物等多类城市休闲业态相结合的“现代城市漫乐生活广场”。
5	箭盘路36号地块开发	项目地址位于箭盘路原东风化工厂，总地块面积约360亩。已拍出两块地，面积209.45亩，分别为锦园项目、盛天悦景台项目。

（陆稣昱）

工商管理

【工商管理概况】 柳州市鱼峰区工商行政管理局(简称鱼峰区工商局)位于蝴蝶山西路5号,是主管市场监督管理和行政执法的职能机构。2014年设置有办公室(人事与财务股)、法规与行政执法督察股、反不正当竞争执法与商标广告监督管理股、消费者权益保护监督管理股、市场与合同规范管理股、企业与个体私营经济监督管理股、12315消费者申诉举报中心、经济检查大队9个职能股室和前进、荣军、箭盘、羊角山4个工商行政管理所。主要承担鱼峰辖区所辖的10200余户个体工商户、3184户企业的市场监督管理、行政执法和近30万城乡居民消费维权等工作。全局共有工商干部58人,专业技术职称人员32人。

【企业注册登记】 2014年,鱼峰区工商局强化服务意识、创新服务方式,为辖区经济建设提供优质高效的市场准入服务,服务非公经济发展,日常监管与服务呈现新亮点。

注册登记改革 发布《关于建立鱼峰区注册登记制度改革联席会议制度的通知》,召集鱼峰区26个注册登记制度改革联席会议成员单位、龙翔资产管理公司及7个街道办事处的负责人召开鱼峰区注册登记制度改革联席会议;为鱼峰区的七个办事处的56个社区3个村委的负责人及专门的办事员共计120余人开展培训7期。通过加大宣传、完善机制、稳步推进,有力地激发了市场活力,鱼峰辖区登记改革初显成效。年内新办个体工商户1751户达10205户,新增企业601户达3184户,新增农民专业合作社2户达3户。自开展企业登记制度改革工作以来,新设立企业545户,同比增长29.15%;

企业信息公示 鱼峰区工商局不断推进企业信息公示制度落实,及时研究和上报在推进中遇到的困难和问题,确保企业信息公示制度各项措施落实到位。印制3000份《行政指导告知书》,放置在企业登记和各个体登记的窗口,方便办事人员取阅,使其能更深入地了解《条例》规定的各项制度,并将企业网上年报的流程及要求做成图表张贴在办照大厅的显要位置。充分发挥联络员在联系沟通、方便企业办事、提高工作效率方面的积极作用,通过日常巡查、企业回访指导业户完成相关操作。

服务非公有制企业 6月20日,召集辖区企业召开“鱼峰区工商局走百访千,扶强助微服务非公有制企业工作会议”,与12家定点帮扶企业签订定点帮扶企业合作意向书,帮助企业“提质扩量”。

农民专业合作社 积极为农民专业合作社自办农产品加工企业提供法规政策咨询和行政指导,支持农民专业合作社开展农村生产性服务经营活动,支持符合条件的农民专业合作社依法开展信用合作。2014年设立农民专业合作社2家。同时,实施“农民收入倍增计划”,制定《鱼峰区工商局“农民人均纯收入倍增计划”工作方案》,开展服务农村非公有制经济发展宣传活动,为农村非公有制经济营造良好的氛围。截至12月底,已新发展农村个体私营工商经营户63户。在红盾护农工作中,结合“清洁乡村·美丽柳州·净化市场”放心农资工程实施,推进“放心农资示范店”创建工作,在辖区建立有1户“放心农资示范店”。

“商标兴柳” 在商标帮扶工作中,指导企业如何申请商标注册,争创广西著名商标,指导企业规范使用商标,有效增强辖区企业产品的整体竞争实力。2014年,指导帮扶一户企业申报广西著名商标。

【市场监管】 2014年,鱼峰区工商局结合日常监管工作,重点开展“六治六保”专项整治行动,根据上级要求,严格将严厉打击不正当竞争保护知识产权,打击传销规范直销专项整治保稳定,节日市场专项整治保民生,建材市场专项整治保居住安全,规范市场主体行为专项整治保公平,整顿规范合同格式条款保公正6个方面18项重点的“六治六保”专项整治行动贯穿于行政执法和日常监管中,行政执法办案工作取得新成效。全局共立案142起,结案134起。其中除无照案件外其他类型案件占38.8%。查处取缔无照经营案件82件,办理的其他案件类型有合同违法案件3件、网络案件1件、不正当竞争案件3件、违反商标法案件13件、违反广告法案件9件、产品质量案件6件、消费维权案件9件。查处的柳州市某医院发布互联网违法广告案被评选为“柳州市工商行政管理系统优秀典型案件”。

2014年，鱼峰工商局将清理无照经营工作作为进一步整顿和规范市场经济秩序，全面构建公平竞争、有序发展的市场环境，促进区域经济发展。全年共出动执法人员950多人次，出动执法车辆170台次，检查集贸市场79家，大型超市12家，工厂13家，娱乐场所13家，经营户2800户，下达责令改正通知书266份，引导办照92户，执照到期换照912户，立案查处无照经营案件82件。共查处商标侵权案件13起，其中查处侵犯“汾酒”注册商标持有人合法权益的商标侵权案件1件，保护商标持有者的合法权益。提高广告监管执法效能。制订《户外广告专项整治行动实施方案》，开展了为期一个月的户外广告专项整治行动，共查处广告违法案件9起，有效规范了户外广告秩序。强化格式合同监管。全年发放合同监管宣传资料100份，检查企业66家，约谈企业15家，收集涉嫌不平等格式合同条款10条，行政指导1次，召开业务指导会2次，改正不平等格式合同条款6条，立案12件，办结11件，涉案金额达53.6万元，下达责令整改通知书9份，召开案件评析会1次。开展网络监管，规范电商商品交易行为。通过网络巡查等手段，检查淘宝、京东等全国性知名电商平台共30余家网络店铺，检查城城淘、桃牛等本地电商平台共20余家网络店铺，检查辖区内男健医院、158医院等5家医院的自建网站，查处网络案件1起，约谈了柳州城城淘科技有限公司网站负责人，督促其遵守《网络交易管理办法》《中华人民共和国消费者权益保护法》等相关法律法规，严把商家入驻关。开展打击传销工作。7月，联合鱼峰区公安分局经侦大队开展集中清查行动，配合鱼峰公安经侦大队分为两个小组对重点可疑场所进行清查，集中清查行动中共排查了5个疑似传销窝点，均未发现传销人员。主办“鱼峰区创建无传销社区工作会议”。与辖区七个街道办事处签订《鱼峰区创建“无传销社区(村)”工作目标责任书》。

8月，鱼峰区工商局开展假冒伪劣、侵犯知识产权专项检查

(鱼峰区工商局　提供)

【消费者权益保护】 2014年，鱼峰区工商局加强消费者权益保护工作，并取得成效。共处理消费者申诉举报141起，挽回经济损失共10万余元。所办理的柳州市某超市误导消费者销售商品案获评为柳州市2014年度“十大消费维权典型案例”。

在消费维权工作中，不断拓展工作思路，多措并举。一是“3·15”前夕，召集38名消费者代表、辖区各社区负责人和经营者代表召开了纪念“3·15”国际消费者权益日座谈会。新《中华人民共和国消费者权益保护法》实施当日，设宣传展台，当场解答消费者咨询，发放宣传资料100多份。二是作为12315文明窗口示范点，鱼峰区工商局前进工商所将家具、电动车、手机通信等三大消费投诉热点作为维权工作的突破口，召开辖区内手机、电动车两大热点投诉行业行政约谈会，全面推进消费者权益保护工作效能建设。其中，比较突出、影响较大的有某品牌电动车返现群体投诉和柳州市某舞厅群体投诉处理，分别挽回经济损失3600元和1.2万元。三是不断推进消费维权基础建设，共完成消费维权进万家建站175个，其中建立社区消费教育基地63个，建立特色的消费教育引导基地2个，分别为在辖区狮山社区设立的老年人消费教育引导基地，在柳石路小学设立的青少年消费教育引导基地。在

7月3日，鱼峰区工商局在柳州市万速达贸易有限公司大阳电动车旗舰店启动“消费投诉零计划” （区工商局 提供）

基地讲授消费教育维权课，让消费维权教育课堂进入学校、社区，扩展消费维权受众性，提升群众消费维权意识。四是7月3日启动“消费投诉零计划”，在柳州市万速达贸易有限公司大阳电动车旗舰店现场举行挂牌仪式。第一批试点商户——万速达贸易有限公司的9家大阳电动车店全部挂牌完成。第二批试点确定为柳州丰营电动车有限公司小刀电动车、帝豪品牌、杰友家私美联店和帝豪家私东环店等3家商户。新一批试点除增加原有投诉热点——电动车行业商户外，结合辖区特点，还拓宽参与面到家具这又一投诉热点，将辖区的帝豪家私东环店加入“零计划”。通过挂牌商家的“以大变优”“以小变大”，实现“以点带面”。

【个体私营经济】 2014年，鱼峰区有个体工商户10193户，从业人员20630人，注册资金48449万元。新增个体工商户1761户，从业人员4412人，注册资金14935万元。有私营企业3101家，从业人员19226人，注册资金152222万元。新增私营企业606家，从业人员3393人，注册资金3.3217亿元。

个体工商户产业分布 第一产业33户，占总数的0.32%；第二产业260户，占总数的2.55%；第三产业9900户，占总数的97.13%。按行业划分：分布在3个行业，以批发和零售业为主，其中批发和零售业8054户，占总数的79.02%；居民服务和其他服务业743户，占7.29%；住宿和餐饮业770户，占7.55%；制造业245户，占2.40%；租赁和商务服务业238户，占2.33%；文化、体育和娱乐业43户，占0.42%；信息传输、计算机服务和软件业19户，占0.186%；交通运输业、仓储和邮政业5户，占0.05%；建筑业15户，占0.147%；

私营企业产业分布 第一产业79户，占总数的2.55%；第二产业441户，占总数的14.22%；第三产业2581户，占总数的83.23%。按行业划分：分布在3个行业，以批发和零售业为主，其中：批发和零售业1624家，占总数的52.37%；居民服务和其他服务业164家，占5.29%；住宿和餐饮业41家，占1.32%；制造业372家，占11.99%；租赁和商务服务业336家，占10.84%；文化、体育和娱乐业22家，占0.71%；信息传输、计算机服务和软件业127家，占4.10%；交通运输业、仓储和邮政业26家，占0.84%；建筑业69家，占2.23%。

微型企业发展 有微型企业395家，其中个人独资企业318家，有限公司74家。注册资金3943万元。 （莫辅莹）

国土资源管理

【国土资源管理概况】 允许建设区5858.96公顷，有条件建设区812.60公顷，城市用地2726.39公顷，园地196.94公顷，林地206.48公顷，草地48.94公顷，设施农用地25.78公顷。柳州市国土资源局鱼峰分局（简称国土鱼峰分局），现辖天马、驾鹤、荣军、箭盘山、五里亭、麒麟、白莲等7个街道办事处的管辖地域。国土分局内设综合股、监察大队、地籍股、地矿股四个股室，共有在职员工14人，聘用员工11人。在柳州市屏山大道333-3号办公。

5月12日全国防灾减灾日，在狮山社区开展以“防治地质灾害，建设美好家园”为主题的集中宣传活动。12月18日，在鱼峰山公园内组织突发性小型岩石崩塌地质灾害应急演练。2014年鱼峰区(不包含柳东新区)集体建设用地报批1宗,涉及土地面积5676.11平方米。对建设用地项目报批及宅基地审批等项目全部实行集体会审,对会审人员、会审时间、会审程序、会审内容等都做了详细的规定并对会审过程做好详细记录,增加了工作的透明度,确保了决策的科学性和准确性。截至2014年12月颁发"国有土地使用证"3090本,"集体土地使用证"190宗222本,"集体土地所有权证"16本,对22宗国有私房进行了前期权属调查,注销登记231宗。

5月12日,市国土局鱼峰分局在狮山社区开展以"防治地质灾害,建设美好家园"为主题的宣传活动　　(国土鱼峰分局　提供)

【**耕地保护**】 2014年,鱼峰区耕地保护责任状签订耕地保护责任面积为13000(含柳东)公顷,其中基本农田6867公顷。分局牵头与辖区内街道办事处、社区、各村民小组签订了《耕地保护目标责任书》,强化了国土部门的耕地保护职责,基本农田落实到地块、村小组,顺利完成了上级下达的耕地保有量任务。同时及时调整更新了鱼峰区耕地和基本农田保护检查工作领导小组,进一步加强了与各部门在耕地保护方面的合作,完善了耕地保护责任机制。组织开展了耕地保护培训会,邀请城区各相关职能部门及辖区内的群众参加,并制作500个耕地保护环保袋,发放到群众手中。制作耕地保护的横幅,悬挂在洛维工业园附近。通过这些手段大力宣传耕地保护人人有责的思想,极大地提高了群众对耕地保护的意识。编写了《农业结构调整(设施农用地)审查操作手册》,该手册主要内容包括编制依据、办理流程、公文范本、土地利用现状分类等几个部分,内容精炼,职责明晰,在办理相关业务中,经办人可通过对照操作手册快速明确流程,有效提高了为民办事工作效率,也帮助群众熟悉办事流程,为群众少跑路、办成事创造了便利。

【**便民服务**】 开展"进村入户、送服务、办实事"活动,通过上门服务、跟踪服务等形式,提高办事效率,不断增强群众的满意度。为此鱼峰分局主动到辖区内各村进行上门办证服务,对群众咨询的各种问题现场解答,符合条件的当场收件,2014年上门收件525宗。分局还将"进村入户、送服务、办实事"活动固定化,定期下到各村现场服务,进行跟踪服务。同时,分局还制作《鱼峰分局集体土地使用权登记发证工作手册》,方便群众办事,提高办事效率。在服务效率上,通过优化流程,挖掘内部潜力,办证时限由原来的20个工作日提高到15个工作日,比规定时间提前一周。鱼峰分局与测绘所积极协调,让该所在鱼峰分局设立办事点,群众可以在鱼峰分局委托该所进行地籍调查,方便了办事群众,同时也实现了地籍调查前置。驾鹤村两宗历史遗留的第三产业用地,分局积极请示地籍科,补齐这规划延期后,经柳州市人民政府审批,即可进行确权登记发证。为尽快解决村民们的担忧,分局在申请过程中积极主动协调相关部门尽快办理,同样存在历史问题的屏山小区,分局积极协调中房公司与房产部门,在不增加群众负担的情况下,解决500多户群众的办证问题。

【**地质灾害防治**】 2014年,鱼峰区突发性地质灾害频发,全年共发生突发性地质灾害14起,灾害类型为山体崩塌和地陷,其中崩塌12起、地陷2起,未造成重大财产损失和人员伤亡。同比减少

2014 年 9 月 27 日，鱼峰国土分局设流动服务点开展便民服务

（国土鱼峰分局　提供）

33%，50%。全年组织巡查 230 次，其中，国土鱼峰分局巡查 49 次，各街道社区巡查 181 次。

2014 年 1 月 21 日 —23 日在辖区内开展了地质灾害隐患大排查工作。主要对辖区内 64 个易发区，16 个隐患点进行排查。其中，重点检查地质灾害易发区：马鞍山、桐油山、元宝山、龙泉山、九头山、蟠龙山柳石路一带山体，以及有重大隐患的柳石路葫芦山。通过现场核查、查阅台账和材料等方式，排查地质灾害隐患，确保市民过安全祥和春节。督促落实落实地质灾害群测群防监测人、要求监测人联系电话 24 小时畅通、严格做到“四应知、四应会”规范要求，对地灾易发区陈旧的警示牌进行及时更换。6 月 9 日—11 日，分局牵头组织鱼峰区应急办、柳州市地质环境监测站、鱼峰区发改委、鱼峰区住建局、鱼峰区安监局、鱼峰区农林水利局等部门负责人组成地质灾害防治联合检查组对鱼峰区 2014 年汛中地质灾害防治落实情况进行专项检查。检查组先后查看了鱼峰辖区内 15 个隐患点及 44 个地质灾害易发区，包括地点、类型、威胁对象及范围等基本情况，还包括各隐患点警示牌设立、防灾减灾预案的制定、重要隐患点责任机制建立、已布置的各项防灾措施落实情况等。并向在附近居住的居民发放了地质灾害预防指南、地质灾害避险自救科普读物。7 月，会同城中分局组成巡查互检工作组，对融水县汛期地质灾害防治工作进行了巡查互检。认真贯彻以保护人民群众生命财产安全为根本，相互监督、相互指导，完善地质灾害防治工作。

【土地执法监察】 2014 年，组织开展土地、矿产执法监察巡查 80 次，共发现违法行为 8 宗(其中项目违法 3 宗，个人补办 5 宗)，下达《责令停止土地违法行为通知书》3 份，用地告诫书 3 份，《勘查开采矿产资源法律告诫书》《责令停止矿产资源违法行为通知书》1 份。查处土地违法案件 8 宗，向城区政府报告 7 份。2014 年，分局共发现并查处了违法行为 8 宗，涉及面积为 8839.13 平方米(占用耕地 796.38 平方米)，发现率 100%，制止率 100%。鱼峰分局 2014 年度土地矿产卫片执法检查我区立案查处 3 个(宗)，已结案 3 宗，没收建筑物 1407.42 平方米，罚款 3.25 万元，立案查处率、结案率、查处整改到位率均达 100%，实现“零问责、零约谈”的目标。在 2014 年土地例行督察

4 月 30 日，国土鱼峰分局工作人员在文惠桥南驾鹤小桃源山进行危岩崩塌应急抢险及危岩治理

（国土鱼峰分局　提供）

工作中，为切实做好迎接土地例行督察工作，区人民政府成立以区长为组长，国土、执法、征地拆迁、信访、园区办等部门主要领导为成员的鱼峰区迎接国家土地例行督察工作领导小组，全面负责迎接国家土地督察广州局例行督察工作的协调、督促、检查工作。同时印发《鱼峰区迎接国家土地督察广州局2014年土地例行督察工作方案》，明确各项迎检工作任务和要求。分局全力抓好动员部署、前期培训、资料收集、数据汇总等工作，针对督察发现的问题严格落实整改责任，其中涉及鱼峰区的土地例行督查问题共9个，都已按要求落实了整改。

（赵海平）

物　　价

【物价概况】 2014年，区物价局在岗人员2人。办公地址位于静兰路6号。鱼峰区物价局围绕“稳定价格总水平”工作重点，对群众关心、社会反映强烈的价格和收费热点问题，进行监督检查。维护群众价格权名。全年共查处各种违法收费金额合计84129元，责令退还消费者金额83759元。

【价格宣传】 提倡“规范价格行为，推进价格诚信”的理念，普及价格法律法规，11月上旬，鱼峰区物价局巩固发展价格诚信建设成果，维护良好的市场价格秩序。组织辖区各街道办事处及价格诚信单位召开“鱼峰区2014价格诚信宣传月活动座谈会”。之后街道及价格诚信单位在其单位醒目位置悬挂宣传横幅、展出宣传海报的方式进行价格诚信宣传，共悬挂横幅25条，展出版报24块。共发放宣传资料4500余份。11月25日，区物价局在鱼峰山商业城进行现场宣传活动，活动中发放相关法律法规宣传资料500余份，解答群众咨询5件。

【价格监管】 一是开展教育收费检查，在春、秋季开学期间，区物价局与区教育局、财政局和纪委共同组成联合检查组，对辖区各中、小学教育收费情况进行全面检查。各学校都能按照规定将收费项目、收费标准、收费内容在学校的醒目位置进行公示，未发现有乱收费和强制购买教辅材料等违规收费行为。二是开展明码标价专项检查，对辖区内16家房地产销售企业进行实地检查指导，发放《关于开展商品房销售明码标价工作专项检查的通知》等宣传资料64份，并现场对每个楼盘商品房明码标价进行检查。三是开展节日物价检查，在元旦、春节等重要节日期间，组织开展市场明码标价检查工作。重点检查屏山大道电动车市场、蝴蝶山路小家电一条街、燎原路电动车以及辖区内各大超市、百货卖场及停车场的商品和服务明码标价情

10月，鱼峰区物价局检查房地产明码标价情况　　（张　宇　摄）

2014年受理价格举报投诉件情况表

投诉类型	投诉件数	办结数	办结率
电力类	1	1	100%
教育类	2	2	100%
停车收费类	70	70	100%
物业管理类	30	30	100%
其　他	5	5	100%

况。检查店面250家、超市35家、停车场20个，发放明码标价宣传资料2000套，纠正部分商家不规范的标价行为。

全年共受理价格举报投诉件108件，其中电力类投诉1件，教育类投诉2件，停车收费类投诉70件，物业管理类投诉30件，其他类投诉5件，办结108件，办结率达100%。查处违法金额8.4129万元，退款8.3759万元，维护了群众的合法价格权益。

根据《幼儿园收费暂行管理办法》年内对符合条件的50家幼儿园进行收费备案，并要求各幼儿园做好收费公示工作，不定期对幼儿园的实际收费情况进行巡查。 （张　志　刘智华）

审　计

【审计概况】 2014年部门配置6人，其中行政编制2人，事业编制2人，聘用人员2人。在静兰路10号鱼峰区政府政务服务二楼办公。年内完成审计工作任务共46项。其中，财经类审计及审计调查13项，发现26个问题，提出31条审计建议，查出管理不规范金额10111.93万元，违规金额310.52万元。管理不规范金额比上年7736.24万元增长30.71%；政府投资类审计33项，送审金额1344.5万元，核减额223.28万元，核减率16.61%。核减额比上年205万元增长8.92%，核减率比上年15.12%增加1.49%。取得成效如下：一是参与市审计局县区审计项目评比活动，《柳州市第八中学原校长2007年8月至2012年8月任期经济责任审计》和《鱼峰区2012年度教育专项资金审计调查》审计项目分别荣获柳州市审计局2014年县区优秀审计项目二等奖和三等奖；二是在柳州市审计局县区先进审计单位评比活动中荣获2014年度柳州市县区经济责任审计工作先进单位和民生审计工作先进单位奖项。

【财政预算执行审计】 2014年6月5日召开经济责任审计联席会议。区审计局对投入资金量大、事关民生政策重点关注，对财政、教育、计生、民政、环保、科技及洛维工业园区7个单位(部门)进行重点审计调查和延伸审计，查出管理不规范金额1850万元，违规金额292.96万元，发现2个问题，提出2条审计建议，出具专题审计调查报告5月16日，向鱼峰区第十一届人大常委会第十九次会议上作了《关于鱼峰区2013年度财政预算执行和其他财政收支情况的审计工作报告》。

【政府投资审计】 2014年，不断加大政府投资项目的审计力度，坚决揭露项目造价不真实、建设管理不规范等导致重大损失浪费问题，促进提高建设资金的使用效率和效果。通过揭露和查处问题，分析原因、督促整改，工程建设领域依法管理得到了进一步推进。全年开展竣工结算审计项目共计47项，已完成33项，送审金额1344.5万元，核减金额223.28万元，核减率为16.61%。

【专项审计调查】 2014年，制订审计工作方案，确保政府专项资金安全和使用效益，促进被审单位制度的完善。全年完成2013年度鱼峰区城市管理行政执法资金、环境卫生管理所资金、教育局资金、文化和体育局资金、科技局资金、洛维工业园区专项资金、征

8月，区审计局组织召开园区办专项审计进点会议

（区审计局　提供）

地及拆迁工作专项资金使用情况专项审计调查共8项，查出管理不规范金额7379.9万元，违规金额12.75万元，发现问题17个，提出审计建议21条。

【经济责任审计】 2014年共完成离任经济责任审计4项，查出管理不规范金额882.03万元，违规金额4.81万元，发现7个问题，提出审计建议8条。 （黄芊芊）

统　计

【统计概况】 鱼峰区统计局统计工作范围主要包括综合统计、农林牧渔业统计、工业统计、第三产业统计、社会消费品零售总额统计、房地产统计、建筑业统计 、能源统计、科技年报统计、住户调查、劳动工资统计（含城镇私营企业工资调查），基本单位名录库的维护和更新（包括“四上”企业的入库审批等）、人口变动和劳动力抽样调查、文化及相关产业统计、畜禽抽样调查、妇女儿童专项统计等。编撰2014年度《统计年鉴》、15期《统计分析》、每月定期向区领导提供《2014年鱼峰区主要经济发展目标一览表》。编撰的《鱼峰区2014年统计年鉴》，全方位、多角度，全面、系统地反映了鱼峰区2013年社会经济发展情况和主要建设成就。

2014年鱼峰区统计局共有工作人员15名。

【第3次全国经济普查】 鱼峰区第三次全国经济普查入户登记与

2014年6月20日，国务院经普办抽查组及自治区、柳州市、区统计局一行在鱼峰区实地检查经济普查工作情况 （区统计局 提供）

鱼峰区第三次经济普与第二次经济普单位户数对比表

项　目	2013年第三次经济普（单位：个）	2008年第二次经济普（单位：个）	同比（±%）
总　计	16895	18765	-10.0
一、法人单位	2515	1490	68.8
第一产业	45	—	—
第二产业	428	412	3.9
其中：工业	394	386	2.1
建筑业	34	26	30.8
第三产业	2042	1078	89.4
二、产业活动单位	781	663	17.8
第一产业	2	—	—
第二产业	53	65	-18.5
第三产业	726	596	21.8
三、个体经营户	13599	16612	-18.1
第一产业	3	—	—
第二产业	528	545	-3.1
第三产业	13068	16067	-18.7

备注：1. 第二次经济普查统计口径不包括农业企业；

2. 单位总户数减少是因为个体经营户户数减少造成的，个体经营户户数减少的主要原因是因为近几年鱼峰辖区基础建设导致一些大小市场拆迁，如金地、蚂拐岩、窑埠等市场，而鱼马公园的建设也使周边一些小市场消失，从而使个体经营户户数减少。

3. 第一产业数据数不计算在经普数据总量内，仅供参考。

2014 年鱼峰区主要指标基本情况表

项　目	单位	数量	比上年增长(%)
年末户籍人口	万人	23.16	1.37
年末常住人口	万人	33.5	0.24
年末实有耕地面积	公顷	22.0	−86.25
地区生产总值(非在地统计)	亿元	144.2	9.5
第一产业增加值	亿元	0.24	−55.0
第二产业增加值	亿元	85.66	10.6
规模以上工业总产值	亿元	262.29	14.7
第三产业增加值	亿元	58.33	6.6
社会消费品零售总额	亿元	157.7	13.7
城镇居民可支配收入	元	28246	10.5
农民人均纯收入	元	16342	12.2

注:年末户籍人口及常住人口数据不含雒容镇、洛埠镇及阳和街道

数据采集工作于 2014 年 1 月 1 日启动,摸清鱼峰辖区第二、第三产业的家底,形成鱼峰辖区统一的空间地理信息系统。根据《鱼峰区第三次全国经济普查实施方案》,辖区 7 个办事处所辖 64 个社区(其中 3 个村委),159 个普查小区。针对入户登记和数据处理两项工作,鱼峰区成立综合组、宣传和后勤保障组、数据处理组,建立岗位责任制、普查工作报告、督查制和协调处理机制,分片包干,责任到人。全区 383 名(其中普查指导员 65 人,普查引导员 159 人、PDA 操作员 159 人)普查人员恪守普查"六条红线",严格按照《中华人民共和国统计法》及《全国经济普查条例》等法律法规的相关规定,首次通过电子数据采集终端(PDA),现场直接对普查对象进行空间定位,对工商登记、税务登记、组织机构代码等相关证照进行拍摄留底,同时录入相关普查数据共入户登记普查对象 16895 户,其中法人单位 2515 户,产业活动单位 781 户,个体经营户 13599 户。

【地区生产总值及其相关指标核算】 "地区生产总值绝对值和增速"指标是柳州市对城区绩效考评指标体系之一。按照 2014 年制定《关于加强鱼峰区地区生产总值核算工作的通知》等规章制度,切实加强对地区生产总值核算工作的组织领导,并按季对构成地区生产总值的细项指标及数据来源进行深入细致分析,确保全年各项目标任务的顺利完成。

"四上"企业及各项统计抽样调查 每月定期完成 30 户城乡一体化住户调查表的录入、审核、汇总上报工作。每月及时完成 81 家规模以上工业企业调查表的联网直报监控、数据汇总和整理工作。每月按时完成辖区 91 家限额以上批零住餐企业联网直报监控、数据汇总和整理工作,52 家限额以下批零住餐业的季度抽样调查表的收集、审核、录入、上报等工作。完成四个季度 26 家规模以上服务业季报工作,每季度对 14 家行政事业单位(综合汇总)开展调查工作。完成 2013 年私营企业城镇职工劳动工资抽样调查和文化及相关产业抽样调查工作。完成辖区长兴养猪场、羊角山奶牛场、游山养猪场等 3 家规模养殖户的禽畜调查指标的季报工作。

"四上"企业入库审批 2014 年,采取积极有效措施,协调上级业务部门,配合职能部门,加大规模以上工业企业和限额以上批零住餐企业等"四上"企业的清理力度,确保应统尽统。年内新增申报入库企业共 40 家,其中规模以上工业企业 6 家,限额以上批零住餐企业 20 家,规模以上服务业企业 14 家。

统计分析 2014 年利用统计调查所掌握的第一手材料,撰写统计分析、统计信息,为区委、区政府决策提供依据。全年共撰写 15 期《统计分析》、每月定期向提供《2014 年鱼峰区主要经济发展目标一览表》,并用电子政务网分发到政府领导及有关职能部门,使统计信息资源共享得到充分利用。 (黄小坚)

安全生产监督管理

【安全监督管理概况】 2014 年,区安全生产监督管理局机构配置工作人员 6 人,其中在职人员 4 名,聘用人员 2 名,具有行政执

9月11日，区安监局检查柳电电气股份有限公司的特种设备，指出安全隐患问题　　（李四中　摄）

法证人员2名。在柳州市柳石路394号(原羊角山镇政府)办公。2014年，以坚决防止和遏制较大事故的发生为目标，落实“党政同责，一岗双责”制度，强化安全生产“齐抓共管”，加大安全生产执法和“六打六治”工作力度，深化重点行业领域安全专项整治，切实开展安全隐患大排查工作，全面推进企业安全生产标准化达标建设和安全社区建设活动以及安全生产网格化监管，开展职业安全健康监管等基础性工作，推动企业安全文化建设，防范较大事故，减少一般事故和人员伤亡，保持鱼峰区区安全生产形势持续稳定好转态势。发生各类(不含火灾事故)安全生产事故16起，死亡8人。其中工矿商贸企业发生生产安全事故10起，死亡4人，同比下降20%。生产经营性道路交通事故6起，死亡4人。同比事故起数持平，未发生较大以上安全事故，安全生产形势保持稳定。

【安全层级责任】 2014年，继续推行安全生产工作目标责任制，明确安全生产责任，层层分解下达目标任务。在全区安全生产工作会暨区政府第一季度防范较大安全事故工作会议上，组织7个街道办事处、8个部门和82个规模以上企业(包含危险化学品生产企业、采石场)签订责任书共97份。区领导与50个企业主要负责人谈心对话，强调安全生产红线意识和以人为本的理念，推动企业落实主体责任。

【宣传培训】 2014年11月28日，召开2次大会宣传贯彻新的《中华人民共和国安全生产法》政府工作人员及辖区内各企业主要负责人及安全管理人员共500余人参加学习，印发宣传资料2000份。6月16日，柳州市安全生产委员会和鱼峰区人民政府在鱼峰公园大舞台联合举行全国第13个“安全生产月咨询日”活动，发放宣传资料共1万余份，现场服务达500多人次。

【打非治违专项行动】 2014年，重点监管企业124家，其中危险化学品生产企业3家，危险化学品储存企业5家，危险化学品经营企业58家，加油站18家，烟花爆竹长期经营点10家，临时经营点30家。全面检查原非煤山采区和有可能出现无证开采的地方，防止非法采矿死灰复燃。对危险化学品运输企业、涉及粉尘爆炸企业进行全面检查，听取企业开展打非治违专项行动汇报，要求各企业落实企业安全生产责任。取缔1处违法经营危险化学品，没收违法经营的汽油1100升，查处管道周边乱建、乱挖、乱钻及占压案件共计50件，临时查封单位4家，责令“三停”单位2家，责令限期整改通知书79份，责令停业20户。对烟花爆炸经营点进行排查，取缔安全距离不足、不符合颁证要求的烟花爆竹经经营点，关闭企业1家，收回12本烟花爆竹经营许可证，没收非法经营烟花爆竹案值2000元。

【隐患排查治理】 2014年，鱼峰区加大对安全事故隐患的整改力度，确定三级安全事故隐患整改

2014年鱼峰区事故调查和信访处理情况表

宗数(宗)	受伤人数(人)	死亡人数(人)	经济损失(万元)
16	8	8	404

项目245项。组织四个季度安全生产大检查,督促隐患整改,排查生产的危险化学品生产企业3家,加油站17家,危险化学品储存企业5家,剧毒品使用单位1家,危险化学品运输单位3家。检查3995家企业(单位),发现安全隐患4316处。完成隐患整改4316处。下发“现场检查记录”3995份,办理行政处罚案件12起,罚款22.15万元。开展打非治违专项行动开展以来,共出动人员3726人次,检查生产经营单位1613家,检查车辆57辆,发现安全隐患169处,整改153处。

【安全社区创建】 2014年,推动各街道开展校园安全等12个促进项目,全面启动创建全国(广西)安全社区活动,五里亭街道获“全国安全社区”称号,天马、荣军两个街道完成广西安全社区现场评审。年内,有2个街道办事处获全国安全社区称号,在自治区排列第一。

【安全生产达标活动】 全面开展辖区机械冶金行业安全标准化达标活动,邀请注册安全工程师分批为辖区企业开展三级安全生产标准创建工作的讲解,柳州佳力新电机有限公司、柳电电气有限公司通过二级安全标准化评审,23家规上企业通过三级安全标准化评审。推进职业危害整治工作和申报工作,500万元以上企业85%完成职业危害申报工作。100家涉及职业危害的企业完成了网上申报,27家企业完成了现场检测、告知和防护用品发放。

(韦敏思)

责任编辑:杨松柏

食品药品监督管理

【食品药品监督管理概况】 2014年1月—5月,鱼峰区食品药品监督管理职能主要由卫生局负责,共出动执法人员300余人次,检查食品经营者1000户。5月,鱼峰区成立食品药品监督管理局(简称区食药监管局),承担原区食品安全委员会办公室、卫生局、工商行政管理部门的食品药品安全监管职责。同时,成立鱼峰区食品药品监督管理稽查大队,按“一街道一所”原则,分别设7个食品药品监督管理所,形成“三级”机构监管体系。2014年,鱼峰区深化食品药品监管体制改革,开展餐饮服务示范单位建设,全国食品安全周、安全用药月等宣传活动及各项食品药品安全专项整治行动。年内,共举办了两期食品药品业务监管培训班,培训执法人员195人,受理投诉115件,查处案件19件,办理食品流通许可和餐饮服务许可756件,办结663件,办理酒类行政许可225件。开展食品安全专项行动14次,药品安全专项行动6次。

【食品药品监管系统体制改革】 2014年5月,鱼峰区成立食品药品监督管理局,局内设“一室三股”(办公室,行政审批药品股,医疗器械、保健食品、化妆品综合监管股,食品安全综合监管股),核定行政编制8个,实有7人。同时成立鱼峰区食品药品稽查大队,为区食药监局直属执法机构,增挂“食品药品安全投诉举报受理中心”牌子,大队设3个执法中队,分别为食品生产流通稽查中队,餐饮安全稽查中队,药品、医疗器械、保健食品和化妆品稽查中队。核定事业编制15个,实有5人。6月,按照“一街道一所”原则,设立天马、驾鹤、荣军、箭盘山、五里亭、白莲、麒麟7个食品药品监督管理所,为区食品药品稽查大队的派出机构,实行双重管理。各所核定事业编制3个,共21人,实有18人。按照自治区关于基层食品药品监管所“十个一”的标准配备执法设施设备,各食药监管所拥有独立的办公场所,配备执法车、快件设备、投诉电话、传真机、复印机、摄像机、照相机、打印机和电脑等硬件基本设施,建立并完善相关规章制度。

【食品安全委员会会议】 2014年10月20日,鱼峰区区食品安全工作会议召开。区食安委主任、副主任及食安委全体成员单位参加本次会议。会议通报了年度食品安全监管工作情况,并部署下阶段食品安全监管工作重点。

【行政审批事项】 6月1日在区行政服务中心设立办事窗口,承担食品流通、餐饮服务许可证的核发,以及科研和教学所需毒性药品购用审批、酒类备案等行政许可工作。为确保银泰城顺利开业,食药监管局8月到现场进行办公审批,共办理食品流通许可证及餐饮服务许可证共计80余本。2014年,审批股共受理食品

2014年12月17日，区食品药品监督管理局开展严厉打击冬季火锅餐饮食品非法添加“鹘鹰行动”。图为稽查人员在对餐饮单位的食品原料进行快速检测　　（区食品药品监督管理局　提供）

流通许可和餐饮服务许可总计756件，办结663件。

【小作坊登记备案】 建立鱼峰区食品生产加工小作坊的日常监管长效机制。9—11月，分别在白莲和天马街道举办了现场宣传讲解，通过展示宣传栏宣传板报、发放食品安全知识宣传册、海报、义诊等多种形式方式对备案工作进行宣传，普及小作坊整治备案的渠道、方法及备案工作的重要性和必要性。9月起对辖区内食品生产加工小作坊进行实地调查摸底，11月初步建立小作坊基本档案。对于符合《广西壮族自治区食品生产加工小作坊登记备案办法（试行）》中所规定条件的“管理规范、设施完备、安全卫生、环境优美”示范食堂的小作坊20家，予以备案；对卫生条件较差、食品安全隐患较大、不符合规定的，要求其限期整改，整改完成后予以备案。年内，不符合条件的7家，要求限期整改的7家，整改后完成备案。

【餐饮服务安全示范点建设】 8月1日，鱼峰区开展创建自治区级餐饮服务食品安全示范学校食堂活动，在康祺幼儿园设立食品安全示范学校食堂试点，对其食堂进行整改，完善卫生设施，改善卫生条件。11月30日，该试点被柳州市食品药品监督管理局评为市餐饮服务食品安全示范单位。12月30日，被评定为自治区餐饮服务食品安全示范学校食堂。

【食品安全专项整治】 2014年，区食药监局重点对城乡接合部、校园及其周边、集贸市场和集市周边进行整治，推动辖区小作坊备案工作，7月至12月底，先后开展中秋月饼市场、散装白酒、散装食用油、乳制品、桶（瓶）装饮用水、农村食品“四打击四规范”专项整治行动、夏秋季学校食堂食品安全大检查、“红枫行动”红酒市场专项整治、打击火锅餐饮食品非法添加“鹘鹰行动”、方便食品（螺蛳粉）质量安全等专项整治行动共计11次。在专项整治行动中共进行快速检测194次，对快检中14种呈阳性不合格样品进行送样检验，并全部立案处理。年内，共出动人员4612人次，检查各类食品餐饮经营户12852户次，检查批发市场、集贸市场等各类市场106个次，下达责令整改

2014年9月29日，区食品药品监督管理局开展“红枫行动”红酒市场专项整治行动中　　（区食品药品监督管理局　提供）

通知书260余份。2014年，立案20起，结案18起，撤案1起，罚没金额共计61437元。受理和处理消费者各类投诉举报115件，反馈率达100%，处理满意率达90%以上。11月27日—28日，由柳州市食品药品监督管理局主办，区食药监局承办的柳州市食品药品监管系统快速检测和稽查执法大比武活动在柳州市地质疗养院举办。内容分为笔试、实战2个项目。其中笔试内容涵盖食品、药品、化妆品、保健食品和医疗器械监管的主要法律法规，实战方面则包括快速检测项目和模拟执法办案。本次大比武共评出一等奖1名、二等奖2名、三等奖3名，鱼峰区代表队获一等奖。

2014年11月27日，在柳州市食品药品监管系统快速检测和稽查执法大比武活动中，鱼峰区食品药品监督局获一等奖。 （区食药监局 提供）

【药械、保健品、化妆品监督管理】2014年，开展药品生产经营企业、医疗机构、医疗器械、保健品、化妆品的日常监管和专项整治行动。年内出动执法人员549人次，车辆60台次，对辖区240家药品零售企业、20家定点医疗机构单位进行日常监管检查。9—10月，制定鱼峰区重点美容美发场所开展化妆品专项整治工作方案，对辖区12家重点美容美发场所经营单位进行检查，出动检查人员36人次。通过检查，发现部分企业还存在供货商资质证明文件过期未及时索取新证、人员监管不到位、供货商档案不齐等问题，依法对其监督完成整改。

（莫贤娴 杨雯静）

鱼峰区执法人员在检查国药控股国大药房广西连锁有限公司柳州文笔店 （莫贤娴 摄）

责任编辑：黎柳萍

人力资源 社会保障 民政

2014 年 6 月 23 日，自治区民政项目建设暨“五大改革”现场会在鱼峰区召开，图为与会人员参观鱼峰区养老机构 （老年人康乐园 提供）

人力资源社会保障

【人力资源概况】 2014年，鱼峰区有国家公务员（含参公单位，不含检察院和法院）413人，其年龄分布情况为：35岁及以下108人，占26.15%；36～45岁134人，占32.44%；46～54岁142人，占34.38%；55岁及以上共29人，占7.02%；其文化程度情况为：研究生学历以上35人，占8.47%；本科学历273人，占66.10%；大专学历98人，占23.72%；高中及以下学历7人，占1.70%。有事业单位人员316人（不含检察院、法院和各中小学校），其年龄分布情况为：35岁及以下111人，占35.12%；36～45岁108人，占34.17%；46～54岁74人，占23.41%；55岁及以上共23人，占7.30%；其文化程度情况为：研究生学历以上5人，占1.58%；本科学历130人，占41.13%；大专学历90人，占28.48%；高中及以下学历91人，占28.81%。

全年办理公务员（含参公）调动37人，其中调出鱼峰区1人，鱼峰区内调动14人，调入鱼峰区22人（公招调入17人，军转调入2人，鱼峰区外商调调入3人）。

【工资福利】 2014年鱼峰区全面启动事业单位绩效工资制度。完善中小学教师实施绩效工资相关办法，调整基层医疗卫生事业单位绩效发放办法。严格审批调整工资。按照自治区工资执行政策，完成2200多名机关事业单位人员工资晋级晋档审批工作。加强退休管理工作，为44名到龄人员办理退休手续，为42名申请办理提前退休手续人员办理提前退休手续。提升协政员工资待遇水平，规范全区合同聘用人员工资发放途径。根据区委常委会第九届第47号《会议纪要》，9月，为全区182名协政员调整并补发工资，共计32.45万元，为268名协管员调整并补发工资，共计39.38万元。

【劳动】

就业再就业工作 2014年鱼峰区城镇新增就业人员11158人（任务数10400人），完成率107.29%；城镇失业人员再就业3794人（任务数3300人），完成率114.97%；就业困难人员再就业人员1553人（任务数960人），完成率161.77%；城镇登记失业率控制在4.5%以内。落实就业援助，帮扶困难群体就业。举办“就业援助月”“春风行动”“民营企业周”和高校毕业生专场招聘会等专项就业援助活动，共发布352家企业用工信息，提供就业岗位10189个。组织和指导下岗失业人员、进城务工农民、高校毕业生开展技能培训工作，完成培训79人。区政府配套5万元，组织柳州农工商有限责任公司55名失地职工进行职业技能培训。

劳动保障监察、劳动合同管理 累计巡视用人单位203家，涉及劳动者4540人，接待劳动者咨询、投诉238人次，立案9件，结案9件，为19名劳动者追回被拖欠工资5.25万元。向市公安局鱼峰分局移送涉嫌拒不支付劳动报酬案件1件；协助市劳动监察支队处理在柳州市悦湾酒店有限公司、大美天第发生的劳资纠纷群体性事件2起，涉及拖欠工资金额230万元；协调处理在荣军医院康复健身馆工地、广西物勘院桂林一建工地发生的劳资纠纷突发事件2起，涉及拖欠工资金额12万元。签订集体合同及工资专项集体合同321份，涵盖企业2405家，职工42597人，完成率达95%。

劳动仲裁 成立基层劳动争

2014年2月22日，鱼峰区在柳石路394号举办2014年“春风行动”专场招聘会

（关树宗 摄）

议调解委员会65个，其中街道级劳动争议调解委员会7个、园区办劳动争议调解委员会1个，企业劳动争议调解委员会57个，基本实现基层全覆盖。

企业职工工资　推进工资集体协商制度建设，以新居房地产、众鑫餐饮、尔海房地产等5家示范单位为龙头，带动全区非公企业工资集体协商工作推进，扩大工作覆盖面。年内辖区内企业职工平均工资增长幅度为2%～10%。

【社会保险】

见本页表格。

2014年鱼峰区职工社会保险情况表

参保险种	参保人数(人)	征收基金(万元)
养老保险	78144	53933
失业保险	42035	5940
医疗保险	224851	25602
工伤保险	61285	1310
生育保险	48008	1725

2014年鱼峰区城乡居民社会养老保险情况表

16～59周岁		60周岁以上	
参保人数(人)	征收基金(万元)	发放人数(人)	发放基金(万元)
1657	56.61	2786	290.49

2014年鱼峰区城镇居民基本医疗保险情况表

人　员	参保人数(人)
普通人员	63543
学　生	57305

【企业退休人员社会化管理】　2014年，鱼峰区为23067名退休人员发放春节慰问金1153350元。对特困、困难、因患重病导致家庭困难的858名退休人员发放春节困难补助共计933800元。探望重病住院退休人员245人，报销重病住院探视费12250元。在重阳节前夕，开展辖区4300多名社会化管理企业退休人员“游柳州活动”，《柳州日报》等媒体进行采访报道。

2014年9月25日，鱼峰区组织开展社会化管理企业退休人员“游柳州”活动

（毕志斌　摄）

【企业军转干部服务】　2014年，鱼峰区为辖区内1058人次企业军队转业干部发放生活困难补助4505787元；春节慰问困难企业军转干部378人，发放慰问金189000元；向375名企业军转干部发放八一节慰问金187500元；组织172名企业退休军队转业干部到柳州市工人医院免费体检；为12名企业军转干部缴纳医疗保险费23641元。全年鱼峰区军转干部无赴邕进京上访事件。　（兰　静）

民　政

【民政事业概况】　2014年，鱼峰区稳步推进辖区行政区域管理、村(居)委会组织建设、优抚安置、社会救济、社会福利、双拥(拥军优属、拥政爱民)、婚姻管理、社区服务、民间组织管理、收养及民俗殡葬改革等各项工作，取得较好成效。4月，区民政局被国家民政部授予“全国4A级婚姻登记机关”称号；莲花社区、桃源社区评为“全国综合减灾示范社区”和“自治区综合减灾示范社区”，荣新社区、南山社区评为“自治区综

2014 年 7 月 23 日，鱼峰区召开 2014 年村（社区）“两委”换届选举工作动员会暨业务培训会　（桑　健　摄）

合减灾示范社区”。

【社区区划调整】 针对少数社区管理居民少，资源缺乏等问题，2014 年初，区民政局对社区区划、人员情况进行摸底调查，并提出《鱼峰区社区区划及人员设置调整方案》，将 61 个社区整合为 54 个社区。对撤并社区的工作人员进行了分流，调整后的社区区划更为合理，有效整合社区资源。

【社区换届】 2014 年 4 月至 9 月，鱼峰区完成村（社区）“两委”换届选举工作。共选出社区居委会主任 54 名，副主任 108 名，委员 236 名，村委会主任 3 名，副主任 3 名，委员 9 名。54 个社区共有选民 23.5 万人，登记选民 15.8 万人，选民登记率 67.2%；参与投票 14.5 万人，投票率 91.8%。共选出社区居民委员会成员 398 人。其中大专以上文化程度 358 人，占 89.9%，35 岁以下青年 146 人，占 36.72%。

【社区惠民项目】 2014 年 6 月 10 日，柳州市下发《关于印发〈柳州市社区惠民项目资金使用管理办法（试行）〉的通知》。随后，中共鱼峰区委办公室、区政府办公室印发《鱼峰区社区惠民项目资金使用管理细则》通知，成立社区惠民资金使用管理领导小组。8 月 1 日市财政下拨 61 个社区惠民项目配套资金 152.5 万元，区财政补贴配套资金 152.5 万元。9 月，各社区完成社区惠民资金项目申报工作。12 月，区政府审批社区惠民资金项目 119 个。12 月 10 日，区政府印发《关于批准乐群路南段小街巷路面硬化等 84 项社区惠民项目立项的通知》，全区惠民项目的实施工作全面展开。

【基层政权】 2014 年，鱼峰区对社区（村）工作人员进行全员培训，共分 10 期历时 7 个月，受训人员达 1047 人。培训结合社区、村的工作实际，开设坚持群众路线“传家宝”、提高危机处理、公文写作、公务礼仪、城市社区管理等课程。提高了费随事转的工作经费标准，印发《关于调整“列入社区‘费随事转’其他事项”的费用支付标准及“费随事转”经费使用办法的通知》，全年通过“费随事转”下拨工作经费 237.57 万元。将 61 个社区整合为 54 个社区，对撤并社区的工作人员进行分流。根据《鱼峰区 2013 年社区办公用房推进计划》，实施社区办公用房购买、租赁、装修等工作，投入 275.4 万元改善洛维、景中苑、柳依等 13 个社区办公条件。

2014 年 3 月 3 日，鱼峰区召开社区办公经费座谈会　（戴素洁　摄）

【社会救助】 2014年鱼峰区有城市低保户1579户2794人，农村低保户14户24人。全年发放城市低保金1387.91万元，农村低保金7.03万元。为3174名低保对象购买团体人生意外伤害综合保险4.76万元。发放城乡医疗救助金1169人次207.74万元。鱼峰区作为柳州市开展为困难群众送医送药试点单位，充分发挥社区医疗卫生服务中心作用，与辖区社区医疗服务中心签订协议，对辖区困难群众中年老体弱长期患病、行动不便的开展送医送药活动，累计为困难群众79人次送去价值4.39万元的医药。为173人次发放临时生活救助资金11.03万元。探索开展“救急难”试点工作，建立社会救助部门联席会议制度，设立“一门受理”社会救助窗口，试行“一门受理，协同办理”的工作机制。

【救灾救济】 2004年，鱼峰区向辖区困难群众发放棉被451床，棉衣303件，毛衣裤421件等物资，受益群众1044人次。购买救济粮2340公斤发放给辖区灾民，救助困难群众52人次。辖区发生2起居民火灾，民政部门紧急调各种拨救灾物资，救助26户56人。

【社会福利】 按照《鱼峰区养老服务体系建设规划(2011—2015年)》和《鱼峰区2014年关于加快社会养老服务体系建设实施方案》的要求，鱼峰区2014年新建11个居家养老服务站(柳依社区、惠龙社区、银柳社区、红锋社区、天湖社区、江滨社区、嘉汇社区、天和社区、元江社区、凤起社区、民泰社区)，8个老年活动中心(东环社区、华林社区、乘龙社区、蟠龙社区、元江社区、双龙社区、凤起社区、洛维社区)，1个农村社区居家养老服务站(驾鹤村委)，2个日间照料中心(柳州市老人康乐园、元江社区)。截止12月，居家养老服务站点、老年活动中心和日间照料中心项目建设及各项设施设备安装调试完毕，已投入使用。根据《广西壮族自治区民政厅办公室关于印发2013—2015年全区实施农村幸福院建设工作方案的通知》(桂民办发〔2013〕39号)、《柳州市民政局关于印发全市实施农村幸福院建设工作方案的通知》(柳民 发2013〔75〕 号)、《2014—2015年鱼峰区实施农村幸福院建设工作方案》文件要求，鱼峰区在2014年建设1个农村幸福养老院。经调查摸底，确定鱼峰区老人康乐园为驾鹤村农村幸福院项目点。项目建设包括文体活动室、网络室、心理辅导室、阅览室、餐厅，投入资金8.7万元。11月，项目建设完成，已投入使用。

【公益慈善】 2014年，鱼峰区进一步完善“爱心慈善超市”管理制度，拓展“爱心慈善超市”服务领域，加大对社区贫困家庭、弱势群体的帮扶，在市民政局支持下，在鱼峰区原有7个爱心慈善超市的基础上新增茅山、羊角山2个“爱心慈善超市”。全年为3339户发放慈善超市领物券3339张，发放救助物资价值16.7万元。

【优抚安置】 2014年，鱼峰区落实上级政策和文件精神，按时足额给辖区优抚对象发放定补金、参战人员生活补助金、残疾军人抚恤金。为辖区优抚对象发放定补金169.5万元、抚恤金100.3万元、医疗补助26.5万元。发放退役士兵安置费101.3万元。

【第二次全国地名普查动员】 2014年12月8日，鱼峰区召开第二次全国地名普查工作动员

2014年4月29日，自治区民政厅社会福利和慈善事业处在鱼峰区狮山社区爱心慈善超市调研 (狮山社区　提供)

大会，印发《鱼峰区人民政府关于在全区开展第二次全国地名普查的方案》，区民政局对第二次全国地名普查工作的背景，前期准备，普查的范围、任务和内容，时间安排、方法及步骤等方面作了说明。

2014年12月8日，鱼峰区召开第二次全国地名普查动员会

（戴素洁　摄）

【社团登记】 2014年鱼峰区有社团11个，民办非企业单位52个。3月，开展2013年度社会组织年检工作，对社团及民办非企业进行年检，年检率90.7%，年检合格率100%。年内，社团登记9个，民办非企业登记4个。

2014年鱼峰区社会团体登记情况表

社团名称	业务主管部门	登记日期	社团性质
柳州市鱼峰区莲花社区基层老年协会	鱼峰区老龄办	2014.9.10	社团组织
柳州市鱼峰区龙擎苑社区基层老年协会	鱼峰区老龄办	2014.9.10	社团组织
柳州市鱼峰区云屏社区基层老年协会	鱼峰区老龄办	2014.9.10	社团组织
柳州市鱼峰区驾鹤村委社区基层老年协会	鱼峰区老龄办	2014.9.10	社团组织
柳州市鱼峰区鱼峰社区基层老年协会	鱼峰区老龄办	2014.9.10	社团组织
柳州市鱼峰区天山社区基层老年协会	鱼峰区老龄办	2014.9.10	社团组织
柳州市鱼峰区水南村委社区基层老年协会	鱼峰区老龄办	2014.9.10	社团组织
柳州市鱼峰区白云社区基层老年协会	鱼峰区老龄办	2014.9.10	社团组织
柳州市鱼峰区双龙社区基层老年协会	鱼峰区老龄办	2014.9.10	社团组织

（戴素洁）

责任编辑：兰海宁

教育 科技

岩村路小学教学楼 （区教育局 提供）

教　育

【教育事业概况】 2014年，鱼峰区教育局机构设置办公室、教管办、教研室、校安办、资助办，区政府教育督导室在教育局挂牌办公。2014年有行政编制6名，实有5人。本科及以上学历5人。鱼峰区教育系统党工委管理中小学党总支（支部）20个，党员841人。区教研室为区教育局二层机构，是由财政全额拨款的事业单位，编制总额12名，实有专业技术人员12人。教研室不设管理岗位，主任及副主任由专业技术人员兼任。有副高级职称7人（其中已聘任4人，未聘任3人），中级职称4人，初级职称1人。

鱼峰区管理小学22所（其中民办8所），班级422个（其中民办学校71个班），学生人数21603人（其中民办学校学生3119人），平均班额约为51人。初中8所（其中九年一贯制学校2所、民办1所），班级187个班（其中民办6个班），学生人数10794人（其中民办校学生353人），平均班额约为58人。民办特殊教育学校1所，班级3个，学生52人，教职工10人。

中小学在职教职工1415人（其中公办学校在编教职工1370人）。小学有公办教职工734人，其中专任教师697人，小学师生比为1∶22.79；初中有教职工681人，其中专任教师629人，初中师生比1∶18.35。民办中小学教职工138人，专任教师102人。

民办幼儿园49所，363个班级，在园幼儿10508人，其中在园幼儿9953人，小学附设学前班555人。教职工1168人，专任教师643人。

公办小学占地面积为194817平方米，生均用地面积约11.96平方米；校舍面积102156平方米，生均校舍面积约6.27平方米。公办初中占地面积为264814平方米，生均用地面积约20.95平方米；校舍面积96575平方米，生均校舍面积约5.93平方米。

义务教育普及程度：小学学龄儿童入学率100%，初中毛入学率100%，小学生初中生辍学率为0，小学毕业生升学率100%，初中毕业生义务教育巩固率达到107.8%。学前教育普及程度：学前三年入园率为129.4%，学前两年入学率为147.0%，学前一年入园率为192.7%。

年内，辖区柳东新区有公办中学3所（含九年一贯制学校1所），43个教学班，1744名学生，208名教职工；公办小学14所，137个教学班，5905名学生，教职工337名；民办幼儿园15所，86个教学班，幼儿2396名，教职工233名。学校由柳东新区文教办管理。阳和工业新区有公办初中1所，19个教学班教，1015名，71名教职工；小学3所（其中民办小学1所），63个教学班，3050名学生，143名教职工；民办幼儿园18所，99个教学班，幼儿2543名，教职工278名。学校由阳和工业新区社会事务管理局管理。

辖区年内有公办高中2所，柳州市第一中学和柳州市民族高中；中专、技校4所，分别是广西商业学校、广西美术工艺美术学校、广西机械高级技工学校、柳州市技工学校；2所大专院校分校区，分别是广西科技大学（柳石校区、箭盘校区），柳州职业技术学院（主校区和南校区）。原柳州城市职业学院（南校区）迁至柳东新区职教园，2009年开始搬迁，2013年底搬迁完毕。

年内二十中扩建一期工程竣工，新建马鞍山幼儿园竣工，东环幼儿园进入主体施工。筹办桂柳路中学、桂柳路小学、荣军路小学等3所公办新建学校。

【教育综合改革】 4月14日，召开鱼峰区教育发展大会。区委、区人民政府出台《关于深化教育领域综合改革加快推进教育发展的决定》《鱼峰区加快教育发展总体方案》《鱼峰区人民政府关于加强教师队伍建设的意见》《鱼峰区人民政府关于实施“梯级名师”队伍建设的工作方案》等4个政策文件，实施学前教育发展、义务教育均衡发展学校基本建设、教师队伍强质增量、教育信息化建设、家庭经济困难学生资助五大工程，推进鱼峰区创建“广西壮族自治区义务教育发展基本均衡区（县、市）”工作。7月，鱼峰区被批准为自治区首批学区制管理改革试点城区；11月，出台《鱼峰区义务教育学区制管理改革试点方案》。划分三个“大学区”：八中大学区含八中、二十中、羊角山中学、东环路小学、箭盘山小学；十三中大学区含十三中、十四中、羊角山小学、柳石二小、柳石小学；二十四中大学区含二十四中、二十四中附小、阳和小学、燎原路小学。探索学区制管理模式，探索中小学教育衔接方法，推动义务教育优质均衡发展；11月，制定《鱼峰区民办教育扶持方案》，决定投入150万元，通过教育教学设备投入、教师培训、进城务工人员随迁子女入学券的发放、互派教师跟班学习等形式，帮助民办学校改善办学环境，提高教师业务素质和教育管理水平。

5月29日，鱼峰区四家班子领导到辖区幼儿园、中小学校进行六一节慰问（区委宣传部　提供）

【学前教育】 有办学许可证幼儿园49所，均属社会力量举办的幼儿园。其中有16所为普惠性幼儿园。幼儿园一般为三年制，部分幼儿园开设学前班。

实行以奖代补，加快发展学前教育。制定《鱼峰区学前教育三年行动计划(2014—2016年)》，下达2013年学前教育奖补类项目专项资金292.07万元，其中扶持普惠性民办幼儿园及接收进城务工农民工子女的幼儿园130.85万元；扶持城市学前教育发展奖补资金161.22万元，用于新建的马鞍山幼儿园配置教学仪器设备。下拨2013年市财政以奖代补普惠性民办幼儿园奖补资金58万元。

2014年，鱼峰区马鞍山幼儿园竣工。位于乐群路124号(原市马鞍山小学校址)，占地面积3047平方米。2012年5月由市政府投资1447.22万元新建。主要建设2栋幼教综合楼及其附属设施，建筑面积2691平方米，设计容量为10个班。是鱼峰区首家公建民营模式办学的幼儿园。

该园按照公办幼儿园的标准配置教学仪器设备，设有舞蹈室、音乐室、图书室、保健室、DIY美劳室等多功能室。按照柳州市普惠性幼儿园收费标准收费，2015年春学期幼儿保教费为每人每月450元。

该园按照公办幼儿园标准配置教师和保育员，有教职工33名，其中专职教师16名，均为学前教育专业毕业，持有“教师资格证”，一半以上教师拥有丰富的教学经验；保育员、保安人员经过严格的岗前培训，持有保安上岗证。

2014年鱼峰区幼儿园基本情况表

幼儿园名称	地　址	创办时间	校园占地面积(平方米)	校舍面积(平方米)	班级数	学生数	教职工数	备注
东风幼儿园	屏山大道286号	1958	4505	3270	13	462	48	民办
花仙子幼儿园	大桥园艺场龙珠小区内	2012.5	450	410	5	130	10	民办
天天乐幼儿园	九头山燎原新村3-1	1998	160	645	4	77	9	民办
苑源幼儿园	柳石路五里亭388-22号	1996	520	287	4	64	8	民办
华庭苑童芯幼儿园	白云路2号	2012.9	653	370	4	140	17	民办
大桥幼儿园	柳石路大桥一台区2号	1997.9	1500	700	5	121	10	民办
西江双龙苑幼儿园	西江路7号双龙苑二区	2005.12	1280	1603	6	178	22	民办
育才幼儿园	荣军一区33号	1999	426	888	10	263	17	民办

续表 1

幼儿园名称	地　址	创办时间	校园占地面积(平方米)	校舍面积(平方米)	班级数	学生数	教职工数	备注
小蒋幼儿园	洛维园艺场场部	2002	900	415	4	100	11	民办
双龙蓝天幼儿园	东环路东一巷南区 49 号	2001	500	939	9	235	23	民办
屏山花苑幼儿园	屏山大道 314 号	1996	450	290	0	0	1	民办
龙星幼儿园	水南路 213 号	1998	3000	1300	9	263	22	民办
海星幼儿园(北)	荣军路 158 号	1988	1500	1390	9	280	35	民办
海星幼儿园(南)	荣军路 168 号	1988	5000	2630	12	404	46	民办
康康幼儿园	屏山大道北二巷 9 号	1998.3	475	472	4	70	8	民办
康宝幼儿园	东环路 47 号	2001	1320	760	13	355	36	民办
欣欣幼儿园	西江路 22-18 号	2002	2000	622	11	368	33	民办
迪米亚中心幼儿园	蝴蝶山路 58 号阳光花园小区内	2005	1750	1300	9	278	35	民办
依山幼儿园	柳石路 57 号	2005	660	660	9	3294	25	民办
西江造船厂幼儿园	东环路 4 号	1971	4060	2318	12	420	45	民办
丽都音乐幼儿园	屏山大道 318 号	2005	950	683	5	153	18	民办
伟才幼儿园	东环路西一巷 6 号	2005	1241	831	5	107	20	民办
智慧树幼儿园	羊角山路鸡喇五队	2006.8	1700	1010	9	361	25	民办
新华庭汇佳幼儿园	鱼峰区白云路 9 号	2006	1300	735	7	155	28	民办
东城启迪幼儿园	柳东路 220 号	2006	822	1230	8	217	25	民办
岩村幼儿园	岩村路 41 号	1998	200	550	4	110	11	民办
白莲基地幼儿园	柳石路 470 号	2009.1	1500	700	5	121	121	民办
宝莲新都双语艺术幼儿园	柳石路 171 号	2007.8	1700	1160	6	122	18	民办
金太阳艺术幼儿园	箭盘路 8 号	2003	750	755	7	195	19	民办
华林外国语实验幼儿园	东环大道 101 号华林君邸	2009	870	1469	4	80	18	民办
心园托幼中心	鸡喇路 16 号	2005.10	4236	3349	16	606	58	民办
鸿泰名城幼儿园	荣军路 246 号鸿泰名城小区	2006.3	1200	940	4	107	14	民办
鸿泰名都幼儿园	箭盘路 32 号	2004	800	850	5	123	17	民办
小红帽长虹世纪幼儿园	屏山大道 278 号	2009.9	1636	660	7	227	27	民办
京师双语实验南亚幼儿园	文昌路 3 号南亚名邸小区旁	2011.9	2020	2637	12	260	48	民办
金鹰国际幼儿园	鸡喇路 5 号	2012	2800	1664	6	170	20	民办
白云雅居幼儿园	荣新路 20 号白云雅居小区	2010	1160	1160	8	226	30	民办
屏山幼儿园	屏山大道 270 号屏山小区内	2011.11	1000	709	7	195	24	民办
箭盘山幼儿园	白云路东一巷 28 号	2013.8	1200	1080	3	96	9	民办

续表 2

幼儿园名称	地 址	创办时间	校园占地面积（平方米）	校舍面积（平方米）	班级数	学生数	教职工数	备注
青少年宫幼儿园	乐群路 131-1 号	2011.2	750	1505	5	142	19	民办
华达欧亚幼儿园	箭盘路 26 号华达苑内	2012.7	1560	900	7	153	24	民办
鸿泰名庭幼儿园	龙泉路 2 号鸿泰名庭小区	2013.7	280	1030	5	104	17	民办
凤起新都幼儿园	西江路 66 号凤起新都小区内	2013.10	26346	1475	68	262	39	民办
康祺幼儿园	燎原路白云小区中心村 1 号	1995 2013.12	4000	3094	12	363	59	民办
青苹果双语幼儿园	柳石路 255 号桥园小区内	2013.6	4100	1235	7	160	21	民办
城南首座幼儿园	柳石路 414 号	2013.6	3999	3090	12	363	59	民办
开关厂宝宝乐幼儿园	柳石路开关厂内	2013.6	715	1269	4	137	15	民办
乐乐幼儿园	屏山大道北二巷 24 号	1999.3	300	270	4	70	7	民办
欢乐幼儿园	鸡喇街 121-1 号	1998	600	463	4	66	6	民办
马鞍山幼儿园	乐群路 124 号 （原市马鞍山小学校址）	2014 年 （筹设）	3047	2691	7	200	33	公建民办

【小学教育】 小学招生采用秋季招生制度。鱼峰区各小学根据《中华人民共和国义务教育法》和自治区《实施义务教育法办法》的规定，凡年满 6 周岁的适龄儿童，依据“分区划片、相对就近、适当规模、免试入学”的原则，以学生父母或法定监护人的户口地址就近免试入学。按柳州市的规定，在有学位的情况下，安排符合条件的进城务工人员随迁子女适龄儿童就近免试入学，直至完成招生计划。2014 年辖区适龄儿童入学率达 100%。

2014 年鱼峰区小学基本情况表

学校名称	地 址	创办时间	校园占地面积（平方米）	校舍面积（平方米）	班级数	学生数	教职工数	备注
驾鹤路小学	荣军路 73 号	1958	23159	17732	36	1812	104	公办
箭盘山小学	屏山大道 310 号	1963	18173	9098	41	2186	104	公办
东环路小学	东环路 67 号跑团路	1984	20671.1	15495	39	2037	100	公办
岩村路小学	岩村路 224 号	1962	13151	7551	24	1202	51	公办
羊角山小学	羊角山路 1 号	1952.12	26589	4508	27	1398	71	公办
白云小学	燎原路 21 号（白云小区内）	1993.9	7611	6506	22	1201	37	公办
燎原路小学	燎原路 10 号	1975	6455	6324	18	986	45	公办
水南路小学	水南路 243 号	1960	3235	2526	12	631	24	公办
柳东路小学	柳东路 95 号	1958	16409	12879	13	631	35	公办
柳石路小学	柳石路 33 号	1964.7	12700	4977	16	810	29	公办
柳石路第二小学	柳石路 143 号	1989.7	8214	4544	23	1247	53	公办

续表

学校名称	地　址	创办时间	校园占地面积(平方米)	校舍面积(平方米)	班级数	学生数	教职工数	备注
柳石路第三小学	洛维路 59 号	1950	11883	6978	23	1199	49	公办
社湾中心校	阳和大道社湾村内	1941	8676	1175	9	464	16	公办
阳和小学	阳和村阳和小学	1941	17891	1863	10	483	16	公办
二十四中附小	鸡喇路 8 号	1944			24	1455	58	公办
二十五中附小	屏山大道 335 号	1959			14	742	28	公办
培智小学	羊角山路鸡喇村五队	1997.9	2500	750	8	333	16	民办
华荣小学	荣军路一区 279 号	1992.9	2060	543	6	275	11	民办
莲花村小学	柳石路宝莲新都	2001	3000	1232	9	447	14	民办
驾鹤村小学	荣军路一区 151-1	1999.9	2800	1200	13	560	26	民办
环龙小学	东环路东一巷南区 23 号	2000.1	840	400	8	321	12	民办
新鸡喇小学	九头山路 8 号	1995	3660	2550	11	518	22	民办
新新小学	大桥园艺场苗圃村 122 号	1999.9	1700	910	6	188	10	民办
东风小学	东环路东一巷南区 9 号	1999	1110	1360	10	477	14	民办

【初级中学教育】 初中招生采用秋季招生制度。各中学根据《中华人民共和国义务教育法》规定，凡户口在城区内的小学毕业生就近升入初中。在有学位的情况下，按柳州市的规定，安排进城务工人员随迁子女中的小学毕业生就近升入初中。2014 年，鱼峰区小学升初中率为 100%。

2014 年鱼峰区中学基本情况表

学校名称	地　址	创办时间	校园占地面积(平方米)	校舍面积(平方米)	班级数	学生数	教职工数	备注
市八中	屏山大道 385 号	1963.9	67925	26642	64	4071	218	公办
市十三中	羊角山路 4 号	1964	30902	14039	28	1671	113	公办
市十四中	岩村路 226 号	1974	38419.73	9799	16	820	46	公办
市二十中(八中南校区)	柳石路 450 号	1964	63041	9931	19	923	36	公办
市二十四中	鸡喇路 8 号	1944	46256	17754	24	1408	82	公办
市二十五中	屏山大道 335 号	1959 年	8514	10204	17	944	59	公办
市羊角山中学	九头山路 13 号	1989.12	9757	8206	13	604	41	公办
市真晖中学	柳石路宝莲新都	1993.9	1634	1603	6	353	14	民办

【课程管理】 中小学课程试行国家、地方、学校三级管理。在严格执行《广西九年义务教育课程计划》的基础上，结合校本课程制定课程计划。

广西九年义务教育课程计划

课程		周课时＼年级	一	二	三	四	五	六	七	八	九	课时合计：1～6年级课时合计	课时合计：7～9年级课时合计	课时合计：九年课合计
课程门类		思想品德与生活	2	2								140		696
		思想品德与社会			2	2	2	2				280		
		思想品德							3	3	3		276	
		语文	6	6	6	6	6	6	6	6	6	1260	618	1878
		数学	4	4	4	4	4	4	4	4	4	840	412	1252
		外语			2	2	2	2	2	2	2	280	206	186
	历史与社会	历史与社会							4	3	2		311	311
		历史							2	2	2		206	
		地理							2	1			105	
	科学	科学			3	3	3	3	2	3	5		420	760
		物理								1	2		101	
		化学									3		99	
		生物							2	2				
		体育与健康	3	3	3	3	3	3	3	3	3	630	309	939
		艺术（音乐、美术）	3	3	3	3	3	3	3	3	3	630	309	939
	综合实践活动	探究性学习			1	1	1	1	1	1	1	140	103	243
		信息技术			1	1	1	1	2	2	1	140	173	313
		综合学习与实践	2	2	2	2	2	2	1	1		420	103	533
		地方与学校课程	6	6	3	3	3	3	3	3	4	840	342	1182
周学科时			26	26	30	30	30	30	34	34	34	6020	3502	9522
晨会（夕会）			每天10分钟											
周活动课时		班团队活动	1	1	1	1	1	1	1	1	1	210	103	313
		科技文体活动	4	4	2	2	2	2	1	1	1	560	103	663
周课时总计			31	31	33	33	33	33	36	36	36	6790	3708	10498

备注：1.九年总课时按每学年35周上课时间计算，初中三年级全学年上课时间为33周。2.学校在选择分科与综合相结合的课程时，如选择分科，则按分科课时上课，音乐、美术课时各占九年艺术总课时的50%。

【责任区督学】 2014年鱼峰区实行责任区督学挂牌制度。基本职责是：对学校依法依规办学进行监督；对学校管理和教育教学进行指导；受理、核实相关举报和投诉；发现问题并督促学校整改；向教育督导部门报告情况，并向政府有关部门提出意见。责任区督学重点督导事项：中小学校校务管理和制度执行情况；招生、收费、择校情况；课程开设和课堂教学情况；学生学习、体育锻炼和课业负担情况；教师师德和专业发展情况；校园及周边安全情况、学生交通安全情况；食堂、食品、饮水及宿舍卫生情况；校风、教风、学风建设等情况。

鱼峰区督学责任区分组安排表

大组长	组　别	小组长	责任督学	责任学校	
张伟锋 兰海宁	第一小组	岑　思	杨　晞　黄　健	十四中	二十五中及附小
			肖　珣　叶　伟	八中二十中	羊角山中学
			吴　沛　罗卫国	十三中	二十四中及附小
	第二小组	张惠英	容丽君　陈正华	岩村路小学	柳石三小
			余容业　何跃庆	柳石一小	白云小学
			蒋雪蓉　刘秀斌	阳和小学	社湾小学
	第三小组	项　飞	曾　增　樊小金	羊角山小学	柳石二小
			陈　曦　季　宏	箭盘山小学	燎原路小学
			陆劭桓　张月华	驾鹤路小学	水南路小学
	第四小组		黄莉棋　彭敏莉　刘建庆	东环路小学	柳东路小学

【教育经费】 2014年，鱼峰区教育经费总收入22639万元，比上年增加2572万元，增长12.82%。其中财政拨款收入22639万元，比上年增加2572万元，增长12.82%。教育经费总支出22639万元，比上年增加2572万元，增长12.82%。其中财政拨款支出22639万元。总支出中，人员经费支出12941.58万元，生均公用经费支出2729.33万元，基础设施建设支出2255万元，信息化实验区建设支出1257.51万元，教师培训支出114.29万元。

2014年6月12日，柳州市八中学南校区暨柳州高中衔接教育实验基地揭牌　（区委宣传部　提供）

【教育基本建设】 2014年区本级财政教育费附加投资约500万元，为15所中小学校进行校舍及校园基础设施维修改造，已竣工验收。正在建设的义务教育均衡发展三年攻坚建设项目，包括新建、改扩建扩容项目共16个，总投入资金量约为3.03亿元，其中12个项目为扩容项目，新建3所中小学，扩建1所小学。完成马鞍山幼儿园建设，并以公建民营的形式于2015年春学期招生。东环路幼儿园开工建设。二十中扩建工程一期投资4666.93万元已竣工并投入使用，八中南校区办学正式启动。

【教师队伍建设】 以师资培训为重点，开展多元培训，促进教师的专业发展。2014年从区本级财政安排100万元开展教师培训。开展“鱼峰教育在我心中”、交互电子白板运用等全员通识培训；组建鱼峰区生本教育联盟校，开展系列“特色课堂和生本教育”主题培训；实施校长素质提升工程，选派23名校级领导分别到上海6所中小学跟岗挂职学习，组织34名校级领导到广州参加生本教育研修班学习。以梯队名师争创为亮点，组建骨干团队，示范引领

4月29日，鱼峰区“攀登英语和常规英语有效整合的研究”课题活动，驾鹤路小学梅羽茜老师上课　　（驾鹤路小学　提供）

打造优质师资。区本级财政安排100万元用于建立“梯级教师”培养激励机制。首次认定包括“鱼峰教育新秀，鱼峰教育骨干，鱼峰教育能手，鱼峰教育标兵，鱼峰教育首席，鱼峰教育名家”六个等级的493名“梯级名师”。配套制定梯级名师培训计划，分批派出梯级名师赴发达地区特级教师工作坊跟岗挂职培训，到广州、上海、江苏、重庆等地开展学习交流活动，同时通过教研联动、学术沙龙、赛教课、送教下乡等形式，示范引领打造梯级名师队伍。

2014年鱼峰区学校教职工基本情况表

项　　目	合计	普通中学	小学	幼儿园	特殊学校
一、教职工人数合计	2731	611 (695)	942 (858)	1168	10
1. 专任老师	2086	556 (640)	883 (799)	643	4
其中：大学本科毕业及以上	1006	504	441	61	0
大学专科毕业	853	50	385	414	4
高中阶段毕业	218	2	57	159	0
高中阶段毕业以下	9	0	0	9	0
2. 行政人员（园长）	152	22	50	78	2
3. 教辅人员（保育员）	292	18	3	271	0
4. 工勤人员（其他人员））	168	15	6	143	4
5. 校办厂场职工	0	0	0	0	0
6. 保健医生	33	0	0	33	0
二、代课老师	0	0	0	0	0
三、兼任教师	10	0	8	2	0

注：此表一贯制学校初中小学教师分开统计，括号数据为一贯制学校附小老师统计在初中学校教职工人数所得。

【教育教学成果】 2014年鱼峰区中考质量保持全市前列。十四中拉拉操队获得2014年拉拉操世锦赛国际公开组青少年混合街舞国家杯第二名。东环路小学鼓号队参加少先队鼓号大赛荣获自治区特等奖、全国最佳精神风貌奖；八中邹显慧老师参加全国主题班会荣获一等奖；东环路小学宋媇老师获得2014年全国青年教师阅读教学大赛一等奖；羊角山小学覃虹瑜老师获得“2014年新媒体新技术教学应用研讨会暨第七届全国中小学互动课堂教学实观摩活动”国家级一等奖；箭盘山小学、东环路小学有4名教师获得“中华传统美德教育”优质课现场说课竞赛一等奖；岩村路小学、箭盘山小学分别获得全国新技术支持下的个性化学习应用成果现场展示一等奖；羊角山中学的韦和苗老师荣获“2014年新媒体新技术教学应用研讨会暨第七届全国中小学互动课堂教学实践观摩活动”教学课评比一等奖、现场说课一等奖。全年共有近百名教师在各级各类赛课中获奖。

【助学活动】 共有234名中小学城市低保家庭学生获得减免课本费，合计133654.83元。实施农村义务教育学校营养改善扩面工程，受惠学生946人。发放春雨助学基金，218人受惠。投入150万，帮助民办学校改善办学环境，提高教育管理水平及提升教师业务素质。公办中小学和民办学校开展“一对一”结对共建。开展针对辖区贫困大学生的“生源地信用助学贷款”工作，获得信用助学贷款人数504人。

【学校选介】

品牌扩张——柳州市第八中学

柳州八中建于1963年，是一所有着50多年悠久历史的公办学校，占地面积67925平方米，校舍总面积为21460平方米。学校位于交通便利的屏山大道东端。学校原为完全中学，规模较大，1999年，高初中分离，建成纯初中学校。班级由建校初的8个班发展到今天的64个班，在校学生4000多人，教师215人，专任教师198人，研究生学历6人，本科学历191人；其中中学高级教师66人，中学一级教师71人。随着办学规模不断扩大，办学水平不断提升，学校已成为社会各界眼中“校风优良、学生青睐、家长信赖、社会赞誉”的精品学校，“低进高出，高进优出”已成为该校的一张名片。

柳州八中南校区原身为柳州市第二十中学，2004年6月完成扩建并划归市八中管理。位于柳石路450号，始建于1964年，时为市园艺场大桥中学，隶属市农场局。1984年9月1日由柳州市政府接收，更名为柳州市第二十中学，2002年下放鱼峰区管理。2010年6月，市政府为完善教育资源布局，决定扩建市二十中。项目总用地面积63042.61平方米（约94.56亩），项目总投资5909万元。一期工程完成投资4880万元，新增建筑面积20870平方米，主要有教学楼、体育馆、运动场、实验楼、电子备课室、多媒体室、各种功能室以及学生食堂和宿舍等，设计办学规模30各班，在校学生1500人。2014年秋季学期该校区在校学生923人，19个教学班。

2004年学校成为柳州市首批示范初中和柳州市课改样本校，先后荣获广西中小学校园文化建设先进学校、自治区级“卫生优秀学校”、自治区文明单位、柳州市“和谐校园”先进单位、柳州市“德育先进学校”、柳州市中小学常规管理优秀学校、广西中小学校信息建设先进集体、全国教育信息技术实验学校、素质教育先进单位、优秀学校奖和无辍学学校特别奖、柳州市教育科研先进集体单位、柳州市基础教育课改先进学校、城市绿化工作先进单位、优美校园等称号。

生本特色——柳州市第十四中学

柳州市第十四中学创建于1974年，是一所公办初级中学。位于柳州市岩村路226号。学校占地面积3.9万平方米，总建筑面积9979平方米。2014年有教职工43人，专任教师39人，其中高级教师14人；有教学班16个，在校学生813人。学校三面环山，绿树成荫，环境十分优美。主要教学设施有篮球场、排球场、足球

柳州市第十四中学教学楼　　（零霍香　摄）

场、塑胶跑道、实验室、计算机室、多媒体室、社团活动室、心理咨询室、大型多媒体阶梯教室及校园网等。

市十四中以“建设校园环境优美、教育管理优化、办学条件优越、教学水平优质、特色彰显的一流初中”为办学目标，秉承“以生为本，多元发展”的办学理念，创设“勤勉、和谐、进取”的优良校风，培养“明礼、乐学、尚美”的学生。是“全国拉拉操示范窗口学校”、“全国生本教育推动素质教育实验基地”、“柳州市文明单位”、柳州市“绿色学校”、“柳州市体艺 2+1 项目样本校”、《国家学生体质健康标准》先进单位。2014 年参加在美国举行的世界中学生拉拉操锦标赛获得青少年组混合街舞国家杯第二名。

柳州市燎原路小学 （燎原路小学 提供）

阳光教育——柳州市燎原路小学

柳州市燎原路小学创办于 1975 年 8 月，最初名为柳钢白云石矿·柳州市有色金属冶炼厂子弟学校，由柳钢白云石矿和柳州市有色金属冶炼厂联合办学。1991 年 9 月，交由柳州钢铁厂主办，柳州市有色冶炼总厂协办，改称为柳州钢铁厂第五小学。2001 年 4 月，经柳州市人民政府批准，移交鱼峰区人民政府管理，更名为柳州市燎原路小学，成为公办小学。

学校占地面积 6455 平方米，建筑面积 6324 平方米。学校有学生 986 名，教师 42 人，其中高级教师 1 人，中级教师 27 人，初级教师 14 人，教师学历全部达标，校长副校长全部持证上岗。学校设立党支部、工会、团支部、妇委会、少先队大队部，内设机构有教导处、政教处、科研处和总务。多媒体室、计算机室、图书阅览室、音乐舞蹈室、仪器室、实验室、美术室、心理咨询室、保健室、书法室等功能室一应齐备，是自治区“I+E”教学法实验学校、柳州市班主任专业化实验学校、柳州市书法协会培训基地、阳光教育特色学校。

学校立足于进城务工人员子女就读较多的实际，确立“培育阳光学子，奠基幸福人生”的办学理念，建立平等、全纳的师生关系，推行阳光管理，打造阳光课堂，增强学生自信心。多年来，学校教育质量稳步提高，是鱼峰区同类学校中的后起之秀。

红色基地——柳州市窑埠街（柳东路）小学

柳州市窑埠街（柳东路）小学是一所公立小学。位于柳州市柳东路 95 号（原窑埠街小学位于窑埠街 186 号），坐落在美丽的柳江河畔，毗邻风景如画的蟠龙双塔山和古色古香的窑埠古镇，仿古校舍建筑与窑埠古镇遥相呼应。

学校始建于抗日战争时期的民国三十一年（1942 年），是由周恩来同志委派下为宣传抗日的中共特支成员创办的一所红色小学，原名柳江县柳东镇窑埠街国民学校，1951 年更名为柳州市第十一小学，1956 年改为现名。2009 年因窑埠古镇建设窑埠街小学整体搬迁入柳东路小学（原名为第三棉纺厂小学，2001 年与东环二小——原灯泡厂子弟学校合并后改名）。2014 年有教职工 34 人，专任教师 34 人，其中小学高级教师 31 人；有教学班 13 个，在校学生 631 人。随着“窑埠古镇”工程即将竣工，投资 8000 多万元的全新窑埠街（柳东路）小学于 2015 年 9 月份投入使用。学校规划可用用地面积（含原校园面积）16409.35 平方米，建筑面积 11234 平方米。拥有两幢五层教学楼和一幢四层综合楼。设有计算机室、音乐室、体育室、卫生室、舞蹈室、实验室、阅览室、美术室、阶梯教室等多间功能室。

学校以“古镇文韵”和红色文化特色为切入口，开展革命传统教育和爱国主义教育，打造书香校园的办学特色。是广西中小学心理健康教育实验学校，全国传统美德教育优秀实验学校，柳州市传美教育优秀示范学校。

（杨　晞）

2014 年 10 月 20 日，鱼峰区第二节动漫科技节在东环路小学启动

（李士豪　提供）

科　技

【科技概况】 2014 年，鱼峰区科技局有工作人员 4 人。年内实施“科技领航”计划，企业自主创新能力显著提高。新增广西工程技术研究中心 1 家，新增自治区级创新型试点企业 1 家。落实国家、自治区和柳州市三级科技经费共 530 万元，确保科技惠民扎实推进。率先在柳州市四城区建立城区级科技馆——鱼峰区科技馆，完善青少年科技教育平台。柳州市洛维工业集中区，推动以祥兴科技产业投资有限责任公司为实施主体的民营企业科技孵化器建设。有 4 栋高度为 21.5 米的 4 层标准化厂房主体建设已完工，正在招商。重点抓好民生领域科技创新，制定《鱼峰区科技惠民计划实施方案》，实施国家科技惠民计划“社区数字化全响应社会服务管理平台示范”项目，服务社区居民。10 月 20 日，区科技局、区教育局、区美丽办在柳州市东环路小学举办鱼峰区第二届青少年科技动漫节。年内鱼峰区企业获国家科技项目 1 项、自治区科技项目 17 项、市科技项目 9 项，获得上级科技经费支持 1445 万元。下拨区本级科技经费 960 万元，实施“科技领航”计划，共下达五批科技项目，为企业升级转型提供技术支撑。

【科技成果与专利】 共获自治区技术发明奖二等奖 1 项，科学技术进步奖 2 项（其中二等奖 1 项，三等奖 1 项）；获柳州市技术发明奖一等奖 1 项，柳州市科技进步奖 4 项（其中一等奖 3 项，二等奖 1 项）。实施《鱼峰区科技进步与经济发展结合突出成效奖励办法》，对辖区 8 个非公企业进行奖励，其中一等奖 2 个，二等奖 1 个，三等奖 5 个，兑现奖励 15 万元。继续贯彻落实《鱼峰区发明专利倍增计划》《鱼峰区专利奖励办法》，加快推动企业成为发明创造的主体，增强企业市场竞争力，加快非公有制经济升级转型。受理专利奖励申请 203 项，兑现专利奖励 24.4 万元。其中发明专利申请 130 件，发明专利授权 8 件，实用新型专利授权 65 件。

【科技合作与交流】 开展企业技术需求调研，组织“专家教授鱼峰行”“企业家高校院所行”系列活动。邀请天津大学、西南交通大学等院校教授到我区企业指导，帮助企业解决技术难题。组织企业到清华大学、浙江大学等高等院校交流合作。组织辖区企业参加第十七届中国北京科博会、第十六届深圳高交会和第四届广西发明创造展览会等相关活动，了解科技前沿，展示全区技术成果，促进技术与资本的对接，柳州盛世茂青生物科技有限公司与来宾市知识产权局就“一种实用高效无土栽培花卉营养土的生产方法”专利项目达成了合作协议，并成功签约。

【科普工作】 投入科普经费70万元，建设鱼峰区科技馆，改造升级柳石路第三小学和箭盘山小学2所学校青少年科学工作室，新建81组总长达202.5延米的标准不锈钢科普宣传栏。组织参加“科技活动周”“十月科普大行动”活动，下拨科普活动专项经费10.5万元，组织开展科普活动、科普培训、科普咨询等各种形式的活动35次，举办鱼峰区第二届动漫科技节。

科普长廊　　（白莲街道办事处　提供）

2014年鱼峰区获上级科技项目一览表

序号	项目名称	承担单位	金额（万元）
国家项目			
1	柳州市鱼峰区社区数字化全响应社会服务管理平台示范	柳州市龙翔资产投资有限公司	220
自治区项目			
2	高性能互穿网络汽车涂装系列防腐漆产业化	柳州市造漆厂	30
3	第三代核电安全壳用预应力锚固系统产业化	柳州欧维姆机械股份有限公司	40
4	大颗粒人造金刚石及其制备技术研究开发及产业化	柳州市大荣非金属材料有限公司	50
5	甲醇电磁阀式喷射器的开发及试制	柳州源创电喷技术有限公司	40
6	铁路电力远动智能箱式变电系统及其产业化	广西柳电电气股份有限公司	30
7	电沉积技术生产高强度导电率 Ag/SnO_2 低压电接触元件	柳州市建益电工材料有限公司	30
8	利用报废SCR脱硝催化剂制备光催化材料钨酸锌技术	广西美之峰科技有限责任公司	15
9	微电脑预应力变频智能张拉系统	柳州市聚能电气有限公司	15
10	大跨径斜拉桥拉锁关键技术研究	柳州欧维姆机械股份有限公司	40
11	BS3底盘自主正向开发设计与生产	东风柳州汽车有限公司	30
12	地下矿井专用自卸车研发	一汽解放柳州特种汽车有限公司	50
13	风行新型MPV商用车(CM5B)开发	东风柳州汽车有限公司	120
14	分相调压串变电炉电压器研发	广西柳州特种变压器有限责任公司	40
15	配件链管理系统平台的研发与应用	东风柳州汽车有限公司	30

续表

序号	项目名称	承担单位	金额（万元）
16	柳州市鱼峰区社区数字化全响应社会服务管理平台示范	柳州市龙翔资产投资有限公司	110
17	基层科技能力建设示范	柳州市鱼峰区科学技术局	15
18	预应力技术知识产权优势企业培育示范	柳州欧维姆机械股份有限公司	25
柳州市项目			
19	BRB 防屈曲支撑研制及工程应用关键技术研究	柳州东方工程橡胶制品有限公司	25
20	偏硅酸钠工艺节能关键技术的研究	柳州东风化工股份有限公司	30
21	大颗粒人造金刚石及其制备技术研究开发及产业化	柳州市大荣非金属材料有限公司	50
22	基于汽车 NVH 测量的实际路面工况仿真系统研发	柳州市兴拓工贸有限责任公司	40
23	汽车新型多层共挤塑料油箱的技术研究开发	柳州市方鑫汽车装饰件有限公司	25
24	分相调压串变电炉变压器研发	广西柳州特种变压器有限责任公司	30
25	MCS 管理过程控制平台	广西智勤科技有限公司	15
26	大跨径斜拉桥拉索关键技术研究	柳州欧维姆机械股份有限公司	100
27	柳州市鱼峰区社区数字化全响应社会服务管理平台示范	柳州市龙翔资产投资有限公司	200
合计			1445

（李蕙均）

责任编辑：兰海宁

文化　体育

2014 年 4 月 1 日，鱼峰区承办的柳州市首届三月三“鱼峰歌圩”全国山歌邀请赛在鱼峰公园举行
（区委宣传部　提供）

文 化

【文化概况】 2014年9月29日，区政府机构改革，鱼峰区文化和体育局（加挂新闻出版局牌子）正式更名为鱼峰区文化体育和新闻出版局（以下简称"文体新局"），为正科级行政单位，工作人员8人。下设二层机构两个，即区文化馆、区图书馆。2014年，鱼峰区获得国家级"中国民间文化艺术之乡"称号；柳州"鱼峰歌圩"被评为自治区级非物质文化遗产项目；"鱼峰歌圩"公共文化服务体系示范项目通过国家文化部的中期督查；获得自治区公共文化服务体系建设先进集体称号；荣获柳州首届三月三"鱼峰歌圩"全国山歌邀请赛优秀组织奖；在第五届"中国魅力校园合唱节"合唱比赛中获得优秀组织奖。

【鱼峰歌圩】 2014年，鱼峰区将"鱼峰歌圩"元素融入群众文化中。举办龙城元宵灯会、"鱼峰之声"群众文艺会演、"立鱼欢歌"广场文化节、"刘三姐大舞台周周演"、"每月一星"歌手PK赛、露天电影放映、鱼峰"小歌仙"等活动，提升文化内涵，打造"以人民为主体"的鱼峰特色群众文化品牌。

"鱼峰歌圩"作为一种具有地域特色的资源，是以人民为主体的公共文化活动体系，是贴近柳州基层人民群众生活习俗和实际文化需求的民间文化艺术样式。2011年底，鱼峰区委、区政府联手柳州市文化局启动"鱼峰歌圩"国家公共文化服务体系建设示范项目创建。2013年6月，"柳州市鱼峰歌圩建设"入选第二批国家公共文化服务体系示范区（项目），并开展创建申报工作。2014年1月22日鱼峰歌圩研究开发中心挂牌成立。

2014年1月，举办"群文走基层·欢乐进万家""迎新春 送春联"活动；2月，举办柳州"鱼峰歌圩"系列活动"中国梦·柳州梦"——龙城元宵花灯活动；4月，举办柳州首届三月三"鱼峰歌圩"全国山歌邀请赛，鱼峰区"4·23"世界读书日活动，"文化专家进校园"培训讲座；5月，举办"高雅艺术进校园"合唱专场音乐会；8月，举办2014年国家精品花卉节暨"鱼峰歌圩"文艺会演；10月，举办"春雨工程"全国文化志愿者边疆行广西柳州巡演活动、第二十一届"鱼峰之声"群众文艺会演、举办"关爱城市环境，共建美好鱼峰"广西第十八届"环卫工人节"等活动。以柳州365音乐网为平台，鱼峰区推出"网络歌圩"，作为纳入国家创建公共文化服务体系示范项目"鱼峰歌圩"的点击量超过50万人次，跟帖超过12000条，全国注册的网络歌迷人数超过2万人。

"鱼峰歌圩"建立了"一室、三级、多点"的基层示范点。其中一室即鱼峰歌圩研究开发中心；三级即城区文化馆—街道文化站—社区活动中心，有区文化馆，箭盘、麒麟街道文化站，狮山、南山、龙泉山、蟠龙、云屏、晶远、白云、龙擎苑、宝莲、金盛、西船社区活动中心；多点即歌圩文化示范校园，有柳石路第一小学、柳石路第三小学和海星幼儿园。

10月，"鱼峰歌圩"公共文化服务体系示范项目通过国家文化部的中期督查。11月，"鱼峰歌圩"成功入选自治区级非物质文化遗产名录。12月，以"鱼峰歌圩"为立意申报，鱼峰区荣获"中国民间文化艺术之乡"。"中国民间文化艺术之乡"是文化部为推动民间文化艺术事业繁荣发展、丰富活

9月18日，国家公共文化服务体系建设专家委员会专家组一行对鱼峰区2014—2016年度"中国民间文化艺术之乡"创建工作进行实地检查。图为专家组考察鱼峰公园歌仙广场

（区委宣传部 提供）

跃基层群众文化而设立的一个文化品牌项目,命名周期为三年。

【中国梦·柳州梦——龙城元宵灯会】 2014年2月14日,鱼峰区在大龙潭公园举办2014年元宵花灯展示活动。此次元宵花灯会展出花灯2850盏,共有180个单位参展,参观人次达8万人,其中,11个参展单位23件作品和40名学生分获组织奖、单项制作奖及学生制作奖。

【全国山歌邀请赛】 2014年4月1日(农历三月二日)上午,由鱼峰区人民政府承办的柳州首届三月三"鱼峰歌圩"全国山歌邀请赛在鱼峰山歌圩大舞台开幕,来自全国11个省市的10支参赛队共70名山歌爱好者参加了此次比赛。比赛期间,逾2万名群众观看演出。

【第五届"立鱼欢歌"广场文化节】 2014年,鱼峰区举办第五届"立鱼欢歌"广场文化节系列活动,包括"每月一星"歌手PK赛12场、"柳江之夏"群众文艺会演13场、"刘三姐"大舞台周周演6场、街道文化展演、"想唱你就来"等主要活动。其中,"每月一星"歌手PK赛,分别在鱼峰社区、西江社区等社区举办,参与的歌手达500多名。

【鱼峰之声】 "鱼峰之声"群众文艺会演是鱼峰区的特色文化品牌活动之一,至2014年已成功举办了二十一届。2014年10月10日—11日,主题为"同欢同乐鱼峰歌圩,载歌载舞精彩鱼峰"的第二十一届"鱼峰之声"群众文艺会演及颁奖仪式,在柳州职业技术学院南校区礼堂举行,共有16个舞蹈、15个声乐、4个曲艺晋级决赛。最终,由团区委选送的舞蹈《铁道梦》、鱼峰区文化馆选送的声乐节目《古老的歌》、以及鱼峰星海艺术团的表演唱节目《赶歌圩》分获各类别最高分,摘得比赛桂冠。

2014年7月,"小歌仙"艺术团在全国第五届魅力校园合唱节上表演

(区文体新局　提供)

> **小资料**
>
> 首届"鱼峰之声"群众文艺会演于1990年9月举办,每年或两年举办一届。每届"鱼峰之声"群众文艺会演的参赛团队主要由各企事业单位、中小学校、各群众业余艺术团体组成。参赛作品以创作更多具有时代感、突出鱼峰元素的文艺作品为主题。"鱼峰之声"群众文艺会演从初赛、决赛、颁奖晚会,吸引观看演出的群众历年累积超100万人,柳州日报、柳州晚报、新播报、柳州365网站等市级新闻媒体对活动进行了相关报道。区财政均拨付专项资金用于"鱼峰之声"群众文艺会演。

【鱼峰"小歌仙"】 鱼峰"小歌仙"是柳州市县区中第一个由政府牵头成立的公益性少年儿童艺术团。2014年,艺术团现有成员97名,分设舞蹈队与合唱队。7月15日,代表柳州出征贵阳的"小歌仙"少年儿童合唱团,在全国第五届中国魅力校园合唱节上荣获一等奖荣誉,本届魅力校园合唱节吸引了来自全国各地的40余支校园精英团队参赛,鱼峰区58位小歌仙在决赛上为观众呈现了《壮家的甘蔗林》《铃兰》两首优美的合唱曲目,歌曲极具地方特色的旋律。9月,"小歌仙"还开展了海选招新,近40名小学生通过面试,成为鱼峰"小歌仙"少年儿童艺术团预备班的一员。12月,参加广西第三届基层群众文艺会演,获声乐类二等奖。年内创作舞蹈《踏年》《春晓》,童声对唱《侗寨茶香飘四海》。

鱼峰"小歌仙"成立于2012年9月15日,艺术团由鱼峰区政府主办,鱼峰区教育局、鱼峰区文体新局共同创建，整合中小学内有文艺潜质的少年儿童，聘请柳州市青少年宫专业艺术教师进行培训。现已成为鱼峰区少年儿童艺术文化生活的新舞台。

【文化工程】 2014年，鱼峰区实施“八个一”文化工程，即“一园一馆”建设工程，含“石尚1966”奇石文化创意产业园和区文化馆建设工程；区域性广场文化龙头阵地建设工程，即江滨文化广场的文化阵地建设工程；少年儿童艺术团建设工程，即“小歌仙”艺术团建设工程；文化专家顾问队伍建设工程，即聘请文化名人，组建专家团队，成立了鱼峰区“文化专家库”，开展“专家队伍四进活动”（进机关、进企业、进社区、进学校）；“国家非物质文化遗产项目”争创工程，“鱼峰歌圩”成功申报了自治区级非物质文化遗产项目；民族精品歌圩建设工程，实施“鱼峰歌圩”365工程，把“鱼峰歌圩”打造成为常态化、综合型的地方特色群众文化品牌；“一书一歌”宣传推广工程，一本书(《柳州有个鱼峰山——刘三姐文化大观》)的宣传推广，一首歌(《千歌唱不完好生活》)，并与中国移动合作，开展了“一首歌”的彩铃业务；“承历史文化核心区，探历史文化核心”研讨工程，2014年9月，召开了“承历史文化核心区，探历史文化核心”的专家研讨会，共同研究鱼峰区历史文化的核心，并初步凝聚提炼成标语。

【文化设施建设】 2014年，鱼峰区创建“鱼峰歌圩”国家公共文化服务体系示范项目，打造“15分钟文化活动圈”，逐年分批完成全区7个街道文化站、54个社区文化活动中心的建设。以每个街道文化站投入15万元、每个社区文化活动中心投入10万元的标准，全年各级财政安排500多万元用于设施建设。2014年，已完成第一批街道2个文化站(箭盘、麒麟)、11个社区文化活动中心(狮山、南山、龙泉山、蟠龙、云屏、晶远、白云、龙擎苑、宝莲、金盛、西船)、3个示范校园(柳石一小、柳石三小、海星幼儿园)的文化基础设施提档升级工程。其中5个是工程示范点(麒麟街道文化站、狮山社区、龙泉山社区、柳石三小、海星幼儿园)。

2014年，按文化部要求，“文化信息资源共享工程”鱼峰区支中心配套设备安装调试完成。文化信息共享工程鱼峰区支中心，依托鱼峰区图书馆为实施主体，建设有总控室、中心电子阅览室等。拥有30台用户终端，同时完善供电系统、防雷、防火、防盗等装置，并接入10兆互联网网线。2014年，鱼峰区支中心购买公共电子阅览室控制系统，保障图书馆公共电子阅览室的网络化安全运行管理和文化信息资源服务。同时，利用上级下拨的中央专项彩票公益资金城市社区文化中心(文化活动室)专项资金159万元为7个街道、15个社区购置全国文化信息资源共享工程设备、书架、图书、乐器、桌椅、音响等。

【鱼峰区图书馆及社区书屋】 2014年，图书馆现有藏书9000余册，年内新入藏图书2477册，订有报纸22种，期刊111种，其中少儿期刊25种。2014年，全年办理外借借书证24人(次)，借书流量1310册。阅览读者7375人(次)。文化信息共享工程鱼峰区支中心建成后，鱼峰区图书馆利用现代化技术装备配备网上流通系统VPN设备，以虚拟专用网络，实现与柳州市图书馆之间的宽带连接，实现全市公共图书馆资源的统一检索和借阅。读者凭全市统一的借书证，可以在市馆、区馆免费借还图书或通过网络查阅资料，实现“通借通还”、资源共享图书馆。

2014年，鱼峰区对原有61个社区进行区划调整为54个。社区书屋整合为48家。社区书屋面积共1440平方米，配备有电脑等设施，图书123921册。

【档案管理】 鱼峰区档案馆是国家二级档案馆。2014年，鱼峰区档案馆面积约400平方米，其中库房面积200平方米，并设有独立的档案库房、陈列室、办公室、查阅室、整理室。有管理人员6人。2014年新接收农机档案38卷(合计380件)入馆。馆库文书档案件装式方法整理157801件、案卷式方法整理2568卷、照片档案790张(14册)、实物档案883件、会计档案10082件、音频视频档案17件。对馆内婚姻档案进行全文数字化扫描，共扫描94805页，对已进馆各类档案进行编目、汇总、并做好统计和报送、备份工作。

档案利用 2014年，档案馆共接待调档人员3900人次，调阅档案数量达3605卷/件，复印档

2014 年 6 月 9 日，区档案馆在龙擎苑社区向社区居民讲解档案法和发放档案宣传资料　　（李　懿　摄）

案资料 13670 份，为调档人员解决个人权益、社会保障等提供了大量翔实的原始资料。

“国际档案日”活动　2014 年 6 月 9 日“国际档案日”，鱼峰区档案馆联合柳州市档案局到龙擎苑社区开展“让百姓走进档案、让档案服务群众”为主题的宣传活动，倡导社区居民从身边的小事做起，指导如何制作家庭档案、利用档案。向社区居民和过往路人发放档案画册等宣传资料 300 多份，并与广大社区居民交流互动的方式，宣传档案法律法规知识。　（徐玉芳）

【志鉴编纂】 1986 年 8 月，中共鱼峰区委、鱼峰区人民政府联合发文成立鱼峰区地方志编纂委员会，设立区志办公室，由区四套班子办公室各抽 1 人组成，组织《鱼峰区志》编修工作。志书内容上限从汉代起，下限至 1990 年。1997 年 7 月内部发行，为精装本。全书分 18 篇 74 章 153 节，共 410 页，45 万字。2005 年 5 月，鱼峰区成立第二届地方志编纂委员会，由区长担任编委会主任，组织编纂《鱼峰区志(1991—2005)》，单独设置鱼峰区地方志办公室，配置 3 人。2005 年至 2008 年收集资料，进入编稿阶段另聘请 5 人，2011 年通过三级评议，2012 年通过自治区地方志编委会终审，2013 年 10 月 23 日公开发行。全书 23 篇 91 章 362 节，配彩色图照 381 幅，字数 125 万。2014 年，区志办工作人员 5 人，承担年鉴编纂和自治区地情资料年报试点工作。2014 年 4 月 29 日，自治区地志办在南宁市召开了全区市县地方志工作会议，各设区市志办主任及 18 个县区地方志办负责人参加了会议。鱼峰区作为经验推广的 6 个县、区之一，也是柳州市唯一参会的县(区)，在会上作了题为《力求精细化管理　推进地方志工作》的典型发言，重点介绍了《柳州市鱼峰区志》通过审验后，区志办抓学习、抓规范、抓细节、抓难点、抓效率、抓协调，实现稿件修改高效率，志书出版高质量的工作经验。年内，《柳州市鱼峰区志(1991—2005)》获第八次广西地方志优秀成果评选二等奖；鱼峰区地方志办公室获自治区地志系统先进单位光荣称号。

在地情开发与运用上，鱼峰区地方志办公室 2014 年以交换等形式收集省内外志书、年鉴等各类地情书籍 7 部。向鱼峰区的社区书屋、农家书屋赠送《鱼峰区志》54 部，接待咨询服务 7 人次。较好地发挥了地情信息资料在服务政府决策、经济建设、服务人民群众的作用。

地情资料年报　2014 年 7 月，自治区地方志办公室下发《关于开展广西地情资料年报试点工作的通知》(桂志办发〔2014〕36 号)，确定鱼峰区(柳州市唯一)为自治区首批地情资料年报工作试点城区。11 月 12 日，鱼峰区召开《鱼峰年鉴·2014》发行暨地情资料年报工作培训会议，下发地情资料征集、整理、督查、归档等实施方案，征集 2006—2014 年地情资料(为期 2 年)，并邀请自治区地志办领导邓敏杰到会上作业务辅导等。方案涉及单位(部门)129 家，内容包括主体资料、大事记资料、人物资料、专题资料、附录资料六部分，并依据单位(部门)职责、职能和工作属性设定印发各自资料提纲，以提高资料的方向性和准确度。

年鉴编纂　2014 年，继《柳州市鱼峰区志(1991—2005)》出版发行后，鱼峰区地方志办公室首次组织编纂并公开出版年鉴。

2014 年 12 月 5 日，区志办在白云小学开展地情资料年报工作培训

（吕培贤　摄）

在设置体例框架上广泛征求意见，突出年度特色；在形成组织体系上规范编纂程序，制定了征集资料→实施编纂→交叉会审→返稿核查→集中评议→综合统稿→印刷样书→校对出版的编纂流程，规范操作程序；在实施年鉴编纂上组建编纂队伍，明确分工，落实责任，列出时间表和路线图。11 月 12 日召开出版发行会，《鱼峰年鉴 ·2014》全书一级条目 22 个，二级条目 96 个，配图片 230 张，字数 60 万，确保各单位、各部门收藏 2 本（供部门领导收藏查阅 1 本、资料员参考查阅 1 本）。年内，在中国出版协会主办、年鉴工作委员会承办的第五届年鉴编纂出版质量评比中，由鱼峰区地方志编纂委员会编纂、广西人民出版社出版发行的《鱼峰年鉴》（2014 年卷），荣获综合二等奖，框架设计三等奖，条目编写三等奖，装帧设计三等奖。

（朱继清）

新闻出版

【开展“扫黄打非”专项整治活动】 2014 年，文体新局对辖区屏山大道西段、岩村路、光明路、东环市场周边沿街等贩卖“六合彩”资料重点地段共计开展专项整治活动 20 余次，共计收缴非法“六合彩”资料 2 万多册（张）、盗版光盘 2000 余张，非法出版物 5000 余册。2014 年，还开展鱼峰山公园周边环境整治专项行动，联合鱼峰公安分局、行政执法局等部门有效打击非法占道经营卖唱等扰民行为。

【开展“清源”专项行动】 2014 年，文体新局对新申办的 1 家音像制品店、1 家书店、9 家娱乐场所进行严格审查，对辖区内的网吧、娱乐场所等进行严格排查，并定期对其进行随机抽查，严禁淫秽色情出版物通过网吧、娱乐场所等途径进行传播。

【文化市场管理】 2014 年，书报刊零售点年审 58 家，新办证 2 家；音像零售点年审 5 家，新办证 2 家；电子出版物年审 3 家；复印打印点年审 1 家；网吧年审 42 家；娱乐场所年审 42 家。

（杨蕙桧　李骏龙）

体　育

【参加柳州市第十三届运动会】 2014 年 5 月 30 日—11 月 8 日，鱼峰区组织辖区群众参加柳州市第十三届运动会。通过选拔、组队、训练共派出近 800 名运动员参加全部 25 个大项 325 个小项的比赛。鱼峰区代表团获成年组金牌（40 枚）第一名、成年组总分（969 分）第一名；青少年组金牌（63.5 枚）第二名、青少年组总分（1128.5 分）第二名；金牌总数（103.5 枚）第二名、总得分数（2097.5 分）第二名。同时获得“体育道德风尚奖”和“代表团组织奖”。

【第六次体育场地普查】 鱼峰区根据自治区《关于做好广西第六次全国体育场地普查工作的通知》（桂体经〔2014〕4 号），组织开展体育场地普查工作。本次体育场地普查标准时点是 2013 年 12 月 31 日。普查对象为鱼峰区各系统、各行业、各种所有制形式的各类体育场地（不包括军队系统和铁路系统所属各类体育场地）。鱼峰区体育场地普查工作从2014年2月启动，截至6月6日，所有登记表审核完成，涉及鱼峰区管辖面积（含雒容、洛埠、阳和），共收到普查登记表697份，其中场地单位基本情况表（简称“甲表”，含单位名称、单位负责人、组织机构代码、主管机构、联系电话、地址等信息）259份，场地基本情况表（简称“乙表”，含场地名称、建成年份、场地规模、投资金额、运营情况、场地专项指标等信息）438份。60多位普查员经过动员培训、调查登记、数据处理、检查分析、总结等5个阶段的工作，于2014年7月完成了数据上报工作。

2014年11月12日，在李宁体育馆举办的柳州市第十三届运动会“柳工杯”气排球比赛上，鱼峰区女子代表队获成人组比赛第二名

（黄覃凯　摄）

鱼峰区体育场地基本情况，截至2013年12月31日，全区共有体育场地551个，用地面积621614.68平方米，建筑面积67069.22平方米，场地面积569186.21平方米。其中，室内体育场地78个，场地面积67069.22平方米；室外体育场地473个，场地面积569186.21平方米。

体育场地按系统管理统计，教育系统管理体育场地381个，占69.15%；其他系统管理的体育场地170个，占30.85%。

晶远花苑健身路径　（陈　萍　摄）

体育场地按场地管辖属性统计，属于中央直辖有5个场所，自治区管辖有83个场所，柳州市管辖有242个场所，鱼峰区管辖有144个场所，街道办事处管辖有4个场所，社区居委会、居民管辖有32个场所，另有41个场地尚无明确归属管辖单位。

体育场地普查中的三大球场地统计，室外足球类场地15个（五人制足球场12个、七人制足球场3个），场地面积20709平方米；篮球类场地226个（五人制篮球场168个、三人制篮球场53个，室内馆5个），场地面积136141.85平方米；排球类场地37个（室外场地35个，室内馆2个），场地面积13550平方米。

2014 年鱼峰区登山步道和城市健身步道

场地名称	建成年份	步道长度（米）	步道平均宽度（米）	步道面层	地　址
柳州市蟠龙山公园登山步道	1993	636	1	水泥	驾鹤街道驾鹤路 82 号
柳州市驾鹤小桃源登山步道	2004	1000	1	水泥	驾鹤街道驾鹤路 82 号
柳州市箭盘山公园登山步道	1995	800	1	其他	驾鹤街道屏山大道 343 号
柳州市马鞍山公园登山步道	2008	900	2	水泥	天马街道屏山大道 59 号
柳州市鱼峰山登山步道	1990	350	2	水泥	天马街道屏山大道 59 号
柳州市龙潭公园健身步主干道	1987	3600	5	沥青	天马街道龙潭路 43 号
柳州市龙潭公园登山步道	1991	2600	1	水泥	天马街道龙潭路 43 号
柳石路 332 号开关厂宿舍后山登山步道	2003	150	2	其他	天马街道柳石路 332 号
嘉汇龙潭小区登山步道	2009	210	2	其他	五里亭街道柳石路 153 号

2014 年鱼峰区高尔夫球场

场地名称	建成年份	场地面积（平方米）	洞数（洞）	练习场打位数（个）	地　址
卧龙湖高尔夫俱乐部	2011	1 万	18	50	白莲街道红园路 8 号

2014 年鱼峰区全民健身路径

场地名称	建成年份	场地面积（平方米）	器械数量（件）	地　址
宝莲新都 A 区健身路径 1	2013	20	4	白莲街道柳石路 171 号
宝莲新都 A 区健身路径 2	2013	20	4	白莲街道柳石路 171 号
柳石小苑健身路径	2013	30	6	白莲街道柳石路 173 号
龙珠小区健身路径	2011	30	6	白莲街道柳石路 6 号
都乐小苑健身路径	2013	30	6	白莲街道柳石路 399 号
柳州市二十中健身路径	2013	60	12	白莲街道柳石路 450 号
白莲洞基地健身路径	2011	55	11	白莲街道柳石路 470 号
红园小区健身路径	2010	30	6	白莲街道柳石路 424 号
城南首座健身路径	2013	45	9	白莲街道柳石路 414 号
洛维小区健身路径	2009	50	10	白莲街道洛维路 173 号
洛维上村健身路径	2010	30	6	白莲街道洛维路 173 号
柳州市柳石三小健身路径	2013	20	4	白莲街道洛维路 59 号
地质职工医院健身路径	2012	45	9	白莲街道洛维路 89 号
新坡小苑健身路径	2013	30	6	白莲街道南环路 173 号
南环小苑健身路径	2013	30	6	白莲街道南环路 175 号
尔海南山健身路径	2013	95	19	白莲街道南环路 6 号
鱼峰区天山路 1 号西区健身路径	2012	30	6	驾鹤街道天山路 1 号
鱼峰区天山路 1 号长尾塘健身路径	2012	20	4	驾鹤街道天山路 1 号
鱼峰区铸造厂宿舍健身路径	2012	20	4	驾鹤街道屏山大道 289 号

续表 1

场地名称	建成年份	场地面积（平方米）	器械数量（件）	地 址
鱼峰区四建宿舍健身路径	2013	55	11	驾鹤街道屏山大道 289 号
鱼峰区灯台花苑健身路径	2008	20	4	驾鹤街道水南路 221 号
鱼峰区水南路 243 号大门旁健身路径	2008	30	6	驾鹤街道水南路 243 号
鱼峰区水南路 243 号凉亭旁健身路径	2012	45	9	驾鹤街道水南路 213 号
鱼峰区水南路 243 号工会旁健身路径	2010	65	13	驾鹤街道水南路 213 号
柳州市蟠龙山公园健身路径	2011	55	11	驾鹤街道驾鹤路 82 号
鱼峰区晶远花苑健身路径	2013	50	10	驾鹤街道京港路 1 号
嘉年华庭健身场地	2005	25	5	箭盘山街道东环大道 6 号
地质队全民健身路径工程	2010	55	11	箭盘山街道东环大道 71 号
地质队全民健身路径工程 2	2013	20	4	箭盘山街道东环大道 71 号
柳州市全民健身路径工程	2013	35	7	箭盘山街道东环大道 69 号
柳州市地质全民健身路径	2003	65	13	箭盘山街道东环大道 103 号
柳州市金盛广场健身路径	2010	25	5	箭盘山街道东环大道 47 号
柳州市农机全民健身路径	2012	25	5	箭盘山街道农机路 316 号
柳州市恒基物业全民健身路径	2001	45	9	箭盘山街道箭盘路 32 号
柳州东化全民健身路径	2004	55	11	箭盘山街道箭盘路 36 号
雅士物业三棉小区健身场	2008	145	29	箭盘山街道柳东路 220 号
华林君邸健身场地	2005	55	11	箭盘山街道东环西一巷 101 号
民泰东园全民健身路径	2013	90	18	麒麟街道西江路 27 号
西船活动小公园健身路径	1985	25	5	麒麟街道西江路 46 号
白云石矿分公司健身路径	2000	50	10	麒麟街道燎原路 10 号
柳州市燎原路小学全民健身路径	2007	55	11	麒麟街道燎原路 10 号
柳州市技工学校健身路径	1991	30	6	麒麟街道燎原路 39 号
广西水文地质工程队健身路径	2011	50	10	麒麟街道东环大道 12 号
柳州市民族高中健身路径	2004	10	2	麒麟街道东环大道东一巷 2 号
南亚全民健身路径	2013	60	12	麒麟街道东环大道 220 号
海馨嘉园全民健身路径	2012	75	15	麒麟街道桂柳路 16 号
兴怡园全民健身路径	2011	55	11	麒麟街道桂柳路 1 号
鸿兴名园小区健身路径	2012	60	12	荣军街道白云路 12 号
华庭苑全民健身路径	2010	25	5	荣军街道白云路 2 号
鸿泰名城全民健身路径	2004	50	10	荣军街道荣军路 246 号
紫荆花园健身路径	2009	25	5	荣军街道荣军路 139 号
永意山语城小区健身路径	2006	15	3	荣军街道荣军路 160 号
屏山景园健身路径	2013	25	5	荣军街道荣军路 27 号
柳州市荣誉军人康复医院健身活动区	2003	50	10	荣军街道荣军路 41 号
柳州市物勘院小区健身路径	1993	105	21	荣军街道荣军路 317 号
白云小区社区全民健身路径	2000	20	4	荣军街道燎原路 36 号

续表 2

场地名称	建成年份	场地面积（平方米）	器械数量（件）	地　址
长虹世纪社区全民健身路径	2013	25	5	荣军街道屏山大道 278 号
东风柳州汽车厂健身路径	2001	50	10	荣军街道屏山大道 286 号
柳州市发动机厂宿舍健身路径	2010	25	5	荣军街道岩村路 123 号
荣盛社区全民健身路径	2011	30	6	荣军街道岩村路 123 号
白云雅居全民健身路径	2007	35	7	荣军街道荣新路 20 号
柳州市一中全民健身路径	2008	30	6	天马街道柳石路 3 号
柳依社区全民健身路径	2009	10	2	天马街道柳石路 139 号
柳石二小双杆健身路径	1989	50	10	天马街道柳石路 143 号
广西煤田地质局全民健身路径	2009	20	4	天马街道柳石路 298 号
花样年小区健身广场	2011	25	5	天马街道柳石路 338 号
水怡山水苑健身路径	2005	15	3	天马街道柳石路 342 号
柳石路 340 号制药厂宿舍健身路径	2012	5	1	天马街道柳石路 340 号
一品龙潭健身路径	2012	20	4	天马街道柳石路 368 号
狮山社区全民健身路径	2009	20	4	天马街道柳石路 362 号
龙潭路 35 号五交化宿舍健身路径	2002	5	1	天马街道龙潭路 35 号
龙潭路 37 号橡胶厂宿舍健身路径	2011	5	1	天马街道龙潭路 37 号
龙潭路 41 号龙潭公园宿舍健身路径	2012	5	1	天马街道龙潭路 41 号
橡胶厂宿舍健身路径	2012	10	2	天马街道龙潭路 342 号
柳州市中实物业服务有限责任公司全民健身路径	2006	50	10	天马街道航月路 2 号
龙擎苑社区老年天地室外健身路径	2011	20	4	五里亭街道鸡喇路 16 号
龙擎苑社区健身路径(柳机 18 区)	2012	50	10	五里亭街道鸡喇路 16 号
龙擎苑社区健身广场健身路径	2002	85	17	五里亭街道鸡喇路 16 号
蝴蝶园小区 1-2 栋健身路径	2011	25	5	五里亭街道蝴蝶山路 48 号
阳光花园全民健身路径	2009	25	5	五里亭街道蝴蝶山路 58 号
阳光花园全民健身路径二	2012	50	10	五里亭街道蝴蝶山路 58 号
龙晶小区健身路径	2013	30	6	五里亭街道柳石路 388-8 号
嘉汇龙潭小区健身路径	2010	25	5	五里亭街道柳石路 153 号
鱼峰区羊角山小区健身路径	2010	25	5	五里亭街道九头山路 6 号
阳和工业新区社湾村委健身路径	2009	15	3	阳和街道社湾村委
阳和工业新区春苑社区全民健身路径	2009	55	11	阳和街道粟荫 3-5 号
翠湖社区全民健身路径	2013	35	7	阳和街道全民健身广场 18 号
阳和工业新区阳和街道办事处阳和村委全民健身路径	2008	15	3	阳和街道阳和大道阳和村委
阳和工业新区六座村委健身路径	2010	10	2	阳和街道古亭大道六座村委
鹿山学院健身路径	2008	90	18	柳东新区新柳大道 99 号
二职校健身路径	2010	30	6	柳东新区石冲路 6 号
广西凤糖雒容制糖有限公司健身路径	2010	50	10	雒容镇蜜园路 1 号

2014 年鱼峰区室外专项体育场地

场地名称	建成年份	场地面积（平方米）	场地片数（片）	场地长度（米）	场地宽度（米）	场地面层	地 址
白云路 126 号宿舍区篮球场	1982	608	1	32	19	水泥	麒麟街道白云路 126 号
雒容镇平地小学篮球场	2000	608	1	32	19	水泥	雒容镇半糖村平地小学
泰安居篮球场	2004	608	1	32	19	水泥	五里亭街道滨江东路 1 号
雒容镇大正小学篮球场	2012	608	1	32	19	水泥	雒容镇大正路大正小学
东环路小学篮球场	2006	1216	2	32	19	合成材料	箭盘山街道东环大道 67 号
来宾市人民警察学校三人制篮球场	2000	608	1	32	19	水泥	箭盘山街道东环大道 77 号
水南村篮球场	2013	608	1	32	19	水泥	麒麟街道东环路东一巷 7 号
雒容镇东塘小学篮球场	2012	608	1	32	19	水泥	雒容镇东塘村东塘小学
雒容镇硅厂小学篮球场	2010	608	1	32	19	水泥	雒容镇硅厂小学
龙擎苑社区篮球场（青年公寓）	1998	608	1	32	19	水泥	五里亭街道鸡喇路 16 号
第二十四中学篮球场	2000	1824	3	32	19	水泥	五里亭街道鸡喇路 8 号
广西科技大学箭盘教学点篮球场	1972	3040	5	32	19	水泥	箭盘山街道箭盘路 28 号
鱼峰区晶远花苑篮球场	1995	608	1	32	19	水泥	驾鹤街道京港路 3 号
鱼峰区箭盘山小学篮球场	2010	1824	3	32	19	合成材料	箭盘山街道丽都路 310 号
雒容镇连半小学篮球场	2008	608	1	32	19	水泥	雒容镇连半小学
白云石矿篮球场	1974	608	1	32	19	水泥	麒麟街道燎原路 10 号
燎原路小学篮球场	2007	608	1	32	19	水泥	麒麟街道燎原路 10 号
柳州市技工学校篮球场 1	1996	608	1	32	19	水泥	麒麟街道燎原路 39 号
柳州市技工学校篮球场 2	1991	608	1	32	19	水泥	麒麟街道燎原路 39 号
白云小学篮球场	2007	608	1	32	19	水泥	荣军街道燎原路 21 号
柳东路小学	1990	1824	3	32	19	水泥	箭盘山街道柳东路 90 号
龙珠小区篮球场	2011	608	1	32	19	水泥	白莲街道柳石路 6 号
都乐小苑篮球场	2013	608	1	32	19	水泥	白莲街道柳石路 399 号
广西商业学校篮球场	2004	1216	2	32	19	水泥	白莲街道柳石路 410 号
广西工艺美术学校篮球场	1983	1824	3	32	19	合成材料	白莲街道柳石路 412 号
工人医院篮球场	2009	608	1	32	19	合成材料	天马街道柳石路 1 号
柳依社区篮球场	1969	608	1	32	19	水泥	天马街道柳石路 139 号
柳州地区建筑工程公司篮球场	1986	608	1	32	19	水泥	天马街道柳石路 135 号
柳州市动物监管所篮球场	1998	608	1	32	19	水泥	天马街道柳石路 139 号
柳州市一中篮球场一	2000	608	1	32	19	合成材料	天马街道柳石路 3 号
柳州市一中篮球场	2000	608	1	32	19	水泥	天马街道柳石路 3 号
鸡喇村委篮球场	2013	608	1	32	19	合成材料	五里亭街道柳石路 159-1 号
鸿泰名庭小区篮球场	2009	608	1	32	19	水泥	五里亭街道龙泉路 3 号
双力仪表宿舍篮球场	2005	608	1	32	19	水泥	五里亭街道龙泉路 1 号
欧维姆宿舍区篮球场	1993	608	1	32	19	水泥	五里亭街道龙泉路 3 号

续表 1

场地名称	建成年份	场地面积（平方米）	场地片数（片）	场地长度（米）	场地宽度（米）	场地面层	地　址
阳和工业新区阳和街道办事处六座村委篮球场	2010	608	1	32	19	水泥	阳和街道古亭街道六座村委
柳州市第三十二中学篮球场	2000	1824	3	32	19	水泥	洛埠镇洛埠第三十二中
洛维小区篮球场	2009	608	1	32	19	水泥	白莲街道洛维路 173 号
洛维上村篮球场	2010	608	1	32	19	水泥	白莲街道洛维路 173 号
地质职工医院篮球场	2000	608	1	32	19	水泥	白莲街道洛维路 89 号
广西凤糖雒容制糖有限责任公司篮球场	1994	608	1	32	19	水泥	雒容镇蜜国路 1 号
柳州市雒容中学篮球场	2009	1216	2	32	19	水泥	雒容镇民生南路 29 号
柳州市洛埠中心校篮球场	1983	608	1	32	19	水泥	洛埠镇鸣凤路 1 号
南环小苑三人制篮球场	2013	608	1	32	19	水泥	白莲街道南环路 175 号
新坡小苑篮球场	2013	608	1	32	19	水泥	白莲街道南环路 173 号
雒容镇南庆村篮球场	2000	608	1	32	19	水泥	雒容镇南庆村
雒容镇盘古小学篮球场	2012	608	1	32	19	水泥	雒容镇盘古村
日高控股股份有限公司篮球场	2008	608	1	32	19	水泥	雒容镇盘龙路 1 号
铸造厂宿舍篮球场	1992	608	1	32	19	水泥	驾鹤街道屏山大道 289 号
长虹厂小区篮球场	2006	608	1	32	19	水泥	荣军街道屏山大道 278 号
东风柳州汽车厂篮球场	1980	1216	2	32	19	水泥	荣军街道屏山大道 286 号
翠湖社区居委会篮球场	2013	608	1	32	19	水泥	阳和街道全民健身广场 18 号
鸿泰名城篮球场	2010	608	1	32	19	水泥	荣军街道荣军路 246 号
水力勘探设计院篮球场	2010	608	1	32	19	水泥	荣军街道荣军路 102 号
荣军医院篮球场	2010	608	1	32	19	水泥	荣军街道荣军路 41 号
永意山语城小区篮球场	2006	608	1	32	19	水泥	荣军街道荣军路 160 号
阳和街道办事处社湾村委篮球场	2010	608	1	32	19	水泥	阳和街道社湾路阳和街道办事处
柳州市古亭山中学篮球场	1999	2432	4	32	19	水泥	阳和街道盛棠路 1 号
柳州市第二职业技术学校篮球场	2010	5472	9	32	19	合成材料	柳东新区石冲路 6 号
柳州市第一职业技术学校篮球场	2009	6080	10	32	19	合成材料	柳东新区石冲路 2 号
柳州市水南路小学篮球场	2007	608	1	32	19	水泥	驾鹤街道水南路 243 号
春苑社区居委会灯光篮球场	2009	1216	2	32	19	水泥	阳和街道粟荫路 3–5 号
柳州市古亭山小学篮球场	2005	608	1	32	19	水泥	阳和街道塑英路 20 号
柳州供电局篮球场	2012	608	1	32	19	合成材料	驾鹤街道天山路 1 号
柳州铁道职业技术学院篮球场	2010	3040	5	32	19	合成材料	柳东新区文苑路 2 号
柳州铁道职业技术学院篮球场 2	2010	2432	4	32	19	合成材料	柳东新区文苑路 2 号
柳州铁道职业技术学院篮球场 3	2010	2432	4	32	19	合成材料	柳东新区文苑路 2 号

续表 2

场地名称	建成年份	场地面积（平方米）	场地片数（片）	场地长度（米）	场地宽度（米）	场地面层	地 址
柳州铁道职业技术学院篮球场 4	2010	6080	10	32	19	合成材料	柳东新区文苑路 2 号
柳州市城市职业技术学院篮球场	2012	2432	4	32	19	合成材料	柳东新区文苑路 1 号
一汽解放柳州特种汽车有限公司篮球场	1971	608	1	32	19	水泥	麒麟街道西江路 57 号
西船篮球场	1980	608	1	32	19	水泥	麒麟街道西江路 46 号
洛埠镇下窑小学篮球场	2002	608	1	32	19	水泥	洛埠镇下窑小学
鹿山学院篮球场	2011	7296	12	32	19	合成材料	柳东新区新柳大道 99 号
鹿山学院篮球场 2	2011	3040	5	32	19	水泥	柳东新区新柳大道 99 号
柳州市委党校篮球场	2010	1216	2	32	19	合成材料	柳东新区新柳大道 100 号
阳和街道办事处阳和村委篮球场	2008	608	1	32	19	水泥	阳和街道阳和村委
雒容第二中学篮球场	2002	608	1	32	19	水泥	雒容镇中山路 46 号
雒容第二中学篮球场 2	2002	608	1	32	19	水泥	雒容镇中山路 46 号
柳州市雒容第二中学篮球场 3	2008	608	1	32	19	水泥	雒容镇中山路 46 号
雒容镇竹车小学篮球场	2009	608	1	32	19	水泥	雒容镇竹车村竹车小学
柳州市民族高中三人制篮球场	2004	1728	3	32	18	合成材料	麒麟街道东环大道东一巷 2 号
柳州市灯泡厂宿舍三人制篮球场	1950	544	1	32	17	人造草	箭盘山街道东环路西一巷 6 号
柳石小苑三人制篮球场	2013	306	1	17	18	水泥	白莲街道柳石路 173 号
广西科技大学医学院三人制篮球场	2013	5022	9	31	18	水泥	白莲街道柳石路 257 号
柳州市二十中三人制篮球场	2013	3456	6	32	18	合成材料	白莲街道柳石路 450 号
天马街道柳石路 37 号三人制篮球场	2010	306	1	18	17	水泥	天马街道柳石路 37 号
柳州市柳石三小三人制篮球场	2013	1178	2	31	19	合成材料	白莲街道洛维路 59 号
柳州市第八中学三人制篮球场	2012	1728	3	32	18	水泥	箭盘山街道屏山大道 385 号
广西机械高级技工学校三人制篮球场	1984	2232	4	31	18	水泥	荣军街道屏山大道 262 号
柳州市驾鹤路小学三人制篮球场	1995	442	1	26	17	水泥	驾鹤街道荣军路 73 号
柳州市驾鹤路小学三人制篮球场 2	1995	442	1	26	17	水泥	驾鹤街道荣军路 73 号
水南路 243 号篮球场	2010	1216	2	32	19	水泥	驾鹤街道水南路 243 号
原柳州市印染厂水南路 213 号宿舍篮球场	1975	493	1	29	17	水泥	驾鹤街道水南路 213 号
鹿山学院三人制篮球场	2011	912	2	24	19	水泥	柳东新区新柳大道 99 号
柳州市岩村路小学三人制篮球场	2004	1728	3	32	18	水泥	荣军街道岩村路 224 号
柳州市十四中三人制篮球场	2011	2790	5	31	18	水泥	荣军街道岩村路 226 号
柳州市第十三中学三人制篮球场	1993	2432	4	32	19	其他	五里亭街道羊角山路 4 号
柳州市羊角山小学三人制篮球场	2012	1728	3	32	18	水泥	五里亭街道羊角山路 1 号

续表 3

场地名称	建成年份	场地面积（平方米）	场地片数（片）	场地长度（米）	场地宽度（米）	场地面层	地　址
雒容镇第二中学三人制篮球场	2008	288	1	18	16	水泥	雒容镇中山路 46 号
泰安居排球场	2004	440	1	22	20	土质	五里亭街道滨江东路 1 号
广西脑科医院排球场	2010	676	2	26	13	合成材料	五里亭街道鸡喇路 1 号
龙擎苑社区排球场（柳机 9 区 4 栋西面）	2001	364	1	28	13	水泥	五里亭街道鸡喇路 16 号
龙擎苑社区排球场（柳机 9 区 4 栋西面公共厕所旁）	2006	364	1	28	13	水泥	五里亭街道鸡喇路 16 号
龙擎苑社区排球场（柳机 18 区）	2005	364	1	28	13	水泥	五里亭街道鸡喇路 16 号
龙擎苑社区排球场（柳机 12 区）	2005	364	1	28	13	水泥	五里亭街道鸡喇路 16 号
柳州市箭盘山小学排球场	2010	286	1	22	13	土质	箭盘山街道丽都路 310 号
白云石矿分公司排球场	2000	858	3	22	13	水泥	麒麟街道燎原路 10 号
柳州市燎原路小学排球场	2007	572	2	22	13	水泥	麒麟街道燎原路 10 号
广西科技大学医学院篮排球场	2013	1716	6	22	13	水泥	白莲街道柳石路 257 号
都乐小苑排球场	2013	286	1	22	13	水泥	白莲街道柳石路 399 号
广西煤炭地质局排球场	2008	338	1	26	13	水泥	天马街道柳石路 298 号
柳州市第三小学排球场	2013	286	1	22	13	水泥	白莲街道洛维路 59 号
新坡小苑排球场	2013	286	1	22	13	水泥	白莲街道南环路 173 号
尔海南山排球场	2013	286	1	22	13	合成材料	白莲街道南环路 6 号
柳州市第八中学排球场	2012	858	3	22	13	水泥	箭盘山街道屏山大道 385 号
一汽解放柳州特种汽车有限公司排球场	2011	338	1	26	13	合成材料	麒麟街道西江路 57 号
鹿山学院排球场	2011	2520	7	24	15	合成材料	柳东新区新柳大道 99 号
柳州市第二职业技术学校七人制足球场	2010	5382	1	78	69	天然草	柳东新区石冲路 6 号
柳州市委党校七人制足球场	2010	2925	1	65	45	人造草	柳东新区新柳大道 100 号
广西龙潭医院室外七人制足球场	2010	2925	1	65	45	人造草	五里亭街道羊角山路 8 号
柳州市鱼峰区宝莲五人制足球场	2012	459	1	27	17	合成材料	白莲街道柳石路 171 号
柳州市第八中学五人制足球场	2008	5328	6	37	24	人造草	箭盘山街道屏山大道 385 号
鱼峰区三柳五人制足球场	2010	918	2	27	17	人造草	荣军街道荣军路 222 号
荣军五人制足球场	2004	2772	3	42	22	人造草	荣军街道荣军路 41 号
南亚室外网球场	2005	569	1	37	16	合成材料	麒麟街道东环大道 220 号
华林君邸网球场	2005	569	1	37	16	水泥	箭盘山街道东环路西一巷 101 号
汇东一品室外网球场	2010	569	1	37	16	合成材料	麒麟街道静兰路 4 号
柳州市第八中学网球场	2008	1056	4	24	11	合成材料	箭盘山街道屏山大道 385 号
柳州市职业技术学院网球场	2011	1975	3	37	18	其他	麒麟街道社湾路 28 号

续表 4

场地名称	建成年份	场地面积（平方米）	场地片数（片）	场地长度（米）	场地宽度（米）	场地面层	地　址
柳州市铁道职业技术学院室外网球场	2010	2964	4	38	20	合成材料	柳东新区文苑路 2 号
柳州市国盛扬业服务有限公司室外网球场	2012	1137	2	37	16	合成材料	麒麟街道西江路 66 号
鹿山学院室外网球场	2011	744	2	31	12	合成材料	柳东新区新柳大道 99 号
柳州市委党校网球场	2010	780	2	30	13	合成材料	柳东新区新柳大道 100 号
柳州市白云路 2 号华庭苑羽毛球场	2003	125	1	17	7	人造草	荣军街道白云路 2 号
龙擎苑社区羽毛球场（柳机 2 区）	2003	240	1	20	12	水泥	五里亭街道鸡喇路 16 号
广西科技大学箭盘教学点羽毛球场	1972	858	3	22	13	水泥	箭盘山街道箭盘路 28 号
柳州市羊角山小学羽毛球场	2009	1374	11	17	7	其他	五里亭街道九头山路 13 号
柳州市箭盘山小学羽毛球场	2010	533	3	24	8	水泥	箭盘山街道丽都路 310 号
柳州市燎原路小学羽毛球场	2007	250	2	17	7	水泥	麒麟街道燎原路 10 号
广西科技大学医学院羽毛球场	2013	1499	12	17	7	水泥	白莲街道柳石路 257 号
广西凤糖雒容制糖有限责任公司羽毛球场	2005	180	1	18	10	水泥	雒容镇蜜国路 1 号
柳州市雒容中学羽毛球场	2009	144	1	18	8	水泥	雒容镇民生南路 29 号
新坡小苑羽毛球场	2013	126	1	18	7	水泥	白莲街道南环路 173 号
鸿泰名城羽毛球场	2004	125	1	17	7	水泥	荣军街道荣军路 246 号
柳州市荣誉军人康复医院羽毛球场	2013	625	5	17	7	合成材料	荣军街道荣军路 41 号
柳州市第二职业技术学校羽毛球场	2010	144	1	18	8	合成材料	柳东新区石冲路 6 号
柳州铁道职业技术学院羽毛球场	2010	1140	6	19	10	合成材料	柳东新区文苑路 2 号
柳州铁道职业技术学院羽毛球场 2	2010	1080	6	18	10	合成材料	柳东新区文苑路 2 号
柳州市城市职业技术学院羽毛球场	2012	576	4	18	8	合成材料	柳东新区文苑路 1 号
柳州市白云路 2 号华庭苑乒乓球馆	2003	112	1	16	7	人造草	荣军街道白云路 2 号
柳州市雒容镇大正小学乒乓球场	2010	133	3	7	6	水泥	雒容镇大正路大正小学
东环社区兵乓球场	2013	98	1	14	7	其他	箭盘山街道东环大道 69 号
雒容镇硅厂小学乒乓球场	2013	90	3	6	5	水泥	雒容镇硅厂小学
柳州市第二十四中学乒乓球场	2009	50	1	10	5	水泥	五里亭街道鸡喇路 8 号
柳州市东环第二小学乒乓球场	2010	210	3	10	7	其他	箭盘山街道箭盘路 76 号
柳州市雒容镇连半小学乒乓球场	2010	40	1	8	5	水泥	雒容镇连半小学
柳州市白云小学乒乓球场	2007	200	1	20	10	水泥	荣军街道燎原路 21 号
柳州市柳东小学乒乓球场	1990	392	4	14	7	水泥	箭盘山街道柳东路 90 号
柳州市柳石路小学乒乓球场	2012	588	6	14	7	水泥	天马街道柳石路 33 号
柳州市柳石二小乒乓球场	1989	50	1	10	5	水泥	天马街道柳石路 143 号
柳州市雒容镇龙岭小学乒乓球场	2002	40	1	5	8	水泥	雒容镇龙岭路龙岭小学
柳州市第三小学乒乓球场	2013	275	4	11	6	水泥	白莲街道洛维路 59 号

续表 5

场地名称	建成年份	场地面积（平方米）	场地片数（片）	场地长度（米）	场地宽度（米）	场地面层	地　址
柳州市雒容中学乒乓球场	2009	108	3	6	6	水泥	雒容镇民生南路 29 号
尔海南山乒乓球场	2013	196	2	14	7	水泥	白莲街道南环路 6 号
柳州市雒容镇盘古小学乒乓球场	2012	60	2	6	5	水泥	雒容镇盘古村盘古小学
柳州市长虹世纪社区老年活动中心乒乓球场	2013	196	2	14	7	水泥	荣军街道屏山大道 278 号
鱼峰区水南路 213 号乒乓球场	1975	216	3	12	6	水泥	驾鹤街道水南路 213 号
柳州市雒容镇竹车小学乒乓球场	2012	40	1	8	5	水泥	雒容镇竹车村竹车小学
广西水文地质工程队门球场	1995	458	1	24	20	合成材料	麒麟街道东环大道 12 号
柳州市双力仪表宿舍门球场	2012	300	1	20	15	水泥	五里亭街道龙泉路 1 号
柳州供电局门球场	2012	414	1	23	18	合成材料	驾鹤街道天山路 1 号

2014 年鱼峰区体育场、小运动场及田径场

场地名称	建成年份	场地面积（平方米）	环形跑道条数（条）	跑道周长（米）	跑道面层	中心场地面层	地　址
广西科技大学医学院田径场	2013	16647	8	400	其他	天然草	白莲街道柳石路 257 号
柳州市二十中田径场	2013	16089	6	400	塑胶	天然草	白莲街道柳石路 450 号
广西商业学校田径场	2008	16089	6	400	煤渣	天然草	白莲街道柳石路 410 号
广西工艺美术学校田径场	1983	16089	6	400	塑胶	天然草	白莲街道柳石路 412 号
柳州市柳石路第三小学田径场	2013	4469	4	200	塑胶	其他	白莲街道洛维路 59 号
柳州市第八中学田径场	2004	16826	8	400	塑胶	天然草	箭盘山街道屏山大道 385 号
柳州市东环路小学塑胶运动场	2006	4461	6	200	塑胶	其他	箭盘山街道东环大道 67 号
柳州市民族高中田径队	2004	5000	4	400	塑胶	人造草	麒麟街道东环大道东一巷 2 号
柳州市职业技术学院田径场	2009	17169	8	400	塑胶	人造草	麒麟街道社湾路 28 号
广西高级技工学校田径场	2008	15575	6	400	塑胶	天然草	荣军街道屏山大道 262 号
柳州市第十四中学田径场	2013	15575	6	400	塑胶	天然草	荣军街道岩村路 226 号
柳州市白云小学田径场	2007	4440	4	200	塑胶	其他	荣军街道燎原路 21 号
柳州市一中田径场	2008	17444	8	400	塑胶	天然草	天马街道柳石路 3 号
柳州市第十三中学田径场	1993	15575	6	400	其他	其他	五里亭街道羊角山路 4 号
柳州市羊角山小区田径场	2012	5000	6	400	塑胶	其他	五里亭街道羊角山路 1 号
柳州市第二十四中学田径场	2010	4469	4	200	塑胶	天然草	五里亭街道鸡喇路 8 号
柳州市城市职业技术学院田径场	2012	17444	8	400	塑胶	天然草	柳东新区文苑路 1 号
鹿山学院体育场	2008	16830	8	400	塑胶	人造草	柳东新区新柳大道 99 号
柳州市第一职业技术学校田径场	2013	15575	8	400	塑胶	天然草	柳东新区石冲路 2 号
柳州市铁道职业技术学院田径场	2010	17169	8	400	塑胶	天然草	柳东新区文苑路 2 号
柳州市古亭山中学田径场	1999	15824	6	400	塑胶	天然草	阳和街道盛棠路 1 号
柳州市第三十二中学小运动场	2008	4200	3	200	其他	土质	洛埠镇振鹤街 185 号
柳州市雒容中学田径场	2009	16089	6	400	塑胶	天然草	雒容镇民生南路 29 号

2014 年鱼峰区游泳跳水场(馆)

场地名称	建成年份	场地面积(平方米)	长(米)	宽(米)	深(米)	类型	地址
柳州市中实物业服务有限责任公司游泳池	2006	10	10	1	/	戏水池	天马街道航月路 2 号
龙潭游泳池	1994	462	22	21	/	戏水池	天马街道龙潭路 43 号
嘉年华庭游泳池	2005	460	23	20	/	戏水池	东环大道 93 号华林社区
协和丽都游泳池	2002	50	10	5	/	戏水池	箭盘街道屏山大道 318 号
南亚室外游泳池	2008	464	29	16	1.50	训练池	麒麟街道东环路 220 号
柳州市国盛扬业服务有限公司游泳池	2012	816	34	24	1.30	训练池	麒麟街道西江路 66 号
柳州市一中游泳馆	2010	1900	50	38	2.00	训练池	天马街道柳石路 3 号
柳州市供电局游泳池	2012	1050	50	21	1.50	训练池	驾鹤街道天山路 1 号
柳州市箭盘山公园游泳池	2000	848	25	16	1.20	训练池	驾鹤街道屏山大道 343 号
地质职工医院游泳池	2000	1714	29	16	2.00	训练池	白莲街道洛维路 89 号
鹿山学院游泳池	2009	1250	50	25	2.20	比赛池	柳东新区新柳大道 99 号

综合房(馆)及专项训练房(馆)

场地名称	建成年份	场地面积(平方米)	场地长度(米)	场地宽度(米)	室内净高(米)	场地数量(片)	场地面层	地址
柳州供电局健身房	2012	98	12	8	5	3	合成材料	驾鹤街道天山路 1 号
柳州市就业服务中心健身房	2011	80	10	8	3	1	合成材料	驾鹤街道屏山大道 19 号
动岚健身馆	2010	205	21	10	9	1	木地板	箭盘山街道协和丽都 318 号
柳州城市职业技术学院健身房	2012	324	18	18	5	1	合成材料	柳东新区文苑路 1 号
柳州市雒容中学健身房	2008	90	12	8	4	1	其他	雒容镇民生南 29 号
广西水文地质工程队健身房	1995	60	8	7	4	1	其他	麒麟街道东环大道 12 号
柳州市荣盛社区健身馆	2011	48	8	6	4	1	水泥	荣军街道荣军路 238 号
广西商业学校篮球馆	2004	1613	56	29	9	1	木地板	白莲街道柳石路 410 号
柳州城市职业技术学院篮球馆	2012	1476	41	36	9	1	合成材料	柳东新区文苑路 1 号
柳州市第一职业技术学校篮球房	2011	2445	63	39	3	3	水泥	柳东新区石冲路 2 号
广西水文地质工程地质队水文队篮球馆	2012	987	39	26	20	1	其他	麒麟街道东环大道 12 号
广西壮族自治区血液中心篮球房	1982	608	32	19	9	1	合成材料	五里亭街道羊角山路 6 号
地质职工医院排球馆	2009	750	31	24	7	2	木地板	白莲街道洛维路 89 号
金谷气排球馆	2008	1598	47	34	10	4	合成材料	天马街道柳石路 332 号
柳州供电局乒乓球房	2012	314	19	17	6	1	木地板	驾鹤街道天山路 1 号
柳州市第八中学乒乓球馆	2010	891	48	19	7	1	合成材料	箭盘山街道屏山大道 385 号
柳州城市职业技术学院乒乓球馆	2012	216	18	12	5	5	合成材料	柳东新区文苑路 1 号
广西水文地质工程队乒乓球房	2004	270	25	11	9	1	其他	麒麟街道东环大道 12 号
柳州市鸿兴名同小区乒乓球馆	2012	280	20	14	6	1	合成材料	荣军街道白云路 12 号
东风柳州汽车厂乒乓球房	2013	255	17	15	4	1	木地板	荣军街道屏山大道 286 号
柳州供电局棋牌房	2012	73	9	8	5	6	其他	驾鹤街道天山路 1 号
柳州华锡集团工会棋牌室	2000	91	13	7	3	1	水泥	驾鹤街道水南路 243 号

续表

场地名称	建成年份	场地面积(平方米)	场地长度(米)	场地宽度(米)	室内净高(米)	场地数量(片)	场地面层	地址
元江社区棋牌房	1972	25	7	4	3	1	其他	麒麟街道白云路126号
广西水文地质工程队棋牌房	1995	180	18	10	4	1	其他	麒麟街道东环大道12号
广西煤炭地质局棋牌室	2004	80	10	8	4	1	其他	天马街道柳石路298号
龙擎苑社区老年天地综合楼棋牌室	1984	140	20	7	5	1	水泥	五里亭街道鸡喇路16号
万聚农庄羽毛球房	2008	1200	40	30	10	7	木地板	白莲街道柳石路424号
柳州市水南路小学羽毛球房	2008	125	17	7	6	1	合成材料	驾鹤街道水南路243号
柳州市第八中学羽毛球房	2008	1300	40	33	10	9	木地板	箭盘山街道屏山大道385号
李羽球羽毛球房	2006	2100	53	40	4	13	合成材料	箭盘山街道屏山大道306号
鹿山学院综合房羽毛球馆	2009	1400	47	30	9	8	合成材料	柳东新区新柳大道99号
柳州市日高控股股份有限公司羽毛球房	2008	750	30	25	7	6	合成材料	雒容镇盘龙路1号
广西水文地质工程队小羽毛球房	2004	200	20	10	9	1	木地板	麒麟街道东环大道12号
柳州市民族高中羽毛球场	2004	720	18	10	5	4	木地板	麒麟街道东环大道东一巷2
东风柳州汽车厂羽毛球馆	2011	1458	18	9	10	9	木地板	荣军街道屏山大道286号
柳州市龙潭公园羽毛球馆	2013	660	33	20	8	4	合成材料	天马街道龙潭路43号
腾飞羽毛球馆	1998	920	46	20	14	6	木地板	天马街道柳石路31号
金谷羽毛球馆	2008	2000	50	40	12	12	木地板	天马街道柳石路332号
弘健球馆羽毛球馆	2009	2400	60	40	8	14	合成材料	五里亭街道燎原路50号
"阳光花园"体育馆羽毛球馆	2005	1300	52	25	8	8	合成材料	五里亭街道蝴蝶山路58号
天王体育运动馆羽毛球馆	1996	936	36	26	8	6	合成材料	五里亭街道九头山路12号
柳州市古亭山中学羽毛球馆	2008	1350	45	30	3	6	合成材料	阳和街道盛棠路1号
柳州市玛雅室内轮滑场	2012	750	30	25	6	1	木地板	荣军街道屏山大道278号
柳州市第二职业技术学校综合馆	2010	759	内含乒乓球房、健身房					柳东新区石冲路6号
柳州市铁道职业技术学院综合馆	2012	1207	内含篮球馆、健身房					柳东新区文苑路2号
柳州市职业技术学院综合馆	2008	3335	内含排球馆、篮球馆、羽毛球馆、台球室、乒乓球馆、健身房					麒麟街道社湾路28号
柳州市一中综合馆	2010	4661	内含篮球馆、羽毛球馆、乒乓球房、健身房					天马街道柳石路3号
广西龙潭医院综合房	2004	2705	内含排球馆、篮球馆、羽毛球馆、乒乓球馆					五里亭街道羊角山路8号
鹏鲲综合馆	2013	2566	内含排球馆、羽毛球馆、乒乓球馆、健身房、摔跤柔道拳击跆拳道空手道馆					五里亭街道鸡喇路16号

备注:以上表格根据普查结果,由鱼峰区政府2014年编制,涉及鱼峰区管辖面积(含雒容、洛埠、阳和),按照场地单位基本情况表(简称"甲表")和场地基本情况表(简称"乙表")进行数据综合选取,为鱼峰区正常使用,达标场地。

(黄覃凯)

责任编辑:罗冠梅

卫生　计划生育

“人口三字经”碑立于鱼峰区公园小广场　　（朱继清　摄）

卫　生

【卫生概况】 2014年鱼峰区有医疗卫生事业机构31家(不含卫生防疫站及单位、厂矿卫生所),其中自治区、柳州市属医疗单位12家,区直属医疗机构2家,卫生院1家,社区卫生服务中心6家,社区卫生服务站10家。个体诊所139家。

全区在职医疗卫生工作人员5173人,其中执业(助理)注册医师1532人,注册护士2477人,具有高级职称的658人。实际开放病床4973张。平均每千人拥有执业(助理)注册医师5人、注册护士8人。

各级各类医疗机构全年完成门、急诊293万人次,完成出院11.33万人次。婴儿死亡率3.75‰,5岁以下儿童死亡率4.29‰。

2014年11月,中共鱼峰区委、区政府制定《关于鱼峰区人民政府机构设置的通知》和《关于鱼峰区人民政府职能转变和机构改革的实施意见》,区卫生局与区人口和计划生育局合并,组建鱼峰区卫生和计划生育局,为区人民政府工作部门。年末,部门工作人员32人。

2014年鱼峰辖区医疗机构一览表

序号	医院名称	总面积(平方米)	地址	建立时间(年)	床位(张)	年门诊(人次)	设备总价值(万元)	性质
1	柳州医学高等专科学校第二附属医院	33133	柳州市箭盘路17号	1971	539	150838	17391	非营利
2	广西脑科医院	59956	柳州市鸡喇路1号	1974	740	246966	6596	非营利
3	柳州市精神病医院	28670	柳州市东环路27号	1953	367	2428	653	非营利
4	广西壮族自治区龙潭医院	64086	柳州市羊角山路8号	1951	709	86101	11192	非营利
5	广西地质职工医院	13123	柳州市响水风景区	1983	99	14900	292	
6	柳州市工人医院	173270	柳州市柳石路1号	1933	1953	1591994	39164	非营利
7	广西壮族自治区荣誉军人康复医院	22678	柳州市荣军路181号	1953	229	16843	205	非营利
8	柳州华侨医院	/	柳州市屏山大道313号	1991	20	10803	3	
9	柳州协和医院	1385	柳州市屏山大道151号	1980	20	16475	28	
10	柳州新兴医院	1475	柳州市柳石路15公里处	2009	80	25405	121	
11	柳州西江医院	/	柳州市东环路4号	1975	104	53920	412	
12	柳州市箭盘山医院	/	柳州市白云路东一巷28号	1987	20	10803	73	
13	柳州福康医院	/	柳州市燎原路20-2号	2004	20	21939	178	
14	柳州男健医院	2300	柳州市荣军路104号	2014	21	62	6063	
15	柳州市羊角山卫生院	/	柳州市蝴蝶山路58号阳光花园6栋8号、9号	1970	0	55163	36	非营利
16	鱼峰区天马社区卫生服务中心	512	柳石路1号	2005	0	53533	30	非营利
17	鱼峰区麒麟社区卫生服务中心	329	东环大道4号	2006	0	150581	553	非营利
18	鱼峰区乘龙社区卫生服务站	/	屏山大道286号	2002	0	49495	18	
19	鱼峰区五里亭社区卫生服务中心	1180	蝴蝶山西路16号	2006	0	64920	59	非营利
20	鱼峰区丽都社区卫生服务站	325	柳州市屏山大道314号屏山花苑3栋21号		0	22234	0	
21	鱼峰区灯台社区卫生服务站	820	柳州市水南路221号		0	10211	0	

续表

序号	医院名称	总面积（平方米）	地址	建立时间（年）	床位（张）	年门诊（人次）	设备总价值（万元）	性质
22	鱼峰区龙擎苑社区卫生服务中心	5400	鸡喇路 16 号		42	58143	70	非营利
23	鱼峰区白云社区卫生服务站	300	柳州市蝴蝶山路白云小区 3 村 1-1-1 号		0	21000	1	
24	鱼峰区大桥社区卫生服务站	340	柳州市柳石路 424 号		0	12253	0	
25	鱼峰区宝山社区卫生服务站	350	柳州市荣军路 222 号		0	29373	0	
26	鱼峰区洛维社区卫生服务站	424	大桥园艺场苗圃村 119 号		0	6027	2	
27	鱼峰区云屏社区卫生服务站	286	白云路 9 号协和家园新华庭 1-2 号、3 号		0	29975	0	
28	鱼峰区屏东社区卫生服务站	178	屏山大道 347-3 号		0	11032	0	
29	鱼峰区驾鹤社区卫生服务中心	1690	鱼峰区天山路南一巷 29-1 号	2007	10	58042	39	非营利
30	鱼峰区荣军社区卫生服务中心	753	荣军路东三巷 131 号 12-3	2007	0	48513	14	非营利
31	鱼峰区驾鹤社区卫生服务中心江滨站	168	太平东路 2 号 16-19 号门面		0	5000	2	
	合　计	413131			4973	2934972	83195	

注：没有标注性质的医疗机构均为民营或营利性医疗机构。

【疾病预防控制】

重点传染病疫情防控 结核病、人禽流感、痢疾、手足口病和埃博拉出血热等传染病防控，疫情报告及处理。投入 12.5 万元开展灭蚊工作，严防登革热疫情的发生。

艾滋病防控防治 2014 年，鱼峰区设立防治艾滋病办公室，核定参公人员编制 2 名。与辖区内所有歌舞厅、卡拉 OK 厅、酒吧、桑拿、保健洗脚店等经营性娱乐场所的相关负责人签订防艾工作“责任状”。年内，开展预防艾滋病宣传教育活动 18 次，发放宣传资料 20 万份，出版宣传专栏、板报 80 期（块），发放艾滋宣传环保袋 2 万只，开展“艾滋病知识巡回讲座”2 场，听众达 7000 多人。辖区内各基层医疗卫生机构开展艾滋病病毒感染者（6 个月 1 次）及病人（3 个月 1 次）的医学随访、CD4 检测、配偶检测、健康咨询及干预转诊工作，并且安排专人负责、管理和完善艾滋病人的健康管理档案资料。全面落实《预防艾滋病推广使用安全套工程实施方案》，2014 年通过安全套自取箱和宣传活动发放安全套 25.92 万只。开展社会关爱救助艾滋病患者和感染者工作。全年累计救助艾滋病患者 1477 人次，发放低保救助金 57.18 万元；受理城市低保艾滋病患者 1459 人次，发放低保金 56.80 万元；受理农村低保艾滋病患者 18 人次，发放低保金 0.38 万元。医疗救助艾滋病患者进行 25 人次，发放金额 5.65 万元；救助艾滋病感染儿童 3 名，发放金额 3.15 万元。2014 年，鱼峰区艾滋病新发感染数（8 例 HIV62 例，AIDS23 例，较 2013 年同期（HIV62 例，AIDS25 例）下降 2.3%，病死 17 例。

【医疗体制改革】 基层医疗卫生机构综合改革试点——荣军街道社区卫生服务中心，作为广西第一家从公立医院举办转型为城区政府举办的机构，基本公共卫生服务和基本医疗服务均走在全市同行业前列，2014 年总数达 811 万元，与转型前相比增幅达 197%。

继续扩大“乡村移动医疗”覆盖面和服务功能，全面推进家庭医生签约服务工作。辖区各基层医疗卫生机构全面启动家庭医生签约服务，为居民提供安全、有效、连续、综合、可及的基本医疗服务和基本公共卫生服务。

基本药物制度进一步巩固完善。城区与公立医院举办的基层医疗卫生机构全部实施国家基本药物制度，基本药物全部通过网上采购，实行药品零差率销售。鸡喇村、水南村和驾鹤村3个村卫生室由羊角山卫生院及荣军街道社区卫生服务中心按照属地管理原则实行一体化管理，同时也实施国家基本药物制度。

2014年，基层医疗卫生机构门诊次均费用为79.63元，与去年同期相比下降3.17%。实施基本药物零差率销售。各级医生使用抗菌药物和门诊使用抗菌药物范围符合率达到95%以上，处方合格率达到95%以上。

【基层医疗信息平台管理】 搭建区域卫生信息平台的“柳州市全民健康一卡通项目(一期)”，荣军街道社区卫生服务中心作为柳州市第一批试点于6月底投入运行。

【妇幼保健】 积极推进妇幼卫生保健服务。孕产妇系统管理2976人，管理率88.48%；农村孕产妇住院分娩率为100%；待孕妇女叶酸服用率96.16%；婚姻登记5844人，婚检5680人，婚检率达97.19%。婴儿死亡率为3.66‰。0～6岁儿童保健系统管理1.5万人，管理率91.11%。

【健康档案管理】 累计建立电子居民健康档案21.42万份，建档率达67%。高血压患者规范管理人数达12457人，血压控制率达63%；Ⅱ型糖尿病患者规范管理人数达3475人，血糖控制率达61%；重性精神疾病患者管理706人，各项指标均达国家规定标准。

【新型农村合作医疗工作】 继续贯彻落实新农合政策，新农合参合率持续上升。2014年，新农合基金标准由2013年的340元/年提高到390元/年，全区有2897人参合，参合率为98.5%，比2013年增长1.2个百分点。

【社区卫生服务中心建设】 2014年，龙擎苑社区卫生服务中心综合楼项目通过验收投入使用；荣军街道社区卫生服务中心标准化建设项目作为荣军路宜居馨苑的配套设施已于7月份开工建设；白莲洛维街道社区卫生服务中心5月份开工建设；驾鹤街道社区卫生服务中心和箭盘山街道社区卫生服务中心标准化项目完成规划、立项、总评等项目前期手续。

【基层中医药事业发展】 2014年，鱼峰区作为加大力度开展中医药预防保健服务项目(国家试点项目)，重点实施“百场中医大讲堂”、慢性病患者中医干预，加强中医药服务能力建设。全区6个社区卫生服务中心有2个达到自治区级示范社区标准和中医药民族医药示范社区卫生服务中心。全区社区卫生服务中心、卫生院、社区卫生服务站、村卫生室共有卫生技术人员398人，医师146人，其中中医类别医师50人，中医类别医师占医师总数的比例为34.25%。6个社区卫生服务中心、1个卫生院和9社区卫生服务站均设有中医科，3个村卫生室配备中医诊疗适宜服务包，能提供中医药服务，初步形成体系健全、网络完善，在临床服务中广泛运用传统中医中药技术的社区卫生服务新格局。9所社区卫生服务机构建立了规范的社区中医科、社区理疗科和中药房，配备基本诊疗设备和常用中成药，能够提供6种以上中医药服务项目。有3个机构配备自动煎药机、熏蒸

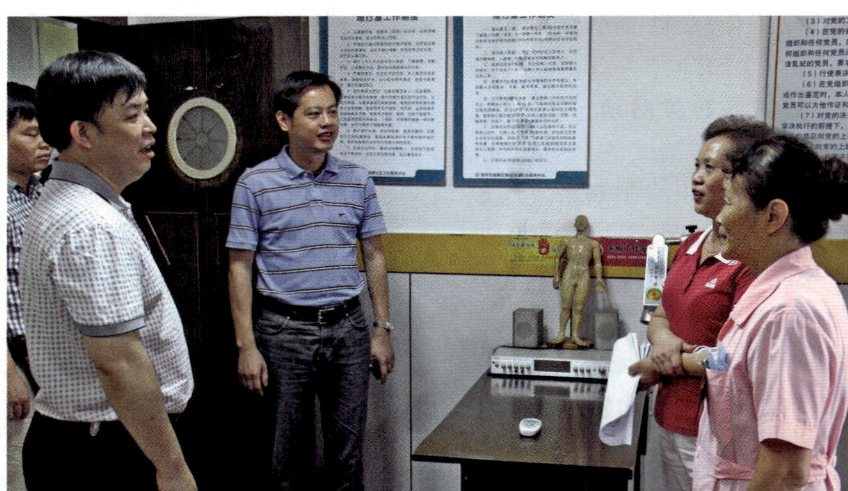

9月26日，自治区中医药管理局和基层中医药服务能力提升工程督查评估专家组到鱼峰区调研中医先进单位创建进展。图为专家一行到麒麟社区卫生服务中心指导　　（区委宣传部　提供）

2014 年，麒麟卫生服务中心中医科康复室　　（区卫计局　提供）

床等大型中医设备，社区卫生服务机构的健康档案等居民信息资料实现电子化管理。羊角山卫生院新建 1 个中医诊室和 1 个中医康复治疗室，配备 2 名中医类别执业医师，及针灸器具、火罐、电针仪、艾灸仪、智能通络治疗仪、TDP 神灯、中药雾化吸入等中医诊疗设备。能够开展针灸、推拿、拔罐、穴位埋线、穴位注射、放血疗法、自血疗法、红外线治疗、电磁治疗、中频治疗等 10 项中医药适宜技术。水南村卫生室配针灸、火罐、刮痧板、TDP 神灯等器具，能开展针灸、火罐、推拿、中医药适宜技术等传统中医医疗业务。11 月，国家中医药管理局派出专家组对鱼峰区区创建工作进行现场评审，评审合格，进入社会公示程序。

【创建国家卫生城市活动】 2014 年，鱼峰区共投入各项创建国家卫生城经费 4565 万元，张贴健康教育宣传板报 6 期，发放宣传资料 10 余万份，开展“世界无烟日”“世界卫生日”等宣传活动 6 场次，创建 29 家无烟单位。改造 32 个垃圾中转站、10 座公厕，投入 600 万元购置 20 台环卫专业作业车辆，投入 60 余万元配备 71 台电动三轮保洁车，购买 57 个垃圾密闭清运箱和 2000 余个垃圾箱。下拨城中村整治经费 135 万元，聘请保洁员 345 名。城区保洁随脏随扫，随丢随捡，主要道路进行洒水防尘降尘作业；公厕管理按“六无六净”卫生质量标准每天一冲两扫，垃圾中转站实行定员管理、定时巡查，垃圾日产日清，按规定进行清洗和消毒。春季和秋冬季病媒生物防制，由专业消杀公司负责辖区居民区、城乡接合部、主次干道、公园绿地等公共区域的除“四害”工作。

2014 年，拆除违法建筑 110 处，拆除面积近 15 万平方米。清理店外跨槛经营 1500 余处，取缔违规占道促销 30 余处、流动摊点 2000 余个。查处违章开挖城市道路案件 22 起，查处车轮带泥、撒漏案件 30 余起，责令当事人清扫路面 80 余次。开展对鱼峰路、屏山大道、驾鹤路、柳石路等主次干道的门头招牌专项整治，共查处违规店面门头招牌 390 余个，清理沿街招贴广告 3.5 万条，规范店堂广告 3000 余处。12 月，柳州市创建卫生城活动通过国家考核评估。（陈凤平）

责任编辑：黎柳萍

人口与计划生育

【人口与计划生育概况】 根据《中共鱼峰区委员会、鱼峰区人民政府关于鱼峰区人民政府机构设置的通知》，2014 年 9 月 29 日，鱼峰区卫生局、鱼峰区人口和计划生育局合并成鱼峰区卫生和计划生育局。年末，鱼峰区已婚育龄妇女 83671 人。

【“单独二孩”生育政策实施】 2014 年鱼峰区根据《广西壮族自治区人口和计划生育条例(修正案)》，自 3 月 1 日起正式实施“单独二孩”生育政策。采用专题辅导、集中培训、知识竞赛等形式，学习新修订的《广西人口计划生条例》和《广西人口计划生育管理办法》，开展入户调查，摸清符合政策人员底数，加大政策宣传力度，提高政策知晓率，调整审批时限，简化办证程序，为符合政策生育二孩的群众提供政策咨询和服务。全年共受理申请符合“单独二孩”政策的家庭 461 个，其中审批“二孩生育证”的家庭 455 个。

【计划生育服务与管理】 实施计生惠民工程。把“幸福家园”建设、免费孕前优生健康检查和爱

2014 年 12 月 1 日，鱼峰区工会组织计生卫生人员，在柳州市河东交通枢纽中心项目工会工作站为农民工朋友分发常用外用药品、计生用品及防艾健康知识宣传手册　　（区工会　提供）

心保险列为政府为民办实事项目，建立项目进度月报制度，掌握项目建设动态，深入街道、社区(村)听取项目推进情况，抓好项目的落实。2014 年市下达责任指标 16 个，建成 16 个，设备全部发放到位。年内，鱼峰区建成城区级“幸福家园”1 个，街道级 7 个，社区(村)级 57 个，实现全覆盖。免费孕检工作进展顺利。年内共为 2428 人进行免费孕前优生健康检查，完成全年目标任务数的 121.4%，审核各类奖扶、特服对象和一次性特殊困难家庭补助 24689 人次，兑现奖扶金 807.385 万元，其中鱼峰区配套资金 312.983 万元，人口计生基本公共服务覆盖率达 100%，计生贫困家庭扶贫项目覆盖率达 100%。全年共为 6113 户满足自治区、柳州市爱心保险条件的农村计划生育家庭，城镇失业、半边户计划生育家庭购买爱心保险，投保率 100%，投保金额 18.34 万元，理赔人数 65 人，理赔金额 24.15 万元，理赔率 131.7%。

【计生协会】 2014 年，鱼峰区有基层计生协会 106 个，其中社区(村)协会 57 个，流动人口协会 47 个，企业协会 7 个，会员小组 1389 个，发展计生协会会员 51293 名，会员数占辖区总人口的 17.6%。完成全区 57 个社区(村)计生协会的换届工作。完善流动人口协会组织网络建设。以非公企业计生协会服务为切入点，深入开展“五色行动”“爱心手牵手”“两心四园”“一街一品”等活动，打造优质服务品牌，以活动促服务，以服务促发展，使流动人口管理与服务和均等化工作取得实效，并得到自治区流动人口协会工作的充分肯定。加强对计划生育特殊家庭帮扶关爱。在辖区筹建龙泉山、柳依、屏东、西船 4 个特殊家庭帮扶关爱基地，举办计划生育特殊家庭座谈会和联谊会，聘请心理咨询师为特殊家庭成员心理疏导等活动。建立志愿者队伍，营造社会关怀氛围。组织青年志愿者、医务人员、计划生育协会文艺队、部队官兵、大学生等建立志愿者队伍 165 人，对辖区特困的计生特殊家庭开展“一对一”或“多对一”定点帮扶。

（吴代铮）

责任编辑：兰海宁

社会 生活

2014 年，柳东新区正和城商住小区初具规模 （朱继清 摄）

人口与民族

【人口与民族概况】 2014年，区卫生与人口和计划生育局的计划生育管理和服务职责整合，组建区卫生和计划生育局，人口发展规划及人口政策职责划入区发展和改革局。不再保留区卫生局、区人口和计划生育局。2014年末，鱼峰区（含阳和、雒容和洛埠）常住人口46.76万人，户籍人口337022人，总户数106644户。鱼峰区（不含阳和、雒容和洛埠）常住人口33.5万人；户籍人口231627人，其中男性人口116703人，女性人口114924人，男女性别比为101.5：100。

2014年9月，鱼峰区民族和宗教事务局在鱼峰区人民政府办公室挂牌。据民族人口统计，鱼峰辖区有32个民族。人口在千人以上的少数民族有7个，分别是壮、仫佬、瑶、侗、苗、回；百人以上的少数民族共5个，分别是满族、毛南族、土家族、布依族、水族。2014年，鱼峰区民族工作牢牢把握各民族"共同团结奋斗、共同繁荣发展"的主题，认真宣传贯彻党的民族政策，依法保障少数民族平等权益，尊重少数民族宗教信仰，发展少数民族经济和文化教育事业，积极探索城市民族工作模式，为少数民族流动人员真情服务，维护了社会的稳定，形成了平等、团结、互助的社会主义民族关系。通过开展以天马街道为示范点的民族团结进步示范建设，有力促进了辖区各民族之间的团结进步。2014年9月，天马街道大龙潭社区被国务院评为"全国民族团结进步模范集体"，打造了大龙潭社区少数民族网络山歌、狮山社区民族团结进步之家、民族话语堂等民族团结进步工作品牌。

【民族团结宣传教育】 2014年，鱼峰区民族和宗教事务局结合"六五"普法工作，充分利用社区板报、宣传长廊等载体，积极开展民族区域自治法等法律法规和相关政策的宣传。于9月15日—10月15日组织辖区各街道、社区和相关单位积极开展以"民族团结，美好家园"为主题的民族区域自治法宣传教育活动，在辖区范围内人流密集及接待服务居民的办公场所中通过悬挂横幅及利用电子屏、黑板报、宣传板报等多种方式全方位、多角度、分层次地向广大居民们宣传民族区域自治的内涵意义和重要作用，切实解决少数民族群众的实际困难和问题，取得了一定的成效。活动月期间，共悬挂汉壮双语横幅19条、宣传板报9版、宣传动员了辖区16个电子屏幕滚动播放宣传民族团结的标语口号，营造了较浓厚的宣传氛围。宣传教育活动中，被《柳州日报》《柳州晚报》《新播报》《摆古》等栏目各采用宣传报道1篇。

【民族关系协调】 鱼峰区民族和宗教事务局针对干部队伍调整和人员流动，进一步完善了少数民族知名人士信息资料和少数民族社团信息资料库，及时调整民族关系信息员、协调员、专家顾问队伍人员结构，补充更新信息库资料。完善民族关系协调工作机制，定期召开民族关系分析会，分析当前鱼峰区民族关系状况和维护民族团结工作形势。不定期开展排查工作，妥善处理影响民族团结的问题。全面推动矛盾纠纷调处化解机制。结合鱼峰区网格化管理平台，以辖区354个网格为基础，在社区和网格中设立调解委员会和调解员，上墙公示了各项制度，规范了调解流程，明确了调解责任。调委会配备了具有专

2014年3月25日，鱼峰区在龙潭公园举办唱响三月三，民族大联欢原创歌曲比赛

（区委宣传部　提供）

业法律知识和丰富实践经验的调解员，除正常受理并调处管辖范围内的汉族与少数民族及少数民族内部间的民间矛盾纠纷，还不定期在少数民族相对集中居住区开展法制宣传、法律咨询、送法到人等活动，成为化解涉及少数民族人员矛盾纠纷的新途径。

2014 年 10 月 30 日，柳州市南方花鸟市场筹集捐资助学资金以及义卖春联款项，由鱼峰区人大常委会主任高宁带队，到融水县同练乡朋平村朋平小学进行捐献助学　（原　园　提供）

【服务少数民族】 2014 年，鱼峰区民族和宗教事务局设立专门民族事务服务窗口，实现一站式服务，全年共办理民族成分变更初审 107 例。年内，发挥大龙潭社区等示范点建设的示范效应，以点带面，全面促进鱼峰区民族工作进社区。构建社区服务体系，对社区辖区内的少数民族人口进行摸底调查，建立少数民族台账，制订和完善服务工作制度，建立社区与困难少数民族人员结对联系制度。利用民族传统节日节庆活动，开展谈心交流、走访慰问，为少数民族居民办理医疗保险、开展各项计划生育优质服务等，同时还为下岗、失业及无业的少数民族群众“送政策、送岗位”。掌握辖区内的民族关系状况，妥善处理涉及民族因素的突发性事件。　（黄伟忠）

民间文化传承

【龙城元宵灯会】 2014 年 2 月 14 日，鱼峰区在大龙潭公园举办 2014 年元宵花灯展示活动。此次元宵花灯会展出花灯 2850 盏，共有 180 个单位参展，参观人次达 8 万人，其中，11 个参展单位、23 件作品和 40 名学生分获组织奖、单项制作奖及学生制作奖。

2014 年 1 月 25 日，南方花鸟市场举行义卖春联活动　（原　园　提供）

【山歌邀请赛】 2014 年 4 月 1 日（农历三月二日）上午，由鱼峰区人民政府承办的“柳州首届三月三‘鱼峰歌圩’全国山歌邀请赛”在鱼峰山歌圩大舞台举行了开幕式，来自全国（内蒙古、湖北、陕西等）11 个省市的 10 支参赛队共 70 名山歌爱好者参加了此次比赛。

【斗鸡、斗鸟争霸赛】 2014 年 5 月 2 日第三届柳州“南方杯”斗鸡、斗鸟王争霸赛在南方花鸟市场隆重举行。来自贵州、湖南以及区内外 200 多名选手参加比赛，参加比赛的画眉鸟有 106 笼、斗鸡 41 只。　（原　园）

【春联书写】 辖区居民历来就有

在春节期间贴春联的习俗。每逢春节，书画家便组织书写春联赠送或义卖。2014年1月25日，柳州市南方花鸟市场、柳州市楹联学会在春节前组织部分书法家，在柳州市南方花鸟市场里设点书写春联及书法作品，向游客及街巷群众进行义卖。共义卖春联和书法作品近200件。柳州市南方花鸟市场另行筹集捐资助学的资金，加上书法家义卖春联及书法作品获得的收入一起，购买了25铺上下铺铁架床和太阳帽、书包、文具盒、笔、尺子、橡皮擦、卷笔刀、作业本等价值10500元的学习用品。2014年10月30日，鱼峰区人民代表大会常务委员会主任高宁与书画家们一道，将这批物品送到了鱼峰区帮扶点——融水苗族自治县同练乡朋平村朋平小学。 （吕培贤　原　园）

城乡居民生活

【居民收入】 2014年，鱼峰区城乡居民收入继续增加。城镇居民人均可支配收入28246元，增长10.5%。农村居民人均纯收入16342元，增长12.2%。

【民生保障】 2014年，鱼峰区民生支出达4.68亿元，占公共财政预算支出的73.68%。积极开展就业培训和就业援助工作，城镇新增就业11158人，城镇登记失业率控制在3.9%以内。医保扩面工作稳步推进，实现城镇居民参保12.08万人，新型农村合作医疗参合率达98.5%；城乡居民社会养老保险参保人数4443人，基础养老金发放28882人次；发放城乡低保、城乡医疗救助金、残疾人补助金、爱心救助金、优抚金等各种补助共计1985万元。安居工程稳步推进，建成保障性住房1359套，142套廉租住房交付使用，为1986户发放廉租住房补贴558万元。投入208万元实施84项社区惠民项目。食品药品监管构建了城区—街道—社区三级监督网络体系，启动食品药品综合业务监管平台建设。教育普惠性民办幼儿园和接收进城务工人员子女幼儿园下拨扶持经费315.5万元。接收进城务工人员随迁子女入学上万名。扶助贫困学生就读大学505人。扶持民办中小学校发展投入100万元。龙擎苑社区服务站顺利投入使用，白莲洛维、荣军、驾鹤、箭盘山街道等4个社区卫生服务中心建设有序推

鱼峰区2014年农村住户调查家庭收入与支出情况表

指　　标	计量单位	2013年	2014年	同比增减(%)
一、农村居民家庭纯收入	元/人	14566	16343	12.20
（一）工资性收入	元/人	4936	5568.4	12.81
（二）家庭经营收入	元/人	1791	1994.3	11.35
（三）财产性收入	元/人	6047	6763	11.84
（四）转移性收入	元/人	1792	2010.3	12.18
二、农村居民家庭总支出	元/人			
生活消费支出	元/人	10639.7	11960.8	12.42
1. 食品消费支出	元/人	4398.7	4798.3	9.08
2. 衣着消费支出	元/人	699	788	12.73
3. 居住消费支出	元/人	1620	1842.3	13.72
4. 家庭设备、用品消费支出	元/人	728	852	17.03
5. 交通和通信消费支出	元/人	545	625	14.68
6. 文化教育娱乐消费支出	元/人	1166	1370.2	17.51
7. 医疗保健消费支出	元/人	1409	1602	13.70
8. 其他商品和服务消费支出	元/人	74	83	12.16

（统计局）

鱼峰区2014年城镇住户调查家庭收入与支出情况表

指　　标	计量单位	2013年	2014年	同比增减(%)
一、城镇居民家庭可支配收入	元/人	25562	28246	10.50
（一）工资性收入	元/人	15739	17218	9.40
（二）经营净收入	元/人	1411	1563	10.77
（三）财产性收入	元/人	1056	1199	13.54
（四）转移性收入	元/人	9434	10396	10.20
二、城镇居民家庭总支出	元/人			
消费性支出	元/人	15409.8	16974	10.15
1. 食品消费支出	元/人	6544.3	7218	10.29
2. 衣着消费支出	元/人	1256.1	1398	11.30
3. 居住消费支出	元/人	1217.5	1329	9.16
4. 家庭设备、用品消费支出	元/人	963.2	1083	12.44
5. 交通和通信消费支出	元/人	1895.1	2094	10.50
6. 文化教育娱乐消费支出	元/人	1948.6	2138	9.72
7. 医疗保健消费支出	元/人	993.7	1071	7.78
8. 其他商品和服务消费支出	元/人	591.2	643	8.76

（统计局）

进，辖区民众就医更加便利。创建国家卫生城市成果不断巩固，防艾攻坚工作扎实开展。诚信计生和“幸福家园”建设扎实推进，兑现计生奖励扶助金636万元。辖区申请二孩夫妻466对，“单独二孩”政策稳妥有序落实。

（区政府办公室）

【老龄工作】 2014年，鱼峰区老龄办发放100岁以上高龄老年人高龄补助金3.22万元，90～99岁以上老年人高龄补贴25.29万元；80～89岁老年人补贴52.61万元，60岁以上老人办理优待卡2490件。为加快养老服务体系建设，制定《鱼峰区关于加快社会养老服务体系建设方案(2013—2015)》《鱼峰区2014年关于加快社会养老服务体系建设方案》，至年末，建设11个城市居家养老服务站，8个社区老年活动中心，2个日间照料中心，1个农村幸福院。

（民政局）

传媒活动

【概况】 2014年，有3家报社和1家广播电视网络中心在鱼峰辖区设立有服务网点。其中广西日报社在蝴蝶山路丽阳天下小区设立有发行站，有管理人员、送报员20多人。接受鱼峰区范围机关、企事业单位和居民群众的订报送报业务。

柳州日报社在鱼峰区荣军路东三巷设立有发行部。有管理人员和送报员30多人，接受鱼峰区范围机关、企事业单位和居民群众的订报送报业务。

南国今报社在鱼峰区蝴蝶山路设立有一个发行部，包括管理、送报员共有40多名员工，接受辖区单位和居民订报、送报业务。

广西广电网络柳州分公司在燎原路设立有一个面向辖区居民服务的白云营业厅。在箭盘路25号新居苑小区设立了维护服务网点。主要负责鱼峰区数字电视用户、宽带用户的维护工作。

【新闻媒体活动】 2014年，各家报纸、电视台等媒体，在鱼峰区积极开展各种活动，支持和配合鱼峰区各项工作健康发展。其中，柳州日报、柳州晚报、南国今报、柳州广播电视台等媒体，通过在鱼峰区50多个社区建立的社区新闻代言人工作机制，刊登社区新闻代言人以及通讯员的稿件，传播鱼峰区各方面工作以及基层的工作面貌。2014年，广西日报、柳州日报、柳州晚报、柳州广播电视台、南国今报等媒体，报道鱼峰区各项建设的稿件、节目，累计有607篇(条)。

2014年，柳州晚报、南国今报在鱼峰区积极参与社会公益活动，参与和谐社区建设活动。其中柳州晚报走进社区阳光行动，分别在阳光社区、元江社区、南亚社区、大龙潭社区、天山明珠苑社区，屏东社区等社区举行，积极参与辖区社会扶贫助困、传播科学文化和家居生活知识。配合鱼峰区的“创文明城”“美丽乡村”等宣传活动。

【电视网点建设】 2014年，广西广电网络柳州分公司在鱼峰区设有白云营业厅，以便于鱼峰片区的用户就近办理诸如数字电视入网、缴纳收视费、双向业务开通、互联网宽带接入、预约上门安装、售后维护等一系列的数字电视服务。向用户提供智能家居、安防器材及网络设备等数字化家电产品。营业厅地址位于柳州市蝴蝶山路1号，营业厅现有工作人员5人，其中经理1人，营业员4人。

网络建设 2014年，广西广电网络柳州分公司主要是对鱼峰辖区内的数字电视进行双向网络改造，截至2014年年底，已经完成了辖区内双向网络的全覆盖，只要是能看有线数字电视的地方都能上广电宽带，使用广电的双向互动业务。

电视用户 鱼峰辖区现有数字电视用户数约8万户，其中2014年新增用户约6000户。

维护服务 广西广电网络柳州分公司客户服务部下设鱼峰片区，在箭盘路25号新居苑小区设立了维护服务网点，配备有14名安装维护人员，负责处理整个鱼峰片区的数字电视和宽带用户的安装、维修服务。

位于蝴蝶山路的广西广电网络白云营业厅　　吕培贤　摄

(刘有正　吕培贤)

责任编辑：吕培贤

街道 镇

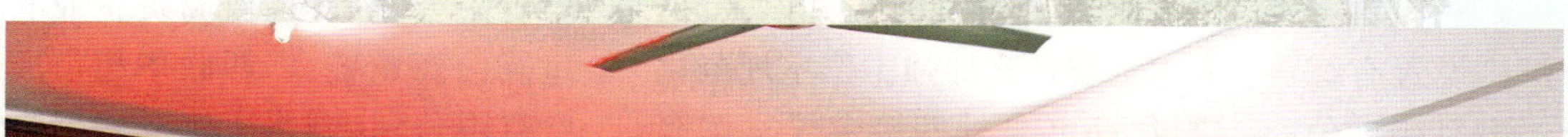

2014年,五里亭街道获“全国安全社区”称号。图为10月20日,国家安全社区检查组一行到五里亭街道审验安全社区创建工作　　（区委宣传部　提供）

天马街道

【天马街道概况】 天马街道位于东经 109° 23′ 52" ~ 109° 25′ 18"，北纬 24° 16′ 12" ~ 24° 18′ 19"。地处鱼峰区西南部。成立于 1985 年，北起屏山大道与鱼峰区驾鹤街道及柳南区相邻，南至蝴蝶山西路与五里亭街道交界，东以桐油山与荣军街道分界，西以银桐山与柳南区相隔，总面积 4.5 平方千米，总人口 3.9 万人，总户数 1.36 万户。下设柳开、柳依、狮山、大龙潭、乐群和鱼峰 6 个社区居委会。

2014 年，街道机构设置有综合办公室、党建办公室、计生办公室、司法所、劳动保障所、食品药品监督管理所、政务服务中心等；有工作人员 45 人。其中：中共党员 26 人；本科及以上学历 19 人，大专学历 21 人，中专及以下学历 5 人。

年内，大龙潭社区荣获全国民族团结进步模范集体、自治区民族团结进步模范集体、自治区优秀村屯文艺队，狮山社区荣获广西壮族自治区“五好”基层关工委先进集体、天马街道荣获“广西安全社区”等荣誉称号。街道办公地址位于柳石路 332 号。

【党建】 年末，街道党工委下辖党的基层组织 7 个，其中党委 5 个、党支部 2 个，有党员 1323 名。新增党员 72 人，新增预备党员 7 人。扎实开展党的群众路线教育实践活动，紧紧按照“照镜子、正衣冠、洗洗澡、治治病”的总要求，围绕“为民务实清廉”主题，着力解决突出问题，推进党的思想、组织、作风建设。创新讲课形式和内容，开展天马党建大讲堂“走出去”上党课活动，组织全体党员和入党积极分子前往柳州市爱国主义教育基地——柳江县“成团会议旧址”开展革命传统教育活动。规范化建设党代表工作室，进一步拓宽联系群众的渠道。以制度管人，推进制度规范化建设，街道相继出台了《天马街道请休假制度》《天马街道机关作息制度》《天马街道公车管理制度》等。

【党代表工作室】 街道党代表工作室自 2013 年 7 月成立以来，街道党工委切实加强工作室规范化建设，在办事处四楼会议室按照“四有三公开”的标准设立了党代表工作室，做到了“七个一”，即一块标牌(“党代表工作室”牌匾)、一个标识(“知党情、听民意、促和谐”的统一标识)、一个阵地、一套工作制度、配备好一名党建组织员作为专职联络员、一条专线电话以及一本工作记录簿。每月 25 日为固定接待日时间。2014 年，党代表工作室共接待党员群众 160 人次，走访慰问党员群众 194 人次，收集党员群众建议、意见 86 件。11 月 27 日，市委书记郑俊康到天马街道党代表工作室考察调研，对天马街道党代表轮流在工作室接待党员群众，倾听群众心声，收集群众意见，帮助和协调解决群众困难的做法和取得的成绩给予了肯定。

【经济】 年内，辖区有非公有制企业 55 家。主要企业有柳州市鱼峰制漆公司、柳州市二空机械股份有限公司、柳州柳开电气集团有限公司等；主要商贸企业有鱼峰山商业城、广西联华超市股份有限公司、柳州市柳石南城百货有限公司等；主要市场有白云市场、柳石新街市等；宾馆、酒店有龙杰酒店、华美宾馆、柳鑫宾馆等 10 余家。

年末，辖区共有法人单位 292 户，产业单位 394 户，个体经营户 1580 家，个体经营户有工商证的

2014 年 11 月 27 日，天马街道党工委书记向市委书记郑俊康(前排右一)汇报党代表工作室工作 (天马街道办 提供)

875户、无证的705户。全年完成固定资产投资3.3亿元,招商引资完成3.5亿元,两项指标均超额完成区政府下达的任务。

【商会成立】 7月4日,天马街道商会在东方大酒店召开成立大会。天马街道商会54家会员代表参加会议。大会选举产生了9名街道商会第一届执行委员会委员和商会会长、副会长和秘书长人选。鱼峰区工商联执委、柳州柳开集团公司董事长潘业辉当选为第一届天马街道商会会长;黎波、郑胜义、郑国重、阙嘉嘉当选为第一届天马街道商会副会长;黎波同时当选为第一届天马街道商会秘书长。至年末,街道商会会员单位发展到74家。

【社会事业】

民政 为居民申请廉租房补贴99.04万元,实物配房补贴1.73万元;在各社区建立重大疾病专户档案,对每个患重大疾病人员进行定期走访,定期帮助他们上报申请医疗救助,全年为低保和低收入家庭申请重病救助181人次,累计金额28.92万元;全年低保救济2709户4956人次,发放救济金169.57万元;冬令救济88户149人;发放80～89岁老龄补贴1712人次8.56万元。

就业和劳动保障 举办"春风行动"、"民营企业招聘周"等4专场招聘会,发布用工信息154条,提供岗位2241个,发放宣传手册600多份。城镇新增就业1672人,失业人员再就业522人,就业困难人员再就业236人。认真组织开展好企业职工基本养老金待遇"人脸识别"采模工作,为6419人办理了脸模认证。居民医保参保6130人,16～59岁的居民参加城镇居民养老保险249人,60岁以上老人领取待遇322人。年内走访辖区内用工单位500余次,新增用工单位220家,涉及劳动用工人数2723人,签订劳动合同份数1993份,保险缴费人数1443人;组织489位身体健康、行动方便社会化管理退休人员参加鱼峰区"游柳州"活动。

科教 6个社区的科普长廊投入使用。举办三场大型科普宣传活动,发放各种宣传册及单页3000多份。邀请有关专家、学者和科协的老师作科普知识讲座,提高科普干部和科普志愿者的科普知识水平和科普辅导能力。年内,在"九年义务教育阶段"就学学生有1292人,正常儿童、少年入学率100%,残疾儿童、少年入学率也达到100%。

2014年7月4日,天马街道商会成立　　　　（天马街道办　提供）

文化体育 全年承办2场"每月一星"歌手PK赛,2场"立鱼欢歌"专场文艺演出,丰富了居民群众的精神文化生活。建成"鱼峰歌圩"天马街道文化站活动中心、狮山社区文化活动中心。

【精神文明建设】 通过开展"我们的节日"系列主题活动,进一步弘扬优秀传统文化。开展"弘扬我们的价值观"百姓宣讲活动,共开展9场宣讲活动。组织参加各级文明单位评比,做好辖区"十佳"市民推荐工作。大龙潭社区荣获全国民族团结进步模范集体,狮山社区被推荐为自治区和谐邻里和柳州市文明单位,乐群社区被推荐为柳州市军警民共建先进单位,鱼峰社区被推荐为柳州市文明单位。辖区居民姚海燕先进事迹突出,被评为"柳州市十佳文明市民"荣誉称号。在鱼峰区2014年"美好社区"评选工作中,大龙潭、狮山和鱼峰三个社区荣获"四星级社区"。

【人口与计划生育】 全年人口出生298人,死亡120人,人口自然增长率为6.29‰。计划内出生280人,符合政策生育率为94.28%;男孩出生152人,女孩出生146人，出生人口性别比为104.1，保持在正常值范围内。全年为105对夫妇进行了免费孕前优生健康检查，完成责任指标的121.2%；为707户流动人口计划生育家庭购买爱心保险，增强计划生育家庭抵御风险的能力。全年为计划生育家庭发放各级各类奖励扶助金95.39万元。建成柳开社区村居级幸福家园服务平台，幸福家园做到了所有社区全覆盖。在诚信计生星级创建工作中，鱼峰社区荣获"五星级社区"荣誉称号，大龙潭社区、乐群社区荣获"四星级社区"荣誉称号。

【社会治安综合治理】 加强社会治安综合管理基础建设，街道综治委帮助龙潭公园管理处、地建公司、广西煤炭地质局、鱼峰山公园、工人医院6家单位整合了社会管理综治办公室，在民工较集中的柳州市旧城改造工地柳开馨房建筑工地建立了社会管理综治办公室。在青少年宫、鱼峰山公园、龙潭公园、狮山小区设置大型户外综治宣传广告牌6个。在区委、区政府及鱼峰公安分局的大力支持下，成立了一支由38人组成的专职治安巡逻队。投资6万多元完成岩村路园林宿舍、龙潭路五交化宿舍2个"三无小区"规范化管理，为2个"三无小区"划停车泊位区105个，安装视频探头12个，配备门卫值班人员2名。年末，辖区监控探头达到132个、在线75个、天网探头153个。困扰多年的鸡窝洞"两违"建筑得到彻底拆除。加强治安混乱地区的排查和整治力度，对群众反映的涉嫌黄、赌违法行为，进行了4次集中清理整治，查处赌博案件16起、卖淫嫖娼案件38起，行政处罚人员73人。街道和社区共受理并调处各类民间纠纷185件，调处成功185件，成功率100%。接收社区矫正人员4人，在册矫正人员13人，解矫3人。全面开展安全社区建设工作，通过开展交通安全、消防安全、工作场所安全、社会治安安全、老年人居家安全、企业生产安全、防灾减灾安全及学校安全七大促进项目，全面提升辖区安全水平；2014年10月，街道成功通过广西安全社区评定委员会的评审验收，荣获"广西安全社区"荣誉称号。

【社区换届】 2014年是社区"两委"换届年，街道高度重视社区"两委"换届工作，坚持公开、公平、公正原则，严格落实上级关于社区"两委"换届选举有关规定，圆满完成了社区"两委"换届选举工作。辖区年满18周岁有选举权的居民共计25013人，登记选民24184人，8月28日—9月3日，各社区居民通过直接选举方式投票，依法产生了6个社区第五届居民委员会，其中主任6名，副主任12名，委员24名。居民参与选举投票的22620人，参选率达93.5%。同时，各社区党组织也召开党员代表大会或者党员大会，选举产生了新一届党组织领导班子。通过"两委"换届，选举产生党组织班子成员42人，居委会班子成员42人，其中交叉任职17人；社区党组织35岁以下年轻干部3人，居委会14人，社区"两委"班子结构得到进一步优化。

（潘加和）

2014年天马街道各社区简表

序号	名称	户数（户）	人口（人）	社区驻地	电话
1	鱼峰社区	2188	6021	乐群路303号	2026533
2	乐群社区	2007	6159	柳石路192号	8813833
3	柳依社区	4017	10318	柳石路141号	3171885
4	大龙潭社区	2443	6573	柳石路342号心怡山水苑5-4号	3171728
5	狮山社区	2240	6512	鱼峰区柳石路374号	3111975 3141243
6	柳开社区	1064	3194	柳石路338号花样年小区9栋2单元101室	5393172

驾鹤街道

【驾鹤街道概况】 驾鹤街道位于东经109°24′13″～109°25′45″，北纬24°18′17″～24°18′59″。地处鱼峰区西南部。柳州市区腹地，是鱼峰区的西北门户，东以箭盘路为界与箭盘街道相邻，西以鱼峰路北段与柳南区相隔，南沿屏山大道与天马、荣军街道毗邻，北临柳江。辖区总面积约3.4平方千米，总人口40409人。驾鹤辖区历史悠久,西汉时期潭中县治所就设在辖区内驾鹤山附近,是柳州城市最早建制所在地,也是柳州市商贸业发源地和文化发祥地。驻区单位主要有柳州供电局、市劳动就业管理服务中心、江滨公园管理处、市文庙管理处、广西华锡集团金属材料柳州分公司、市奇石园管理处、市二十五中、驾鹤路小学、水南路小学、驾鹤社区卫生服务中心、加合派出所等。

2014年,驾鹤街道内设党政办公室、党建办公室、经济办公室、公共就业服务保障中心、综合事务管理服务中心、司法所等部门,6月新增设食品药品监督所。有工作人员39人。其中中共党员19人,本科及以上学历17人,大专学历17人,中专及以下学历5人。

9月,对社区区划作了调整,所辖社区由9个调整为7个,保留红锋、天山、蟠龙、天湖、天山明珠苑区、晶远和桃源社区,撤并江滨、水南灯台两个社区。

2014年,在区委、区政府的正确领导下,街道党工委充分发挥政治核心作用,团结带领全体干部职工,围绕中心,突出重点,强化特色,各项工作与党的群众路线教育实践活动深度融合,实现了经济和社会各项事业发展再上新台阶。荣获自治区文明单位、自治区军(警)民共建先进单位、自治区“青年文明号”、柳州市无烟单位,柳州市“六五”普法中期先进集体等光荣称号,荣获鱼峰区低保工作规范化管理评比第一名。柳州银泰城成功申报自治区级食品安全示范街。全国安全社区创建工作取得初步成效。桃源社区荣获全国防灾减灾示范社区,蟠龙、晶远社区荣获自治区防灾减灾示范社区,天山明珠苑社区荣获柳州市“十佳平安小区”称号等。街道办公地址:水南路221号。

【党建】 发挥党建引领作用,努力打造坚强战斗堡垒。实施素质提升工程,举办有针对性的理论和业务培训,开展微型党课活动,全年开展理论辅导6次,上微型党课14人次,专业技能培训8次,业务交流5次。不断壮大党员队伍,按计划发展新党员8名,转正预备党员6名。开展慰问、结对帮扶、座谈交流、党建知识竞赛、趣味运动会等内容丰富、形式多样的党建活动。全面整顿软弱涣散党组织,成立专门领导小组,制定整改方案,投入近7000元整改个别社区党务居务财务公开不完善问题,制定并完善相关制度规定,增强社区党组织的战斗力和凝聚力。

街道党工委3月3日启动党的群众路线教育实践活动。活动中,街道始终贯彻“让我来帮您(12580)”的工作思路,通过大力实施七大工程,精心打造“七彩砖”,努力构建“驾鹤彩虹桥”,同时立足于不同环节的不同特点,全面有序推进教育实践活动健康开展,使整个活动“规定动作做到位,自选动作有特色”。活动期间,街道班子成员深入联系点社区,共开展各类调研、座谈会24次,走访党员群众110人,确保情况摸得透、问题找得准、意见听得实。收集到党员群众反映的问题826条,其中当即解答、解决的问题692条,其余的最后由街道和区政府相关部门全部作了答复和解决。7月24日,召开了专题民主生活会,班子成员结合个人的思想、工作和作风实际,聚焦“四风”,认真开展批评与自我批评,较好地贯彻和体现了整风精神。圆满完成市领导指导联系点相关工作,活动走在全区前列,受到广泛关注和好评,多次迎接上级检查和考察,并在我街道召开专题

2014年4月29日,驾鹤街道在供电局会议室召开党的群众路线教育实践活动先进事迹报告会

(杨永霞 摄)

交流学习研讨会，在市级电视、网络媒体宣传5次，报刊发稿6篇，区级网格系统、内部刊物宣传报道20篇（次）。

【经济】 充分利用各方资源，积极发掘新的经济增长点，全年完成固定资产投资3.84亿元，完成招商引资3.5亿元，分别完成年度下达任务的116.3%和100%。9月26日，柳州银泰城顺利开业。柳州银泰城是银泰集团进入广西的首座项目，总体建筑面积9.1万平方米，由地上七层、地下一层组成，其中近20%的品牌是首次进驻柳州，拥有先进视听效果的博纳国际影城、优衣库快时尚服饰，以及炉鱼、许留山等深受消费者喜爱的主题性餐饮和甜品。柳州银泰城的开业，填补了鱼峰区楼宇经济、总部经济空白，为打造“城市滨江购物休闲商业区”增添新亮点，重振桂中商埠建设取得较大进展。

【征地拆迁】 柳州天山公园及周边城中村改造工程是市级重点项目，由街道承担和组织实施征地拆迁任务。驾鹤街道整合优势力量，积极推进动迁工作，抽调8名工作人员专门负责征地拆迁工作。至年底，完成国有土地上房屋征收18户，集体土地上房屋征收81户。其中柳州天山公园项目国有土地上房屋6户于7月完成，总面积3798.45平方米，比区政府下达的任务完成时限提前一个月；集体土地上房屋征收项目动迁工作于12月完成，签约37户18286.29平方米，按时完成区政府下达的任务。

【重大工程】 太平西街历史文化街区风貌改造于2013年9月启动，年内，完成改造项目总任务的50%，重点进行外墙翻新、骑楼打通等整体改造，力求保护历史街区的特色风貌，延续城市历史文脉。10月，历时13个月，天山路、水南路改造项目完成通车，驾鹤片区交通面貌得到提升，居民出行条件得到改善，可大大缓解屏山大道、荣军路等多个路段的交通压力。

【社会事业】

民政 从严、规范做好低保救济和发放工作，在全区低保规范化评比中连续四年荣获第一名，并代表柳州市接受自治区检查。全年发放低保金2622户次4368人次150.37万元；解决141户低保户、低收入家庭看病难的问题，发放医疗救济金22.08万元；发放廉租房补贴3271户次，补贴金额76.97万元；对优抚对象实施医疗救助，全年救济3人次共5618元。

社会保障 实现新增就业1647人、失业人员就业461人，就业困难人员189人，技能培训6人。开展针对退休人员养老金资格认证的“人脸识别”工作，完成4893名退休人员数据录入工作。

卫生 成立以办事处主任为组长的爱国卫生、健康教育和创建国家卫生城市领导小组，将爱国卫生、健康教育、创建国家卫生城市工作纳入办事处重要议事日程。实行领导包片、干部包社区的工作制度，采取定责任、定措施、定目标、定时间的“四定”措施。进一步落实爱国卫生、健康教育、创卫工作目标责任制，与社区签订了爱国卫生、健康教育、创卫工作目标责任制；与辖区单位、商业网点、社区签订门前“三包”责任书300余份，将创卫、健康教育、爱国卫生工作任务分解落实到了实处，明确了任务、职责。加强各类卫生预防治理，提高城市居民生活质量，坚持把城乡接合部、背街小巷、无人管理地段作为治理重点，出动工作人员3000余人次，对辖区的环境卫生进行集中整治，清理卫生死角、堆放垃圾废土600余车次，对辖区内的60多条小街小巷进行全面整治，配合消杀公司共喷洒灭蟑乳液6800毫升、烟炮200余枚，投放鼠药150公斤，做到了街不漏巷、巷不漏户。

“两违”整治 实行违章建筑和违章搭建综合治理责任制，与社区签订“责任状”，充分发挥社区两委战斗力，加大辖区内“两违”巡查力度，利用网格平台实现“两违”实时报送，确保发现一处，上报一处。2014年上报“两违”案件111件，拆除违建34处，较好抑制了“两违”发展势头。

食药监管 6月，成立驾鹤食品药品监督管理所，为鱼峰区食品药品稽查大队派出机构，参公管理事业单位，有工作人员6名，其中在编人员1名，协管员5名。在各社区设置宣传员、联络员和信息员等三员，实行网格化管理，筑牢食药监管网底。结合辖区特点，将柳州银泰城作为自治区级食品安全示范街创建申报点，获自治区食安委认定，并申报为国家级食品安全示范街。

扶贫工作 按照区委安排，

街道派出司法所长秦俊伟挂任融水县杆洞乡党鸠村第一书记，街道党工委书记李睿随区委书记董凌一行到当地实地考察调研、召开座谈会，慰问乡、村干部和学校师生。第一书记认真开展扶贫工作，引导村民发展香茅草、红心萝卜、塘角鱼等种养产业，涉及65户农户，引进种苗价值2000多元；动员社会各方力量对党鸠村贫困学生开展捐资助学活动，惠及31名贫困学生。作为后盾单位，街道全力支持贫困村各项建设，对党鸠村道路硬化等基础设施建设给予1万元的经费支援。

【**精神文明建设**】 扎实开展争创全国文明城市和全国卫生城市工作，着力提升辖区居民群众文明指数。组织开展文明单位创建活动，街道成功申报自治区文明单位、自治区军(警)民共建先进单位。继续开展“美好社区”创建工作，在年底评比中，晶远、天山明珠苑、桃源、天山、蟠龙5个社区荣获四星级社区，红锋、天湖2个社区荣获三星级社区，在全区各街道中率先实现星级社区全覆盖。打造百米惠民文化长廊，借助柳州文庙品牌，弘扬国学文化。开展国学讲堂、“弘扬国学文化、提升生活品质”主题的“国学之家”等系列活动。结合春节、清明节、端午节、重阳节等中国传统民俗节日，开展“我们的节日”主题系列文化活动，突出民俗传承体验以及“传承孝道、爱满人间”母亲节等感恩教育，传承和弘扬中华民族优秀传统和文化，倡导科学文明健康的生活方式。

【**人口与计划生育**】 服务先行，构建和谐计生环境，计生工作成效显著，走在全区前列。2014年开展的鱼峰区诚信计生星级评定中，街道7个社区全部达到三星级以上。为93对已婚夫妇开展免费孕前优生检测，超额完成8对。组织开展文艺宣传活动2次，开展婚育新风进万家专项活动1次，关爱女孩行动2次，出宣传板报8期，集中宣传活动3场，端午节组织辖区计生特殊家庭在蟠龙社区文化活动室开展包粽子趣味赛。自3月份全国开始实施单独两孩政策以来，街道为符合条件的家庭共办理单独两孩生育证49本。

5月11日，柳州市文庙、驾鹤街道党工委联合主办的“传承孝道 爱满人间”母亲节感恩教育活动在柳州文庙举行 (周恒宇 摄)

【**社会治安综合治理**】 依托街道、社区人民调解委员会，以法治文艺巡演等方式，积极开展各类普法禁毒宣传活动。全年各类矛盾纠纷调处率达100%，调处成功率100%。社区矫正、社区禁毒、刑释解教人员帮教机制建立健全，对刑满释放和解教人员的帮教率达100%。进一步完善治安防范网络，人防、物防、技防、消防“四位一体”的社区防控体系得到加强。年初联合执法、工商等部门对辖区中小学周边进行综合治理，维护校园周边治安秩序。积极开展“关注人防 关爱生命”为主题的人防宣传活动和防空防灾疏散大演练活动，切实提升街道、社区在应急条件下实施防空袭的组织、协调和指挥能力，强化居民群众安全防范意识。继荣获自治区安全社区后，全国安全社区创建工作取得初步成效。

【**社区建设**】 9月，完成社区“两委”换届选举工作，整合了辖区资源，实现了“阳光选举，和谐换届”。撤并水南灯台、江滨2个社区，对社区“两委”班子进行调整充实，蟠龙、红锋2个社区党支部升格为党委，天山明珠苑社区党支部升格为党总支，蟠龙、红锋、天山、桃源4个社区实现党政主要领导分设，社区班子成员结构更趋合理，整体素质提高，整体战

2014 年驾鹤街道各社区简表

序号	名　称	户数（户）	人口（人）	社区驻地	电话
1	红锋社区	2845	5849	太平西街 26 号	3829924
2	天山社区	3436	8114	水南路 213 号 10-1-1-1	3818492
3	蟠龙社区	2087	4056	水南路 243-1 号蟠龙宝邸 3-1-1-2	3869328
4	天湖社区	2910	9637	天山路 52 号 1 栋	3871865
5	天山明珠苑社区	1542	3285	天山路 1 号供电局院内	3882195
6	晶远社区	1647	4726	屏山大道京港路 1-1 号	3871420
7	桃源社区	2318	3721	屏山大道 289 号	3833728

斗力增强。社区换届完成后，密切关注新一届社区“两委”职责履行、团结协作、作用发挥等问题，开展经常性谈心谈话活动，明确社区党组织书记工作职责，推动社区党政主要负责人协同工作。（杨永霞）

荣军街道

【荣军街道概况】 荣军街道位于东经 109° 24′ 30″ ~ 109° 25′ 59″，北纬 24° 17′ 18″ ~ 24° 18′ 27″。地处鱼峰区西南部。辖区面积 3.5 平方千米，东以燎原路和白云路为界，南以蝴蝶山路为界，西以桐油山为界，北以屏山大道为界。辖宝山、景中苑、荣新、乘龙、荣盛、鸣翠、白云小区、银柳、和华、岩村、屏山新村、茅山 12 个社区和驾鹤村，总人口数为 75796 人，其中常住人口 58543 人，流动人口 17253 人。辖区主要单位有东风柳汽公司、鱼峰区环境卫生所、柳州市水利电力勘测设计院、马鞍粮库、柳州佳旺锅炉有限公司、广西假肢康复中心、广西军人荣誉康复医院、广西地球物理勘探院等。有工作人员 52 人。其中中共党员 20 人，本科及以上学历 26 人，大专学历 18 人，中专及以下学历 8 人。

2014 年，在社区换届过程中，撤并长虹世纪社区，保留 12 个社区。所辖驾鹤村有农户 430 户，村民 926 人，全年村集体经济 450 万元，农民人均纯收入 16512 元。

街道办公地址：岩村路 196 号。

【党建】 2014 年，街道党工委下设 18 个党组织，党员共计 1592 名。坚持党建引领全局，各项工作齐头并进，努力提高党建工作水平，涌现出一批具有“荣军特色”的党建工作品牌。深入开展党的群众路线教育实践活动，通过创新学习、查摆问题、督导检查、开好专题民主生活会、建章立制等环节，实现了“照镜子、正衣冠、洗洗澡、治治病”的目的，促进了干部作风根本好转。大力开展“争创网格化管理先进集体”和“争当优秀网格员”的“双争”活动，进一步健全和完善区域化党建工作机制，加强志愿者队伍建设，创新服务平台。抓好“书记上廉政党课”活动，建设“廉政文化长廊”，营造廉政文化氛围，打造廉政文化品牌。开展“为了谁、依靠谁、我是谁”大讨论活动，让广大党员端正态度，坚定信仰。坚持培育和发展党建品牌，街道和所有社区开通“微信公众订阅

2014 年 7 月 7 日，荣军街道召开群众路线典型事例专题剖析会
（熊敏珠　摄）

号”，岩村社区党委开办“红色课堂”、开设“爱心一键通”，银柳社区全面打造“文化艺苑”，白云小区社区党委开展党员先锋创业工程以及“家庭情感诊室”，这些品牌活动，拉近了与群众的距离，解决了群众困难，得到了群众好评。

【经济】 全面落实第三次全国经济普查工作，全街道划分为32个普查小区，普查法人和产业单位446家、个体户3239户。下大力气加快固定资产投资和招商引资工作，充分发挥商会作用，固定资产投资和招商引资分别完成3.5亿元，两项指标均圆满完成区政府下达的任务。

【社会事业】

民政 坚持应保尽保原则，开展低保规范大清查活动，对不符合低保条件的家庭及时做好调查摸底工作。按时为461户770人，发放低保金26.12万元。为471户833人困难群众发放春节一次性补贴10万元，优抚春节慰问49人，一次性发放补助金7300元。完成居民及优抚对象医疗救助受理审核工作，并做好公示，居民医疗救助190人，发放救助金额39.83万元，优抚医疗救助5人，发放金额2.32万元。

劳动保障与就业服务 全年完成城镇新增就业1940人，下岗失业人员实现再就业703人，其中大龄就业困难人员再就业152人。办理“4050”社保补贴596人，办理失业证366本。通过开展“春风行动”“就业援助”“民营企业招聘周”等专场招聘会活动，共组织32家企业进场招聘，提供岗位752个，帮助115名就业困难人员达成就业意向。发布用工信息245条(次)，推荐就业578人次。

创卫工作 继续开展创建全国卫生城工作，明确卫生责任和网格区划，逐一摸排卫生死角，做到发现一处，处理一处。大力开展登革热等疾病预防工作，清理积水容器，燃放灭蚊烟炮，消灭蚊蝇滋生地，控制蚊蝇密度，投放灭蟑药79公斤，药物灭蝇灭蚊80300多平方米。广泛开展宣传发动，发放卫生宣传资料7900多份，在辖区23处宣传栏张贴卫生健康、环境保护、控烟等相关知识墙报。积极清除各类垃圾，开展全民义务劳动9次，清除卫生死角13余处，清除垃圾、建筑材料26余吨，清除小广告3400余张，使辖区城中村及社区、单位的环境卫生面貌有了较大改善。

美丽鱼峰·清洁乡村 定期组织街道和村委工作人员参加集体劳动，实行街道乡村办、驻村指导员、村干、队干四级巡查制度，每天对村里各主要巷道进行巡逻检查，发现问题立即整改。加强对环境卫生薄弱区域的监督管理，维护良好环境秩序。配备7名保洁员负责重点路段保洁，驾鹤村委增补垃圾桶200多个，强化环境卫生的维护和道路两旁垃圾的清扫，取得了明显的效果。全年共开展大型环境整治行动7次，清洁各种垃圾1220多吨。积极向上级申请经费，并动员村民筹集资金，完成了荣军道路硬化、整治排水沟、填埋鱼塘等6项工程，大大改善了驾鹤村交通条件和村民生活环境

自治区级安全社区创建 与辖区企业、各社区(村)层层签订安全生产及消防责任书，开展消防安全演练6次，举行安全知识教育培训，进行安全隐患大排查大治理，全年检查76次，发现生产隐患及火灾隐患176处，全部落实了整改。

【精神文明建设】 积极开展社会主义核心价值观教育实践活动，制定活动实施方案，找准活动切入点，明确活动具体目标，着力在深化社会主义核心价值观的宣传和普及上下功夫，充分利用道德讲堂、市民文明学校等阵地，广泛开展丰富多彩的宣传教育活动，如“鱼峰歌圩”、“立鱼欢歌”文化活动、“学雷锋志愿服务”活动、“节俭养德全民节约、践行友善扶贫济困”活动、“文明做人、文明做事”主题宣传活动、“讲文明树新风”公益宣传活动、“文明餐桌行”活动、文明旅游宣传，等等。同时，在一些重要节日，开展主题鲜明、意义突出的精神文明创建专题活动，如“我们的节日·重阳节——尊老敬老、厚德仁爱”主题活动，联合照相馆为老年夫妇免费拍摄婚纱照，举办“欢度重阳节百家宴”，组织老人游柳州，为老人免费体检，发放重阳节慰问品，既丰富了社区老年人的精神文化生活，给老人们送去了节日的关爱和慰问，也弘扬了中华民族敬老爱幼的传统美德。

【人口与计划生育】 认真落实目标管理责任制，广泛开展计生宣传教育，切实提供优质服务，全面落实惠民政策，积极开展“亲

情关怀”活动,较好地完成了计生工作任务。期末,街道已婚育龄妇女13396人,其中流动人口11260人,统计区间出生人口557人,其中计划内出生542人;违法生育15人。符合政策生育率为97.31%,比责任值91%提高6.31个百分点;当年长效避孕率为96.96%,比责任值81%提高15.96个百分点;农村人口当年长效避孕率97.9%,比责任值86%提高11.9个百分点;参加优生检测168对,完成率为120%,比责任值140对增加28对;政策外多孩率为1.8‰,比责任值2‰降低0.2个千分点;出生人口性别比为107,比责任值110降低3个百分点;人口自然增长率为5.48‰,比责任值7.0‰降低4.13个百分点。

2014年荣军街道各社区、村简表

序号	名称	户数	人口(人)	社区、村驻地	电话
1	宝山社区	2115	5224	荣军路西二巷36号	3802533
2	景中苑社区	1560	4374	荣军路东三巷131号紫荆花园9栋103室	3817518
3	荣新社区	1825	5605	荣军路二区107号	3121294
4	乘龙社区	2794	7425	屏山大道286、278号	3281693/3871930
5	荣盛社区	1450	4459	荣军路226号汇金壹号小区7栋综合楼	3121363
6	鸣翠社区	2198	5761	荣新路20号白云雅居1栋6号门面	3597319
7	白云小区社区	3011	8345	蝴蝶山路白云小区二村综合楼	3147332
8	银柳社区	1968	5947	荣军路218号	2084036
9	和华社区	1567	4943	屏山大道296号宏福苑物业楼	3866078
10	岩村社区	1778	5196	岩村路149号	3837634
11	屏山新村社区	2112	4578	屏山小区20栋1楼	3839524
12	茅山社区	2650	7215	白云路2号	3123286
13	驾鹤村	430	6724	荣军路东三巷62号	3861059

【社会治安综合治理】 开展政法宣传周、综治宣传月、禁毒宣传月等各类活动,加强安全隐患排查整改,对社会治安重点地区及校园周边环境进行专项排查整治,平安鱼峰建设得到进一步推进。深入开展矛盾排查调处,健全人民调解工作机制,积极预防和处置“法轮功”等邪教问题,认真做好社区戒毒和社区康复工作,大力推进普法依法治理,保持了社会政治稳定。排查各类纠纷51起,调处51起,调处率达100%。新签社区戒毒和社区康复协议4份。切实做好刑释解教人员的安置帮教工作,辖区内刑释解教回归人员帮教率达100%,已回原籍地的刑释解教人员安置率达90%以上,重新犯罪率在3%以下。全面开展社区矫正工作,本年接收社区矫正对象14人,街道社区矫正对象增加到80人。2014年,街道司法所被评为柳州市基层司法行政工作先进集体。

2014年4月18日,荣军街道白云小区社区开展禁毒宣传活动

(熊敏珠 摄)

【社区、村换届】 9月1日—5日,12个社区相继进行了“两委”换届选举,全部一次性选举成功。本次社区换届选举登记参加选举选民26020人,参加选举选民数22864人,参选率达87%。投票选

举产生社区居委会主任 12 人、副主任 24 人、委员 52 人。新一届社区居委会“两委”班子成员 95 名，平均年龄 37.8 岁；高中及中专文化 10 人、大专以上文化 85 人。驾鹤村本次换届选举共选出主任 1 名、副主任 1 名、委员 3 名。社区、村干部素质明显提高，结构得到了优化。（熊敏珠）

箭盘山街道

【箭盘山街道概况】 箭盘山街道位于东经 109° 25′ 03″ ~ 109° 26′ 04″，北纬 24° 17′ 55″ ~ 24° 19′ 41″。地处鱼峰区南部。东以东环路、燎原路与麒麟街道相隔，南以白云路中心线与荣军街道相邻，西以箭盘山路、天山路至窑埠路口、沿蟠龙山、柳江河至文昌桥与驾鹤街道相邻，北以文昌路与城中区潭中街道相望，区域总面积 4.5 平方千米。设东环、东化、金盛、屏东、云屏、窑埠、华林及丽都 8 个社区，年末辖区总人口 34612 人。驻区主要单位有鱼峰区国税局、柳州农行东环支行、柳州市勘测院、柳州市农机研究所、柳州 246 台、柳州市救助站、箭盘山派出所、威立雅水务有限公司等机关企事业单位 39 家。

2014 年，街道获柳州市“六五”普法中期先进单位、2012—2013 年度鱼峰区加强和创新社会管理工作一等奖、“中国梦　鱼峰歌圩——龙城元宵灯会”优秀组织奖、鱼峰区第二十一届“鱼峰之声”群众文艺会演优秀组织奖等称号。

2014 年，街道分设综合、党建、卫生和计划生育、居民服务、社会事务、综治维稳、公共就业服务保障所、司法所、食品药品监督所共 9 个办公室。有工作人员 50 名。其中中共党员 20 人，本科及以上学历 25 人，大专学历 20 人，中专及以下学历 5 人。街道办公地址：东环路 73 号。

【党建】 街道党工委共有党的基层组织 92 个，其中党委 7 个，党总支 1 个，党支部 84 个；有党员 1175 名，其中预备党员 10 名。发挥党代表工作室积极作用，设街道党代表工作室 1 个、社区党代表工作站 8 个，开展 60 次活动，接待群众 363 人次，解决问题 85 件。深入开展居民说事活动，强化服务理念，引导党员干部在感情上贴近群众、在思想上尊重群众、在行动上深入群众，进一步畅通居民诉求的渠道，解决居民实际困难。完善“五种说事模式”，规范“五项说事制度”，严格执行“说事、理事、议事、办事、评事、查事”六步工作程序，认真落实“居民说事”轮值、公示、反馈制度，积极拓宽“居民说事”平台和内容，引导居民群众自己探索解决辖区内公益性、社会性、群众性的重大问题，增强“居民说事”的影响力。2014 年，共开展“居民说事”活动 100 多次，收到居民反映问题 98 个，解决问题 90 个，得到了居民的一致好评。

街道党工委于 3 月 7 日启动党的群众路线教育实践活动，活动中，集中学习 60 余次，党课 32 次，观看电影 31 次，党员共撰写心得体会 107 篇。认真查摆问题，组织街道领导班子采取召开座谈会、发放征求意见表、设立征求意见箱、走访群众等方式研究和部署党建工作中需整顿的“四风”问题，广泛征求意见，认真查找班子在“四风”“五化”“六病”方面存在的突出问题，共征求到各类问题及意见建议 75 条。成功召开专题民主生活会，达到了自我批评、深刻自我剖析、相互批评有针对性的预期效果。抓好后期整改落实，通过建立健全规章制度，制定了整改方案、专项整治方案及各项规章制度。其中，针对性地开展专项整治 7 项，出台 6 份反对“四风”的制度文件。

【经济】 年末，辖区有非公企业 460 家。工业企业有柳州市杉风橡胶制品厂、柳州市高合金钢备件厂等 26 家，商贸企业有柳州市典韵商贸有限责任公司、柳州市柏翠商贸有限公司等 438 家。主要市场有箭盘山书市、时尚 1966 文化园区、东环贸易市场，大型超市有联华超市丽都店、老邻居超市、乐意美超市，宾馆、酒店有资江宾馆、百分百时尚酒店、长城财富酒店、云翠大酒店等。

年末，街道共有法人单位 256 户、产业单位有 99 户、个体经营户 1036 家，个体经营户中有工商证的 658 户、无证的 378 户。街道固定资产投资完成 35291 万元，招商引资完成 35120 万元，两项指标均完成区政府下达的目标任务。

【归零管理】 12 月，街道党工委印发了“归零管理”实施方案。管理内容包括热情服务“零投诉”、受理登记“零误差”、办理业务“零等待”、入户走访“零距离”。“归零管理”的本质在于着力解决干部“精神懈怠的危险、能力不足的危险”，通过提高街道、社区两级干部的执行力，不断提升街道、社区两级组织管理的科学化、规范化水平，借助局域网络平台，将街道重点工程、重点项目、常规工作等按部门(社区)，经对接、审定、定责、限结、录入、督进、办结、追责、回访等9个工作程序，实现层级分解、部门(社区)负责、强化监督、提高效能的目标，增进工作的系统性、科学化，增强考核的针对性，为创先争优及年度考核提供基础依据，促进街道各项工作全面推进，实现党员干部作风根本转变。工作措施有四个方面，一是健全组织体系，将重点工作任务进行层层分解，落实责任人，推行“一站、一人、一本、一线、一公开”的“五个一”工作模式；二是规范工作流程，对接居民各种诉求，经过审定后进行分类、定责和整理，确定承办单位部门和责任人，明确办理意见和办结时限；三是畅通居民诉求渠道，通过社区电子信箱、社区QQ、居民说事室、党代表工作室、人大代表之家等渠道，接待居民来信来访，为居民解疑释惑，反映社情民意；四是建立长效机制，制定一个微笑、一声问候、一个保障、一声安慰、一声道别的“五个一”接待标准，建立健全首问责任制、定岗定责制度、接待受理制度、监督反馈制度、领导干部进社区等制度。

【重点项目】 年内同时实施7个重点项目征地拆迁工作，工作任务十分繁重。项目分别为：河东片南区路网改造工程项目、窑埠TOWN周边土地一级开发增补用地项目、东堤路和河东沿江景观工程四期项目、东环路西侧(原灯泡厂生活区)土地一级开发整理项目、文昌路西段南面土地一级开发整理项目、柳州市龙静路(蟠龙路路口至东环大道路口段)项目、东环路第二小学扩建项目。街道成立了7个项目组，每个项目由街道书记、主任任项目总负责人、街道副职任项目组组长，每个项目都有专人进行负责，分工明确，责任到人。为提高工作效率，促进房屋征收进度，街道通过多种方式开展工作，项目组每周开一次碰头会，街道每月定期召开重点项目工作例会，对工作中遇到的问题进行研究讨论，力争尽快解决。同时，深入到群众家中，项目指挥部成员联合挂点社区，利用晚上和周末的时间，对被征收人进行逐户走访调查，听取被征收人的意见，耐心细致的开展思想动员，解释宣传房屋征收方面的法律、法规及相关政策，及时把握新动态、新情况、新问题。7个项目涉及居民227户，拆迁面积29000.81平方米，全年签订拆迁协议113户，达到总任务49.78%。

【社会事业】

民政 为居民改善居住环境，向区政府申报屏山大道306号宿舍楼围墙改造等12个惠民项目，全年惠民工程经费使用17.06万元，实施了环境整治、平整路面、维修路灯等多项惠民举措。为弱势群众和困难家庭发放低保金263.4万元，4252户次，7390人次。发放低保户猪肉补助16.3万元、价格补助0.5万元。定救定补22.7万元，优抚对象医疗补助3.7万元。临时救助1.2万元。发放城乡医疗救助34.8万元，230人次。

公共就业服务保障 做好就业服务工作，全年办理就业失业登记证457本、就业困难认定349人，受理就业失业登记证年审910本、社保补贴申请213人，就业技能培训送培31人，创业培训送培10人，实现城镇新增就业人员1708人，下岗失业人员再就业588人，城镇就业困难人员就业280人。抓好城乡居民养老保险扩面工作，办理60周岁申请基本养老保险待遇385人，新增16～59周岁缴费109人，新增城镇居民保险参保874人，代办在校学生参保新增2608人。认真做好社会化管理企业退休人员服务管理工作，探视因患重病住院的企业退休人员60人，探视经费3000元，为54名企业军转干部申请困难补助10.24万元，每季定期走访长期卧床、特困、孤寡等企业社会化管理退休特殊人员总计695人次。组织社会化企业管理退休人员开展游柳州等活动，丰富退休人员精神文化生活。积极开展劳动保障监察两网化管理，巡查辖区用工单位409家，开展劳动合同签订检查、社会保险扩面宣传，涉及劳动者1544人。

保障房 街道全年共受理辖区居民廉租房申请业务35户，圆满完成上级下达的25户任务指标，组织符合条件的廉租房实物配租申请户参加鱼峰区保障房分房现场会2次，20户无房困难户家庭喜获新房，年检廉租住房货币补贴321户，惠民政策落实到实处，群众满意度较高。

工会　积极推进工资集体协商工作，年内签订"工资集体协商合同"286家，签订率为100%，圆满完成上级下达的任务。通过开展区域职代会、会员评家等活动，促进职工管理权、监督权的实现，进一步增强基层工会活力。定期开展宣传廉政建设、计划生育、防艾、禁毒及法制知识为内容的职工文化活动，进一步提升职工素质。开展职工帮扶工作，推进"工会会员贴心服务工程"，积极为会员办理龙城工会卡、购买职工医疗互助保险、建立困难职工家庭档案等，让工会成为职工真正的家。

妇联　根据街道实际，与工会等部门合作，开展形式多样的活动，以提高妇女自身素质，积极营造健康、文明、向上、奋发的良好氛围。开展三八妇女节纪念活动及三八妇女维权周活动，与区妇联联合开展"美丽家庭飘粽香，孝老爱亲送温暖"端午节主题活动，日常开展"美丽家庭"、家庭教育等系列活动，用丰富的文化生活逐步提升妇女素质。

残联　关怀、关爱残疾人，为残疾人提供优质服务，切实将各项补贴、救助资金发放到位。全年发放残保金556人次16.68万元，发放重度残疾人生活补助金146人次13.14万元，发放重度残疾护理费77人次2.77万元，发放阳光家园补贴84人次8.4万元，发放燃油补贴91人次2.37万元，发放养老补贴22人次，2.2万元，帮扶残疾党员4名、扶助4000元。

文化体育　加强文化体育活动阵地建设，完善管理制度，满足人民群众健身娱乐的需求，年内建立箭盘街道文化站及金盛、云屏2个社区文化活动中心，街道所属8个社区有2个建成了社区文化活动中心。以社区文化活动中心为平台，开展"每月一星"歌手PK赛，深受辖区居民欢迎和喜爱。依托辖区内广场，整合调动各类文化资源，组织开展街道广场文化活动，努力营造良好氛围，让群众积极参与其中，拓宽广场文化的影响力。年内，街道在箭盘山书市广场、金盛广场举办"立鱼欢歌"广场文化节2次。

5月24日，在箭盘山书市举办鱼峰"立鱼欢歌"广场文化节箭盘街道文艺演出　（夏旭艳　摄）

【精神文明建设】　坚持贴近实际、贴近生活、贴近群众，深入学习宣传贯彻党的十八届三中、四中全会精神，广泛开展中国特色社会主义和中国梦的宣传教育，努力培育和践行社会主义核心价值观。以柳州市争创全国文明城市为契机，在辖区内大兴文明礼仪、读书学习、节俭养德之风，积极开展文明交通、文明引导、文明餐桌和文明传播行动。结合重大典型和"道德模范""十佳文明市民""感动鱼峰2014年度人物""身边好人"宣传学习，大力开展道德模范学习宣传活动，深入开展"节俭养德，全民节约"行动，精心组织诚信创建活动，积极开展民族团结宣传教育、国防教育和"崇尚科学、反对邪教"教育。运用社会媒介，强化公益广告传播，实现公益广告宽领域、广覆盖、长效果，培育健康社会文化，传递社会正能量。积极推进以"管理有序，设施完备，服务完善，环境优美，治安良好，生活便利，关系和谐，群众满意"为主要内容的美好社区建设，云屏、丽都、华林3个社区被评为鱼峰区四星级"美好社区"，东环、金盛、东化3个社区被评为鱼峰区三星级"美好社区"。深化拓展群众性精神文明创建活动，抓好道德讲堂、学雷锋志愿服务队、遵德守礼提示牌、文明餐桌行动、网络文明传播志愿服务小组的建设，推荐箭盘山小学申报第十五批自治区文明单位。

【人口和计划生育】　年内，已婚育龄妇女为7022人，新婚61人；选用各种避孕方法6271人，本年施行计划生育人数213人。各

9月5日，箭盘山街道屏东社区组织失独家庭在社区“幸福家园”开展“浓情中秋”月饼DIY活动　（刘淑祯　摄）

项指标均达到鱼峰区人口和计划生育目标管理责任制所定目标，其中符合政策生育率达到96.99%，二孩符合政策生育率达到87.93%，人口出生统计合格率为100%，长效避孕措施主要工作指标统计合格率为100%，政策外多孩率为0.38%，当年长效避孕率达到96.66%。一年来，街道积极推动社区创建“一居一品”工作亮点，持续做好计生特殊家庭的帮扶和关爱活动。重点推进屏东社区以“幸福家园”为依托开展计生特殊家庭关爱扶助活动，金盛社区以“教育讲堂”为载体开展优生优育知识宣传以及东环社区关爱流动人口子女“快乐星期二”免费家教辅导活动教育实践基地的品牌建设。通过社区品牌亮点的打造，更好地为辖区居民提供多项优质服务。

【社会治安综合治理】 全年排查工作常抓不懈，共排除矛盾纠纷25起，调处25起，调解率100%，维护了辖区内和谐稳定的社会环境。综治工作中，牢牢抓住“居民说事”这个切入点，按照“说事、理事、议事、办事、评事、查事”六步工作程序，引导居民群众自己研究解决辖区内公益性、社会性、群众性的重大问题，发挥居民群众的自我管理、自我服务积极性。加强司法调解工作，坚持人民调解规范化建设，完善街道、社区、调解小组、纠纷信息员四级调解网络机制。辖区内共有调解委员会9个，登记在册人民调解员32名。全年调解案件27起，调解成功率100%。积极开展内容丰富、形式多样，群众喜闻乐见的法制宣传教育活动，分别在“3·8”妇女维权周、综治宣传月、禁毒宣传月、“12·4”宪法日开展“法律六进”活动，为街道顺利迎接“六五”普法工作的验收检查做好工作。

【安全社区建设】 贯彻落实《国家安全监督管理总局关于深入开展安全社区建设工作的指导意见》通知精神，按照《安全社区建设基本要求》，街道把“构建和谐社会、建设安全社区”作为第一要务，坚持以人为本，坚持安全发展，提高全民安全意识，推进安全文化建设，开展了居家燃气安全、“三无”小区环境安全、交通安全、工作场所安全等13个安全促进项目，最大限度地预防、控制各

2014年箭盘山街道各社区简表

序号	名　称	户数（户）	人口（人）	社区驻地	电话
1	东化社区	2359	6600	箭盘路东一巷36号25栋	3196667
2	东环社区	1860	4803	东环大道69号东华园中心花园独栋小楼	2628535
3	金盛社区	3051	6028	东环大道47号6栋3楼	3596036
4	丽都社区	2128	6183	屏山大道318号协和丽都20栋3楼	3135617
5	屏东社区	2434	6025	屏山大道北四巷43号	3126666
6	窑埠社区	3635	10655	柳东路220号东1栋3楼	2611295
7	云屏社区	1642	4622	白云路9号新华庭1号门面	3123908
8	华林社区	2189	6708	东环大道101号	2607538

类安全事故的发生。积极开展安全生产大检查活动以及“打非治违”专项检查行动，分别在元旦、春节、五一节和安全生产月等节假日期间开展安全生产大检查，共检查出安全隐患53处，已基本整改完毕。加大宣传工作力度，印制、发放7万多份社区安全知识、交通安全、家居安全知识等宣传册，制作安全生产宣传板报200多块，安全横幅230条，组织开展安全知识文艺演出5场，努力实现全员参与、全员受益。加强与广西区内各地的交流学习，全年接待来自南宁、柳州、梧州、北海、贺州、河池等全区各地的交流、学习人员10多批100多人。积极参加广西安全社区创建培训，并根据广西、柳州市安全社区创建工作安排，先后4次并派人到三江县、柳南区、柳北区及鱼峰区其他乡镇（街道）进行安全社区交流活动，帮助他们理顺安全社区建设思路，也学习了各地安全社区建设的新方法。

【社区换届】 7—9月，第五次社区“两委”换届选举成功进行。此次换届撤并了箭盘、惠龙2个社区，社区总数由10个社区调整为8个。经过换届，云屏、窑埠、金盛3个社区党组织由党总支部调整为党委。（袁海云）

五里亭街道

【五里亭街道概况】 辖区位于位于东经109°25′03″～109°26′04″，北纬24°17′55″～24°19′41″。地处鱼峰区南部。东起柳江主航道中心线顺流向南至阳和大桥，西至笔架山脊，南以鸡喇路至五岔路与白莲街道交界，北以蝴蝶山路、九头山脊为界，与天马街道、荣军街道、麒麟街道相邻，区域总面积约7平方千米。设羊角山、依山、燎原、龙泉山、龙擎苑、阳光、天和、嘉汇8个社区居民委员会和鸡喇村村民委员会，总人口约5.1万人，其中常住人口3.78万人，流动人口约1.32万人。辖区有荣军路南段、燎原路、柳石路中段、九头山路、羊角山路、蝴蝶山路、龙泉路、鸡喇路等主干道，其中柳石路、燎原路、荣军路、鸡喇路四条主干道交汇处形成的五岔路口，是全市重要的交通节点，是柳州市由东南进出的必经之路。辖区内有五月阳光休闲娱乐广场、燎原摩托车配件商城、五里亭综合市场、天天来市场、燎原建材市场等商贸设施；有广西联华超市天和店、南城百货柳石分店等大型超市；有柳州五菱柳机动力有限公司、柳州市欧维姆建筑机械股份有限公司、广西龙泉山医院、广西龙潭医院、广西血液中心、柳州市第一外国语实验学校（第十三中）、第二十四中学等企事业单位。

2014年，街道有工作人员40名。其中中共党员18人。本科及以上学历13人，大专学历25人，中专及以下学历2人。

2014年，街道成功通过全国安全社区创建评审，荣获自治区卫生先进单位、广西社会主义新农村建设指导员工作先进后盾单位、市“安静居住小区”创建活动优秀组织单位、市计划生育“两无一提高”单位、市安全生产监督管理系统年度先进集体。

结合社区换届，街道对社区区划作了调整，撤并蝴蝶山、三和园两个社区，社区总数为8个。所辖鸡喇村有农户328户，总人口738人，年内村集体经济收入2200万元，农民人均收入3万元。街道办公地址：荣军路五区横漏山脚旁。

【党建】 街道党工委下设6个党委、1个党总支、50个党支部，共有党员1416名。全年发展新党员8名。认真开展党的群众路线教育实践活动，着力解决联系服务群众“最后一公里”问题，以“三有一无”为工作目标（即需求有回应、倾诉有对象、困难有帮扶、服务无障碍），打造“服务广大群众让居民顺心、维护社区稳定让居民安心、关爱青少年让家长倍感贴心、居家养老模式让老人舒心、办实事好事让群众暖心”的“五心”级服务。紧紧围绕“为民、务实、清廉”的主题，建立了干部联系社区制度，街道班子成员全部挂点联系9个社区（村），积极开展为民办实事活动。不断加强学习和培训，将《深入学习习近平同志重要论述》《之江新语》等书籍列入学习计划，全年共集中学习10次，组织社区（村）“两委”干部学习20余次。加强廉政建设，推进工作作风转变，组织党员干部认真学习贯彻中央“八项规定”，开展日常纠风督察，签订廉政目标责任书，落实党风廉政建设责任制，加强党风廉政建设宣传教育，增强党员干部拒腐防变的能力。

【经济】 2014年，辖区内有非公企业有100多家，工业企业有柳州五菱柳机动力有限公司、柳州市欧维姆建筑机械股份有限公司等80多家，主要商贸企业有柳州市丰元贸易有限公司、柳州市美儿宝贝母婴儿童用品有限公司等，物流企业有九头山物流信息中心、柳州市桂中海迅物流有限公司等，主要宾馆、酒店有柳饮金座商务酒店、上林酒店等，大型超市有南城百货柳石分店、全家百货等，主要市场有燎原建材市场、天天来市场、五里亭农贸市场、羊角山菜市等。

年末，街道共有法人单位637户、产业单位143户、个体经营户1165家，个体经营户中有工商证的532户、无证的1405户。年内街道固定资产投资完成3.62亿元，完成全年任务指标103.35%；招商引资完成3.67亿元，完成全年任务指标的106.1%。两项指标均完成区政府下达的全年任务。

【社会事业】

民政 全年审核上报低保户3322户次、5914人次，发放低保金204.55万元；审核上报农村低保户93户次、135人次，发放低保金3.4万元；审核上报优抚对象656人次，发放优抚金25.13万元；发放定救款15.35万元；发放冬令救灾救济物资146人次、175件；审核上报住房困难户4132户次，发放廉租房补贴9720人次、102.23万元；审核救助患有重大疾病的贫困居民270人次，发放医疗救助金38.56万元。落实老年人有关政策福利，办理高龄补贴633人、发放1.27万元等，办理红、绿卡老年证383本。认真落实拥军优属政策，有重点优抚对象62名，全年发放重点优抚对象各类补助金22万元。

就业和劳动保障 积极开展就业服务工作，举办“就业援助月”“春风行动”“民营企业招聘周”“高校毕业生就业双向选择”专场招聘会等活动，提供就业岗位775个，全年新增城镇就业人员达1795人，为485位失业人员办理就业失业登记证及旧证换新证，年审失业证919份，认定就业困难人员354名，组织76人参加创业和技能培训。切实抓好退休管理工作，年内社会化管理退休人员有4582人，完成人脸识别验证人数6100人，为退休人员发放各类节日慰问金，进行养老资格认证，看望慰问生病老人，组织退休人员茶话会、“畅游柳州”等活动，管理服务率达100%以上。做好医疗工作，全年有1364名居民参医保。

残疾人事业 年内辖区共有残疾人849人，街道关注残疾人特殊群体，落实残疾人福利政策。全年审核上报贫困残疾人补助金447人次、发放补助金13.17万元，申请重度残疾人特困补助244人次、发放补助金21.96万元，春节慰问特困残疾人家庭50户，上报残疾人个体工商户基本养老保险费补贴15人，组织2名残疾人参加残疾人职业技能培训，为51名贫困残疾人发放残疾人机动轮椅车燃油补贴1.32万元，对2名残疾儿童给予学前教育补助。开展阳光家园计划残疾人托养服务，为残疾人争取到一批轮椅及其他辅助器具，进行残疾人康复需求调查，走访精神残疾人并给予服药救助。

创卫工作 制定2014年创建国家卫生城市工作计划，进行创卫工作再动员、再部署，街道班子成员到社区（村）挂点解决重点难点问题。加大投入，大力开展环境卫生治理，全年来共投入环境卫生整治经费约8.5万元，重点对市场周边、城中村以及“三无小区”进行整治，成功解决了3处重点、难点问题，出动约15000人次，清理卫生死角2000余处，清理垃圾500多吨，清理小广告约3万条，清理污水沟1200多米，清扫楼道800多处，清理面积约40万平方米，配置垃圾桶130个。建立长效管理机制，强化网格员日常巡查工作，着力提高居民卫生意识，逐渐形成全社会自觉维护环境卫生的良好氛围。

“美丽鱼峰·清洁乡村”工作 因清洁乡村工作成绩突出，街道被自治区党委组织部等部门评为“2013年度全区新农村建设指导员工作先进后盾单位”。筹资35万元，完成了“鸡喇新居环境美化、鸡喇五组龙潭河排污治理、六组工业园路口硬化”等10个“清洁乡村”小微项目，极大改善了鸡喇村基础设施条件和村容村貌。选择龙晶小苑二区及鸡喇新居作为自治区级清洁乡村示范候选点，制订实施方案，发掘工作亮点，以点带面，以点促面，整体推进全村清洁乡村工作。实行“1+2”清洁责任制，即“街道班子领导挂点、村干部+组长包干”，并层层签订责任状，形成上下联动的工作格局。加强宣传，在鸡喇新居打造长达近百米的清洁乡村宣传长廊，展出涉及清洁乡村活动的照片、漫画和文字，积极发挥街道党员宣传服务队、青年宣传服务队和驻村队员宣传服务队作用，广泛开展“美丽乡村”活动宣传，营造出良好“清洁”氛围。突出重点、全面清理，坚持“每月一大整、每周一大清、每日一扫连保”，确保村庄周围、房前屋后的环境卫生保持干净整洁，全年组织各类清扫活动105次，清理垃圾400多吨，清理房前屋后卫生垃圾死角200多处，清理疏通河道沟塘20多次，清理乱堆乱放75余处，环境美化治理成效显著。

食品药品安全监管 9月，成立街道食品药品监督管理所，配置了近140平方米的办公场所。加大食品药品安全宣传，全年悬挂横幅50多条，展板20多块，文艺演出1场，大型广场宣传活动4次，食品安全教育课4次，发放宣传材料共计3000多份，接受现场咨询300多人次，街道食药监工作步入正轨。积极开展以农村食品市场“四打击四规范”为主的多项整治行动，排查售卖亨氏AD钙高蛋白营养米粉的商家23家，没有发现有问题的批次产品；巡查食品流通店47家、餐饮店32家、药店6家、药品流通店1家。其中查实无证的食品流通店18家、餐饮店12家，街道食监所督促这些商家全部办理了证照。10月，市领导到五里亭街道调研，对街道各社区在食品药品方面实行无缝监管的做法给予了高度肯定。

【精神文明建设】 打造龙泉山社区文化活动亮点，建设多功能活动厅、乒乓球活动室、阅览室、老年活动室、户外健身场所近300平方米的室内外文体活动场所，争创“全国社区文化活动中心示范社区”。组织各种健康有益、形式多样的群众性文化活动，营造快乐和谐的社区氛围。举办“青少年读书分享会”“健康生活”“食品安全”等知识讲座，为居民传授健康知识；开展“社会主义核心价值观演讲比赛”、“儿童家园”系列比赛活动、“立鱼欢歌”文艺演出和“每月一星”K歌比赛等活动，让孩子们在娱乐中收获知识、享受乐趣，丰富居民群众文化生活。开展“道德讲堂”活动，倡导邻里和谐，弘扬中华美德。开展科普活动，创建科普示范家庭和绿色社区，利用社区科普活动室、小区广场等阵地宣传、推广科学理念、科学知识，引导居民树立科学、文明、绿色的生活方式。在鱼峰区2014年度“美好社区”评选中，龙泉山、龙擎苑和阳光3个社区获评“四星级社区”，燎原和天和2个社区获评“三星级社区”。

2014年3月5日，羊角山社区与羊角山干休所开展“学雷锋 见行动”活动 （栗 悦 摄）

【人口与计划生育】 搭建“帮扶关爱”基地，开展为计生特殊家庭送温暖活动，得到中国计生协会评估组高度肯定。推行诚信计生星级服务，实现“一居一品牌”，全部社区（村）打造了新家庭文化屋和“幸福家园”，龙擎苑社区的菜单式居家养老服务、多彩儿童家园心理引导，龙泉山社区的百姓心声站以及“全程代理”服务，阳光社区以早教为特色的诚信计生服务模式等等，基础工作扎实，亮点特色突显，获鱼峰区五星级“诚信计生示范社区（村）”称号。统计区间内，街道已婚育龄妇女10782人，区间出生459人，人口自然增长率6.46‰，符合政策生育率94.55%，两项主要指标控制在区政府下达的责任指标内。出生人口统计合格率100%，出生人口性别比为106.76，比上年同期上升2.02个百分点。无政策外多孩出生，4个社区（村）实现无政策外生育。综合避孕率为88.34%，避孕措施落实长效率

93.3%。免费孕前优生健康检查完成142对，比区下达指标高出17对。核发《计划生育服务手册》270本、“二孩生育证”141本、“流动人口婚育证明”27本、“独生子女父母光荣证”103本。计划生育奖励扶助政策落实率100%，奖扶覆盖率达100%。

【社会治安综合治理】 辖区位于城乡接合部，道路四通八达，市场多，出租房多，人员流动量大，治安相对复杂。街道积极开展“平安社区”创建工作，各社区、村全部达到平安社区、村的标准，创建率达100%。建立治安防控体系，人防、技防和物防紧密结合，打击违法犯罪行为，各类案件显著下降。大力开展矛盾纠纷排查调处工作，排查出各种事件142起，矛盾纠纷排查率达100%，调处率达100%，调处成功率达99%，化解了鸡喇村委一队七队与市场方租金纠纷、龙潭医院、工人医院南院的医疗纠纷等三起重大纠纷，消除了因纠纷可能引发的重大群体性事件。开展各种专项整治，重点对柳石路六合彩市场、天天来市场、学校周边、治安混乱地区进行专项整治。做好信访维稳工作，全年接访群众30多人次，解决问题25人次，无非正常进京赴邕上访人员。加强思想道德和法制教育，预防青少年违法犯罪。积极开展禁毒工作，有效控制新滋生吸毒人员，做好吸毒人员、刑释解教人员的帮教工作，落实好社区戒毒和康复工作，实施爱心家园起航安置工程，在一家企业创建社区戒毒、康复人员就业安置基地，这在全区独此一家，已安置康复人员23名。

2014年五里亭街道各社区、村简表

序号	名　称	户数	人口(人)	社区、村驻地	电话
1	依山社区	1790	4750	柳石路卧龙苑3-1-2室	3133442
2	龙泉山社区	1621	4433	龙泉路1号	3125582
3	燎原社区	2223	6155	九头山路3号1-1门面	3131195
4	羊角山社区	3151	8565	柳石路388号	3132744
5	阳光社区	3384	10127	蝴蝶山路58号阳光花园17栋3-16	3113079
6	天和社区	1626	3493	燎原路41号天和小区内	3605005
7	龙擎苑社区	3092	8222	鸡喇路16号九区4栋	3150245
8	嘉汇社区	1189	3467	嘉汇龙潭小区15栋低层104室	3262382
9	鸡喇村	325	745	柳石路159-1号	3145391

【社区换届】 8月21日—9月20日，街道所属社区、村成功进行了“两委”换届选举。此次换届选举，共登记选民23608人，参加选举投票的居(村)民共22077人，参选率达93.5%。经过换届选举，产生了第五届社区居民委员会委员60名、第七届村民委员会委员5名。在新当选65名委员中，女性55人，占84.6%；少数民族9人，占13.8%；平均年龄38岁；中共党员36人，占55.4%；大专以上学历57人，占87.7%。（陈海燕）

2014年9月2日，嘉汇社区召开第二届居民委员会换届选举大会

（五里亭街道办　提供）

白莲街道

【白莲街道概况】 白莲街道位于东经109° 27′ 01″ ~ 109° 30′ 45″，北纬24° 15′ 29″ ~ 24° 19′ 10″。地处鱼峰区南部。东临柳江与

阳和街道相望，南至叶山、白莲洞、五马归槽山与柳江县里雍镇、穿山镇接壤，西靠金家山、水车山与柳江县进德镇、柳南区南环街道交界，北至鸡喇路、鸡山与天马、五里亭2街道毗邻。总面积39.41平方千米。位于鱼峰区南部，东临柳江，西接柳南区和柳江县，南接柳江县。行政区域面积约39.4平方千米，是鱼峰区面积最大的街道。人口约4.5万人。设莲花、宝莲、大桥、洛维、响水、南山6个社区。辖区内有都乐公园、白莲洞博物馆、碧芙蓉山庄、羊角山街心公园、观音山公园等，辖区经营单位有洛维工业集中区、柳州市农工商公司、七彩山庄大酒店、万聚休闲农庄、卧龙湖高尔夫俱乐部、广西地质白莲洞基地、柳州市月山公墓等。学校、机关、事业单位有广西商业学校、广西工艺美术学校、广西科技大学医学院、柳州市第二十中学、柳石路第三小学、柳州市农业科学技术研究所、真晖中学、大桥派出所、柳州白莲客运站、柳州白莲机场管理处等。柳州白莲机场是柳州唯一的航空港。

年内，街道有工作人员49人。其中中共党员18人，本科及以上学历23人，大专学历16人，中专及以下学历10人。

2014年，街道被评为自治区"全区先进乡镇综合文化站"，司法所被评为柳州市"十佳司法所"。街道办公地址：柳石路418号。

【党建】 2014年，街道共有6个社区党总支、1个机关党支部、24个基层党支部、5个非公党支部。本年街道发展新党员6名。重创新能力建设，坚持打造街道和社区的品牌特色和亮点，街道党工委开展"七天一小时"志愿服务活动，南山社区打造廉政文化长廊，莲花社区开展"今天社区我当家"长效活动等等，丰富了党建工作的创新内容。认真开展党的群众路线教育实践活动，街道领导班子成员多次深入基层，到群众中间广泛征求意见，认真对照"四风"检查自身，共收集到30条意见，并针对意见制订整改措施43项，制定了服务群众长效机制。加强区域化团建工作，搭建起青年工作服务新平台。

【经济】 2014年，辖区有非公企业228家，个体经营户1494家，呈现出工业和商贸业齐头发展的好势头。主要的工业企业有华润混凝土（柳州）有限公司、柳州市佳力新电机有限公司、广西柳州华地探矿机械厂、柳州大都混凝土有限公司等；主要商贸企业有龙翔汽车贸易有限公司、柳州市建华运输贸易有限公司、鑫大地机电市场、银都宾馆、盛天宾馆、万聚休闲农庄、柳州市盛市物资有限公司等。

年末，街道共有法人单位489户、产业单位120户，个体经营户有工商证的451户、无证的1055户、有税证的197户。街道全年固定资产投资3.327亿元，完成任务的100.82%；完成招商引资3.595亿元，完成任务的101.11%。

【社会事业】

民政　积极开展低保争先创优工作，相继成立低保工作评议小组、低保工作监督小组。召开低保工作评议会议13次。全年共有低保户1154户（次），救济人数2074人（次），发放救济金74.2万元，做到了应保尽保，不符不保，有进有出，在低保工作中没有出现违法乱纪和不安定现象。按时足额发放参战退役人员定补金，发放232人次8.62万元。发放医疗救助45人次，救助金额7.34万元。发放珠江禁渔期间困难渔民最低生活保障金58户次128人，共计金额5.1万元。办理发放老年人优待证68张，为80岁以上老人发放生活补贴1365人次548万元。抓好冬春救济工作，救济救助21户39人次。

残联　对30名家庭困难的残疾人进行春节慰问。定时走访和调查贫困残疾人和非低收入重度残疾人家庭，对生活困难的残疾人及时办理低保和残疾人特困生活补助，全年发放特困残疾人补助金795人次7.92万元。为残疾人申请四脚拐杖、框式两轮助行器、电动代步三轮车，为精神病患者免费发放药品，帮助他们更好地融入社会，参与社会生活。组织残疾人参加职业技能培训，增强残疾人就业信心，鼓励残疾人自谋职业，帮助残疾人找到合适的就业岗位。

【食品药品监督管理】 6月5日，白莲街道食品药品监督管理所正式成立，成为柳州市首个挂牌的食品药品监督管理所，为鱼峰区食品药品稽查大队派出机构，参公管理事业单位，有工作人员4名，其中在编人员2名，协管员2名。对"四品一械"（食品、药品、保健食品、化妆品、医疗器械）经

2014年6月5日，白莲食品药品监督管理所成立　（江　雪　摄）

营户进行全面排查，排查登记经营户226家。开展“四打击四规范”（严厉打击无证无照行为，规范食品生产经营者主体资格；严厉打击销售、使用无合法来源食品和原料违法行为，规范食品生产经营者采购活动；严厉打击生产经营侵权仿冒和无标示食品违法行为，规范食品包装标签标识管理；严厉打击生产经营劣质食品行为，规范食品生产经营过程）专项活动。检查食品经营户94家次、农贸市场2个，督促61家无证食品经营户办理许可证，发现3家商店销售过期食品并现场对过期食品进行下架处理。开展学校食品安全专项整治，检查学校和托儿所食堂19家、食品流通经营户11户、餐饮服务经营户4家，重点检查学校食堂进货原料品质、食品采购查验和索证索票、48小时留样制度和工作人员健康合格证明等内容。开展散装白酒、散装食用油以及桶（瓶）装饮用水专项整治工作，确保食品未超出食用期限和产品来源安全合法。全年未发生重大食品安全事故。

【“美丽鱼峰·清洁乡村”工作】 街道处于城郊接合部，辖区范围宽，“美丽鱼峰·清洁乡村”工作所面临的压力较大。加大宣传力度，利用社区网格员下户、张贴海报、文艺会演、发放宣传册等办法进行全面宣传。加强卫生治理，全年开展环境集中整治11次，清理各类垃圾200多吨。按照“五好”“无乱”的要求，重点清扫卫生死角，特别是加强对违章临时建筑和拆迁垃圾的处理，开展以清除各类垃圾和卫生为内容的全民义务劳动132次，清除卫生死角76余处，清除垃圾、建筑材料130余吨，清除小广告4600余张，清除违章占道4处，投放除四害药品12公斤，灭蝇灭蚊药物2万多平方米，使辖区城中村及社区、单位的环境卫生面貌有了较大改善。加强乡村基础设施建设，对洛维社区页山路、响水社区环江村、苗圃村、洛维路、大桥社区都乐村、七下村、法山村、宝莲社区莲花村二组和三组、南山社区鸡喇街小巷等15处道路进行硬化，硬化面积达1550多平方米，安装路灯50多盏，修建南山社区江四村排水沟120米，放置密闭垃圾箱2个，协调环卫等部门支援，投放塑料垃圾桶230个。

【精神文明建设】 以柳州市创建全国文明城市为契机，每月坚持开展学雷锋为民服务活动、社会主义核心价值观学习宣传活动，利用南山社区“爱心储蓄银行”和廉政文化民心工程、宝莲社区“雷锋超市”和“书记值班岗”、莲花社区“今天社区我当家”、响水

2014年8月4日，街道志愿者在荣军路与银桐路交会路口开展文明交通劝导活动　（黄柳梅　摄）

社区“慧心巧手工作室”、大桥社区“老人健康绿箭行动”、洛维社区“宅急送”等社区亮点工作，在辖区大兴节俭养德、文明礼仪、互帮互助之风，积极开展文明交通、文明引导、文明餐桌和文明传播等行动。深化推进文明单位、美好社区创建活动，积极组织文明单位和社区开展“善行义举榜”、为未成年人办实事办好事、道德讲堂、学雷锋志愿服务、公益广告宣传、“我们的节日”等主题活动。创城期间共发放各类活动宣传资料3万余份，收到了良好的宣传效果。

2014年白莲街道各社区简表

序号	名　称	户数（户）	人口（人）	社区驻地	电话
1	南山社区	1568	3665	南环路6号尔海南山御景23栋1-20	3876553
2	宝莲社区	3219	9416	柳石路171号宝莲新都36栋1-3	3136528
3	莲花社区	3339	12216	柳石路414号城南首座15栋3单元103室	3130778
4	响水社区	1666	5794	洛维路89号地质疗养院内	3351918
5	洛维社区	2806	8272	柳石路255号18栋1单元101室（桥园小区）	3352387
6	大桥社区	2142	6852	柳石路424号（红园小区）	3352386

【人口和计划生育】 年内，街道总人口44637人，已婚育龄妇女7842人，占总人口17.57%。区间出生337人（男孩173人，女孩164人），出生率为7.55‰；死亡61人，死亡率1.37‰，人口自然增长率6.27‰。计划内出生326人，其中：一孩出生244人，计划内出生244人；二孩出生92人，计划内出生81人。全年出生男孩173人，女孩164人，出生性别比为105.49，同比上升0.86，属于正常值范围；已婚育龄妇女采用各种避孕节育措施6900人，综合避孕节育率为87.99%，同比下降0.45个百分点。全年长效避孕节育率为88.79%，高于指标要求7.79个百分点。符合政策生育率96.74%，同比下降0.22个百分点；无政策外多孩。

【社会治安综合治理】 6个社区全部成立了综治维稳工作站，由一名街道领导挂点一个社区工作站，坚持每个月召开2次综治维稳工作会议。向上级报送维稳信息100多条，排查和调处矛盾纠纷94件，调解成功94件，成功率100%。收到上访信件4件，接待上访群众30多人。开展“三无”小区整治，为综合冶炼厂宿舍及宝莲新都31栋、32栋安装了摄像头。成立社区义务巡防队，开展义务巡防工作。3月中旬，组织街道和各社区工作人员配合大桥派出所民警展开夜间排查工作，主要排查辖区内是否有暴恐嫌疑分子，街道和社区参与排查的工作人员有60多人，共检查小旅社24家、小网吧2家、整治治安隐患30多处，使得少数比较混乱的区域治安局面得到明显改善。深入贯彻实施《中华人民共和国禁毒法》和《中华人民共和国戒毒条例》，开展禁毒大宣传活动，抓好戒毒康复工作，辖区有戒毒康复人员26人，其中8人解矫，无脱管、漏管和重新违法犯罪现象发生。

【社区换届】 7月31日，全面启动社区“两委”换届工作，至9月3日，换届选举工作圆满完成。街道所属6个社区党组织选出社区党组织委员30人、居委会委员46人，社区一次性成功选举率为100%。社区书记、主任“一肩挑”6人，新一届社区“两委”成员平均年龄42.7岁，比上一届平均年龄年轻了1.9岁；大专及以上文化程度的23人，占77%。（江　雪）

麒麟街道

【麒麟街道概况】 麒麟街道位于东经109°25′59″～109°27′57″，北纬24°16′58″～24°19′34″。地处鱼峰区南部。东临柳江与阳和街道隔江相望，南靠九头山接五里亭街道，西界燎原路、东环大道与箭盘山、荣军2街道相接，北至文昌路、静兰路、西江路，与城中区潭中街道、静兰街道毗邻。成立于2005年，因辖区内有麒麟山得名。辖区位于鱼峰区东面，东起西江路静兰桥西端，南至燎原路柳州市技工学校，西以燎原路、东环路以东为界，北以文昌路以南为界，区域面积约9.6平方千米。2014年末，辖区总人口46885人，其中城镇常住人口30375人，流动人口16510人。设元江、西江、凤起、民泰、双龙、西船和南亚7个居民委员会和水南村民委员会。水南村有农业户510户，农业人口1529人。辖区主要机关单位有中共鱼峰区委员会、鱼峰区人大常委会、鱼峰区人民政府、政协鱼峰区委员会、鱼峰区人民武装部、鱼峰区人民检察院等。学校有柳州职业技术学院、柳州民族高中、柳州市技工学校、燎原路小学。有广西水文队、广西第二测绘院、柳州市特种汽车厂、方盛公司车桥分公司、中船西江造船有限责任公司、柳州市粤宝汽车销售服务有限公司等企事业单位40余家，企业主要产品有锌锭、汽车、机械加工等。医疗卫生服务单位有中国人民解放军158医院、麒麟箭盘西江卫生服务中心。社会养老服务业有临江敬老院。

2014年，双龙社区、西江社区、西船社区和南亚社区获“自治区卫生先进单位”称号，办事处、元江社区、西江社区、凤起社区、民泰社区、南亚社区、双龙社区和水南村获“柳州市2014年无烟单位”称号，办事处、凤起社区、元江社区和民泰社区获“柳州市卫生先进单位”称号，办事处获“2014年柳州市元宵灯会组织奖”，双龙社区获“柳州市村（社区）人民调解委员会规范化建设示范点”称号。在鱼峰区2014年度“美好社区”评选中，元江社区、西江社区、凤起社区、民泰社区和南亚社区5个社区获评“四星级社区”，双龙社区获评“三星级社区”。

2014年，街道有工作人员46人。其中：中共党员25人，本科及以上学历22人，大专学历20人，中专及以下学历4人。街道办公地址：柳石路394号。

【党建】 年内街道党工委下辖党的基层组织46个，其中党工委1个，党委3个，党总支2个，党支部40个，有党员789名。开展“党群日”活动，确定每月19日为“党群日”，组织街道、社区工作人员开展联系群众、服务群众的主题活动，内容主要包括党群教育、交流谈心、困难帮扶、环境治理、志愿服务等，实现党员联系和服务群众常态化。开展“百聊汇”活动，以“百聊不白聊，聊了总有效”为口号，通过街道、社区联系人大、政协、居民、党员及职能部门领导、代表，讨论居民关心、关注的社会事务管理问题，寻找解决问题的方法和途径。开展群众路线专题“说书”活动，在党的群众路线教育实践活动开展期间组织专题说书活动5期，让“说书”活动成为党性教育和作风整顿的生动课堂，促进了教育实践活动的有效开展。

11月13日，麒麟街道第七期“百聊汇”，党员群众聊安全。图为专业人士现场示范开锁，帮助提高居民的安全防范意识　　（党旭萍　摄）

【经济】 全年完成固定资产投资3.51亿元，完成招商引资已3.58亿元，两项指标均完成区政府下达的目标任务。1月1日，开始实施第三次全国经济普查，成立以街道主任为组长的经济普查领导小组，开展地毯式单位普查工作。工作内容主要包括PDA操作员、引导员的培训、告知书的正确填写及拍照、下户登记普查数据、查遗补漏、审核验收数据、错误数据的审核修改、评估数据的质量及质量抽查迎检等一系列的工作，经过全体指导员及普查员一个多月的共同努力，共完成普查登记单位法人、产业单位532家、个体经营户2002家，其中有证的个体经营户707家。

【水南村整村改造】 水南村整村改造项目于2005年9月公告后启动，主要包含东环路东城市预留地项目、炮团路片区改造项目、西江路东段沿线两侧项目、东环路东一巷片区城中村改造项目、炮团路F1、F2地块项目五个子项目。2014年,水南村整村改造现场指挥部从基础资料整理入手,对所有402户被拆迁户建立了“一户一档”并实行编号制,认真核实完善被拆迁户的相关身份资料、房屋资料,各拆迁组把每次下户商谈记录及时录入档案,保证了资料的完整性、准确性和及时性。一线拆迁组白天商谈、晚上下户、周末约谈,克服双休日、节假日连续作战的困难,放弃与家人团聚的机会,真正做到“白加黑”“五加二”。而办公室工作人员则坚持晚上、周末轮流值班,不辞辛劳地完成上传下达和相关部门的沟通协调。水南村整村改造项目应签约户数402户(其中45户为集体土地上的国有房屋),2014年成功签约213户,完成任务的52.99%。

【社会事业】

民政 规范做好低保救济和发放工作,在鱼峰区低保规范化评比中荣获第一名。全年发放低保金1268户次2878人次93.62万元;发放医疗救济金78户次,11.06万元;发放廉租房补贴2876户次,补贴金额79.34万元;对优抚对象实施医疗救助,全年救济7人次5132元。

就业和劳动保障 全年城镇新增就业人数1265人,完成计划101.2%;失业人员实现再就业人数501人,完成计划100.2%;大龄就业困难人员再就业197人,完成计划131.3%。企业退休人员社会化管理人员2055人。城镇居民医疗保险办理4303人。组织社区做好社保补贴、小额贷款等项目咨询和申报工作,办理就业失业登记证404本。办理就业困难认定申请220人,其中获得就业困难认定卡219人。抓好失业人员培训工作,动员失业人员报名培训24人。开展就业援助月活动、“春风行动”活动、大学生招聘会以及“民营企业招聘周”活动,举办4场专场招聘会,组织进场企业单位24家,开发岗位1078个。开展城乡居民养老保险工作,完成城乡居民养老保险310人,其中60岁以上人员180人,16～59岁130人。开展春节慰问活动,对48名困难退休职工发放困难补助慰问金2.4万元,对管理的1909人退休职工发放慰问金9.55万元。

安全生产 按照“谁主管、谁负责”和“一级抓一级,层层抓落实”的原则,与7个社区、1个村及30多家单位签订了消防责任书,并与40多家门面签订商户消防安全责任书,将各项安全控制指标、工作任务和要求具体落实到人,从而实现了安全责任制的全员覆盖。全年共组织消防安全大检查8次,出动检查人员300多人次,发现生产隐患及火灾隐患50多处。举办消防安全培训4次,培训人员135人次。悬挂安全生产宣传横幅20多条,出版安全板报20多块,发放安全宣传资料800多份。

【精神文明建设】 打造麒麟街道文化活动中心及西船文化长廊,为居民提供休闲娱乐的好场所。积极开展各类文体活动,在“柳州明珠”水上大舞台举办第五届“鱼峰歌圩·立鱼欢歌广场文化节”专场文艺演出,在水南村辖区举办“美丽鱼峰·清洁乡村”暨“小手拉大手”专场文艺进村、进校园演出宣传活动,丰富了辖区居民的精神文化生活。紧紧围绕社会主义核心价值观和讲文明树新风,积极开展文明市民教育活动,成立文艺队伍,利用春节、清明节、中秋节、重阳节等节日开展文体活动,引导居民争做文明市民。组织引导广大党员及工青团组织、志愿者大力开展结对帮扶活动,定期走访慰问结对帮扶的困

11月29日,麒麟街道志愿者开展“绿色出行,党员先行”暨“天天捡”志愿服务宣传活动 (覃家驹 摄)

7 月 29 日，麒麟街道 2014 年村(社区)“两委”换届选举工作动员暨业务培训会在西船社区会议室召开　　(胡　晓　摄)

难党员、困难群众家庭、孤寡老人和困难学生，长期为他们献爱心、送温暖，解决困难群众实际困难。组织社会各界人士，把机关及企事业单位干部、大中专院校学生、热心公益事业的村、居民组织起来，开展清洁乡村“天天捡”志愿服务活动，全年参加“天天捡”“清洁田园”志愿服务活动的志愿者达 2000 多人(次)，为保持乡村清洁发挥了积极作用。元江社区以“法律援助进工地”等形式开展关爱农民工系列主题活动，西江社区组建“天使儿女”志愿者服务队伍，凤起社区升级“绿色凤起”环保活动，民泰社区成立鱼峰区第一家建设工地工会工作站，双龙社区启动“关爱互助、幸福安居”居家养老服务，这些活动，提升了文明创建的水平。

【人口与计划生育】 全面开展诚信计生工作，以“幸福家园”为阵地，积极开展计策服务和计生宣传。全年出生 431 人，同比减少 29 人，符合政策生育率 98.84%，同比提高 0.2 个百分点，高于责任指标 3.84 个百分点；无政策外多孩出生，出生统计合格率为 100%。区间长效避孕节育率 91.54%，同比上升 3.1 个百分点，高于责任指标 10.54 个百分点；农村长效率为 98.21%，同比上升 2.42 个百分点，高于责任指标 12.21 个百分点。人口自然增长率 6.87‰。人口出生性别比为 105.24，同比下降 0.12 个百分点。一孩当年出生 364 人，独生子女领证 132 本，同比减少 45 本。

【社会治安综合治理】 开展政法综治宣传月活动和做好信访维稳工作，落实敏感时期及法定节日 24 小时值班制度，深入排查有影响性的上访重点人员和群体性事件，做好重点人员和重点事件相关稳控工作。积极推进普法教育，开展“红红火火过大年”活动、校园周边环境专项治理行动、“6·26”禁毒日及“12·4”法制宣传日等活动，民泰社区组织社区工作人员和部分居民参观鱼峰区检察院“联系群众，服务群众，自觉接受群众监督”的主题开放日活动，凤起社区与鱼峰区法院举办模拟法庭审判，西船社区举办法治文化巡讲活动，营造了学法、尊法、守法的良好氛围。排查调处各类纠纷 101 起，调解成功 100 起；安置帮教刑满释放人员 30 名；社区矫正在矫 23 人，累计接收矫正人员 45 人，矫正对象无一脱管漏管，无一被治安处罚和重新犯罪。

【“美丽鱼峰·清洁乡村”】 2014 年水南村建设了篮球场、宣传长廊、升旗杆等设施，为村民开展文化体育及爱国教育活动提供了场所。硬化村屯道路约 120 米 5600 平方米，整治露天水沟 3 条约 300 米，填埋整治废弃鱼塘 2 个，建设绿化美化花池 16 个，有效改善了水南村环境。2014 年，街道申报了 8 个小微项目，得到批复并下拨资金的有 7 个项目，两年来，争取区政府建设资金 17.39 万元，水泥 279 吨，自筹资金 26 万元，修建硬化乡村道路 4 处共 1497 米，安装路灯 20 盏，电杆 12 根，整治改造排水沟 90 米，绿化美化了水南南区花圃，有效加强了乡村道路建设，方便了村民出行，也促进乡村道路清扫保洁工作的加强和改进，使村容村貌得到很大改善，受到村民的一致好评。每周五组织水南村全体工作人员及鱼峰区、办事处挂点工作人员进行清洁家园劳动，定期在村民居住环境周边开展集中清理整治行动 50 次(累计 7000 人次)，清理卫生死角 200 多处，清运各类垃圾 200 车，合计 600 多吨，清理小广告 1 万多

2014 年麒麟街道各社区、村简表

序号	名　称	户数	人口	社区、村驻地	电话
1	元江社区	3282	8404	白云路 126 号 -27-4-201	3139612
2	西江社区	3058	7645	西江路西江苑 2 栋 1 单元 201	3162161
3	凤起社区	2069	5804	西江路 66 号凤起新都 21-3-102	3160063
4	民泰社区	1890	3958	桂柳路海馨嘉园 10-1-101	3161879
5	双龙社区	2420	7558	西江路 25 号西江综合批发城内 D 区	3161113
6	西船社区	1976	5327	东环大道 4 号	3110542
7	南亚社区	3139	8373	文昌路 3 号南亚名邸 56 栋 1 楼	2611225
8	水南村	2012	6324	东环大道东一巷 7 号	2615804

条，使卫生状况有了很大改善。

【社区、村换届】 辖区登记参加社区党组织换届选举党员 302 人，实际参选党员 283 人，参选率 93.71%。登记参加居委会选举选民 26689 人，实际参选 23963 人，参选率 89.79%。元江社区作为 2014 年柳州市社区“两委”换届选举试点社区，率先于 5 月 21 日、5 月 28 日分别完成社区党组织、社区居委会换届。8 月 25 日，6 个社区党组织通过召开党员代表大会或者党员大会，选举产生了新一届党组织领导班子。9 月 2 日，6 个社区居民通过直接选举方式投票，依法产生了新一届社区居民委员会领导班子。通过“两委”换届，选举产生党组织班子成员 39 人（其中书记 7 名，副书记 5 名，委员 27 名），居委会班子成员 59 人（其中主任 7 名，副主任 14 名，委员 38 名），其中交叉任职 17 人；社区党组织 35 岁以下年轻干部 4 人，居委会 35 岁以下年轻干部 25 人，社区“两委”班子结构得到进一步优化。水南村也同时完成了“两委”班子换届选举。

（胡　晓）

责任编辑：蒋继友

雒容镇

【雒容镇概况】 雒容镇位于东经 109° 28′ 00″ ~ 109° 42′ 38″，北纬 24° 16′ 26″ ~ 24° 34′ 36″。地处鱼峰区东北部。北、东、南、东南与鹿寨县平山镇、鹿寨镇、江口镇相邻，西南与阳和街道相连，西与城中区静兰街道隔柳江相望并与柳北区洛埠镇接壤，西北与柳城县毗邻。地势东高西低。东北、东南是峰林谷地，中、西部为冲积溶积平原。平原地区海拔高程在 84 ~ 110 米之间。境内最高峰古亭山位于六座村，海拔 556.2 米；最低点莫道江口，海拔 75 米。柳江自北向南流经辖区西南边境，长 8.0 千米；洛清江发源于永福县三皇乡，在连丰村入境，自北向南流经辖区东部的雒容圩等地，在雒容镇大糯村出境，长 16.7 千米；莫道江发源于境内兰村，流经辖区西北部的大正、竹车等地，在西牛塘村附近注入柳江，全长 30 千米。总面积 366.33 平方千米。镇政府驻雒容社区新城路 8 号，距城区政府驻地 18.2 千米。2014 年，机构设置主要有党政办公室、社会事务办公室、经济发展办公室、人口和计划生育办公室、社会治安综合治理办公室等 5 个党政部门以及农业服务中心、社会保障服务中心、文化体育和广播电视站、财政所、水利站、林业站、人口和计划生育服务站、村镇规划建设站、水产畜牧兽医站等 9 个事业机构，机关行政编制 37 名、机关后勤服务人员编制 4 名、事业机构全额拨款编制 53 名。

6 月 12 日，自治区城乡风貌改造六期工作推进现场会在雒容镇举办分会场，自治区党委副书记危朝安、市委书记郑俊康等领导参加会议，雒容镇荣获“广西特色工贸名镇”荣誉称号。8 月，国家住建部、发改委等七部委联合下发通知，发布最新全国 3675 个重点镇名单，雒容镇入选“全国重点镇”。镇政府办公地址：新城路 8 号。

【党建】 以深入开展党的群众路线教育实践活动为契机，持续强化干部职工队伍作风建设。以上党课、集中学习和自学等多种形式开展专题学习教育活动，从根本上提高了广大党员干部的政治觉悟和拒腐防变的能力。结合乡村建设大会战、“创星升级”、一事一议项目等，加大投入，完善农村

2014 年雒容镇各村、社区简表

序号	名　称	区域面积（平方千米）	户数	人口	村、居委会驻地
1	雒容社区	23	7829	17757	雒容镇民生南街 106 号
2	半塘村	41	2356	8721	雒容镇半塘村平龙屯
3	果园村	14	860	3168	雒容镇容庆路 151 号
4	高岩村	25	923	3838	雒容镇象岩路南 7 号
5	坭桥村	24	957	3473	雒容镇坭桥村公园屯
6	盘古村	24	1205	4711	雒容镇盘古村盘古屯 322 国道旁
7	连丰村	34	1723	6529	雒容镇连丰村爱东屯村头
8	龙岭村	18	758	2675	雒容镇龙岭村龙岭屯
9	竹桐村	17	492	1699	雒容镇竹桐村大村屯
10	秀水村	40	1525	6021	雒容镇秀水村秀水屯
11	东塘村	26	1344	4727	雒容镇东塘村半碑屯
12	大正村	26	1187	4884	雒容镇大正村大正屯
13	南庆村	27	1483	5366	雒容镇南庆村水冈屯
14	竹车村	27	1078	4021	雒容镇竹车村良木屯

基础设施。2014 年共有四星级党组织 3 个，三星级党组织 6 个，星级创建率达 69.23%。整顿软弱涣散基层党组织龙岭村，将龙岭村由软弱涣散的基层党组织打造成工作作风转变最快、办事能力强、班子凝聚力强的基层党组织典范。着力打造规划区内半塘村、清洁乡村示范点坭桥村和市级现代农业示范点秀水村三个党建示范村，不仅在村风文明等方面得到了提升，在征地工作、清洁乡村、农业产业调整方面也取得了较大突破。切实加强党风廉政建设和反腐败工作，制定行政效能问责、公务接待、车辆管理等规定，规范机关干部职工的行为。

党的群众路线教育实践活动 2 月份启动，镇党政班子以高度的政治责任感和良好的精神状态投入到活动当中，高标准组织学习教育，深入村屯单位调研，多渠道征求意见，认真查摆问题，精心筹备并扎实召开镇领导班子专题民主生活会，突出抓好活动的各个环节。共召开调研座谈会 30 余次，下基层与村干部、群众谈心交流 40 余次，梳理出群众意见和建议 235 条，就地解决实际困难问题 37 件。共投资 1700 多万元新建及改造道路面积 83269.84 平方米，解决群众出行难问题；投资约 670 万元实施雒容文化广场升级改造，满足了群众休闲娱乐的需要；投资约 3781 万元改造集镇房屋外立面 1844 户，使集镇风貌焕然一新；结合清洁乡村活动，为各村屯清理陈年垃圾 2568 余吨，修建排污水沟 2300 平方米，建设垃圾硬化收集点 1590 平方米等等。通过着力解决群众关注的重点和难点问题，做好“服务群众最后一公里”，得到了群众一致好评。

【经济】

农业 优化调整农业产业结构，促进农民增产增收。2014 年全镇粮食种植 5 万亩，玉米 0.71 万亩，甘蔗种植 4.3 万亩。农民人均纯收入为 11800 元。落实项目规划及申报，建立示范园区，以示范推动全镇现代农业发展。围绕秀水村社尔屯现代农业循环示范园、“菜篮子”工程、双季葡萄拓展、水稻优质米示范等内容进行项目申报，落实项目资金 710 万元，全年共建立 4 个示范点，总面积达 4000 亩，新增双季葡萄种植 62 亩。开展科技下村服务，派出技术员 400 多人次，现场指导 55 次，受益群众 700 多人次。全面落实支农惠农政策，夯实农业发展基础。重点抓好农田水利基础设施建设，组织各村做好灌区渠道防渗、清淤 9.3 千米，恢复灌溉面积 170 亩。完成饮水工程项目建设工作。发放移民水库补贴 74.7 万元，投入 116.7 万元完成移民村屯道路硬化 3.3 公里。全年发放综合补贴、良种补贴、农机购置补贴共计 566.05 万元。扎实搞好春季、秋季动物疫病防治工作，各项免疫率均达 100%。

工业 雒容镇企业主要集中在雒容工业园区东区和西区，目前已开发利用土地约 2500 亩，引进项目 73 个，现有企业 80 多家，2014 年累计固定资产投资达 25.2 亿元，规模以上工业企业生产总产值达 100.2 多亿元，上缴税金 9800 多万元，安排就业人员约 6000 人。东区以食品、机械加工、生产为主的轻工业区，西区以汽配为主，化工、建材为辅的重工业基地。上汽通用五菱宝骏基地也坐落在雒容镇，是广西柳州汽车城首个建成投产的重大整车项目，总用地5000亩，计划总投资100亿元，完全按世界一流的标准建设。宝骏基地包含四大工艺车间(冲压、车身、涂装和总装)，具备产能40万辆/年。“上汽通用五菱”二期、玲珑轮胎、医药物流、污水处理厂、东风柳汽乘用车项目(二期)等重大广西汽车城项目建设于年内稳步推进。华侨城柳东城市文化综合体项目正在施工，集旅游、居住、购物、商务、娱乐、休闲度假等功能于一体，是柳州市目前为止引进的规模最大的旅游地产项目。华侨城项目包括文化旅游科技体验园、文化创意产业基地以及文化广场三方面内容。文化旅游科技体验园作为城市文化综合体的一期项目开工建设(用地约800亩，预计投资约20亿元)，通过主题游乐、主题影视、主题场馆、主题演艺的综合运用，将文化、艺术与现代科技完美结合。

财政 2014年全镇财政收入为12500万元，其中国税完成7909万元，地税4381万元，非税收入完成210万元。

【社会事业】

民政 全面完成城乡低保的申报、审核、报批，确保困难救助资金的正常发放。投资7万多元，改善敬老院、五保村老人的住宿和生活条件。新增雒容镇残联办公室。举办主题为“关心帮助残疾人、实现美好中国梦”的全国第24个助残日游乐活动。全年发放低保金等各类资金累计达到209.8万元，发放义务兵家属优待金219.7万元，发放护理贴和生活补助金达43.9万元。会同北部湾保险公司理赔人员为因暴雨导致农房倒塌的11户农户争取理赔，赔偿金额共4.9万元。

就业和社会保障 城镇登记失业人员实现再就业1000人，完成农村劳动力转移就业1320人，完成全年任务的100%。组织104家企业参加“春风行动”招聘会，提供就业岗位约5000个。积极稳妥开展城乡居民新型社会养老保险，参保人数10630人，参保率达116.52%。开设2个认证网点，起用4台识别仪器，采用“人脸识别”资格认证系统进行企业退休人员领取养老资格认证。对辖区内用人单位实行劳动保障监察“两网化”管理。配合柳东新区做好“阳光社保”政策宣传活动。

科教文卫 2014年，科教文卫事业蓬勃发展，精神文明建设水平不断提高。教育工作扎实推进，积极推进雒容镇第二小学和中心幼儿园建设。积极开展医务人员业务培训和学习，参加柳州市基层医疗机构急救技能竞赛，获得较好的成绩。围绕各个阶段，各工作主题，积极开展文化体育活动，如群众路线演讲比赛、普法杯健身舞等活动。雒容镇、南庆村、秀水村继续保留自治区文明村镇荣誉称号，镇卫生院被命名为自治区卫生工作先进单位。

【征地拆迁】 紧紧围绕“广西汽车城项目”及柳东新区2014年征地目标任务，积极稳步推进“上通五”二期、玲珑轮胎、医药物流、污水处理厂、东风柳汽乘用车项目(二期)、龙湖、文化广场以及东外环柳东段、火炬大道、博园大道、智和路、核心区路网等项目，全年完成满榄屯、新建队、水闷屯、高荒屯、石盆屯、半塘屯的整村征地工作，共征收土地面积17268.3675亩，占柳东新区全年征地总量的87%。

全力配合柳东新区拆迁办完成满塘屯、凉水塘屯、水闷屯、竹尔屯和林纸厂的协议拆迁工作，累计完成协议拆迁面积28.556万平方米，协议金额达48227.651万元。迁坟工作共完成签订《迁坟协议书》342份，涉及迁移坟墓370多座，发放坟墓迁移费用约60万元。

抓好征地和拆迁的同时，大力抓好安置工作。双仁生产安置项目一期已全面竣工；南庆一期及二期、坪龙屯等9个安置项目已开工建设，动工面积40万平方米，投资15亿元。其中，平龙屯项目加快施工；南庆一期冲孔桩完成80%；半塘项目交桩开工；平地项目总平报批；满塘过渡房搭建完成50%。完善果园村石桂屯、龙婆屯、盘古村百合屯等历史遗留的安置问题。启动建设龙婆安置区，果园小区的征地工作，安置被征地村屯的供地手续。安置工作以点带面，推动了其他村屯加快三产安置地开发建设的步伐。

【城镇化建设】 加强镇区基础设施、环境卫生、园林绿化、建筑施工安全综合整治，全面落实城区各项管理工作。以城管队牵头，联合多部门对镇区市容市貌秩序整治。开展规范经营摊点、取缔占道经营等执法活动。配合柳东新区整治雒容农贸市场，查处噪

2014年11月21日，在雒容镇坭桥村坪上屯举办的柳东新区美丽柳东清洁乡村文艺会演
（雒容镇政府　提供）

音扰民案件，拆除违章广告、店面招牌，拆除违章条幅、横幅广告等违章案件81件。加大整治遏制“两违”力度，规范城镇土地管理秩序，进一步加强对违章建筑、乱搭乱盖现象的查处力度，协助新区组织的拆违拆建280处，拆除违章建筑面积147000平方米，有力地打击了违法占地违法建设行为。

【“清洁乡村”工作】 通过宣传横幅、标牌、固定宣传专栏以及发放宣传册、电影下乡等形式，动员群众参与到清洁乡村活动中来。制订村屯村规民约、环境公约、保洁员制度、村屯理事会工作职责等。严格按照“三清洁”活动标准，开展清理垃圾、沟渠、水葫芦，清洁田园等专项清理。完善基础建设，强化人员管理。积极筹措资金，加强农村基础设施、垃圾清运设施的建设。健全保洁员管理长效机制，聘请保洁员140名，统一培训，统一按标准明确责任。通过看、听、查、访、拍照等方式，对13个村126个自然屯定期或不定期开展督查活动，通过明察暗访，针对存在的问题，总结经验，提出建议，督促整改，严格问责。以坭桥村坪上屯作为清洁乡村示范屯，以清洁乡村先行者的姿态引领全镇各村屯完善村规民约、保洁制度等各项职责，推进了全镇清洁乡村向生态乡村转型，在迎接自治区、柳州市、柳东新区三级各类检查中，均取得较好成绩。

【人口与计划生育】 贯彻落实“三为主”工作方针，稳步推进“阳光计生”、“诚信计生”进程，深入开展早期教育、孕前优生检查，积极推进“两无一提高”工作创建，全面加强优质服务工作。全年有已婚育龄妇女14534人。统计区间出生婴儿1135人，其中一孩557人，二孩557人，多孩21人，政策外167人，政策外多孩率1.76%，出生符合政策率85.37%；男性婴儿618人，女性婴儿517人，性别比120，比上年有所上升；女性初婚373人，死亡309人；人口自然增长率11.48‰。为计生户购买新农合4984人，爱心保险1265人，利益导向机制落实率100%。全镇有诚信计生小组508个，参加诚信计生人员有6886人，诚信计生奖励扶助政策落实率100%。成立各级计生协会21个，有会员8896人；免费孕前健康检查覆盖率达100%。

【社会治安综合治理】 认真抓好安全生产大检查、安全生产月等活动，整治安全隐患。加强安全生产宣传教育，狠抓安全生产监督检查，确保安全生产工作落实到位。加大对农产品质量安全监督检查工作，重点对农药、化肥等农业投入品的市场进行检查监督；在检查经营店同时加强农产品质量安全抽样监测监控工作，确保农产品质量安全。实行以“防”为主，狠抓“大防控”“大调解”体系建设，治安状况进一步好转。健全矛盾纠纷排查调处机制，积极化解信访积案。加大对治安违法行为的打击力度，治安防范由“人防”向“技防”过渡，治安案件发案率大幅下降。认真抓好社区矫正、禁毒及普法宣传等工作，积极开展帮扶弱势群体法律援助工作。扎实开展突出治安问题的排查整治活动。荣获柳州市“六五”普法中期先进乡镇称号。

【新农村建设】 顺利完成村“两委”换届工作，选举产生村“两委”干部99名，平均年龄46.5岁，35岁以下年轻干部6人，本科学历1人，高中及大专学历人数37人；组织新当选的村“两委”干部参加自治区、柳州市、柳东新区三级培训，村干部队伍的整体素质得到进一步提高。全年共组织“一事一议”财政奖补项目申报25个，实施项目20个，财政奖补资金384万元。竹车村办公楼落成，完成坭桥、竹桐、龙岭3个村的“六个一”工程以及东塘村卫生室加层项目建设，投入资金总计达233.7万元。加快推进农村危房改造和危桥改建工作。完成250户危房改造，受益农户涉及竹车村、东塘村、大正村、连丰村、竹桐村、秀水村等11个村民委；开工建设龙岭村大石屯小桥，实施果园村水碾屯桥危桥改建工程。实施雒容至鸟兰（雒容段）农村公路工程建设，对雒容至龙口茶场、雒容至导江（雒容段）两条道路进行大修，开展雒容镇通村通屯水泥路建设，全年道路建成总长达98.2公里，合同总价达5461.42万元，覆盖了大正、东塘、秀水、竹车、连丰、盘古、竹桐和龙岭等行政村，受益群众达4万人。实施连丰村大芽屯村庄综合整治项目，投资约326万元。投入403.31万元，加强镇区道路等基础设施建设。通过对镇村基础设施建设的大投入，使农业生产条件和农村村容村貌显著改善，农民生活质量明显提高。秀水村被评为“柳州市十佳平安小区（村屯）”。

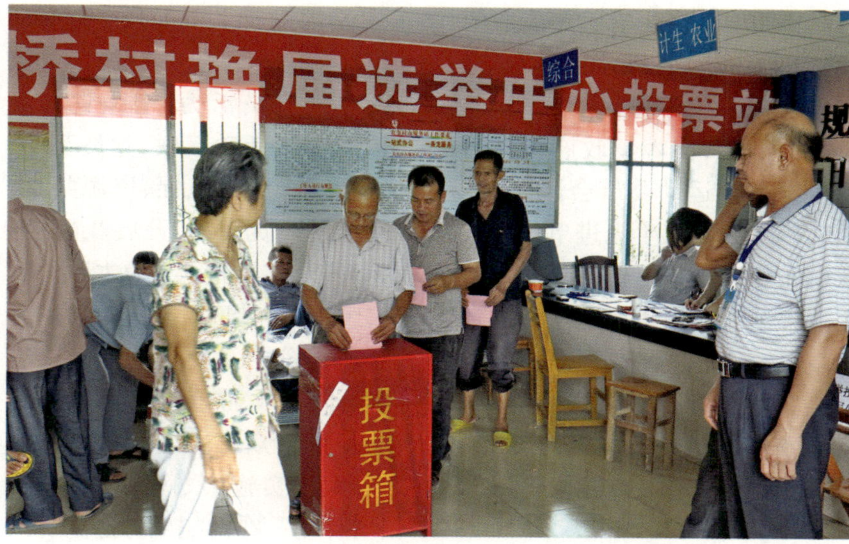

2014年9月10日，雒容镇坭桥村“两委”换届选举投票现场

（雒容镇政府 提供）

【社区、村换届】 辖区登记参加社区党组织换届选举党员92人，实际参选党员85人，参选率92.39%。登记参加居委会选举选民2443人，实际参选2265人，参选率92.71%。9月5日，1个社区党组织通过召开党员代表大会或者党员大会，选举产生了新一届党组织领导班子。9月15日，1个社区居民通过直接选举方式投票，依法产生了新一届社区居民委员会领导班子。通过“两委”换届，选举产生党组织班子成员5人（其中书记1名，副书记1名，委员3名），居委会班子成员5人（其中主任1名，副主任1名，委员3名），其中交叉任职4人；社区党组织45岁以下年轻干部3人，居委会3人，社区“两委”班子结构得到进一步优化。

（雒容镇党政办公室）

洛埠镇

【洛埠镇概况】 洛埠镇位于东经109° 30′ 18″ ~ 109° 32′ 30″，北纬24° 21′ 48″ ~ 24° 26′ 59″，在鱼峰区北部。东与鹿寨县雒容镇交界，南隔柳江与城中区静兰街道相望，西与长塘镇相邻，北与柳城县东泉镇接壤。境内为低丘陵地带，地势北高南低。海拔高程在84 ~ 166米之间。境内最高点锅盖岭位于洛埠村，海拔166.0米；最低点浪江口，海拔77.5米。柳江自北向南流经辖区西边境，长8.0千米；浪江、莫道江分别自洛埠镇西北面和东南面，沿边蜿蜒而过注入柳江，长约1.5千米。总面积15.53平方千米。镇政府驻雒埠社区振鹤街194号，距城区政府驻地20千米。位于柳州市东北部，地形以丘陵为主，距市中心约20千米。东南与雒容镇交界，北面与柳城县西安乡相邻，南面与城中区环江村隔河相望。辖区内有柳江河、浪江河，柳江河岸线长9千米，有湘桂铁路（铁路专用线）、柳洛公路、北环高速公路、东外环柳东段（规划中）快速公路、官塘至洛埠公路等，地理位置优越，交通十分便利。总人口8284人，下辖洛埠村、下窑村和洛埠街社区、银鸥社区，41个居民小组，14个村民小组。辖区内有大型企业两面针纸业有限公司、民营企业柳州雅维乳品公司等。

2014年，洛埠镇政府被自治区爱国卫生运动委员会评为“广西壮族自治区卫生先进单位”，荣获柳东新区“先进单位”称号；镇企业办荣获柳州市安全生产监督管理系统“先进集体”称号；洛埠村被评为柳州市“五星级”基层党组织等。镇政府办公地点：鸣凤街290号。

【党建】 基层党组织有1个党委，1个党总支，13个党支部，共有党员342名。年内发展新党员5名，转正预备党员12名。围绕夯实村级班子战斗力、提升村（社区）干部队伍执行力的工作目标，高标准顺利完成了全镇两村两社区的“两委”换届选举工作，新一届党组织共有成员22名，其中书记4名，大专以上学历2人，占总数的50%，平均年龄51岁。实施基层党建工作品牌化建设，开展党的群众路线教育实践活动、建设平安村屯及农村文体活动、各类服务村（居）民活动等多项为民、惠民服务，提高基层党建科学化水平的目标。全面开展区域化党建工作，突出创新模式，推进“学习型党组织”建设，认真落实“党员活动日”，以“流动党课”和远教“集中学习日”为抓手，开展专题党史教育，激发党员活力，增强党的吸引力。以“活动互联、党员互助、优势互补、工作互促、资源共享、发展联动”为目标，开展“企业与困难群众结对帮扶”为主题的活动，组织村（社区）、共建单位的党员、积极分子及团员开展走访慰问困难党员、群众等服务基层活动，帮助群众解决实际困难和问题。大力实施“农民人均纯收入倍增计划”，在南蛇屯打造党员致富示范基地，在下窑成立村级合作联社，发挥了党员先锋模范作用。年内，洛埠村再次被评为市“五星级村级党组织”，成为柳州市基层组织规范化建设的范本；下窑村“六个一”项目建设全面完成，并在“创星升级”活动中成功申报“四星级村级党组织”。

【经济】 辖区内有广西柳州两面针纸业有限公司、柳州市雅维乳制品有限公司、柳州市洛埠造纸厂3家知名工业企业，塑料厂、木材加工厂等近10多家中小企业，形成塑料配件、冲压件、纸制品、奶制品等为主导产品的工业发展格局。辖区法人单位47户、产业单位27户，有非公企业20多家；个体经营户260多家，其中有个体工商营业执照的72户。全年完成工业总产值3.32亿元，固定资产投资2.14亿元，农民人均纯收入8772元。

2014年洛埠镇各村、社区简表

序号	名　称	区划面积（平方千米）	户数	人口	村、社区驻地	电话
1	洛埠村	6.75	472	1768	振鹤街185号	2750131
2	下窑村	7.19	261	1525	下窑村石冲屯38号	2773972
3	洛埠街社区	2	572	1441	洛埠新市场内	3400045
4	银鸥社区	1.6	1311	3550	柳江造纸厂	2750056

【社会事业】

文化 2014年，下窑村建成村级公共服务中心，中心综合楼占地面积208平方米，设有多功能活动室、官塘派出所驻村警务室、村级卫生所、妇女之家等，农民文化广场（包括一个占地32平方米的戏台、32米长的宣传长廊、占地1000平方米的灯光篮球场套气排球场）。辖区村、社区有各种文艺团体5支，队员160多人。一年来，镇党委大力繁荣农村文化事业。结合春节、清明节、端午节、重阳节等中国传统民俗节日，开展“民俗活动进万家”主题系列文化活动，传承和弘扬中华民族优秀传统和文化。开展社会主义核心价值观百姓宣讲活动。组织开展文明单位创建活动。设立洛埠村、下窑村两个“农家书屋”，洛埠街社区、银鸥社区2个“社区书屋”，洛埠辖区各图书室添置新书4000余册，为辖区居民提供良好的阅读环境。在农民文化广场舞台组织开展柳东新区第十五届柳江之夏“军民共建心连心”“国际青年节”“美丽柳东·清洁乡村”等多场演出，全年开展5次大型文艺会演活动，演出节目100多个，参加活动人员5000多人次。按公益电影年度放映计划安排，完成洛埠镇电影公益性放映54场次，让群众感受文化盛宴。镇文化站获得自治区文化厅授予“全区先进乡镇综合文化站”荣誉称号，洛埠村农民文艺队获得自治区文化厅授予“全区优秀村屯文艺队”荣誉称号；洛埠镇政府荣获新区2014年元宵灯会优秀单位组织奖等。

卫生 紧紧围绕爱国卫生工作“政府组织、地方负责、部门协调、群众动手、科学指导、社会监督”二十四字方针，加强领导，强化措施，大力开展爱国卫生运动。全力开展环境卫生整洁行动，广泛发动群众，坚持区域联动，加强环境卫生基础设施建设；结合创城、创卫、清洁乡村等活动工作，做好生活垃圾收集、运输、处理工作，大力整治白色污染，绿化美化环境，建立健全卫生制度，落实好保洁队伍，建立长效管理机制，切实改善农村居民生活环境。认真做好病媒生物防制工作，针对鼠、蚊、蝇、蟑螂等病媒生物危害情况和滋生繁殖特点，结合环境卫生整洁行动，大力整治水体、垃圾等卫生死角，完善各类防制设施，有效降低和控制“四害”密度，预防和减少病媒传播疾病的发生和蔓延。强化食品和饮水安全的卫生监管，加大对食品安全卫生的监督检查力度，发现问题，及时处理，对餐饮业、公共场所，特别是学校食堂、农贸市场、“五小行业”、建筑工地进行集中监督检查，强化集镇供水水质卫生监管，对集镇自来水设施定期进行监督检查，确保饮水安全。深入开展多种形式的健康教育活动，充分利用广播、宣传栏、宣传册等大众媒体，采取群众喜闻乐见的形式，开展健康防病知识的宣传和有益于身心健康的活动，宣传健康理念，倡导健康生活行为方式，全面提升广大群众的健康水平。2014年，全镇开展除“四害”活动80多次；向群众免费发放灭鼠、灭蟑、灭蝇药40箱；发放清洁乡村活动宣传单7000多份、悬挂宣传牌140多块；出动1290人（次）开展垃圾清理行动；建设垃圾池7个，配置大垃圾桶50个；清理垃圾200多吨，有效改善了群众生活生产条件，创造了良好的人居环境。

2014年12月12日，洛埠村农民文化广场 （潘柳德 摄）

民政 坚持“动态化管理，应保尽保”，落实城乡居民最低生活保障工作，发放城乡低保金385户502次26.56万元，春节一次性补贴0.7万元；发放困难群众医疗救济金23户2.14万元，临时救助金9人次0.82万元；发放冬令救济物资139件（套）；发放优抚对象定补经费56人次13.7万元；发放特困残疾人和重度残疾人生活补贴等助残资金141人次7.36万元；发放高龄补贴208人次3.4万元；慰问困难群众、高龄老人和残疾人等686人次。建立和完善洛埠街社区居家养老服务站，积极争取专项资金，开展银鸥社区办公场所和居家养老服务站改建工作。

就业和劳动保障 大力开展“送政策、送岗位、送技能、送服务”就业援助活动，以“春风行动”为契机，引导待业人员积极参加“广西柳州汽车城2014年春风行动专场招聘会”，招聘会有100家园区企业到场，招聘190多个工种。积极开展就业再就业培训工作，组织14名失地农民参加计算机培训班，组织30人参加叉车培训班。加强对下岗失业人员“再就业优惠证”管理，办理“就业失业登记证”25本，审核办理“4050”困难人员社保补贴17人。加强企业退休人员社会化管理服务，新接管柳江造纸厂906名退休职工进行社会化管理；春节及重阳节期间，对辖区151名退管人员进行节前走访、慰问，发放慰问金共计16680元，发放慰问品151份。继续做好城镇居民医保服务工作，为70人办理城镇居民医保新参保手续，为427人办理续保手续。

【人口与计划生育】 加强人口与计划生育宣传，推行全员全程计生责任制，推进诚信计生、阳光计生，开展国家孕前优生检查项目。2 年内有已婚育龄妇女 925 人，占总人口 16.23%。区间出生 31 人，出生率 5.46‰，同比下降 3.50‰；其中符合政策生育 28 人，出生政策符合率 90%；一孩出生 16 人，政策内 16 人，符合政策生育率 100%；二孩出生 14 人，政策内 11 人，符合政策生育率 78.5%；多孩出生 1 人，政策内 1 人，符合政策生育率 100%。人口自然增长率 -2.28‰，同比减少 4.17‰；死亡 44 人，死亡率 7.06‰，同比上升 0.69‰。全年出生男婴 21 人，女婴 10 人，性别比为 210，同比上升 73.7。已婚育龄妇女中，期内采用各种计划生育手术的 938 人，期内施行各种手术 18 例，其中女性绝育 1 例，放置宫内节育器 7 例，取出宫内节育器 10 例。

【社会治安综合治理】 加强社会治安防范和管理，完善组织建设和制度建设，加大提升科技创平安、安全创建工作水平，确保社会和谐稳定。大力开展“平安洛埠”、禁毒、反邪教、“政法宣传周”等宣传活动，发放《青少年防毒自卫术》《防范新兴毒品》等宣传资料 2500 余份，悬挂宣传横幅 20 条，挂图 80 幅，设置展板 15 块。联合派出所、村（社区）开展集中整治学校、幼儿园及周边治安环境专项行动，开展治安防范检查督查工作。全面开展网格化信息系统数据录入工作，合理划分网格，责任落实到人。开展社区吸毒人员排查摸底调查，加强防毒禁毒工作，吸毒人员参加社区戒毒 1 人、社区康复人员 8 人。做好重大节日和敏感时期维稳值班工作，严格落实 24 小时值班和零报告制度，由镇主要领导全程带班，做到每日形势及时掌控、即时报告、即时处置、及时化解。对辖区范围内的矛盾纠纷和不稳定因素进行全面排查，收集、整理苗头性和倾向性信息，确保辖区社会和谐稳定。

【“美丽乡村”活动】 大力开展“美丽洛埠·清洁乡村”活动，对各村、社区卫生死角的环境卫生开展大规模、高强度的集中整治清理，城乡街道全面清扫保洁，整治道路硬化。全年投入经费约 168.3 万元。设立大型固定宣传牌 28 块、固定标语牌 150 块、路灯牌 48 块、墙面标语 20 条、悬挂宣传横幅 50 条、发放宣传手册 6000 多份，开展“清洁家园”“清洁田园”“清洁水源”整治活动，组织清洁乡村文艺演出 3 场，购买环卫器具及整治活动工具；修建 7 个垃圾池等；组织开展环境卫生整治行动 15 次，共清除卫生死角和存量垃圾点 120 余处，清理垃圾 500 多吨，共清理水葫芦河长 8000 米，面积合计 68000 平方米，清洁田间垃圾共 200 亩，约 6 吨，制作清洁田园宣传横幅 3 条，田间安放诱虫黄板 600 片。大力加强基础设施建设，助推清洁乡村活动开展，硬化道路，极大方便了群众出行和清洁乡村工作的开展。同时建立健全《洛埠镇农村环境卫生长效管理制度》《村民环境卫生村规民约》《洛埠镇卫生保洁员管理制度》《洛埠镇卫生保洁员工作职责》等可用、可操作的规章制度，为清洁乡村工作提供了制度保障。

2014 年 8 月 13 日，洛埠镇政府“两委”换届选举培训会

（潘柳德　摄）

【“安全洛埠”创建】 牢固树立“发展不能以牺牲人的生命为代价”的理念，建立健全“党政同责、一岗双责、齐抓共管”安全生产责任体系，不断推进“三个必须管”，即管行业必须管安全、管业务必须管安全、管生产经营必须管安全，全面落实安全生产主体责任，按照“全覆盖、零容忍”的要求，开展了一系列安全生产及消防大排查、大整治专项行动，并在落实

责任、创建标准化管理、宣教培训等各方面扎实有效开展工作,全镇没有发生柳东新区考核范围的安全生产事故,取得了主要事故指标都控制为零的好成绩。2014年,镇安全生产监管部门荣获"柳州市安全生产先进集体"称号。

【**重点建设项目**】 按照广西柳州汽车城总体规划发展目标要求,洛埠镇重点配合推进滨江新区及职教园(二期)、防洪堤(洛埠段)、柳州港官塘作业区一期5个2000吨级集装箱泊位、东外环(洛埠段)道路、物流园进港大道、下窑安置及三产开发项目"三通一平"、启动洛埠村蚂蝗屯农民安置、新建32中2号教学楼等重点建设项目。

【**社区、村换届**】 辖区登记参加村、社区党组织换届选举党员27人,实际参选党员27人,参选率100%。登记参加居委会选举选民2856人,实际参选2856人,参选率100%。9月3日,4个村、社区党组织通过召开党员代表大会或者党员大会,选举产生了新一届党组织领导班子。9月5日,4个村、社区居民通过直接选举方式投票,依法产生了新一届村、社区居民委员会领导班子。通过"两委"换届,选举产生党组织班子成员22人(其中书记4名,副书记3名,委员15名),居委会班子成员20人(其中主任4名,副主任6名,委员10名),其中交叉任职9人;社区党组织35岁以下年轻干部1人,居委会2人,社区"两委"班子结构得到进一步优化。

(张业赟)

阳和街道

【**阳和街道概况**】 位于东经109°27′01″～109°30′45″,北纬24°15′29″～24°19′10″。地处鱼峰区东部。东与鹿寨县江口乡毗邻,南与柳江县里雍镇接壤并隔柳江与白莲街道相望,西濒柳江与麒麟街道、五里亭街道和城中区静兰街道隔江相望,北与雒容镇接壤。总面积25.89平方千米。街道办事处驻古亭大道211号。7月,调整新城社区居民委员会管辖区域,增设东晋社区居民委员会,街道管辖社湾、阳和和六座3个村民委员会以及新城、春苑、翠湖、东晋4个社区居民委员会,全年辖区常住人口约4.1万人,流动人口约1.2万人。街道办公地址:古亭大道211号。

2014年阳和街道各村、社区简表

序号	名　称	区域面积(平方千米)	户数	人口(人)	村、社区驻地	电话
1	六座村委	26.08	1590	6489	古亭大道六座村民委员会	3511436
2	社湾村委	12.47	1058	3189	阳和大道社湾村民委员会	3678366
3	阳和村委	10.12	1282	5238	阳和大道阳和村民委员会	3515008
4	新城社区	1.16	3365	12209	春苑路东二巷1号	3511551
5	春苑社区	0.95	1721	5975	塑英路南一巷3-5号	3510996
6	翠湖社区	1.7	1849	5670	翠湖山庄一区18号	3510997
7	东晋社区	0.47	3073	6406	东晋大道3号盛天龙湾2栋1—12号门面	3677445

2014年3月12日,阳和街道党的群众路线教育实践活动动员大会在六座村委召开　　(姚辰曦　摄)

【党建】 街道党工委下设3个党总支部、19个党支部,共有党员440人;年内发展新党员12人,转正14人。历时8个月,认真抓好党的群众路线教育实践活动,街道、村(社区)400多名党员干部参加了本次教育实践活动。通过谈心谈话、专题组织生活会等环节,广大党员干部思想得到了深刻洗礼,"四风"方面存在的突出问题得到了有效遏制,工作作风明显改变。活动期间,街道以解决群众切身利益问题为重点,不断加大直接联系服务群众的力度,解决了社湾村第二产业发展项目用地、农村饮水、水利灌溉和香港新城广场路灯等与群众息息相关的问题31件,进一步密切了党群干群关系,拉近了与人民群众的距离。坚持以"创星升级"为抓手,以基层党建示范带为重点、以发展壮大党员队伍为基点,加强典型示范、引导、带动,提高党员干部素质,不断提升基层党组织的整体水平。阳和村、社湾村、六座村均荣获柳州市"四星级"党组织称号。认真抓好村、社区"两委"换届选举工作,3个村、4个社区"两委"换届选举均一次成功,选出村"两委"成员32名、社区"两委"成员46名,夯实了工作基础,加强了队伍建设。

【经济】 依托柳州产业优势,重点发展汽车及为汽车配套的零部件制造业、工程机械和通用机械为主的机械制造业、机电一体化和环保设备制造业、技术含量和附加值高的现代生物医药及其他具有良好发展前景的高新技术产业。同时,发展为工业配套的金融、贸易等服务型企业。全年完成规模以上工业总产值450.48亿元,同比增长10.6%;完成固定资产投资127.2亿元,同比增长17.6%;完成财政收入7.5亿元,增长15%;招商引资区外境内到位资金28.37亿元,内资市外区内到位资金9.08亿元,外资到位资金2526.27万美元,圆满完成市委、市政府下达的各项主要经济任务。

【社会事业】

文化体育 所辖3个社区建立社区老年人活动中心,内有图书室、书画室,配备电教器材、乒乓球桌和棋牌娱乐等设施,供居民免费活动。有社区文化体育广场1个,可以供人们进行娱乐休闲、文艺队演出、体育健身等活动,为新区文化体育事业的发展提供了舞台。增设六座村牛园屯、码头屯群众娱乐室。为丰富居民的精神文化生活,社区开展了丰富多彩的文艺演出活动,如元旦文艺演出、五一劳动节晚会及新区元宵花灯节等。

民政 落实城市居民最低生活保障工作,全年发放城乡低保金684户次1569人次43万元;发放城乡低保对象临时猪肉价格补贴1.43万元;发放农村低保对象和城乡低收入家庭医疗救助金28户25.15万元;对新区优抚对象和城乡困难群众进行春节慰问,慰问202户,发放慰问金12.45万元。做好冬令、春夏荒救济,发放救济粮补贴140户次3011公斤1.1万元。救助新区孤儿5名,累计发放救助金3.6万元。认真做好优抚对象生活补助金发放和医疗救助保障工作,发放优抚对象定补经费576人次23.22万元;开展八一节慰问活动,慰问103人,发放慰问金20.22万元;发放优抚对象医疗救助7人次1.73万元。以"全面推进居家养老服务"为主线,为老年人办实事、办好事,发放农村60岁以上老年人优待生活补贴15073人次111.12万元,发放80岁以上高龄老人补助510人次3.06万元,发放老年人优待证322本;"敬老月"慰问高龄老人、特困老人、孤寡老

2014年6月27日,阳和街道在六座村委举行农村集体资产股份制改革培训会 (姚辰曦 摄)

人、空巢老人、百岁老年人共95人,慰问金额共2.9万元;新区3个社区居家养老服务站日均接待老年人210人次。

就业和劳动保障 全年完成城镇新增就业人数988人,完成失业人员再就业146人,城镇失业人员登记人数134人;登记求职人数134人;就业岗位信息下载4次,发布招聘信息6次。紧紧围绕就业工作目标任务,坚持"关注民生,服务群众"的理念,认真落实促进就业政策措施,扎实有效的开展就业服务各项活动,统筹做好高校毕业生、城镇就业困难人员、农民工等群体就业服务工作。

农村工作 全面完成新区"千村建设大会战"建设工作。扶持农业生产,认真执行农业奖励扶持政策,兑现2013年度农村奖励扶持资金共9万元;完成发放中央惠农补贴资金,对766户种粮农民给予农资综合补贴,补贴粮田2122.85亩,补贴资金22.73万元。大力推进农民人均纯收入倍增计划,农民纯收入达11764元,比上年增加2352.71元。

【人口与计划生育】 年内,街道已婚育龄妇女8607人,占总人口21.4%。区间出生573人,出生率14.43‰,同比上升0.75‰;其中符合政策生育470人,出生政策符合率82%;一孩出生327人,政策内313人,符合政策生育率95.7%;二孩出生240人,政策内157人,符合政策生育率41.9%;区间多孩出生6人,多孩率1.05%,政策外多孩率1.05%。人口自然增长率11.64‰,同比增加0.61‰;死亡111人,死亡率2.8‰,同比增加0.16‰。全年出生男婴297人,女婴276人,性别比为108∶100。已婚育龄妇女中,采用各种避孕措施的8607人,综合避孕节育率为84.71%,同比下降1.78%。落实长效节育措施264人,农村当年长效节育率为75.69%,与去年同期比下降9.38%。

【社会治安综合治理】 加强社会治安防范和管理,夯实社会管理综合治理工作制度建设,加大提升科技创平安、安全创建工作水平,确保社会和谐稳定。大力开展三八节维权周、"3·15"消费者权益保护日、五月综治宣传月、"6·26"禁毒日、"12·4"法制宣传日等宣传活动,发放《中华人民共和国宪法》知识、《农村土地承包法》知识、《中华人民共和国村民委员会组织法》问答、《中华人民共和国劳动争议调解仲裁法》知识问答、《中华人民共和国禁毒法》知识问答、《中华人民共和国土地管理法》知识问答等宣传资料9000余份。联合村委、社区每月开展矛盾纠纷排查工作,全年排查矛盾纠纷338起。各调委会全年共接待群众来访254件,调处成功240件,涉及人数552人,调成率94%。为做好全国"两会"、第11届中国—东盟博览会及商务与投资峰会、第45届世界体操锦标赛、APEC会议等重要活动和重大节日期间的维稳工作,严格执行上级部署,制定各项工作方案,落实值班制度,加强稳控工作,杜绝非正常上访案件发生。配合执法大队送达《柳州市城市管理行政执法文书》1531份,对39户村民建设的房屋进行调查取证工作,调处因"两违"强拆后建筑垃圾损坏村民土地的损坏赔偿案件共85起,涉及金额22.49万元。东晋社区盛天龙湾小区被评为"柳州市十佳平安小区(村屯)",翠湖社区倚山书香居小区获"柳州市十佳平安小区(村屯)提名奖"。

【创建全国文明城市、全国卫生城市活动】 街道在新区创卫办的

2014年6月26日,阳和街道在香港新城双马广场举办"6·26"国际禁毒日宣传活动 (盘覃丽 摄)

统一部署下，将改善居民生活环境为首要目标，积极探索长效管理机制，不断加大基础设施投入，以治理辖区“脏、乱、差”为重点，突出薄弱环节整治，坚持“创卫为民”“创卫惠民”，不断巩固和扩大创卫成果，努力营造整洁有序、优美舒适的人居环境，街道整体卫生水平得到进一步提高。全年累计更换创卫固定宣传板报127块，横幅28条，标语57条，大型广告牌13块，发放健康宣传资料25000多份，开展5次创卫文艺会演活动，接受宣传人数多达3万人次。累计新增、更换垃圾桶、果皮箱约2172个，新增洒水车1辆。修建垃圾池125个，配备村庄垃圾收集箱60个，向村民发放家用垃圾桶4000个。累计发动干部群众开展环境卫生大清扫2054人，清理垃圾2854吨，卫生死角251处，清理非法小广告6670张（处）。统一开展春季、秋季除“四害”工作，累计消杀面积约34.5万平方米，新增毒饵站254个，黏鼠板412块，投放溴鼠灵约2053公斤，灭蟑烟剂4270枚，灭蟑套餐420盒，高效氯氟氢菊酯235公斤，其中对180多家“五小”行业进行了统一消杀，累计清理“四害”滋生地2247处，“四害”密度比原来下降了90%，11月通过了市爱卫办秋冬季除“四害”消杀服务评估验收。

【“美丽阳和·清洁乡村”】 深入推进“清洁家园”“清洁水源”“清洁田园”三个专项活动，掀起一场纵向到底、横向到边的“乡村大扫除”“沟渠大整治”“污染大排除”“堆放大整理”乡村环境卫生综合整治全民行动，环境整治成效得到稳固提升，乡村风貌持续向好。全年共发放督查整改通知书80份，落实整改问题80多个。年内对村屯卫生死角、陈旧性垃圾、房前屋后乱堆乱放集中整治行动30余次，组织发动群众2000多人次，累计清理各类垃圾杂物500多吨，完成河流岔道、池塘水葫芦等水生植物清理160多亩，无害化处理水葫芦100多吨，拆迁社湾村污染严重的养猪场2家。不断完善基础设施建设，共完成道路建设6495米，完成村屯内排污沟、水管安装整治935米。完成建设六座村二六屯农村生活用水便民设施一处，完成六座村狮子头队、弄口队、峡口队路灯安装76盏，完成社湾村一组新村村屯绿化工程，绿化面积为3760平方米。

【重点建设项目】 重点开展六座村大利片征地工作，用于柳州市“东岸门户”项目建设。根据柳东新区征地工作要求，对六座村大利征地工作按照整村推进、逐屯征地的方式进行，新村屯确认土地面积1308亩，大利屯确认土地面积2098亩。至年末，新村屯签约率为85.8%，大利屯签约率为97.67%，目前签约兑现工作仍在持续进行中，保证了项目的用地。

【村、社区换届】 辖区登记参加村、社区党组织换届选举党员375人，实际参选党员313人，参选率83.47%。登记参加村（居）委会选举选民15503人，实际参选14481人，参选率93.40%。8月30日，7个村、社区党组织通过召开党员代表大会或者党员大会，选举产生了新一届党组织领导班子。9月13日，7个村、社区居民通过直接选举方式投票，依法产生了新一届村、社区居民委员会领导班子。通过“两委”换届，选举产生党组织班子成员33人（其中书记7名，副书记6名，委员20名），村（居）委会班子成员45人（其中主任7名，副主任11名，委员27名），其中交叉任职3人；村、社区党组织35岁以下年轻干部7人，村（居）委会16人，村、社区“两委”班子结构得到进一步优化。

（郭　兵）

责任编辑：蒋继友

文献

2015 年 1 月 9 日，中共柳州市鱼峰区第九届委员会第七次全体(扩大)会议召开

（区委宣传部　提供）

把握新常态　推动新发展
加快建设“五美五好”魅力鱼峰

——在中共鱼峰区委九届七次全体（扩大）会议上的报告

（节选）

（2015年1月9日）

区委书记　董　凌

2014年，区委团结和带领全区广大党员、干部和人民群众，围绕“五美五好”魅力鱼峰建设，坚持稳中求进、好中求快的总基调，全区经济、政治、文化、社会、生态文明建设和党的建设取得了显著成绩，为2015年各项工作打下了坚实的基础。

获得“中国民间文化艺术之乡”、全国民族团结进步模范集体、全国离退休干部先进集体等国家级荣誉14项，广西先进平安县区等自治区级荣誉67项，柳州市招商引资工作利用外资奖、工业园区发展奖等市级荣誉298项。

一、聚焦“四风”，党的群众路线教育实践活动取得显著效果，党建科学化水平进一步提高

广大党员干部受到党性党风的深刻洗礼，增强了贯彻党的群众路线的自觉性。抓住强化宗旨意识、增强群众观点这个作风建设的根本，深入开展马克思主义群众观点和党的群众路线教育。区委常委会召开专题学习会5次，研究贯彻落实议题30个，内容涵盖教育实践活动、全面深化改革、意识形态、从严治党等多个领域。各级领导带头上党课，处级干部上党课81人次，科级干部1017人次，参加学习的党员干部2.4万人次，增强了贯彻群众路线的自觉性。

“四风”问题得到有效整治，党风政风明显好转。以贯彻落实中央“八项规定”精神作为切入点，认真查找和解决“四风”问题，区委常委班子针对突出问题，落实了26项整改措施。全区为群众办好事实事564件，合金材料厂宿舍区“三无”小区整治、羊角山路延长线道路改造等难题得到解决，人民群众真切感受到了新变化，增强了转变党风政风的信心。

批评与自我批评武器充分运用，提高了解决自身问题的能力。区委常委班子专题民主生活会带头聚焦“四风”，查摆突出问题，深刻剖析原因，提出整改措施。各级党组织、领导班子广泛开展批评与自我批评，党员干部思想受到极大触动，纪律意识和组织观念明显增强。

改进作风长效机制初步形成，增强了制度约束力。围绕解决“四风”、群众切身利益和联系服务群众“最后一公里”等方面的突出问题，区委对现有制度规定进行全面梳理，做好废改立工作，出台实施了一批新的规章制度；对公务接待、公务用车、外出考察、办公用房等进行专项治理，巩固作风建设成果，加强了刚性约束。强化“两个责任”，加大查办案件力度，查处党员干部违纪违法案件7件，给予党纪政纪处分7人。

干部人事制度改革扎实推进，提高了干部管理水平。探索人尽其才、人岗相适的干部选拔任用机制，推行干部德的考察反向测评法考察干部，加大干部锻炼培养力度，19名干部获得提拔使用。强化干部理想信念和道德品行教育，举办“好干部”等专题班，培训科级及以下干部510多人。建立“一对象三干部上讲台”制度，增强干部学习主动性，开辟识别干部新渠道。建立完善党员干部“反向约谈”组织部长新机制，完善抓早抓小抓预防的组织措施。

区域化党建深入开展，夯实了基层基础。区域化党建组织体系初步建立，城区、街道、社区、网格四级党建体系有序运转。党建信息化水平进一步提高，党员服务手机短信系统实现区委对党员的点对点服务。软弱涣散党组织整顿全面推进，建立“1+3”联系整顿工作机制，完成后进基层党组织整顿。完成社区（村）“两委”换届，新配备党建组织员55名，开展社区干部全员培训，基层干部队伍素质进一步提升。加大基层党建经费投入，为街道、社区、两新组织拨付工作经费120多万元。基层党建品牌化创建工作亮点突出，打造了社区“书记值班岗”制度、农村党群服务社、两新组织党员服务中心等基层党建品牌，得到上级党组织和党员群众的肯定。

二、奋发有为，全区经济社会实现稳步健康发展

2014年，经济保持平稳较快发展，主要指标基本完成区委九届六次全会确定的目标和市委下达的各项任务，固定资产投资增速和招商引资实际到位资金保持全市领先。按市对城区统计口径，实现地区生产总值144.20亿元，增长9.5%；财政收入29.26亿元，增长10.5%；固定资产投资105.60亿元，增长24.0%。按在地统计(不包括柳东、阳和)，实现地区生产总值188.05亿元，规模以上工业总产值534亿元，固定资产投资200亿元。

(一)经济建设稳中有进

固定资产投资为经济发展增添强劲动力。固定资产投资保持快速增长，首次突破百亿元大关，达到105.60亿元。投资规模和结构实现双提升、双优化，基础设施建设投入34.5亿元，增长41.6%；更新改造投入70.67亿元，增长21.7%。创新招商模式，建立联席会议制度，成立专业工作组，开展精准招商，招商引资落地项目48个，实际到位资金131.02亿元，同比增长30.7%，实际利用外资1.26亿美元，为今后发展储备了一批好项目，如总投资89亿元的海雅缤纷城等即将开工建设，有效支撑了项目建设。全年启动重点项目83项，其中自治区级项目2项，市级33项，完成年度投资46亿元，项目建设有效支撑固定资产投资增长。

非公有制经济激发新活力。发挥市场主体作用，维护市场经济秩序，优化企业服务，为非公有制经济发展营造了良好环境。出台相关产业扶持政策，深化与金融机构合作，为企业量身定制特色金融产品，帮助企业融资6亿多元。重视企业管理能力提升，引入专家团队为企业提供智力支持，组织培训企业管理技术人员。利用信息平台，提供政策宣传、项目申报、在线咨询等方面服务。发挥工商联和行业协会桥梁纽带作用，深入开展企业文化建设和诚信商务活动。全年完成非公企业固定资产投资78.78亿元，增长34.6%；非公企业工业总产值238亿元，增长10%。

新型工业化取得新进展。工业经济整体呈现逆势平稳增长的发展态势，完成工业总产值278.74亿元，增长14.1%。其中，规模以上工业总产值262.29亿元，增长14.7%；完成固定资产投资55.92亿元；招商引资项目25个，实际到位资金40亿元。企业自主创新能力显著提高，培育国家和自治区级创新型企业6家。洛维园区建设步伐继续加快，新开工企业8家，在建企业14家。静兰工业园进入实质性动迁阶段。

第三产业转型升级步伐加快。第三产业经济保持平稳较快发展，以重点项目为支撑的第三产业框架进一步夯实。社会消费品零售总额完成157.70亿元，同比增长13.66%；完成固定资产投资49.48亿元；招商引资项目23个，实际到位资金83.8亿元。银泰城如期开业，结束了闲置近20年烂尾楼的历史，开启了柳州商业新型业态经营模式，填补了鱼峰区楼宇经济、总部经济空白，拉动了太平西街与五星商业区、滨江商业带连片发展。太平西街传统街区项目(一期)即将竣工，窑埠古镇一期完工即将开业，工业博物馆红街一批高品质服务业入驻，石尚1966奇石文化园区加快培育，城市滨江休闲旅游带渐入佳境。三胞集团落户鱼峰，华润、恒大项目落户河东南片区并实现当年开盘，拉开了水南现代都市形象区开发序幕。重点向南发展步伐加快，卧龙湖体育休闲项目一期投入运营，海雅缤纷城前期工作有序推进。第三产业增量经济优势开始显现，投资占全区总额47.5%；限上企业年内新增10家，增报36家，总数达143家。

农业和农村经济得到新提升。落实惠农强农政策，农村居民人均纯收入继续保持自治区前列。水南村整村改造实现重大突破。万聚休闲农庄接待量突破30万人次，羊角山现代休闲观赏农业示范区等项目加快推进。

(二)社会建设开创新局面

民生持续改善，社会事业稳步发展。启动深化教育领域综合改革，加大民办教育扶持力度，提高教师队伍素质，九年义务教育均衡发展，中考质量继续保持全市前列。社会保障体系进一步完善，社会救助和养老体系建设扎实开展。全面推进诚信计生，出台关爱特殊计生家庭专项政策，保持了人口低生育水平。基层卫生服务体系进一步完善，龙擎苑社区卫生服务中心建成使用。安居工程稳步推进，危旧房改造工程柳开馨苑和盛通馨苑项目全部竣工。“创业就业工程”成效明显,新增就业和再就业人员超过1万人。实施社区惠民项目84项,开展社区“费随事转”配套改革,构建大社区管理格局,完成社区(村)“两委”换届,提高基层工作待遇,加大资金投入,改善了街道、社区办公条件。基本完成为民办十项实事。

和谐稳定社会局面不断巩固。完善治安防控阵地建设,深入开展治安问题专项整治行动,开展“三无小区”整治试点,平安鱼峰建设整体水平进一步提高,人民群众安全感满意度位居自治区和全市前列。公安机关共立刑事案件4100起,侦破3244起,命案破案率100%,迅速侦破“11·21”公交车纵火案,打防控工作全市第一。区检察院受理审查逮捕案件876件、公诉案件818件。区法院受理案件5641件,审限内结案率100%,结案标的5.88亿元。“两院”办案数量、质量和效率居自治区前列。各级调解组织积极排查调处民间矛盾纠纷,进京赴邕非正常上访人数大幅下降,维护社会稳定动态七项工作排名上升至自治区第五、全市第一。安全生产管理、食品药品监管进一步加强,创建安全社区工作走在自治区和全市前列,五里亭街道被评为全国安全社区。

网格化管理步入数字化时代。开展智慧城市项目试点和科技惠民项目建设,拓展网格化社会管理领域,建成重大决策执行监察系统,提高了行政效能。开通“社管通”网格化手持终端,实现基层社会问题直报。启动开发食品药品监管和企业服务网格化系统,畅通服务热线,加大对挂起事项和重点督办事项的督查,受理上报事项10498件,办结10410件,办结率达到99.2%。

(三)文化强区创建迈出新步伐

宣传思想工作和精神文明创建扎实推进。开展思想理论大宣讲活动,全面加强理论武装工作。积极组织新闻报道,国家、自治区级主流媒体用稿率提高,思想宣传、文艺宣传和社会宣传活动丰富多彩,正面舆论引导进一步加强。培育和践行社会主义核心价值观,认真做好未成年人思想道德建设。扎实开展争创全国文明城市、国家卫生城市工作,开展“美好社区”创建,一批三星级、四星级“美好社区”加速成长。

公共文化服务水平提高。荣获广西文化先进区称号。“鱼峰歌圩”特色文化项目通过国家公共文化服务体系建设示范项目中期督查,鱼峰“小歌仙”少年儿童艺术团获得第五届中国魅力校园合唱节金奖。基层公共文化基础设施进一步完善。

文化产业培育亮点突出。滨江旅游带打造初见成效,山歌文化、儒家文化、工业文化和时尚文化遥相呼应,形成休闲娱乐和文化经济新的风景线。都市观光休闲产业取得新进展,龙潭公园“全国生态旅游示范园区”创建和白莲洞古人类遗址博物馆改扩建有序推进。饮食文化产业繁荣发展,柳州菜博物馆、螺师傅螺蛳粉等地方饮食文化品牌加快开发推广。

(四)生态宜居鱼峰展现新面貌

城市功能品质进一步提升。一批产业发展、基础设施和民生建设项目陆续开竣工,大大提升了城市品位。一批公办学校完成扩建,大批进城务工人员随迁子女入读,享受优质义务教育。旧城改造和路网建设得到加强,启动仪表总厂宿舍区等老旧住宅小区综合整治,推进小街小巷改造工程,做好土地征收工作,确保项目建设用地,有力促进经济社会发展。

城市管理水平进一步提高。构筑“网络全覆盖、监管无盲区”监控系统,提高城市管理工作水平。加大城市管理法治宣传,保持“两违”风暴行动高压态势,全年拆除“硬骨头”“两违”建筑18万平方米,被评为全市拆除违法建筑专项整治先进单位。

城市生态环境进一步改善。创新管理机制,加强城市环境综合治理,积极开展创城创卫工作,全面清理整顿城市卫生环境,加强城市绿化美化,切实抓好环境监管,保持了山清水秀的生态环境。扎实推进“美丽鱼峰·清洁乡村”活动,清洁水源、清洁家园、清洁田园,认真做好小河流域治理,完成主要通村道路和80%的通屯道路硬化净化,改善了农村生态环境。

2014年,我区统一战线、人民武装、群团事业、老干部、督查、信息和档案等各项工作稳步推进,都取得了较好成绩。

在总结成绩的同时,我们也清醒地看到,我区的发展还存在不少困难和问题。主要是:中小微企业融资难、融资贵问题没有根本解决,企业自主创新能力不强,服务企业效率还不够高;民生改善尚未完全满足人民群众需要,公共服务水平有待提高;干部作风建设与形势发展的新要求也还有差距。这些问题，我们要认真加以解决。

三、适应新常态，稳步推进“五美五好”魅力鱼峰建设

2015年工作总体要求是：全面贯彻党的十八大，十八届三中、四中全会精神和习近平总书记系列讲话精神，认真落实市委“实业兴市，开放强柳”的战略部署，以稳中求进、好中求快为总基调，坚持以投资为重点，以项目建设为中心，以招商引资为突破口，做优存量、做强增量，稳增长、调结构、促转型，不断提高经济发展质量和效益，推进法治鱼峰建设，打造诚信鱼峰，协调推进全面建成小康社会、全面深化改革、全面依法治区、全面从严治党，把“五美五好”魅力鱼峰和传承柳州历史文化核心区建设推向新阶段。

2015年经济社会发展预期目标是：实现地区生产总值增长9%以上，全部工业总产值增长11%以上，固定资产投资增长20%以上，社会消费品零售总额增长12%以上，财政收入增长8%以上，招商引资到位资金140亿元，城镇居民人均可支配收入增长10%以上，农村居民人均纯收入增长12%以上。全面完成城镇登记失业率、人口自然增长率等社会发展控制指标任务。全面总结我区“十二五”规划实施情况，编制“十三五”规划。

（一）牢牢把握稳中求进、好中求快的总基调，在转型升级中不断提高发展质量和效益

加大固定资产投资和招商引资力度。在我区经济转型时期，投资是关键因素。没有固定资产投资，就没有经济总量的提升和结构的优化。我们一定要集中精力，用心谋划，用心落实，继续保持固定资产投资的快速增长，力争完成130亿元，增长20%以上。加大征地拆迁力度，加快推进项目建设，全年续建项目35个，新建项目44个以上，实现开工一批、竣工投产一批、谋划储备一批。以招商引资为突破口，创新招商引资举措，推进精准招商，引进优质产业和一批项目，力争完成招商引资实际到位资金140亿元，储备一批好项目。

深化扶持发展非公有制经济。继续为非公有制经济发展营造良好环境，确保国家、自治区、柳州市和本级非公有制经济扶持发展政策落实到位，着手建立企业信用征信系统，推动金融扶持创新，建立多层次融资体系，解决中小微企业融资难、融资贵问题。加强企业信息服务，利用信息平台，提供政策宣传、项目申报、在线咨询等方面服务。深化非公有制经济“五大提升工程”，坚持走出去与请进来结合，邀请专家“会诊”把脉，为企业提供个性服务。加速中小企业成长，力争完成非公有制经济固定资产投资97亿元，增长23%；非公企业工业总产值266亿元，增长11.8%。

加快工业经济转型升级。以洛维工业集中区为重点，加大招商引资和固定资产投资，加快项目建设，加快产业结构优化升级，大力发展生态工业，重点引进汽车电子、生物制药、新能源、新材料等新兴产业，努力实现传统产业高新化、高新产业规模化。力争全部工业总产值完成307亿元，其中规模以上工业总产值增长11.5%以上，达到292亿元；固定资产投资完成56亿元；招商引资完成48亿元。加强科技孵化器建设，力争2.5产业引进实现新突破。加快洛维工业集中区基础设施建设和项目入驻，健全园区项目进退机制，大力培育总部经济。年内洛维工业集中区新开工企业10家，建成投产企业15家；完成规模以上工业总产值118亿元，固定资产投资43亿元。做好静兰工业片区企业搬迁工作。

推进“四片区一组团”建设，加快第三产业发展。加快发展旅游、文化、生产性服务业，拓宽第三产业发展新框架，提高三产经济贡献率，推动经济结构进一步转型优化。力争社会消费品零售总额完成175亿元，增长12%；固定资产投资完成71亿元，招商引资完成92亿元，新增限上企业15家以上。加快“四片区一组团”开发，培育电子商务、楼宇经济等新兴业态和经济增长点。启动太平西街传统街区商圈提升改造，加快打造窑埠古镇—红街—“石尚1966”为代表的城市滨江商业核心区，推进水南片区、柳石路南片区休闲旅游业开发，打造高端商务城市名片。

促进农民增收，发展特色农业。优化升级、做强做大村集体经济，推进城中村改造，增加农民财产性收入和保障性收入，支持农民创业就业。水南村1~5组整村改造进入实质性建设，启动水南村6组整村改造，积极推动鸡喇村整村改造，支持驾鹤村集体经济加快发展。发展生态农业，推进羊角山现代农业示范园等项目建设，打造休闲观光农业精品。农村居民人均纯收入达到1.8万元以上，保持自治区前列。

（二）持续改善国计民生，打造幸福鱼峰

强化社会保障。建立公平可持续的社会保障制度，提高公共服务水平。完善社会救助和养老服务体系，支持发展慈善事业，做好双拥、优抚安置和老龄工作。扎实做好就业再就业工作。利用惠民资金，加强民生改善工程，部署落实一批为民办实事项目。做好对融水苗族自治县5个贫困村扶贫工作。

加快发展教育科技事业。推进义务教育均衡发展三年攻坚计划，努力解决读书难问题，让更多适龄儿童享受优质教育。开工新建、扩建4所中小学，建成东环路幼儿园，力争学校硬件建设实现新突破。做好更多新规划学校选址立项工作，尽快实现开工建设。大力扶持和发展民办教育，出台三年学前教育攻坚计划，加大对多元普惠性幼儿园建设扶持。启动创建全国科普示范区。

加强公共卫生和食品药品安全监管。依托网格化社会管理优势，开发信息化食品药品监管系统，构建全覆盖监管网络。推进基本公共卫生服务体系建设，加快白莲等4个街道社区卫生服务中心建设和运营，提高基层医疗组织服务群众水平。推进艾滋病防控攻坚战，争创全国艾滋病综合防治示范区。加强人口和计划生育工作，关爱帮扶特殊家庭，保持人口均衡合理增长。

创建“美好社区”，提升社区自治能力。探索社区管理新模式，积极推进职能转变，力争完成社区职能改革，提高居民自治水平。整治“三无小区”，改善社区办公服务条件，70%以上社区办公服务用房要达到300平方米。加大社区“费随事转”资金额度，完善运行机制。

完善网格化社会管理。整合网格化信息指挥中心、创新办、数字城管信息指挥中心、党委政府值班热线和“12345”热线等职能，成立网格化社会管理办公室。推进社会治理创新，加快建成鱼峰区数字化全响应服务管理平台，实现信息互联互通，提高社会管理水平。

（三）发展先进文化，推进国家公共文化示范项目创建

深入开展精神文明创建。出台我区培育和践行社会主义核心价值观实施方案，深入开展“感动鱼峰·引领风尚”和“德行鱼峰”八大行动等主题实践活动，大力弘扬诚信、孝道等中华民族传统美德。推进未成年人思想道德建设，扎实推进全国文明城市和国家卫生城市创建，提高市民精神文明素质。

加快国家公共文化服务体系示范项目建设。抓好“鱼峰歌圩”国家公共文化服务体系示范项目和公共文化服务体系建设，加快推进“八个一”文化工程，力争区文化馆开工建设，实施文化基础设施提档升级。繁荣发展民间文化艺术，扩大“鱼峰歌圩·三月三”文化品牌影响力。整合资源，打造居民“15分钟文体服务圈”。发展全民健身运动，提高人民健康水平。

发展文化产业。坚持“大文化、大旅游”理念，突出抓好赏石文化、旅游文化、饮食文化产品开发，培育富有特色的地域文化产业。抓好白莲洞博物馆、太平西街传统街区等文化产业项目建设和业态开发，培育壮大文化和旅游经济。

（四）强化城市建设和管理，精心经营生态鱼峰

加快城市开发建设。做好城市规划，谋划好水南片区规划和开发工作。建成洛维工业园区排污系统，排水系统建设争取列入全市“十三五”规划。加快产业发展、民生改善、基础设施等重点项目建设进度。深入实施重点向南战略，加快推进海雅缤纷城、洛维工业园区及其生活综合体建设，推进大桥洛维片区教育、文体、旅游项目开发，逐步完善城市功能。加强路网建设、市政设施改造、旧城改造和棚户区改造。推进智慧城市项目建设。

加强城市环境综合治理。加快转变发展模式，大力发展生态产业，推动生态经济、生态人居、生态环境同步建设。“美丽鱼峰·生态乡村”工作重心向生态建设转移，推进村屯绿化、饮水净化、道路硬化。出台今后两年发展规划和扶持政策，加快“三无”小区整治步伐。加强城市环境监督管理和综合执法，加大“两违”整治力度。抓好市容环境卫生管理和美化绿化亮化工程，完善“门前三包”机制，深入开展创建国家环保模范城市活动。

四、努力建设法治鱼峰，打造诚信鱼峰

建设法治鱼峰。一是加快建设法治政府。依法全面履行政府职能，推进机构、职能、权限、程序、责任法定化。推进政府事权规范化、法规化，提升政府法律法规和公共决策执行力。推行政府权力清单制度，健全政府购买服务机制。深入实施重大决策、重大工程项目社会稳定风险评估工作。规范行政执

法行为，强化对行政权力的制约和监督，推行行政执法责任制、公示制、过错责任追究制和质量考核评议制，落实行政执法与刑事司法衔接机制。全面推进政务公开，推进行政决策法治化、科学化和民主化。二是保证公正司法。确保法院、检察院依法独立公正行使审判权检察权，严格落实领导干部干预司法活动、插手具体案件处理的记录和通报以及责任追究制度，落实司法人员履行法定职责保护机制。推进审判权和执行权相分离的体制改革和法院案件受理制度改革。健全司法机关内部监督制约机制和社会舆论监督机制。抓好法院执行指挥中心建设，破解执行难问题。继续推进审判长负责制改革，优化审判资源配置。强化法律监督，严厉打击危害民生的刑事犯罪。建立健全惩治和预防腐败体系，加大打击和预防职务犯罪的力度。加强人民调解组织建设，完善人民调解、行政调解、司法调解联动工作体系。实行诉访分离，保障当事人依法行使申诉权利。三是增强全民法治观念。在全社会开展宪法教育，弘扬宪法精神。组织开展宪法日活动，落实宪法宣誓制度。推进基层治理法治化，打造基层法治建设“十百千”工程。健全普法教育工作机制，坚持“谁执法谁普法”“谁主管谁负责”。抓好“法律六进”，打造一批普法教育宣传基地。四是推进平安鱼峰建设。加强社会治安综合治理，强化流动人口服务管理，健全打防管控立体化社会治安防控体系。继续保持人民群众安全感满意度位居自治区和全市前列。设立鱼峰区见义勇为专项基金，探索引入社会力量加强对特殊人群的心理疏导和管控。开展综治工作进行业活动，加强“三无小区”综合治理。规范信访秩序，依法处置信访违法犯罪行为。完善应急体系建设，有效应对突发公共事件，增强防灾减灾能力，推动安全生产形势和社会治安状况持续好转。五是加强党对法治建设的领导。坚持区委统一领导，人大、政府、政协各负其责，各级各部门、社会各界和人民群众广泛参与。党政主要负责人作为法治建设的第一责任人，全面负责本地区、本部门单位的法治建设工作。政法委员会是党委领导政法工作的组织形式，要带头依法办事，保障宪法法律正确统一实施，充分发挥政法委员会在把握政治方向、协调各方职能、统筹政法工作、建设政法队伍、督促依法履职、创造公正司法环境的重要作用。

打造诚信鱼峰。以推进政务诚信、商务诚信、社会诚信和司法公信建设为主要内容，推进诚信文化建设，建立守信激励、失信惩戒机制。一是加强政务诚信建设。坚持依法行政，全面推进政务公开，提高政府工作效率和服务水平，转变政府职能，发挥政府诚信建设示范作用，把发展规划和经济社会发展目标落实情况、为百姓办实事的践诺情况，作为评价政府信用水平的重要内容，严格履行政府向社会做出的承诺。加强公务员诚信管理，严格执行首问负责制、一次告知制、限期办结制和责任追究制。二是加强商务诚信建设。加强企业生产经营重点环节信用建设，以重点行业和重点领域专项整治为试点，强化行业诚信管理，建立企业信用档案和信用评价机制，开展各行业企业诚信承诺活动，积极推进诚信园区、诚信企业、诚信市场、诚信商户等创建活动。三是加强社会诚信建设。加快征信系统建设，以医疗卫生、社会保障、劳动用工、教育、科研、知识产权、环境保护等领域为重点，建立完善诚信约束机制，打击违法失信行为，提高社会诚信水平。强化社会组织诚信自律，发挥行业协会（商会）在信用建设中的作用，提升社会组织公信力。广泛开展“诚信鱼峰”宣传教育，营造诚实守信、文明和谐的良好社会环境。四是加强司法公信建设。推进强制执行案件信息公开，完善案件执行联动机制，加大对诉讼失信与规避执行的打击力度，提高审判质量和效率。深化检务公开，推行阳光办案。加强公共安全领域公信建设，依法及时公开办案的制度规范、程序时限等信息。加强司法行政系统公信建设。

五、从严治党，全面加强党的建设

第一，加强思想建设。重视思想建党，突出抓好各级党组织思想理论武装，深入学习习近平总书记系列重要讲话，学习社会主义核心价值体系，加强广大党员干部党史学习和理想信念、道德品行教育，巩固团结奋斗的共同思想基础。深入开展宣传思想工作，加快形成社会宣传、新闻宣传、文化宣传、网络宣传综合运用的宣传格局。加强网络舆情监管，回应社会关切。

第二，从严管理干部。落实“好干部”标准和“三严三实”要求，围绕岗位目标责任制，创新干部考核评价机制，探索实行工作任务项目化、项目建设责任化和责任考核经常化的工作机制。探索建立干部预警机制，防止“为官不为”以及乱作为、慢作为和懒政现象。探索运用“一线考察法”了解干部,“考人”与“考事”紧密结合,考准考实干部。把干部教育培训作为一项战略任务抓紧抓实,灵活运用现场教学等多种手段提升培训质量,立足“五个一线”培养锻炼年轻干部。

第三,加强基层党组织建设。认真落实市委“十大党建工程”任务,制定我区加强和改进基层党建工作实施方案,推进开放式区域化大党建,探索实施党代表任期制、发挥党代表联系服务群众、推动发展的党内民主建设新机制。运用“顶层设计+基层首创”的思维抓好基层党建创新,推进基层党组织规范化、制度化建设,大力推行“四议两公开”工作法,理顺“两委”关系,强化党组织在社区(村)事务中的引领和主导作用。探索机关党员和驻区单位在社区(村)的表现评价、业绩公示和信息反馈制度。抓好非公企业党组织“成长·活力”工程,发挥党组织在企业中的政治核心作用,实现党的建设和企业发展融合互促、协调共进。

第四,加强党风廉政建设。认真落实《鱼峰区贯彻落实建立健全惩治和预防腐败体系2013—2017年工作规划实施办法》,各级党(工)委要认真落实主体责任,支持纪(工)委开展执纪监督工作。各级纪(工)委要履行监督职责,贯彻落实转职能、转方式、转作风的要求,提高执纪监督问责工作水平。要加强农村党风廉政建设,探索加强宣传教育、制度建设、村务公开和监督检查的新举措。持续深入抓好作风建设,认真开展“回头看”,对突出问题加强整改落实,建立健全规章制度,推动作风建设制度化、常态化,巩固和扩大党的群众路线教育实践活动成果,加大查办违纪违法案件力度,对不抓廉政教育、不重视作风建设、不严格落实中央“八项规定”要求和履行“一岗双责”不到位的领导干部,要实行责任追究,对发生问题严重的部门单位,实行“一案双查”,营造干部清正、政府清廉、政治清明的良好氛围。

第五,加强执行力建设。健全督查组织体系,用好重大决策执行监察系统,强化全程监督协调,确保区委决策部署贯彻落实到位。积极开展调研工作,为民主科学决策服务。加强绩效考核,推行全员岗位责任制,完善相关制度,并严格执行,强化干部责任担当,调动广大干部的工作积极性。

责任编辑:陈　岗

鱼峰区人大常委会工作报告

（在2015年1月15日鱼峰区
第十一届人民代表大会第五次会议上）
高　宁

各位代表:

我受鱼峰区第十一届人民代表大会常务委员会的委托,向大会报告常委会一年来的工作情况和2015年主要工作任务,请予审议。

2014年工作回顾

过去的一年,鱼峰区人大常委会在中共鱼峰区委的正确领导下,深入贯彻落实党的十八大,十八届三、四中全会精神。围绕传承柳州历史文化核心区和“五美五好”魅力鱼峰建设,依靠全区人民和全体人大代表,奋发有为,关注民生,促进社会和谐。一年来,组织召开了区十一届人大四次会议,听取和审议“一府两院”工作报告,就全区经济和社会发展、民主与法治建设等重大事项做出决定决议,认真落实法律监督,任免地方国家机关工作人员,忠实履行了宪法法律赋予人大常委会的各项职权,圆满完成全年各项任务。

一、紧紧围绕决定重大事项,科学决策工作

根据宪法法律赋予地方人大常委会的职权,认真研究决定本行政区内重大事项。一年来,常委会坚持抓大事、议大事、定大事的原则,召开人大常委会会议9次,听取和审查“一府两院”专项工作报告12项,

先后对区政府2013年财政决算和2014年预算调整、人事任免、许可区检察院采取法律强制措施、代表辞呈、召开区人民代表大会等重大事项以及人民群众普遍关心的热点问题做出决议、决定6项。在审查程序上严格依照法律法规办事，常委会组成人员开展广泛讨论，充分发表意见，积极建言献策，进行深入研究，认真负责审查；在行使决定权时，坚持民主集中制的原则，形成常委会决议决定；在代表大会闭会期间，对“一府两院”执行决定决议情况进行认真监督，保证常委会的决议决定得到有效贯彻执行。

二、紧紧围绕经济社会发展，加强监督工作

以发展为主题，强化对经济工作的监督。常委会立足全局，密切关注辖区经济建设，加强经济监督工作。2014年，常委会先后听取和审议区政府关于上年度财政预算执行和其他财政收支的审计情况、本年度半年经济运行和预算调整情况等工作报告，审查批准上年度财政决算，提出审议意见。关注财政预算管理工作动态，要求区政府报送月、季财政报表，了解预算执行中存在的困难和问题，及时提出意见建议，督促解决困难问题。11月常委会对财政预算调整加大监督力度，到税务局、工商局及财政部门走访调研，听取区政府工作汇报，督促政府严格按照预算法科学理财，对预算调整和支出项目要严格管理，政府高度重视，预算调整后使预算安排更科学，确保了全年目标任务的完成。

常委会深入兴拓工贸有限责任公司、区科技孵化园基地开展调研视察，听取了区政府关于科技发展“十二五”规划中期实施情况汇报，针对科技领域存在的自主创新能力不强、高新技术产业规模小、专利意识淡薄等问题提出意见建议，促进政府采取政策扶持及资金支持等措施，积极引进高新技术企业进驻工业园区，以科技成果促进我区经济快速、健康发展。

常委会班子领导深入广西佳力电工集团、美联家居等企业和市场进行视察，了解企业的发展和经营情况，收集意见和建议，及时转交区政府办理。按照区委统一部署，在天山公园及周边城中村改造、海雅缤纷城、新建中小学幼儿园等重大项目建设中，常委会班子领导积极参与其中，监督在一线，加强联系指导，积极协调解决实际困难，推进项目建设取得重大成果。

以惠民为重点，强化对民生工程的监督。一年来，常委会始终把关注民生作为工作的重要目标。针对“社区养老”问题，开展对夕阳红老人公寓、老人康乐园、一五八医院养老院视察调研，提出建设性意见，督促区政府研究出台扶持政策，加强养老院建设，规范管理，让群众“老有所养，老有所乐”。针对“入学难”问题，常委会把推进义务教育均衡发展三年攻坚工作列为监督重点，9月到民办培智小学和羊角山小学进行视察调研，听取区政府《鱼峰区推进义务教育均衡发展三年攻坚执行情况的报告》，提出了“将民办教师的培训纳入全区统一安排”、“加强组织领导和督导检查，确保三年攻坚任务按时完成”等意见建议，政府高度重视，认真研究制定了《鱼峰区扶持民办教育提质发展实施方案》，每年投入资金100万元，有力促进了义务教育均衡发展。

以基层为根本，强化对社区建设的监督。一年来，常委会非常关注基层建设和基层工作，2014年是社区(村)两委换届年，8月，常委会领导分组带队到社区(村)联系点视察调研，对换届工作进行监督指导，督促政府按法律程序组织好选民登记、候选人推荐、公示、投票选举等各环节工作。10月，主任会议听取了换届选举工作报告，建议区政府及时做好两委新老班子交接工作，对新当选的两委班子进行培训，更好地居民服务。

6月，常委会跟踪监督计生三级“幸福家园”综合服务平台项目建设，深入东化社区、福康医院视察调研，并听取区政府专项工作报告，对“幸福家园”建设现状，常委会提出“对幸福家园使用管理统一规范，完善服务功能”“加大投入解决困难社区用房不足，完成全区全覆盖”等意见建议。政府加强整改落实，加大投入解决困难，共建成社区(村)、街道和城区三级“幸福之家”64个，实现全区全覆盖，真正给群众带来幸福。

以热点为重心，强化对劳动就业工作的监督。针对近几年来“就业难，招工难”社会热点问题，常委会视察了鱼峰区劳动就业服务中心，到社区调研就业服务工作，详细了解我区劳动就业现状，8月主任会听取了区政府劳动就业工作情况报告，对于我区“企业周边环境差留不住人”“就业难，招工难”等问题，会议提出了“对接企业强化职业技能培训”“引导企业构建和谐稳定劳动关系”“积极帮助企业解决职工困难，例如安排企业职工子女就近入学”等意见建议，政府很重视，采取一系列措施加大落实力度，千方百计促进就业，出色完成全年就业安置任务。

三、紧紧围绕充分发扬民主，规范任免工作

常委会坚持把党管干部和依法任免有机统一起来。2014年，鱼峰区人大常委会依法决定任免国家机关工作人员123名，其中决定任命98名[区人大常委会5名，区政府15名，区人民法院75名(含人民陪审员60名)，区人民检察院3名]，免去职务25名(区人大常委会名4，区政府12名，区人民法院9名)。决定任命王轶、韩洪涛会为区人民政府副区长，庞清为区人民政府副区长(挂任期二年)、刘宁为鱼峰区人民政府副区长(挂职一年)。人事任免工作严格依照法定程序，人事任命之前召开主任会，初审“一府两院”提请的人事任免材料，考察了解拟任人员德、能、勤、绩、廉等方面情况，通过法律考试、供职表态发言、现场回答提问、认真讨论审议、集体表决确定、举行就职宣誓、颁发任命书等环节，确保人事任命工作不走过场，受任命人员都具有较强的依法接受监督的意识和依法履职的能力。

四、紧紧围绕社会公平正义，推进法治工作

2014年，区人大常委会把保证宪法和法律法规在本行政区域内的遵守和执行摆在突出位置，以推进依法治区、公正司法为重点，促进社会公平正义。

强化司法监督，着力于推进司法公正。9月，常委会听取和审议区法院关于刑事审判专项工作报告，并深入区法院调研视察，针对刑事审判工作存在的困难和问题，审议提出了“要加强公、检、法部门在刑事诉讼活动中的协调与配合”“要进一步更好地执行宽严相济的刑事审判政策”等意见建议，区法院予以采纳；11月，常委会会议听取和审议区检察院关于反渎职侵权专项工作报告，对区检察院反渎职侵权工作提出“要大力鼓励社会公众举报渎职侵权犯罪，及时发现涉嫌犯罪线索，发掘新案源”“要经常深入社区、企业、机关，通过以案说法等有效形式，加大反渎职侵权工作的宣传力度”，督促区检察院加大办案力度，推动反渎职侵权工作的开展。

促进法律实施，着力于推进依法治区。常委会、主任会听取和审议区政府“六五”普法规划实施、拆除“两违”工作情况报告，会前开展视察活动，召开座谈会，详细了解情况，针对区政府“六五”普法工作提出“有效预防新形式犯罪，比如非法集资、金融诈骗等，及时把防范新形式犯罪纳入到普法工作中”“司法局、法院、检察院等部门要多下企业指导工作，帮助企业解决新碰到的法律问题”等意见，交“一府两院”处理落实，并跟踪监督办理，经过4个月的整改落实，“一府两院”在常委会上报告了审议意见的整改落实情况，取得良好的监督效果。

加强信访督办，着力于维护群众合法权益。人大信访工作是畅通民意的重要渠道，是监督工作的重要组成部分。一年来，人大常委会不断完善和规范信访处理机制，受理人民群众来信来访13件，接待来访人员52人次，及时进行交办、转办和督办，为维护群众合法权益、化解社会矛盾、保持社会和谐稳定发挥了积极的作用。

五、紧紧围绕发挥代表作用，改进服务工作

一年来，常委会积极开展形式多样的代表活动，努力探索代表工作的新形式，新方法，充分发挥代表作用，着力推进代表工作。

一是督促检查代表意见建议的办理。本届人大四次会议期间代表共提出建议、批评和意见69件，常委会对《关于对学校门口小摊小贩加强管理的建议》等5件列为重点跟踪督办建议，进行实地视察，形成调研书面材料，及时把情况反馈给承办单位，促使承办单位加大办理力度。通过电话问办、上门催办、跟踪督办等形式，将监督工作贯穿于办理过程始终，召开常委会听取政府办理工作情况报告，力促代表意见建议由“答复型”向“落实型”转变，严把质量关，至2014年9月，69件建议意见全部办结并答复代表，保证办理工作取得实效。

二是积极发挥代表参与监督作用。在大会期间组织和引导代表积极履行职务，认真审议、讨论、决定鱼峰区经济社会重大问题。在闭会期间先后共安排52名代表参加重点项目建设、专项工作的视察、调查、检查和列席市、区两级人大常委会会议；安排5名代表参加2014年鱼峰区科级党政正职领导干部述责评议大会；安排40名人大代表参加市、区两级绩效考评活动，引导激励代表履职尽责，积极发挥代表的监督作用。

三是依托“代表之家”平台开展形式多样的代表活动。2014年新增建设64个“代表之家”，提前完成市人大关于“代表之家”建设全覆盖的目标要求。常委会积极引导各代表联组，利用“代表之家”方便联系群众的优势，向选民报告代表履职情况，通报政府工作，讨论民生热点，收集社会民意，受到了群众的好评。如麒麟代表联组根据群众的诉求，以“百聊汇”

方式，开展代表接待日活动，请市、区政府部门领导与群众一起，共同“聊”如何解决飞凤小苑88户业主，由于开发商没有进行竣工验收就交房，因此无法办理房产证，群众提出诉求，政府职能部门讲解法规政策，回答问题，代表提出解决建议，通过充分的“聊”，大家相互理解，达成共识，拟定出解决问题的路线图和责任人。目前工作推进顺利，已完成该小区房屋检测鉴定工作，下一步将可以办理房产登记。

四是认真抓好各种形式的学习培训活动。结合季度联组活动，组织代表学习宪法和有关法律；结合视察调研课题、监督检查工作情况、听取和审议专项工作，有针对性地开展法律法规和履职知识培训，提高常委会组成人员及代表的履职能力；组织全体代表进行法律知识集中学习培训活动，举办“人大代表如何履职”、新《中华人民共和国预算法》等法律业务知识讲座，为提高代表履职水平夯实基础。

六、紧紧围绕加强自身建设，打牢基础工作

常委会在依法行使职权，做好各项工作的同时，注重加强自身建设。一是深入开展党的群众路线教育实践活动。按照区委统一部署，2014年3月—9月，区人大常委会党组及常委会机关开展了党的群众路线教育实践活动，围绕世界观、人生观、价值观这个“总开关”，紧扣作风建设，聚焦整治“四风”，通过群众提、自己找、上级点、互相帮、集体议，认真查摆“四风”方面存在的突出问题，召开民主生活会开展批评与自我批评，对存在问题认真整改。通过教育实践活动进一步提高思想认识，真正把为民务实清廉的要求落实到人大各项工作中，给机关带来新变化，提升了人大工作整体水平。二是注重学习，提高综合素质。人大机关坚持每周一次学习，采取集中学习和自学相结合的办法，学习党的十八届三中、四中全会精神以及法律法规和人大业务知识。结合党的群众路线教育实践活动学习习近平总书记一系列重要讲话精神，深刻领会中央和区委加强作风建设的精神实质，认真做好学习笔记，撰写心得体会。三是加强建章立制工作。8月，常委会修订和完善各项规章制度，继承好的经验和做法，结合工作实践，不断总结和探索，建立健全《人民代表大会、常委会、主任会议事规则》《鱼峰区人大常委会任命国家机关工作人员任前法律考试暂行规定》《鱼峰区人大常委会任免国家机关工作人员暂行办法》等，从制度上逐步规范人大及其常委会、主任会议、人大代表意见建议、议案的处理等方面工作，使人大常委会行使监督权、决定权、人事任免权，从方式与程序上有章可循；四是加强指导，推进镇人大工作。坚持常委会领导联系镇人大和各代表联组工作制度，邀请雒容、洛埠镇人大主席列席常委会会议，加强工作指导，开展业务培训和工作交流。深入雒容镇调研，邀请有关职能部门和交警，研究代表提出《关于雒容大桥限高后给过往车辆通行带来不方便的议案》，督促有关职能部门想方设法加快新桥建设，及时解决雒容大桥交通拥堵现实问题。同时，常委会积极协调柳东新区管委会，帮助解决一些农业、基础设施建设等代表反映强烈的问题，收到良好实效。

各位代表，过去的一年，区人大常委会坚持把党的领导、人民当家做主和依法治国有机统一作为工作的根本；坚持把加强法律监督，推进民主法治建设摆在重要位置；坚持把关注和改善民生，解决好人民群众最关心、最直接、最现实的利益问题作为工作的出发点和落脚点；坚持把加强代表工作、发挥代表作用作为全部工作的基础，推进了我区经济社会全面协调可持续发展。

一年来，区人大常委会工作取得了一些新成效，这些成绩的取得，是区委正确领导的结果，是常委会组成人员和全体代表共同努力的结果，是“一府两院”和社会各界及全区人民积极支持的结果。在此，我代表区人大常委会向你们表示崇高的敬意和衷心的感谢！

在总结成绩的同时，我们也清醒地看到，常委会的工作同宪法和法律赋予的职责、同党和人民群众的期望相比，存在着一定的差距和不足，主要表现在监督选题上需要进一步加强统筹协调，监督的深度和广度不够；对于常委会所作的决议、决定跟踪督办力度有待于加强；少数代表履职意识不强，代表作用发挥不够；人大创新工作的意识和氛围不浓，常委会自身建设还需进一步加强等，对此，我们将高度重视，认真研究解决。

2015年的主要工作任务

2015年，常委会工作的指导思想是：全面贯彻落实党的十八大和十八届三中、四中全会精神，紧紧围绕市委“实业兴市，开放强柳”的战略部署，认真贯彻落实区委九届七次全体会议精神，积极推进民主法治建设，推进依法治区，切实履行宪法和法律赋予的职权，奋力实现“十二五”规划目标，加快建成“五美五好”魅力鱼峰建设和传承柳州历史文化核心区，不断开创人大工作新局面。

一、进一步坚持和依靠党的领导

党的十八届四中全会，对全面推进依法治国做出了战略部署，也为做好新形势下人大工作指明了方向，提出了新要求，赋予了新责任。区人大常委会要把学习贯彻落实四中全会精神作为重要政治任务，充分认识在全面深化改革的新常态下推进依法治国的重大现实意义，充分认识人大及其常委会在推进依法治国中的重要地位和作用，切实把思想和行动统一到四中全会精神上来，统一到坚持和完善人民代表大会制度上来。同时，区人大常委会要自觉把区委九届七次全体会议提出的“以投资为重点，以项目建设为中心，以招商引资为突破口”“协调推进全面建成小康社会、全面深化改革、全面依法治区、全面从严治党”“建设法治鱼峰，打造诚信鱼峰”等经济社会发展目标贯彻到人大全部工作中，落实在依法履职的各个方面，保证党的路线方针政策和区委决策部署的贯彻落实，使人大工作在党的领导下不断取得新的进展。

二、进一步依法行使好重大事项决定权

讨论决定重大事项，是宪法和法律赋予地方国家权力机关的重要职权。人大常委会要坚持把贯彻党委意图与充分发扬民主、严格依法办事结合起来，依法讨论决定带有全局性、根本性、长远性的重大事项，使区委的重大决策部署经过法定程序成为全区人民的共同意愿和统一行动，推动党的方针政策和重大决策的贯彻落实。根据《柳州市人民代表大会常务委员会关于讨论、决定本行政区域内重大事项的若干规定》，结合自身实际，建立深入了解民情、广泛集中民智、切实珍惜民力、充分反映民意的科学决策机制，增强法治思维，依照法定程序，对涉及关系人民群众利益的问题，及时作出决议、决定。切实提高审议意见的针对性和可行性，要加强对决议决定的执行、审议意见整改落实情况的跟踪监督，促进“一府两院”做好各项工作。

三、进一步做好人事任免工作

坚持党管干部和人大依法任免国家机关工作人员的有机统一，认真做好人事任免工作。要改进选举和任免工作，落实十八届四中全会建立宪法宣誓的要求，不断增强人大选举或决定任命的国家工作人员的法治意识、责任意识和人大意识。要加强对人大及其常委会选举和任命人员的监督，督促“一府两院”工作人员树立正确的发展观、政绩观和群众观，真正为人民群众掌好权、用好权。

四、进一步增强监督实效

认真总结监督工作的实践经验，综合运用听取和审议专项工作报告、组织执法检查等基本形式，常委会将围绕依法治区、建设法治政府和推进司法公正的主题，听取和审议一府两院重点项目推进、餐饮服务食品安全示范街和安全社区创建、诉调对接、反贪腐等6~8专项工作报告，对法律的实施进行检查，推进民主法治建设进程，为经济社会事业的健康发展保驾护航，为人民群众安居乐业创造良好的法治环境；加强规范性文件备案审查工作。完善规范性文件备案审查的机制，有重点地开展对规范性文件的主动审查，坚决纠正或撤销与宪法法律相抵触的规范性文件，维护社会主义法治的统一和尊严。

五、进一步加强和改进代表工作

要坚持和完善人大常委会组成人员联系代表和代表联系选民制度，进一步密切与代表的联系，不断拓宽代表知情知政渠道；加强代表履职学习培训，今年将组织全体代表到市委党校开展履职能力培训，夯实代表依法履职的能力和基础；加强“代表之家”建设，开展代表接待日活动，拓宽联系选民渠道，听取群众呼声，反映基层意见；坚持代表列席常委会会议制度，邀请代表参与调研、视察等工作，进一步扩大代表参与常委会活动；高度重视代表议案、建议办理工作，进一步完善工作机制，创新办理方式，不断提高办理质量；要适应新常态的需要，积极创造条件，逐步提高代表活动经费标准，为代表执行职务、履行职责提供良好的保障。

六、进一步加强常委会自身建设

一是抓好政治业务学习。深入学习贯彻党的十八大、十八届四中全会精神，坚持用全会精神武装思想、指导实践、推动工作。逐步完善学习制度，把学习宪法等法律法规与学习人大工作规则、工作程序、审议工作报告等业务知识结合起来，做到学以致用。二是继续抓好制度建设。健全和完善常委会组织制度和运行机制，进一步修订完善各项工作制度，保障常委会工作高效运转。三是继续改进作风。要坚持党的群众路线教育实践活动成果，认真抓好回头看，从严律己，率先垂范，严格执行中央“八项规定”，自觉把思想和行动统一到中央的决策部署上来。树立群众观念，进一步贴近基层，贴近群众，关注民生，听取民意，做到会前调研摸实情，会中审议讲实话，会后督办求实效，努力提高人大决策的科学化水平。四是加强宣传，扩大对外交流。常委会加强与新闻媒体的联系，以宣传人大制度建设、依法治区实践、代表履职先进事迹、自身履职成效为重点，以各级人大网站、《广西人大》、《柳州人大》、报纸、电视台等媒体为主要阵地，及时报道我区人大工作动态。

责任编辑：零霍香

政府工作报告

（2015年1月15日在鱼峰区
第十一届人民代表大会第五次会议上）
（节选）
区长　何世恰

过去一年，在市委、市政府和区委的正确领导下，在区人大、区政协的监督和支持下，全区贯彻落实党的十八大和十八届三中、四中全会精神，深入开展党的群众路线教育实践活动，按照市委提出的“实业兴市，开放强柳”战略，紧紧围绕区委建设“五美五好”魅力城区和传承柳州历史文化核心区的发展目标，坚持“稳中求进、好中求快”的工作总基调，着力加大固定资产投资、创新社会管理、保障和改善民生，经济社会事业呈现出“质效提升、转型加快、后劲增强、民生改善、社会和谐”的良好发展局面，基本完成了我区十一届人民代表大会第四次会议确定的目标任务，为顺利实现“十二五”发展目标、全面建成小康社会奠定了坚实基础。

全年完成地区生产总值144.2亿元，同比（下同）增长9.5%；全部工业总产值277亿元，增长10.7%（其中规模以上工业总产值262亿元，增长11.8%）；社会消费品零售总额156.7亿元，增长13%；固定资产投资大幅增长，首次突破百亿元，达106.7亿元，增长25.5%；引进市外境内到位资金（含续建项目）131亿元，实际利用外资1.26亿美元；固定资产投资增速和完成率、引进市外境内到位资金和实际利用外资等四项指标均居四城区前列。完成财政收入29.26亿元，增长10.5%；城镇居民人均可支配收入28118元，增长10%；农村居民人均纯收入16314元，增长12%，收入水平位居柳州市和自治区前列。按在地统计（不包括柳东、阳和），实现地区生产总值185亿元，规模以上工业总产值553亿元，固定资产投资200亿元。城镇登记失业率控制在3.9%以内，人口自然增长率为6.07‰。为民办10项实事全面完成。

全年我区共荣获“中国民间文化艺术之乡”、地质灾害防治高标准“十有县（区）”、全国民族团结进步模范集体等国家级荣誉10项；荣获广西先进平安县区、自治区人口和计划生育工作进步奖、自治区公共文化服务体系建设先进集体等自治区级荣誉27项；荣获清理拆除违法建筑专项整治工作先进单位、招商引资工作利用外资奖和工业园区发展奖等市级荣誉134项，连续两年被评为全市绩效考评优秀单位。

一、坚持投资拉动，狠抓项目建设，经济发展保持强劲动力

固定资产投资成效显著。坚持以固定资产投资为核心，以项目建设为重点，经济发展动力不断增强。固定资产投资保持快速增长，首次突破百亿元，达106.7亿元。固定资产投资快速增长有效推动项目建设，全年推进重点项目85项（其中市级44项、本级41项）。重点项目取得重大突破，柳州源创电喷技术有限公司等7个项目集中开工，计划总投资约13亿元，项目建成后产出规模将达25亿元以上；中国百货零售业巨头银泰集团旗下项目银泰城成功开业，周末客流量达10万人次；华润凯旋门、恒大翡翠龙庭项目开工建设并实现销售；窑埠古镇项目一期建设圆满完成进入招商入驻阶段、二期工程有序推进；工业博物馆红街餐饮、娱乐、休闲等业态多元丰富。园区基础

设施建设进一步完善,园区三期5条市政道路完成建设,四期道路已开工建设,科技企业孵化基地标准厂房即将完工。建立"四位一体"征地拆迁模式,完成拆迁面积17.2万平方米,为项目建设供地300亩。

招商引资名列前茅。实施招商引资工作联席会议制度,实行"三会一报告"制度和服务项目"五个一"工作法,成立工业及园区、旅游及房地产、文教卫体和综合组四个招商专业组,招商引资质量和效益不断提高。世界五百强华润集团、中国企业五百强三胞集团、中国十大地产企业恒大集团等一批影响力大的企业纷纷落地,招大引强实现新突破。全年新签约项目24个,合同投资额66.4亿元(其中内资54亿元、外资2亿美元),引进市外境内到位资金(含续建项目)131亿元,实际利用外资1.26亿美元。

非公经济再添活力。继续大力实施"五大提升工程",出台相关产业扶持政策,非公企业总产值实现238亿元,增长10.1%。深化与市中小企业担保公司、柳州银行等金融机构合作,帮助42家企业融资6.42亿元。建立健全鱼峰企业之家信息平台,在政策公开、项目申报、在线咨询等方面给予企业多方服务。注重非公企业家能力提升,投入资金100万元在清华大学举办非公经济企业家培训班。全年新登记注册企业558家,增长12%,新增注册资本3.06亿元,增长53.9%。

工业经济势头强劲。深入实施"抓大壮小扶微"工程,全区新增超亿元企业3家,总数达39家,完成工业总产值227亿元,占规模以上工业总产值的86.6%;新增规上企业5家。与市信用联社合作,投入1000万元担保金放大为1亿元授信额度,为6家工业企业解决融资3000万元。投入科技经费2360万元,为企业转型升级提供技术支撑;更新改造投入70.64亿元,增长21.61%。坚持入园企业"三个更加注重"原则,企业入驻步伐加快,园区在建企业14家,企业总数达37家。园区实现工业产值突破百亿元,达108亿元。积极协调南方电网完成磨月、果月两条220千伏高压线路改迁,释放土地200多亩,解决了4家入园企业建设用地问题。工业结构调整进入快速推进时期,静兰片区工业企业搬迁进入实质性推进阶段。

商贸经济繁荣活跃。出台《鱼峰区商贸服务业发展扶持专项资金管理办法(试行)》及《鱼峰区扶持限额以上企业发展暂行办法》两项扶持政策。下拨三产扶持资金、企业限上奖励资金95万元。预计全年完成第三产业增加值56.63亿元,同比增长5.4%。完成社会消费品零售总额156.7亿元,增长13%。限上企业年内新增10家,总数达143家。加大"四片区一组团"建设力度,商业新框架基本成型。城市滨江商业核心区初具规模,集云端写字楼、精品百货、高级宾馆于一体的三胞广场项目落地并奠基动工,盛天悦景台项目建设顺利,太平西街传统街区风貌整治即将完成主体工程;水南现代都市形象区高端商贸项目引进步伐加快,华润凯旋门、恒大翡翠龙庭销售额双双突破6亿元,柳州信合金融服务大厦已开工建设,河东交通枢纽建设进展顺利,双福大厦写字楼已竣工并开展招商;南片区休闲旅游组团开发稳步推进,卧龙湖一期体育休闲项目圆满完成并投入运营,二期商业地产和星级酒店项目计划2015年动工,海雅缤纷城体育休闲项目建设已基本完工,海雅缤纷城(城市综合体)进入启动阶段。

三农工作亮点纷呈。城中村改造工作取得突破,水南村整村改造项目进展顺利,鸡喇村整村改造前期工作有序开展。羊角山现代特色农业(核心)示范区建设加快推进,投资1100万元的金福葡萄园休闲服务设施日趋完善。国家3A级旅游景区万聚休闲农庄全年接待游客超过30万人次,旅游收入超过2400万元。强农惠农政策得到落实,农村居民人均纯收入达16314元。

二、坚持惠民利民,狠抓品牌创建,文化强区建设取得新突破

文化强区建设实现新提升。以国家公共文化服务体系示范项目为抓手,强力推进"八个一"文化工程建设,先后荣获自治区级和国家级"中国民间文化艺术之乡"称号,"鱼峰歌圩"成功列入广西非物质文化遗产名录。成功举办首届"三月三"全国山歌邀请赛。鱼峰"小歌仙"少年儿童艺术团在第五届中国"魅力校园"合唱节上荣获金奖。群众文化活动成效显著,重点打造了"鱼峰之声""立鱼欢歌"等一批群众文化特色品牌。民间文艺团体蓬勃发展,总数达86个。体育工作开创新局面,我区代表团在市第十三届运动会上获96金66银46铜,金牌数、奖牌数及总分均位居全市第二。

文化惠民工程不断推进。辖区内公共文化场馆免费开放。街道、社区文化阵地建设扎实推进,建成街道文化站2个、社区文化活动中心14个、文化示范校园4个。新建社区书屋10家，总数达到48个。“扫黄打非”工作稳步推进，辖区社会文化环境得到有效净化。放映公益电影148场，组织各类演出57场次，群众精神文化生活进一步丰富。双拥文化氛围浓厚，顺利通过第九轮“自治区双拥模范区”检查验收。

文化产业培育取得新进展。将鱼峰山山歌文化、文庙儒家文化、开元寺佛教文化、工博馆工业文化、“石尚1966”奇石文化、窑埠古镇民俗文化与银泰城、红街、三胞广场的时尚元素相结合，实现文化旅游融合发展。都市体育观光休闲产业实现新突破，卧龙湖体育项目、万聚休闲自驾车营地建成营业，大龙潭全国生态旅游示范园创建和白莲洞古人类遗址博物馆改扩建工程有序推进。饮食文化产业繁荣发展，柳州菜、桂柳民族糕饼等地方饮食文化品牌加快开发推广。

三、坚持以人为本，狠抓民生改善，社会事业全面发展

教育工作再创新佳绩。坚持教育优先发展战略，全面打响义务教育均衡发展基本建设三年攻坚战，教育投入和教育水平同步提升，九年义务教育水平保持全市前列。投入3.03亿元新建、改扩建项目16个，二十中扩建工程一期竣工并投入使用，八中南校区正式挂牌启用。东环路幼儿园开工建设，马鞍山幼儿园主体工程竣工，并启动“公建民营”的办园新模式。教育公平不断改善，为普惠性民办幼儿园和接收进城务工人员子女幼儿园下拨扶持经费315.5万元。接收进城务工人员随迁子女入学上万名。扶助贫困学生就读大学505人。投入100万元扶持民办中小学校发展。

卫计工作有序推进。基层医疗卫生服务体系建设有效推进，公共卫生应急管理得到加强，成立柳州市首家县区级应急救护培训指导站。中医药特色优势得到发扬，“全国基层中医药工作先进单位”创建工作顺利通过国家评审。基层公共卫生服务能力不断提升，龙擎苑社区服务站顺利投入使用，白莲洛维、荣军、驾鹤、箭盘山街道等4个社区卫生服务中心建设有序推进，辖区民众就医更加便利。创建国家卫生城市成果不断巩固，防艾攻坚工作扎实开展。诚信计生和“幸福家园”建设扎实推进，兑现计生奖励扶助金636万元。辖区申请二孩夫妻466对，“单独二孩”政策稳妥有序落实。

民生改善卓有成效。加大财政对民生的投入力度，民生支出达4.68亿元，占公共财政预算支出的73.68%。积极开展就业培训和就业援助工作，城镇新增就业11158人，城镇登记失业率控制在3.9%以内。医保扩面工作稳步推进，实现城镇居民参保12.08万人，完成年度目标任务的100.17%，新型农村合作医疗参合率达98.5%；城乡居民社会养老保险参保人数4443人，基础养老金发放28882人次；发放城乡低保、城乡医疗救助金、残疾人补助金、爱心救助金、优抚金等各种补助共计1985万元。安居工程稳步推进，建成保障性住房1359套，142套廉租住房交付使用，为1986户发放廉租住房补贴558万元。投入208万元实施84项社区惠民项目。食品药品监管工作扎实有效，构建了城区—街道—社区三级监督网络体系，启动食品药品综合业务监管平台建设，积极开展食品药品专项检查整治行动，保障了人民群众食品药品安全。

四、坚持建管并重，狠抓管理创新，魅力鱼峰再展风采

城乡建管水平进一步提高。城乡基础设施建设步伐持续加快，计划总投资1118万元的羊角山路延长线道路改造等8项小街小巷改造工程有序推进。合金材料厂宿舍区、仪表总厂宿舍区等老旧小区整治改造工作顺利完成。累计投入2780万元解决街道、社区办公和服务用房，五里亭、荣军、麒麟、箭盘山等4个街道办公和服务用房已立项并建设中，32个社区办公和服务用房面积达300平方米，占社区总数的59.26%。“美丽鱼峰·清洁乡村”活动有效开展，投入862万元加大乡村基础设施建设改造和环境整治力度，完成主要通村道路和80%通屯道路硬化净化，村容村貌发生了显著变化。加速推进市容环境“精细化”管理，通过网格化实行三级平台数字城管。投入770万元改造10座公厕、2座垃圾中转站等环卫基础设施。

网格化建设再添新内涵。我区作为广西首个以信息化支撑网格化建设示范城区，以网格化、信息化为着眼点，大力开展智慧城市、科技惠民项目建设。发放50台“社管通”网格化手持终端，试点区域网格员实现与网格中心动态对接交互。启动食品药品监管信息化和企业服务网格化系统开发。深入开展“费随事转”，下拨经费237.57万元。全年网格中心共登记、受理各类投诉10498件，办结10410件，办结率达99.2%。

创新社会治理成效明显。深入开展治安问题专项整治行动，“平安鱼峰”建设整体水平进一步提高。

维稳工作成效显著，进京非访人数同比下降60%以上，群众安全感、满意度升至自治区第24位。深入开展“书记区长大接访”“信访积案化解攻坚”等专项行动，按照“五个一”工作要求，采取“三个一”联合接访模式，集中力量逐步推进“鑫汇君都”和江南新天地等一批10年以上的信访积案化解工作。侦破各类刑事案件3244起，摧毁犯罪团伙35个，命案破案率达100%。禁毒工作力度不断加大。合理调整社区行政区划，将61个社区整合为54个，顺利完成村(社区)“两委”换届选举工作。五里亭街道荣获“全国安全社区”称号，莲花社区和桃源社区被评为“全国综合减灾示范社区”。开展“美好社区”和文明单位创建工作，狮山社区等23个社区分别被评为四星级“美好社区”和三星级“美好社区”。

“两违”专项整治工作卓有成效。充分利用网格化监控系统，构建“三化三到位”拆违工作机制，坚持“三个围绕”严打快处，集中拆除蟠龙宝邸、汇金壹号、三柳大院等片区的“两违”建筑170多处，拆除面积达18万平方米。“两违”清理整治工作得到市委市政府高度肯定，并荣获“2014年柳州市清理拆除违法建筑专项整治工作先进单位”荣誉称号。

五、坚持依法行政，狠抓作风建设，政务服务取得新成效

扎实开展党的群众路线教育实践活动。积极开展第二批党的群众路线教育实践活动，进一步密切同人民群众的血肉联系。学习教育、听取意见，查摆问题、开展批评，整改落实、建章立制等三个环节压茬推进，“回头看”工作务实有效。政府党组召开专题学习4次，收集整理各类意见建议76条，制定整改措施18条，办成与群众利益密切相关的实事好事179件，切实解决联系和服务群众“最后一公里”问题。

全面推进政府机构改革。根据《自治区党委、自治区人民政府关于印发政府职能转变和机构改革三个文件的通知》精神，积极推进政府职能转变和机构改革。新组建食品药品监督管理局和街道食品药品监督管理所，整合成立文化体育和新闻出版局、卫生和计划生育局，加挂政府工作部门牌子12个，政府机构进一步优化。扎实开展事业单位分类管理，制定实施2014—2017年职能转变方案，政府职能得到进一步理顺。

作风建设不断深化巩固。坚决贯彻落实中央“八项规定”和国务院“约法三章”，清理腾退办公用房1639平方米。切实控制和降低行政运行成本，“三公”经费同比压缩21%。加快推进政务服务体系建设，政务服务中心全年办件2099件，办结率和群众满意率均达100%，公开各类政务信息3.2万条。实现政务服务基层信息化应用平台全覆盖。新建社区“一站式”政务服务中心4个，基层政务服务网点覆盖率达91.2%。

民主法治建设稳步推进。自觉接受区人大及其常委会、政协及社会各界的监督，高度重视人大代表议案、建议和政协提案的办理工作，全年累计办理区人大代表建议69件、政协提案20件，办结率和满意率均达100%。深入开展“六五”普法，创建“鱼峰法治”微信公共平台，法制宣传教育力度不断加大，普法工作实效不断增强，公民学法用法意识不断提高。建立健全政府法律顾问制度，严格贯彻落实重大事项集体决策制度，依法行政水平不断提升。人民调解工作成效显著，全年共调解矛盾纠纷1842件，承办法律援助案件205件。

廉政建设切实加强。全面落实党风廉政建设责任制，认真履行“一岗双责”，不断完善廉政风险防控机制。投入35万元创建重大决策执行监察平台，对8大类重点工作中的67个项目实现全程监督。加大对工程建设领域、财政性资金、政府采购和民生项目的监管力度，全年监督招投标52个，标的金额3087.16万元，审计政府投资项目43个。

过去一年，我区民兵预备役、征兵任务圆满完成，妇女、儿童、老年人权益得到切实保障，民族宗教、外事侨务不断进步，人事、编制、统计、物价、档案、修志、人防、防震减灾、接待等各项工作都取得了新的成绩。

在总结成绩的同时，我们也清醒地看到，我区在发展中仍然存在一些困难和问题，主要表现在：中小微企业融资难、融资贵问题没有根本解决，企业自主创新能力不强，服务企业效率还不够高；城市基础设施建设、老旧片区改造和城中村改造任务十分艰巨；公共服务的提供水平与人民群众的期待仍有差距。对此，我们将高度重视，采取有力措施，积极妥善加以解决，把全区改革发展各项事业继续推向前进。

责任编辑：杨松柏

政协鱼峰区委员会工作报告

（2015 年 1 月 14 日在鱼峰区政协八届六次会议上）

朱德增

2014 年工作回顾

2014 年，在中共鱼峰区委的领导下，区政协以中共十八大和十八届三中、四中全会精神为指导，坚持团结和民主两大主题，紧紧围绕中心、服务大局，认真履行政治协商、民主监督、参政议政职能，以扎实开展党的群众路线教育实践活动为动力，以倾力服务大局、真情服务群众为出发点和落脚点，凝心聚力助发展、协商议政促和谐，圆满完成了全年工作任务，为建设“五美五好”魅力鱼峰做出了新的贡献。

一、聚焦惩治“四风”，扎实开展党的群众路线教育实践活动

区政协常委会紧密结合实际，按照“照镜子、正衣冠、洗洗澡、治治病”的总体要求，以为民务实清廉为主要内容，扎实深入有序地开展教育实践活动，达到了预期目的。

丰富学习形式，开门听取意见。采取召开政协常委专题学习会、个人自学、观看教育片等形式，深入学习习近平总书记系列讲话精神，强化宗旨意识，增强群众观点。组织政协机关领导干部到市工业博物馆重温百年创业史，到柳江成团镇参观成团会议旧址，接受爱国主义教育和党的革命传统教育。坚持开门整风，召开座谈会 11 次、走访委员 76 人次，征求到涉及干部工作作风、委员管理、视察调研、提案办理等 9 个方面的意见建议 60 多条。

深入查摆问题，开好民主生活会。以“三严三实”为要求，深入查摆问题，认真撰写对照检查材料，政协机关处级以上领导干部平均反复修改材料 8 次以上。聚焦“四风”，以整风精神召开了政协党组专题民主生活会，会议“动真格、有辣味”，触动了思想和灵魂。

坚持边整边改，抓好整改落实。政协党组梳理出应整改的主要问题 9 个，处级党员领导干部明确整改问题 44 个，及时制定了整改方案，迅速整改并及时“回头看”。机关作风会风文风进一步转变。完善了《鱼峰区政协委员管理规定》和《鱼峰区政协视察工作规则》等规章制度。调整清理了超标办公用房，加强了公务用车管理使用，从严从简做好接待工作。

二、围绕中心服务大局，广泛开展协商议政

积极开展全会集中重点协商。八届五次全会期间，听取和审议了政府工作报告、财政预结算报告，提出了意见建议。坚持谋大局、议大事，围绕建设大型特色市场、文化产业发展、保护未成年人权益、社区矫正工作等 9 个热点、难点问题在全会作发言。所建诤言富有前瞻性、针对性和可操作性，理据充分，为鱼峰区经济、社会、文化发展贡献了真知灼见。

深入开展常委会专题协商。分别以“鱼峰区史前遗址保护”“扶持鱼峰区民办教育”“促进鱼峰区纺织企业发展”为主题，按季度组织政协常委开展专题协商议政，撰写专题报告，报送党委政府决策参考。第四季度常委会，在走访视察有关委员单位和区地税局、国税局后，认真听取了区政府关于财政运行情况汇报，重点对政府财政在为民办实事方面的资金投入情况进行了问政分析，同时为拓宽税源渠道献务实之策，促进了协商议政工作的落实。

认真组织专委会开展对口协商。各专委会组织委员先后到市日鹏纺织有限公司、润澄针织有限公司、市真晖中学、京师双语幼儿园、荣军街道、福康医院等单位视察，围绕扶持纺织企业、民办教育发展、开展社区矫正等问题，与政府有关职能部门进行了对口协商。8 月份，与政府组成联合考察组，赴浙江省学习考察电子商务发展情况，并与专家进行了专题研讨，提出了关于促进我区电子商务发展的意见建议。

这些意见建议得到党委政府及相关部门的高度重视。区委、区政府主要领导都做了重要批示。区政府拨付100万元用于辖区民办学校发展；柳州白莲洞洞穴科学博物馆将白莲洞及周边9处遗址进行规划整合保护，申报第二批国家考古遗址公园，充实提升了我区建设历史文化核心区的项目和内容。

三、抓住热点、畅通渠道，履行民主监督职能

认真做好提案工作。积极构建“提、办、督”一体化提案工作格局，将3件提案列为重点提案，由主席、副主席和专委分别督办。实行重点提案审查前实地考察，办理进度和办理结果在一定范围内公开，促进了提案办理工作的落实。其中，《关于深入开展鱼峰区社区矫正工作的建议》提案，组织机关、街道和司法所人员与提案人召开提案办理专题协商会，进行面对面协商，撰写专题报告，扩大了社区矫正工作在社会的影响；关于特色街区建设、道路交通秩序、“鱼峰歌圩”等提案，经过市、区有关部门办理，收到了比较好的效果。八届五次全会以来，收到提案35件，立案31件，办理满意率达100%。

进一步加强社情民意信息工作。聘任社情民意信息员26名，定期召开社情民意会议。去年收集社情民意信息线索89条，及时向区委、区政府领导及市政协报送《社情民意内部参考》。信息中反映的建筑垃圾清运、小街巷照明、暴力倾向精神病人治疗、学校周边环境、社区工作人员续聘等问题，得到区委、区政府的高度重视，促进了一些问题迅速解决。在市政协反映社情民意工作经验交流会上，我区获三等奖。

积极开展委员视察。经济界委员视察调研了民营企业运行及“小微贷款”资助情况；法制组委员分别到洛埠镇、区人民法院、交警大队视察依法治村（镇）和一般交通事故“速裁”情况；教育组委员到柳石路小学和荣胜、白云、柳开社区视察校园民族特色文化建设和未成年人思想道德建设；教育和医卫组委员联合到市工人医院、广西脑科医院联合调研学生心理健康教育；文体组视察“石尚1966文化艺术园区”特色市场建设情况等。通过视察，委员们掌握了丰富的第一手材料，扩大了参政议政的深度和范围，提高了协商议政的实效。认真行使民主监督职责，推荐政协委员担任市、区政法及行政执法部门的行风监督员、政风评议员，支持其履行职责，发挥了政协在民主监督中的作用。

四、创新经常性工作，增强工作活力和成效

发挥政协文史“存史、育人、资政”作用。鱼峰文史“三部曲”《柳州有个鱼峰山》申报广西社会科学成果，扩大了鱼峰文史在社会上的影响力；抢救性收集整理了窑埠周边大量宝贵的人文、历史、地理资料，《窑埠古镇话春秋》（《鱼峰文史》第21辑）正在编写之中。区政协文史资料室的硬件配置、档案管理和资料充实工作不断加强。

加强外宣联谊工作。全新改版了在市政协网站的“鱼峰政协”页面。结合“鱼峰周报”、鱼峰区网格信息平台，大力宣传鱼峰区经济社会发展成就和政协工作动态，展示政协委员风采，2014年在各类信息媒体上发稿97篇。支持配合自治区、柳州市有关部门来我区视察调研，热情接待外地政协考察学习，密切了与上级政协和兄弟政协的关系。组织到杭州、东莞等地政协考察学习，互通了信息，增进了合作，宣传了鱼峰区经济社会发展成绩。

做好扶贫帮困工作。落实对口帮扶责任，为融水县杆洞乡中讲村小学修缮教室，购置有线广播、乒乓球桌、篮排球等文体器材，赠送文具用品；资助村民发展禾花鱼养殖产业，帮助村委会建设宣传、文体活动场所，慰问困难党员和群众。政协机关坚持到鱼峰区工疗站慰问残疾人，送上电扇、水果、糖果等慰问品。政协委员热心公益，韦明委员主动资助困难大学生上学，李凤兰委员资助社区老党员游览新柳州，朱智伟委员向社区贫困儿童，工商组、科技组委员向融水苗族自治县贫困儿童赠送书包文具等。

五、加强自身建设，提高履职能力和服务水平

注重理论学习。组织区政协委员到市委党校集中参加“提高参政议政能力”专题培训班，认真学习《习近平总书记在庆祝人民政协成立65周年大会上的讲话》《政协章程》和政协业务知识，学习经济管理的前沿讲座和文化欣赏等课程，丰富了委员的学习形式和内容。通过“委员活动日”，开展学习交流、座谈讨论。为委员订阅《广西政协报》，为委员活动小组提供各种学习资料。

抓好委员队伍建设。积极开展委员关爱活动，坚持委员走访制度，集中走访了各届别委员68名。

加强委员小组长队伍建设，定期召开委员小组长会，总结交流小组活动的经验、做法，加强对委员活动的协调和指导。按照《委员管理办法》，评出3个先进委员活动小组、24名先进政协委员、7件优秀提案。加强对委员履职情况的考核，对调离鱼峰辖区和失去作用的委员及时做出调整。举办“迎新年”书画笔会，受到机关干部和委员们的欢迎。

提高机关工作水平。以深入开展党的群众路线教育为契机，全面加强机关干部的思想作风建设，着力提高政协机关为委员履职服务，为政协工作服务的能力和水平。坚持定期学习制度。落实机关党支部组织生活制度，组织党员“进社区”“结对子”，密切了党员与群众的关系。积极参与创城创卫、清洁乡村、征地拆迁、包案调处等工作，完成了区委赋予的各项任务。

我们的工作还存在一些问题和不足，主要表现在：协商民主的机制有待进一步完善，民主监督的渠道还需进一步拓宽，参政议政的实效还需进一步提高，政协机关和委员队伍建设还需进一步加强，委员活动小组开展工作不平衡，视察调研成果的转化还不充分，我们将在今后的工作中加以克服和改进。

2015年主要任务

2015年是全面深化改革的关键之年，也是全面推进依法治国的开局之年，做好今年的工作意义重大，使命艰巨而光荣。

区政协工作的指导思想和总体目标是：在中共鱼峰区委的领导下，以党的十八大、十八届三中和四中全会精神为指导，以稳中求进、好中求快为总基调，积极适应经济新常态，坚持把推动改革发展、推进民生改善、促进社会和谐作为履职之本，为推动我区“五美五好”魅力鱼峰建设和传承柳州历史文化核心区建设作出积极的贡献。

一、学习领会习近平总书记系列重要讲话精神，筑牢团结奋斗的共同思想基础

坚持理论学习制度。通过中心组学习、专题讲座、委员讲堂、常委、小组长、机关干部培训班，继续抓好政协委员及政协机关的学习。加强依法治国与以德治国的宣传教育，大力弘扬传统美德和社会主义核心价值观。

二、围绕中心、协商议政，倾力服务全区工作大局

聚焦党委政府和社会各界关心的热点问题，瞄准改革发展进程中需要破解的难题开展建言献策。积极适应经济新常态，围绕抓项目落地、抓税源建设、发展非公经济、发展文化产业等方面的课题，深入开展调研，向区委、区政府提出具有综合性、前瞻性和可操作性的意见建议。在服务大局中开展协商议政，在支持与帮助中开展民主监督。加大专项视察、专题协商工作力度，围绕我区经济社会发展主要预期目标和重大决策进行协商议政，不断促进区委、区政府重大决策的贯彻落实，提高调研成果转化率。

三、推进协商民主，充分发挥民主监督作用

贯彻习近平总书记在庆祝人民政协成立65周年讲话上提出“坚持发挥人民政协在发展协商民主中的重要作用”的精神，发挥人民政协作为专门协商机构的作用，把协商民主贯穿履行职能全过程。探索建立协商议题提出、活动组织、成果采纳落实和反馈机制，提高协商实效。采用委员座谈会、情况通报会、小型专题视察等活动形式，更加灵活、更为经常地开展专题协商、对口协商、界别协商、提案办理协商，积极营造既畅所欲言、各抒己见，又理性有度、合法依章的良好协商氛围，努力在推进国家治理体系和治理能力现代化中发挥更大作用。

创新协商载体，增加协商密度，探索民主监督的新形式，不断增强民主监督的实效。加强区政协机关各委、室与区委、区政府相关部门的对口联系，把民主监督贯穿于提案办理、社情民意、视察调研等各项工作中。进一步规范政协委员担任行业监督员、行风评议员工作，探索委派、管理、培训工作新机制，不断彰显政协民主监督特色，增强民主监督的影响力。

四、把握团结民主两大主题，营造和谐稳定的发展环境

发挥好桥梁纽带作用。搭建信息交流平台，加强同各民主党派、工商联、人民团体、无党派人士以及各民族、各宗教界的合作共事，支持委员各项履职活动。组织委员开展科技惠民、文化下乡活动，支持和鼓励政协委员捐资助学、结对帮扶，多形式、多渠道地为人民群众办实事、做好事。

加强提案和社情民意信息工作。拓宽委员知情渠道，提高提案撰写、审查标准，增进提案办理质量。将社情民意信息员队伍拓宽至辖区企业和非公经济体中，完善培训制度，开展实地调研。增加信息工作的针对性、时效性，推进文化教育、就业创业、社会保障、医疗卫生、食药安全等民生问题的解决。

五、加强自身建设，不断提高政协工作科学化水平

健全完善委员小组活动的组织机制。加强对委员小组活动的检查指导，提高委员小组活动经常化、主题化、规范化建设的水平。加强委员活动室基础建设，为委员学习、活动创造条件。进一步完善委员队伍建设和管理的规章制度，出台相关考核考评措施和奖惩机制，促进委员更加自觉地履行职责，发挥主体作用。认真落实主席联系常委、常委联系委员制度。建立委员交流信息平台，加强政协常委、委员之间的联系，扩大知情渠道，为委员履行职责创造条件。

加强专门委员会建设，完善专委会对口联系制度。及时指导各委员小组开展调研、视察、联谊等活动，不断探索跨界别、跨组别的委员互动形式、方法，整合资源，增强委员履职实效。切实抓好提案质量、办理质量和服务质量三个关键环节，充分发挥提案的作用。继续做好《窑埠古镇话春秋》(鱼峰文史第21辑)编辑出版发行工作。发挥专家服务团作用，开展文化、科技、医疗下基层服务活动。高标准建设区政协文史资料室。

加强机关干部的思想、组织、作风建设。进一步完善机关工作制度，严格落实岗位责任制，不断提高办事效率和服务质量。继续开展与兄弟县、区政协的学习交流，增加了解扩大影响。充分发挥政协党组及机关党支部的核心作用。进一步做好政协的对外宣传工作，办好"委员风采(论坛)"栏目。

各位委员，同志们！"雄关漫道真如铁，而今迈步从头越"！新一轮改革发展的进军号已经吹响，鱼峰区的精彩画卷需要我们共同描绘。让我们在中共鱼峰区委的坚强领导下，以饱满的政治热情、昂扬的精神状态、务实的工作作风，同心同德，群策群力，不断开创政协工作新局面，为建设鱼峰更加美好的明天而团结奋斗！

责任编辑：零霍香

忠诚履职　勇于担当
坚定不移推进党风廉政建设和反腐败斗争

——在中国共产党柳州市鱼峰区第九届纪律检查委员会第五次全体(扩大)会议上的工作报告

2015年2月10日

郭继龙

一、2014年工作回顾

2014年，在柳州市纪委和鱼峰区委的坚强领导下，全区党风廉政建设和反腐败工作不断深入，"四风"问题得到有效遏制。全区各单位各部门高度重视反腐倡廉工作，坚定不移反腐败，持而不懈抓作风。纪检监察机关认真落实"三转"要求，聚焦主责主业，正风肃纪，严格执行"八项规定"，党风廉政建设和反腐败工作取得新进展、新成效，为我区经济社会平稳较快发展提供了有力保障。

(一)落实"三转"要求，稳步推进纪律检查体制改革。认真梳理和大幅度压缩了区纪委监察局牵头参与的议事协调机构，共清理了区纪委监察局班子及成员不应牵头的工作和不适合参与的议事协调机构、领导小组59个，保留17个。调整区纪委内部人员分工，聚焦中心任务，把更多力量放到案件查办工作上，增派一名监察局副局长负责案件查办工作，从事办案的人员达到4人，占总人员编制的50%。召开"围绕'三转'落实监督责任"街道座谈会，规范各纪工委书记的分工和兼职工作，强化全区纪检监察干部"三转"意识。分层次召开全区坚持党要管党、从严治党工作会议，区委主要领导集体约谈全区处级领导干部、区直各部门主要负责人、各街道党工委书记、各纪工委书记、纪检组长、各社区（村）党组织书记、区属中小学党组织书记以及区两新党组织书记。严格执行党风廉政建设责任制，全区副科级以上领导干部书面汇报了个人落实党风廉政建设责任制情况。开展科级领导干部述责评议工作，3 名正科级党政领导干部在全区述责评议大会进行了述责。

（二）严格监督执纪，持之以恒纠正“四风”问题。加强对各单位各部门贯彻落实“两违”专项清查工作和“美丽鱼峰 清洁乡村”等重大决策部署情况的督促检查，开展明察暗访 14 次，发出督查通报 14 次，发出《监察建议书》6 份，对 1 个单位的责任人进行行政效能问责。充分利用监察平台，加强对区委、区政府重点项目落实情况的督促检查。抓住元旦、春节、清明、端午、中秋节等重要时间节点，对区机关、街道等部门（单位）贯彻落实“八项规定”情况开展明察暗访，及时下发检查通报 10 份，对存在问题督促整改。开展“会所中歪风”、清理整顿办公用房、基层领导干部“走读”、“三公”经费开支等 21 项专项整治活动。压缩“三公”经费 178.2 万元，同比减少 21%；党员干部主动上交价值 1.18 万元的购物卡；清退干部职工违规多占住房 3 人(3 套）。在全区组织开展会员卡专项清退工作，全区填报《机关（组织）会员卡零持有报告》1153 人，填报率 100%，做到全区干部会员卡零持有。狠抓区委党的群众路线教育实践活动督导工作，牵头制订《鱼峰区“会所中的歪风”整治专项工作方案》、《鱼峰区机关作风“四难”问题专项整治工作实施方案》等 13 个专项整治工作方案和制度。

（三）聚焦主责主业，始终保持惩治腐败高压态势。2014 年，区纪委共接受信访举报件 69 件，同比上升 0.5%。共查办案件 7 件，全部为新立案，同比上升 133.3%。区纪委自办案件 7 件，结案率 100%，给予党纪政纪处分 7 人，挽回直接经济损失 13.5 万元。强化办案场所建设，严格按照标准和要求，装修完成一个专用谈话室，配齐相关设施设备，指派专人负责管理，提高了办案的安全性。发挥我区反腐败大案要案协调小组作用，完善线索移交、协作办案工作机制，进一步形成惩治腐败的合力。实行区纪委常委办案包干制，区纪委 7 位常委对全区 50 多个部门（单位）进行分片包干，定期下到包片单位和区域开展线索搜集和查办案件的指导，强化对各纪工委及纪检组的有效指导。通过党政“一把手”上党课、组织参观自治区党风廉政警示教育巡展和柳州监狱警示教育基地、开展村“两委”干部换届前警示教育、编发廉政短信和廉政读本等形式认真抓好警示教育工作。大力抓好廉政文化示范点建设，投入经费重点帮助南山社区建设“六个一”廉政文化示范点。2014 年，我区南山社区、狮山社区和盛科印刷有限责任公司被评为柳州市第一批廉政文化建设示范点。

（四）坚持从严律己，以铁的纪律打造过硬队伍。加强纪检监察队伍建设，建立健全区、街道、社区（村）三级纪检监察组织网络。积极探索加强基层纪检干部专职化、职责刚性化、运作规范化和保障有力化的“四化”建设，强化基层纪检监察干部处理信访、查办案件、组织监督三种能力。推行纪工委新进干部到区纪委跟班学习制度，建立基层党风廉政建设联系点制度。扎实抓好纪委监察局党的群众路线教育实践活动。深入查找委局班子及个人“四风”方面存在的突出问题，征集有关“四风”问题的意见建议 7 条，围绕征求到的意见逐一整改，制定改进工作作风的具体措施，班子成员带领分管职能室深入基层，切实解决“最后一公里”问题。健全内部监督制约机制，完善机关内部绩效考核、教育培训、议事规则等 6 项制度。组织全区纪检监察干部深入学习贯彻习近平总书记系列重要讲话精神，开展党性教育，强化党的观念，增强履职尽责自觉性。积极参与优秀纪检监察干部推荐和优秀案例评比活动，组织选派纪检监察干部参加各级纪委组织的业务培训。切实加强对纪检监察干部的日常教育、管理和监督。坚持每月召开一次委局机关业务学习会，每季度举办一期全区纪检监察干部综合业务培训班。

过去的一年，我区党风廉政建设和反腐败工作取得了新的进步和成效。这些成绩的取得，主要得益于以习近平同志为总书记的党中央从严治党的鲜明立场、坚决态度和强有力措施；得益于自治区和柳州市纪委强力推动“三转”，聚焦主责主业，为我们树立了榜样；得益于区委高度重视党风廉政建设，带头落实主体责任，对区纪委查办案件、聚焦主责主业给予大力支持。董凌书记多次在全区大会上对党风廉政建设和反腐败工作进行部署，强有力地推动了全区的党风廉政建设；得益于全区纪检监察干部忠诚履职，敢抓敢管敢担当，脚踏实地，扎实工作；得益于全区各界、有关部门对我们工作的积极配合，大力支持，共同推动了反腐败工作深入开展。

在看到成绩的同时，我们必须清醒地认识到，我们的工作离上级纪委、鱼峰区委的要求和人民群众的期待还有一定的差距。有的单位党风廉政建设责任制落实不到位，主体责任缺失；个别领导干部在执行作风建设规定中打折扣、搞变通，存在边整边犯、顶风违纪问题；各纪工委“三转”工作进展不平衡，有的明转暗不转，没有将主要精力投入到查找案源和查办案件上；有的纪检监察干部思想观念、工作作风和能力素质还不能适应新形势、新任务要求。对此，我们必须高度重视，认真加以解决。

二、2015年工作任务

2015年是全面深化改革的关键之年，也是全面推进依法治国的开局之年，做好今年的工作意义十分重大。今年工作总体要求是：以党的十八大和十八届三中、四中全会精神为指导，深入学习贯彻习近平总书记系列重要讲话精神，全面落实十八届中央纪委五次全会、自治区纪委十届六次全会、市纪委十一届六次全会和区委九届七次全会部署，全面从严治党管党，严明政治纪律和政治规矩，切实履行好“两个责任”，扎实推进体制机制创新，驰而不息正风肃纪，坚决惩治各类腐败，坚定不移推进党风廉政建设和反腐败工作。

（一）提高思想认识，增强贯彻执行中央决策部署的自觉性和坚定性。在十八届中央纪委五次全会上，习近平总书记以强烈的历史责任感，深刻分析当前反腐败斗争依然严峻复杂的形势，明确提出当前和今后一个时期党风廉政建设和反腐败工作的总体要求和主要任务，对加强新形势下党的建设具有重要指导意义。我们一定要把学习习近平总书记的重要讲话精神作为当前的一项重要政治任务，切实把思想和行动统一到中央关于党风廉政建设和反腐败斗争形势的科学研判和决策部署上来，主动适应全面从严治党新常态，落实管党治党责任，坚定不移推进党风廉政建设和反腐败斗争。

加强党的纪律建设。全区党员领导干部要自觉遵守党的纪律和国家法律法规，要认真对照习近平总书记提出的“七个有之”，遵守“五个必须”要求，以更强的党性意识、政治觉悟和组织观念来要求自己，决不允许违反组织人事纪律，拉票贿选、跑官要官，打招呼、批条子；决不允许以“同学会”、“老乡会”、“战友会”等名义搞小团体、拉帮结派、利益输送；决不允许封官许愿、任人唯亲，违反规定和程序乱进人；决不允许亲属和身边工作人员擅权干政，影响政策制定和人事安排，利用特殊身份获取非法利益；决不允许执行党纪政令各行其是、阳奉阴违；决不允许不服从组织安排，与组织讨价还价，甚至违抗组织命令。各级党组织要组织党员干部开展“守纪律、讲规矩”主题教育实践活动，要加强对纪律执行情况特别是中央十八届四中全会精神落实情况的监督检查，坚决查处上有政策、下有对策，有令不行、有禁不止行为，保证中央政令畅通。

完善党风廉政制度建设。编织科学严密的制度“笼子”，压缩权力寻租空间，进一步修改完善我区财政专项资金管理、工程项目招标投标、政府采购监督等方面的规定。严格执行中央修订后的廉政准则、纪律处分条例等党内法规制度。对照自治区巡视组反馈意见和执纪办案中发现的问题，及时完善相关制度。强化制度执行情况的监督检查，进一步提高制度执行力。创新和完善监督检查方式方法，加强对腐败问题、作风问题、纪律问题和选人用人问题的监督检查，加大对执法部门、重要工作和重大项目的督查力度，不断扩大监督的覆盖面。加强城中村党风廉政建设，重点督促城中村落实好“四议两公开”制度，积极探索加强宣传教育、制度建设、村务公开和监督检查的新举措。严格执行领导干部个人重大问题报告规定。凡是家庭现有住房，从事或者参与营利性、兼职、投资入股、持有出国境证件、境外财产、婚姻、办理婚丧喜庆情况以及个人身体健康等情况有新变化的都必须及时向组织报告，重大问题该请示的请示，该汇报的汇报。各纪工委（纪检组）和党委组织部门要加强党员领导干部报告个人重要问题的核查，对弄虚作假、瞒报迟报的领导干部，要严肃处理。

（二）深化体制改革，多措并举推动组织和制度创新。全面落实“两个为主”。认真贯彻落实中央、自治区和柳州市纪律检查体制改革部署。参照中央、自治区拟出台的《省（区、市）纪委书记、副书记提名考察办法（试行）》和柳州市的实施办法，起草我区具体实施办法，建立区纪委副书记、纪工委书记用人选库及相应的管理制度，健全交流推荐制度，推动纪委副书记、纪工委书记提名和考察工作具体化、程序化、制度化。

落实区纪委内设机构改革。按照柳州市总体部署要求，优化整合资源，启动区纪委内设机构改革工作。在编制总数、领导职数、干部待遇不变的前提下，尽快完成新一轮内设机构调整。原则上区纪委内设机构控制在5个以内。

改革落实纪工委（纪检组）工作。创新纪工委（纪检组）与所在单位、部门有关干部廉政谈话和约谈、报告、责任追究等制度，制定《关于查办腐败案件体制机制改革的实施办法》，规范纪工委（纪检组）向区纪委报告线索处置和案件查办工作。加强对纪工委（纪检组）信访举报、问题线索处置、查办案件的督促检查和指导协调，提高纪工委（纪检组）监督工作水平。

（三）强化履职问责，恪尽职守抓好“两个责任”落实。研究制定责任机制。制定我区落实党风廉政建设党委主体责任和纪委监督责任的具体实施办法，强化各级党政领导干部“一岗双责”的意识、强化查办违纪违法案件的态势、强化惩防体系建设的社会效果、强化纪检监察机关执纪监督的能力素质。各单位各部门党组织主要负责同志要增强从严管党意识，做到重要工作亲自部署、重大问题亲自过问、重要环节亲自协调、重要案件亲自督办。要带头落实党风廉政建设的主体责任，带头推进依法行政，带头整改突出问题，带头廉洁自律。参照市委的做法，每年开展区委常委、政府领导班子中的党员领导干部带队检查考核下级党工委（党组）落实党风廉政建设责任制情况，明确将落实党风廉政建设责任制纳入党政建设的任务、纳入经济社会的布局、纳入政府年度绩效考评、纳入领导班子建设目标考核。健全警示约谈机制，做到执行反腐倡廉制度不严的必谈、推进党风廉政建设不到位的必谈、整治群众反映突出问题不力的必谈、遵守纪律要求不严的必谈。

强化追责问责。修订完善党风廉政建设责任制实施办法，强化责任考核，下大力气解决责任追究难的短板，推动压力逐级传递、责任层层落实。继续开展正科级党政正职领导干部述责评议工作；推行在区委全会上党工委书记，对落实年度党风廉政建设主体责任情况公开述职，以现场评议方式推动主体责任落实。对落实“两个责任”不到位的党组织，对顶风违纪搞“四风”，对出现区域性、领域性严重腐败案件的，分清责任，严格实行“一案双查”；对抓党风廉政建设不力，发生问题不报告、有案不查、压案不办的，同时追究主体责任和监督责任。

（四）深化作风建设，驰而不息纠正“四风”问题。深入开展专项治理。紧盯“四风”问题新形势新动向，坚决查处公款吃喝、旅游和送礼等问题。加强对中央关于厉行节约、公车配备、公务接待、职务消费等规定执行情况的监督检查。继续开展公款吃喝、公款送礼、公款旅游、利用婚丧喜庆敛财等问题的专项治理。对领导干部在各类书画、艺术、奇石等协会兼任领导职务开展清理整顿工作，督促非专业出身的领导干部辞去兼任协会的职务。加大执纪监督、公开曝光的力度，坚持把违反中央“八项规定”精神列入党的纪律审查重点，作为纪律处分的重要内容，推动作风建设长效化。

坚决查纠损害群众利益的不正之风。坚持把解决损害群众利益的突出问题作为党风政风建设工作的重点，关注和解决群众反映的热点难点问题，有针对性地对重点单位、重点部门开展行风评议工作。强化行政监察，用好重大决策执行监察系统，强化全程监督协调。协调配合有关部门不断建立和完善纠风工作长效机制，不断加强纠风工作责任制建设。加大机关效能监察力度，加强政风行风建设，强化投诉受理、明查暗访、案件查办、典型曝光等措施。严肃查处发生在群众身边的以权谋私、与民争利问题，坚决治理乱收费、乱罚款、乱摊派和吃拿卡要等问题。

加强对领导干部权力的制约和监督。全面落实中央、自治区、市委和区委印发的建立健全惩治和预防腐败体系2013—2017年工作规划实施意见和实施办法，完善惩治和预防腐败、廉政风险防控等制度。建立完善我区纪检监察机关政务微博和微信公共平台，设立网站和微博“曝光台”。注重利用互联网等新媒体开展党风廉政宣传工作。深入开展党风廉政主题教育和警示教育，继续抓好社区、两新组织廉政文化示范点工作，把“党风廉政文化角”纳入社区书屋建设，切实筑牢广大党员干部拒腐防变的思想道德防线。

（五）严格秉公执纪，坚定不移惩治各类腐败问题。加强反腐败工作统一领导。进一步完善查办违纪案件的组织协调机制，在区委领导下，切实发挥反腐败大案要案协调小组作用，统筹纪检、监察、法院、检察、公安、审计等各方面力量。完善纪检监察机关与行政执法机关、司法机关的沟通协作，在公安、法院、检察院等部门设立党风廉政联络员。加强对各纪工委、纪检组纪律审查工作的督导。

坚定不移地惩治腐败。坚决查处严重违反党的政治纪律、组织纪律、财经纪律的行为；重点查办发生在重要岗位领导干部中插手工程建设、城中村改造，以权谋私、腐化堕落、失职渎职案件；推进基层党风廉政建设，坚决查办职务不高但影响较大、金额不多但性质恶劣、事情不大但反映强烈的案件，着力解决发生在群众身边的不正之风和“苍蝇式”腐败问题，让仍存贪腐念头的人悬崖勒马。

继续抓好自办案件工作。进一步加强自办案件工作，加强对各纪工委、纪检组办案的检查指导。落实区纪委常委分工联系制度，抓好案件线索的搜集排查，切实把自办案件工作落到实处。积极推进各纪工委、纪检组查办案件工作，层层传导压力。各纪工委书记和纪检组长要切实担负起查办案件第一责任人的责任，敢抓、敢管、敢担当。对查办案件不积极、有案不查或弄虚作假的，将试行对主要负责同志进行问责。

依纪依法安全文明办案。按照查办案件以上级纪委为主的规定，严格线索报告、立案审批规定。加强查办案件队伍建设，建立纪工委（纪检组）查办案件分片协作机制，进一步增强查办案件工作的整体合力。强化问题线索管理，按照拟立案、初核、谈话函询、暂存、了结五类标准分类处置，定期清理、规范管理。严格执行立案、初核请示报批制度，遵守办案程序，进一步加强案件检查工作的规范化建设。深入开展对被判刑党员干部清理，并依纪进行处理。严明审查纪律，规范对涉案资料管理，决不允许泄露秘密、以案谋私。认真落实办案安全工作责任制，进一步规范谈话室建设，抓好办案场所、办案设施的管理使用。

（六）深化“三转”落实，时不我待提高履职尽责能力。切实转职能、转方式、转作风。进一步厘清职能，明确职责定位，转变工作导向，把该管的事情管好，该交的责任交出去，该退出的事项推出去，解决好职能发散、战线过长和工作缺位的问题。处理好粗放监督与集约监督的关系，探索科学监督执纪方式，全面履行纪律检查和行政监察两项职能，把“三转”推向更高层次、更广层面。

切实加强对纪检监察干部的教育、监督、管理。在全区纪检监察系统开展“敢于担当、敢于监督、敢于问责”专题教育学习活动，切实提高纪检监察干部的能力素质。从组织和制度上加强和完善内部监督机制，防止出现“灯下黑”。各级纪检监察干部要心存敬畏和戒惧，严格遵守查办案件纪律，不准打听、不准说情，更不准压案。对违反纪律者，按执纪者必先守纪、违纪者必从严的原则从重处理。对于违反纪律规定、以案谋私的，该撤换的撤换，该调离的调离，该查处的查处。

鱼峰区人民法院工作报告

（在2015年1月15日鱼峰区
第十一届人民代表大会第五次会议上）
罗金新

各位代表：

现在，我代表鱼峰区人民法院向大会报告工作，请予审议，并请各位政协委员和列席人员提出意见。

2014年工作回顾

2014年，我院在区党委的领导下，在区人大及其常委会的监督以及上级法院的指导下，在区政府、政协和社会各界的支持下，认真学习领会贯彻党的十八大和十八届三中全会精神，坚持践行群众路线，狠抓执法办案第一要务，求真务实，开拓创新，推动法院各项工作科学发展。

一、树立服务大局意识，推进社会经济和谐发展

2014年1月—12月我院共受理各类案件5641件，

结案4744件，结案标的5.88亿元，结案率84.10%，审限内结案率100%。具体案件审判工作汇报如下：

（一）以保障民生促进发展为中心，倾力解决民商事纠纷。2014年1月—12月受理各类民商事案件3522件，审结2971件，诉讼标的4.57亿元，其中，调解撤诉案件1642件，调撤率为55.87%。高度重视司法领域的民生保障工作，审慎审理民生案件，1—12月审结房地产案件142件，劳动争议案件195件，人身损害赔偿案件22件，机动车交通事故责任纠纷486件，婚姻家庭纠纷案件490件；着力抓好商事审判，维护交易各方利益，促进经济稳定发展，1—12月审结买卖合同案件181件，金融、民间借贷案件609件；坚持司法公正、平等保护原则，依法审理涉外、涉港澳台民商事案件2件。

（二）以维护社会治安为重点，严厉打击刑事犯罪。2014年1月—12月刑事案件收案809件，审结795件，结案率为98.27%，始终保持对严重刑事犯罪的高压态势，为建设平安鱼峰作出应有的贡献。依法严惩"两抢一盗"、绑架、强奸等严重危害人民群众生命财产安全的刑事犯罪，全力维护社会稳定，1—12月审结上述案件435件；依法打击毒品犯罪，审结涉毒案件145件；依法查处腐败渎职犯罪，审结贪污贿赂、渎职犯罪案件5件；加强未成年人犯罪的审判工作，共审结案件50件；贯彻落实宽严相济刑事政策，促进社会和谐。对犯罪情节轻微的依法从轻、减轻或免除处罚，减少社会对抗，全年依法判处缓刑案件173人。

（三）以司法审判执行职能为助力，服务城市建设大局。坚持把提供法律支持、创新服务内容、推动市政重点项目建设作为工作重点。2014年全年共受理行政案件45件，其中，有关征地拆迁的行政诉讼案件24件，经做动员工作，原、被告达成征地拆迁补偿协议19件，原告主动撤回申请19件。为城市建设服务大局提供强有力的司法支持。

（四）以最大限度实现当事人合法权益为目标，全力破解执行难题。综合运用强制申报财产、公开曝光、限制高消费、限制出境、罚款、司法拘留等措施，堵塞被执行人可能规避执行的通道，最大程度挤压其活动空间。2014年全年在各类媒体上公布失信名单173人；限制高消费173人，限制出境3人，罚款32万元，实施司法拘留34人，因涉嫌拒不履行法院生效裁判文书罪而移送公安机关侦查1人；全庭全年收案1178件，结案936件，结案率73.64%，执行到位标的1.49亿元。

二、坚持贯彻群众路线，创新司法为民服务模式

我院党组高度重视党的群众路线教育实践活动，根据上级要求，成立以党组书记为第一责任人的教育活动领导小组，积极部署，统筹规划，制订工作方案和目标，将任务层层分解落实到个人，确保计划有纲领、实施有监督。

（一）成立法官宣讲团，普法宣传实现个性化定制。为贯彻落实党的群众路线教育实践活动，满足群众需求，我院成立法官宣讲团，对普法宣传活动进行特别规划。根据法官的工作内容及专长，宣讲团共分为四组，针对机关行政单位、企业、学校以及街道社区面向的授课对象不同，分别策划设计不同的授课内容及形式，实现法制宣传教育的个性化定制，满足不同人群的法制需求。为确保实效，将法官讲师的每次宣讲活动实行台账登记制度，确保工作有计划，活动有落实，成效有监督。目前我院法官宣讲团已为中国移动柳州鱼峰分公司、金盛社区、龙擎苑社区、城市职业技术学院、柳石一小等单位开展法制宣传教育15场次。

（二）创建广西首家环保法庭，打造环保案件审判新模式。于2014年6月12日揭牌成立广西首家环保法庭。实行"三审合一"审判模式，将所有涉及环境保护类的民事、刑事和行政案件集中审理，充分运用司法手段改善、减轻或者消除破坏资源、污染环境的危害状态，建立资源环境案件的恢复性司法机制，最大限度为柳州市环境保护工作提供了强有力的司法保障。

（三）深化立案机制改革，完善便民利民措施。一是率先在全市法院实施调查令制度。对当事人由于客观原因不能收集案件相关证据的，可申请法院调查取证，从而减少诉累，提高司法效率。二是实行对疑难案件立案前的现场勘察制。利用立案审查期，对有争议纠纷的案件进行现场勘察，有助于及时了解案件的立案条件，有助于提高立案审查的效率和质量。

（四）多方联调，打造交通事故快速办理机制。2014年3月，鱼峰区人民法院、区检察院、区司法局、区交警大队以及保险公司联合成立鱼峰区道路交通事故联调中心，实行人民调解，司法调解和行政调解相结合的模式，全新打造"五位一体"的"三调联动"矛盾纠纷化解机制。2014年共受理交通事故案件

544件，结案486件，结案率89.34%，其中调撤结案376件，调撤率为77.37%。

（五）实行精细化管理，大力推进执行指挥中心建设。2012年以来，我院作为广西高院执行指挥中心建设试点法院，以办案规范化、管理信息化、流程公开化为核心，大力推进执行指挥中心建设。2013年12月16日、2014年1月21日、2014年10月10日，最高法院周强院长三次通过远程视频连线观看鱼峰法院的执行指挥中心现场演示，并给予充分肯定。我院因执行工作突出，获自治区高院予以通报表扬，为全区乃至全国法院系统执行指挥中心建设提供了有益示范。2014年11月，根据自治区高院、市中院的部署，我院依托执行指挥中心的联动平台，开展“强制执行行动”专项活动，并举办执行款集中兑现大会，全程邀请媒体参与，并策划系列报道，在社会上引起广泛关注，获得良好的司法效应及社会效应。

（六）谋划“12345”，践行司法为民宗旨。推动“一个”改革：深入开展审判长负责制改革试点工作，优化审判资源，进一步提升审判质效，由于该试点工作成效突出，于2014年9月获自治区通报表扬。加强“两个”中心：着力打造诉讼服务中心，开辟绿色服务通道，方便群众诉讼；成立服务企业发展中心，将法律服务向企业延伸，建立企业法律服务绿色通道。突出“三个”维权岗：进一步推进青少年维权岗、妇女维权岗、涉军维权岗的工作开展，结合审判工作实际，丰富维权方式；推动“四个”巡回法庭：积极打造交通巡回法庭、医疗纠纷巡回法庭、消费纠纷巡回法庭、劳动争议巡回法庭，整合资源，积极创新诉调对接模式，拓宽诉讼调解路径。完善“五个”社区：深入推进“无诉社区”创建工作，以狮山、凤起、龙擎苑、西船、龙潭无诉社区为平台，以点带面，充分发挥试点社区的引导教育宣传功能，从源头预防、排查和化解矛盾纠纷，把矛盾纠纷化解在基层，解决在萌芽状态。

三、创新司法公开途径，深入推进阳光司法

鱼峰法院作为全国司法公开示范法院之一，院领导班子高度重视阳光司法工作，精心部署，多措并举，不断推进司法公开的深度和广度，以阳光促和谐，以阳光促公正。

（一）借助信息化优势，打造多维立体化司法公开平台。继首推电子触摸屏、语音查询系统后，我院自主研发的司法信息公开网于2014年3月12日正式启动，全面实现审判流程、裁判文书、执行信息公开透明，将三大平台信息集中在该网站进行公开，全力打造具有鱼峰特色的司法公开三大平台建设。在审判流程信息公开方面，我院着力健全“网上办案”工作机制，要求从立案到结案各阶段的承办人及时、真实、准确、完整地录入案件审判流程信息。在裁判文书公开方面，2014年1月—12月通过广西裁判文书网，我院裁判文书已上网公开1559件，其中刑事729件，民事813件。在执行流程信息公开方面，按照立案阶段、执行阶段、结案阶段公开执行业务流程的节点信息。

（二）利用多媒体技术，搭建民意沟通直通车。在司法信息公开网设置网上信访、互动专区等模块，面向市民公布院长信箱，开通法院官方微博，群众意见可通过以上渠道直达法院平台。同时通过该网站提供便民高效的诉讼服务，当事人足不出户，只需要轻点鼠标、敲击键盘，即可享受网上立案、网上查档、网上信访、网上送达等多项服务。

（三）请群众进法院，公众开放活动常态化。将公众开放日与向社会公众介绍法院工作、进行普法宣传及法制教育三者有机结合，以此成为畅通民意沟通，拉进法院与群众交流的重要纽带，作为一项长期活动每季度定期举行。2014年共组织公众开放日活动八次，邀请鱼峰辖区企业代表、城市职业技术学院师生代表、柳州市工人医院代表等共计1000余人走进法院，让公众与法院零距离接触。同时开设律师代表座谈会，征求律师对法院工作的意见和建议，为进一步改进司法作风，提升司法服务质量开门纳言。

（四）以公开促公正，主动接受社会监督。为贯彻落实中共中央关于全面推进依法治国若干重大问题的决定精神，我院着力完善人民陪审员制度和执法监督员制度。一是完成人民陪审员倍增计划，扩大参审范围，保障公民陪审权利；二是建立聘任执法监督员机制，从区人大代表、政协委员、社会各界人士中聘任执法监督员，加强法院工作的外部监督。2014年我院多次邀请区人大代表、政协委员等对我院的审判执行工作进行监督。在审判活动中邀请执法监督员参与旁听庭审，并充分发挥人民陪审员的参审议审功能，确保案件的公正审理；在执行过程中，建立起执法监督员全程参与“陪执、监督”的执行工作机制，提高工作透明度，力求实现"阳光执行"。

（五）依托科技平台，推进科技法庭建设。2009年1月，我院全部法庭已实现一案一刻录工作，使用的是监控加拾音器的方案（简易科技法庭）。2011年5月，建立一个标清科技法庭，使用南北联合公司的产品，用于民事审判，使用率为90%。2014上半年已完成雒容科技法庭的建设。新建办公大楼落成后，计划对所有法庭进行标准化建设。

四、坚持以党建带队建，不断提高法官队伍整体素质

实现司法公正，关键在队伍。鱼峰法院始终把加强队伍建设作为法院工作的重中之重，把增强干警的大局意识和群众工作能力作为核心抓好抓实。

（一）高度重视法院党建工作。一是深入学习党的十八大精神。不断推动广大干警对党的十八大精神的学习理解。组织干警参加"我的中国梦"演讲比赛、理论征文等多种形式的活动，深化广大干警对实现中华民族伟大复兴"中国梦"的认识。二是大力推进党的群众路线教育实践活动。下发《柳州市鱼峰区人民法院开展党的群众路线教育实践活动实施方案》，明确教育实践活动的基本内容、途径和方法，精简会议和发文，规范对外接待和公车使用。2014年全院共精简会议16个，节约资金约2万元。

（二）持续开展法院党风廉政建设。一是围绕理想信念、司法廉洁、司法作风开展"司法作风建设年"主题教育活动，加强党性党风党纪和司法廉洁教育，组织全体干警到露塘监狱开展反面警示教育，切实筑牢拒腐防变思想防线；二是以群众路线教育活动为契机，严肃机关工作纪律，实行着装上班、考勤、整顿通报会风，增强工作责任心，在全院大力营造创先争优和干事创业的良好氛围。

（三）深入推进法院文化建设。一是切实加强法院队伍建设。组织全体干警开展升国旗等活动，增强爱国主义情感；组织干警参加各类体育赛事，不断丰富干警的业余文化生活，提高干警的团队凝聚力和战斗力；举办法学论文征集活动，提升干警理论修养，提高司法能力素质，2014年度论文评选中共有18篇经中院初筛报送高院评选，并有三篇获高院报送最高法进行评选，最后有两篇获全国法院系统学术论文三等奖，而全市只有三篇获奖，我院获奖篇数位列全市第一。二是积极开展新闻宣传工作。2014年共主办5次新闻发布会，协办全市法院系统现场会议两次，邀请媒体参加法院活动7次，全年共有300余篇报道见诸《人民法院报》、《中国审判》、新华社、《广西日报》、《广西法治日报》等各级新闻媒体；广泛宣传先进典型，涌现出一批像全区办案能手贺卫华、调解能手唐月琴、见义勇为"最美法警"秦俭等先进人物事迹；同时加强舆情导控，做到早排查、早发现、早引导，力求积极正面引导舆论走向，提升了法院形象，营造和谐为民的良好舆论氛围。

各位代表，2014年法院各项工作全面发展，成绩显著。我院先后荣获全区执行指挥中心试点工作先进集体，刑庭荣获全国2013年度查处侵权盗版案件有功单位二等奖，执行庭获2013年度全市法院集体三等功，民一庭调解中心获柳州市五一巾帼标兵岗，司法警察大队荣获全区法院司法警察体能达标活动先进单位等国家、自治区及市级表彰，并涌现出一大批先进集体和个人，累计有36项单项工作或个人获得市级以上荣誉或表彰奖励。我们深知，所有成绩的取得，离不开区委对法院工作的高度重视和坚强领导，离不开区人大及各位代表的热切关心和有力监督，离不开区政府、政协以及社会各界的充分理解和大力支持。借此机会，我代表鱼峰法院全体干警向大家表示崇高的敬意和衷心的感谢！

五、存在的问题

在获得成绩的同时，我们也清醒地认识到，我院目前工作中仍然存在一些问题，主要表现在以下几个方面：

（一）物质装备不能适应审判形势的发展需要。一是物质技术条件的限制。我院只有两个科技法庭，并且科技法庭至今没有安装高清摄像头。二是法院新建办公大楼资金缺口较大，难以保证正常的施工进度。下一步我们将积极争取上级有关部门的大力支持，力争妥善解决好上述困难。

（二）案多人少矛盾较为突出。当前基层法院受理的案件数量逐年增长，法院案多人少的矛盾非常突出，审判人员的案件压力十分沉重。究其原因在于：一是针对干警的有效激励措施不足导致法官积极性提高较慢，法官流失，干警队伍流动性增大；二是人员编制缺口的长期存在。希望上级有关部门能进一步加大对基层法院基础建设的投入，充实基层人员力量，解决案多人少矛盾；进一步丰富针对干警的激励措施，拓宽奖罚机制设立途径,有效提高干警工作积极性。

（三）思想观念及司法能力有待加强。一是部分干警不能正确认识司法公开工作的重要性和必要性,存在畏难和怕承担责任的情绪,在实际工作中没有按照要求完成司法公开的任务,对干警司法公开理念的教育培养仍需进一步加强。二是审判质量、工作效率和办案效果与党和人民群众的要求还有一定差距,少数干警的素质和能力不强,不能适应新情况、新任务的要求。

2015年工作展望

2015年是全面深化改革的关键之年,也是全面推进依法治国的开局之年。面对新形势、新任务,鱼峰法院2015年工作的总体思路是,深入贯彻党的十八大和十八届三中、四中全会会议精神,以司法为民、公正司法为主线,以落实司法改革、推进司法公开为重点,依法履行审判职责,强化审判管理,提高队伍素质,努力实现"让人民群众在每一个司法案件中都感受到公平正义"的工作目标。

一是进一步明确重点指标管理,提高审判质效。紧紧围绕审判质量效率评估指标体系抓好审判执行工作,促进各项指标平衡发展,实现审判质量效率整体水平稳步提升。2015年要继续巩固和加强落实较好的指标,采取有效措施加大调解案件力度,尽快提高本院调撤案件的数量,提高调撤率在全市的排名,推动各项审判工作均衡发展。

二是进一步加强业务培训,提高干警的司法能力水平。加强学习,切实提高法官队伍的综合素质和业务能力,有计划地组织法官进行业务学习和培训。同时,对年轻的法官搞好传、帮、带。将培训重点从法律、法规延伸至审判技能,期望借此提高法官巧妙运用法律、独立地高质量地处理各类复杂案件的能力。

三是进一步加强服务大局意识,落实司法为民各项措施。充分发挥审判执行职能作用,为市政重点工程建设提供优质司法保障措施;跟进环保法庭创建后的工作开展情况,将机制落实到审判实践中;继续推进审判长负责制工作,着力优化审判资源、进一步提升审判质效;形成法官宣讲团长效工作机制,将法官入社区开展法制讲堂作为常态化工作;继续推进"妇女儿童维权岗""青少年维权岗""交通事故巡回法庭""医患纠纷巡回法庭""消费纠纷巡回法庭"两岗三庭建设;进一步完善"无诉社区"的创建工作,在原有基础之上扩大无诉社区的创建范围;充分发挥"促进企业发展服务中心"的作用,为辖区企业提供优质法律服务,推动辖区企业快速健康发展。

四是进一步加强忧患意识,在增强发展后劲上下功夫。进一步加强法院基础建设,积极争取市政府和区委、区政府以及上级法院的支持,保障资金投入,保证办公大楼的工程进度;保持优势,深入推进信息化建设,积极推进科技法庭建设,全面强化信息化技术在审判管理、行政管理、人事管理等方面的应用;进一步深化"阳光司法"工作,不断提高司法公信力;进一步推进法院文化建设,找准审判工作与文化建设的着力点,增强队伍的创造力、凝聚力、战斗力。

五是进一步强化思想政治教育,加强党风廉政建设和司法作风建设。首先要加强党风廉政建设。坚持标本兼治、惩罚并举、注重预防的方针,通过领导干部带头签订"党风廉政责任书"以及积极开展各项廉政主题教育活动等形式,深入学习"八项规定"精神,严格进行查摆自纠,不断增强干警廉洁自律意识和拒腐防变能力。同时还要改进司法作风建设。按照中央和自治区党委的部署,深入开展党的群众路线教育实践活动,以加强司法作风建设为突破口,切实回应群众合理司法需求。

责任编辑:零霍香

鱼峰区人民检察院工作报告

（在2015年1月15日鱼峰区
第十一届人民代表大会第五次会议上）

彭　志

各位代表：

现在，我代表鱼峰区人民检察院向大会报告工作，请予审议，并请各位列席同志提出意见。

2014 年检察工作主要情况

2014 年，我院在中共鱼峰区委和上级检察院的正确领导下，在区人大监督以及区政府、区政协的关心支持下，结合当前检察工作实际，以党的十八大、十八届三中全会和十八届四中全会精神为指导，积极探索“维护社会和谐稳定、化解社会矛盾”新机制，以“推进民生检察”为宗旨，以推动服务型机关建设为主题，狠抓队伍建设，认真履行法律监督职责，依法打击危害社会稳定的各种刑事犯罪活动，强化诉讼监督，做好涉检信访工作，切实提高社会公众对检察机关的满意度，各项检察工作保持了健康发展态势，2014 年被自治区检察院授予全院集体二等功，被柳州市检察院评为 2013 年度绩效考评工作先进单位，被鱼峰区委区政府评为 2013 年度控制和查处违法建设工作先进单位和政法综治工作先进集体。

一、主动融入大局，助力辖区经济社会发展

着力促进经济发展。围绕鱼峰区委、区政府的中心工作，站位全局、服务发展，依法保障现代市场体系。积极参与柳州市打击侵犯知识产权和制售假冒伪劣商品专项工作和鱼峰区打击制售假劣食品药品违反犯罪等整顿规范市场经济秩序专项行动，选派业务骨干担任相关工作小组成员；重点打击危害民生的案件，对长期生产、销售死因不明、未经检验检疫猪肉的覃某等 3 人以涉嫌生产、销售不符合食品安全标准的食品罪向法院提起公诉，保护百姓食品安全；严肃查办和积极预防经济建设重点领域和环节的职务犯罪，清除侵害公职人员廉洁性及公民财产的“毒瘤”。

全力维护社会稳定。坚持把维护稳定作为第一责任，严厉打击各类刑事犯罪。受理公安机关提请批准逮捕案件 683 件 915 人，其中已逮捕 631 件 829 人，不（予）批准逮捕 49 件 80 人。受理移送审查起诉案件 876 件 1149 人，审结各类刑事案件 856 件 1093 人，其中审结后提起公诉 818 件 1051 人，不起诉 38 件 42 人。认真贯彻宽严相济刑事政策，对 25 件 27 人的轻微刑事案件作出不起诉决定，积极化解社会矛盾，增进社会和谐。提前介入朱某爆炸案、“11·21”公交车纵火案等群众关注的案件，确保案件顺利办结，保障群众生命安全。

积极参与社会治安综合治理。受理各类信访 71 件（次）98 人；受理举报线索 8 件 9 人，其中举报贪污 4 件 4 人、行贿 1 件 1 人，滥用职权 2 件 2 人、徇私舞弊不移交刑事案件 1 件 2 人；受理刑事申诉 3 件 3 人，立案复查 2 件 2 人，不属本院管辖直接答复 1 件 1 人；受理民事监督案件 17 件 17 人，移送民行科审查处理 17 件 17 人；开展刑事被害人救助 4 件 4 人，均已向鱼峰区政法委申请报批。继续落实“检察长接待”制度，开展检察长接待活动“检察长接待日”活动 26 次，检察长共接待群众来访 24 件 30 人，批办案件 13 件 15 人。

二、积极查办和预防职务犯罪，推进反腐倡廉工作

加大查办和预防职务犯罪力度。坚持有案必查、有腐必惩，进一步加大惩治职务犯罪力度。反贪部门共受理各类案件线索 18 件，初查线索 18 件 19 人。经初查，决定立案侦查 13 件 14 人，其中贿赂案 12 件 13 人，挪用公款案 1 件 1 人，所立的案件中要案 2 件，其余 11 件均属大案，被查犯罪嫌疑人中处级干部 2 人，科级干部 6 人。侦查终结案件 10 件 10 人，收到有效判决 4 件 5 人，其中十年以上有效判决 2 件 2 人。反渎部门共立案侦查各类渎职侵权类案件 3 件，其中滥用职权案 2 件，徇私枉法案 1 件，已有 2 件移送审查起诉，另外 1 件正在进一步侦查中。

坚持“打防结合，标本兼治”的原则，结合办案积极开展预防职务犯罪工作。一是拓展工作形式，抓好预防宣传。以开展党的群众路线教育实践活动为契机，将职务犯罪预防工作的触角延伸到基层一线，通过举办“举报宣传周”“检察开放日”“人民监督员接待日”活动，组织干警宣传检察机关职能、国家涉农惠民新政策、职务犯罪预防和举报知识，以讲座、座谈会、参观等方式开展职务犯罪预防警示教育 34 次，发放宣传资料 300 余份，接受法律咨询 30 余人次；每月按时“下村”走访，开展走访工作 10 次，接待现场预防咨询群众 50 余人，收集群众的情况反映表 23 份，收集意见和建议 25 条，现场答复涉及劳动争议、惠民补助款项、教育医疗等民生问题 20 余件。二是深入开展职务犯罪预防

调查工作,重点做好涉农职务犯罪预防工作。从群众反映强烈的涉农补贴、土地征用、房屋拆迁、村级财务管理等热点问题入手,组织干警深入镇村走访群众,倾听群众的诉求,了解涉农资金发放情况和涉农政策落实情况;采取"请进门"与"走出去"相结合的方式,走访农林、卫生、国土、民政部门调查涉农惠民资金的来源、发放依据、项目种类、项目金额、项目审批和发放程序,梳理涉农领域职务犯罪的风险点和隐患源,适时对农村基层组织人员、资金管理发放人员和其他相关人员开展预防职务犯罪法制教育活动。三是加强对典型案件发案原因、特点的剖析,把握规律和趋势。结合查办职务犯罪案件情况进行案例分析,形成案例剖析材料8件,仔细分析罪案件发生的原因、存在的问题及预防的措施,以检察建议的形式向发案单位和上级主管部门提出具有针对性、可操作性的预防工作方案,发出检察建议7件,帮助相关单位堵塞管理漏洞,建立规章制度。

三、强化对诉讼活动的法律监督,维护执法司法公正

深化立案监督,变被动为主动。在公安局鱼峰分局与柳东分局设立侦查监督室,每月定期到辖区公安机关了解刑事发案、报案、立案、破案等情况,掌握第一手资料,有力促进了立案监督工作的开展。同时与公安机关建立刑事案件信息通报制度,定期相互通报刑事发案、报案、立案、破案和刑事立案监督、侦查活动监督、批捕、起诉等情况,重大案件随时通报。共监督立案7件9人,已判决3件4人,其中判处三年以下有期徒刑的3人。

依法加强行使民事、行政审判监督、执行监督职能。严格依照新修订民诉法及《人民检察院民事诉讼监督规则(试行)》的相关规定,受理申请监督案件17件,其中,提出执行监督检察建议2件,不支持监督申请13件(其中,不支持抗诉申请5件,不支持执行监督申请8件),未结2件。

设立民事检察工作站,参与协助道路交通事故纠纷调解工作的法律监督。根据鱼峰区政法委的工作部署,我院在鱼峰区交警大队设立了民事检察工作站,对交管部门的调解程序、调解结果和办案机关或调解人员在调解工作中的行为进行法律监督,并参与协助调解案件,确保调解程序和调解结果发挥法律效力。共参与协助和监督调解道路交通事故纠纷案件29件,所监督的案件未发现职能机关有违法、违规、不公正的情况。

四、加大创新力度,推动检察工作务实发展

创新内容和形式举行"检察开放日"活动。邀请社区基层各行各业的居民代表30余人到我院参加开放日活动,向群众介绍了检察机关基本职能和我院基本情况,展示了各业务部门职能和办案流程,引导参观了侦查指挥中心等办公办案区域,并就我院检察工作、党的群众路线教育实践活动的开展和检察队伍、领导班子"四风"问题进行了座谈,征求群众对检察机关的意见和建议,加强群众对检察机关的了解,争取群众对检察工作的支持。

以解决"四风"问题为着力点加强检察文化建设。一是更新检察文化建设的内容,更换检察文化走廊的宣传展板,制作专题宣传板报,丰富检察文化的内容和载体。二是认真开展党风廉政教育和正风肃纪整治活动,组织干警观看廉政警示教育片,到广西桂中监狱集中开展警示教育活动。三是组织全院干警和职工到柳州工业博物馆参观,将传统教育和检察工作实际结合起来,激励大家继承柳州人艰苦创业、不断开拓创新的优良传统,严厉打击危害民生的违法犯罪。

以"推进民生检察"为宗旨积极创新社会管理服务群众。积极探索"维护社会和谐稳定、化解社会矛盾新机制",以推动服务型机关建设为主题,积极开展以"十个一"活动为载体的党员干部进社区的实践活动,即每周确定一天为"党员奉献日",每季度到结对社区召开一次党建工作协调会,开展一次走访调研活动,参加一次民情恳谈会,开展一次社区工作体验日活动,参加一次志愿服务活动,撰写一篇基层体验日记,为基层和群众办一件实事,认领居民群众一个"微心愿",开展一次"结亲连心活动",打造出鱼峰检察院的特色品牌。

五、强化教育管理,树立检察队伍新形象

积极组织干警参加各类培训,全面提升检察队伍素质。积极选送干警参加上级检察机关和党委政府的各项培训,与鱼峰法院联合开展自主培训,组织检法两院干警分赴中国人民大学、复旦大学进行脱产培训,提升干警综合素质、执法能力和服务群众能力。

强化树立先进典型的做法，在全院营造争先创优的良好氛围。根据2013年的现实表现和工作业绩，在全院评选出3个先进集体和10个先进个人，要求全院干警以他们为榜样，争创佳绩。组织全院干警观看全国优秀检察官张飚同志和全区检察系统优秀检察官——柳州市人民检察院朱世文同志的先进事迹，制作专题宣传栏，在全院掀起学习先进、争做先进人物的热潮。积极向上级检察机关推荐我院公诉科科长、全区"十佳公诉人"李静同志的先进事迹，通过李静同志的先进典型事迹教育引导激励干警祛除"缺钙、三拍、慵懒、推诿、松懈"现象，扎扎实实工作。

狠抓纪律作风建设。认真执行《检察机关党风廉政建设责任制实施办法》，制定了《2014年党风廉政建设责任制》，切实加强党风廉政建设责任制工作的领导。集中开展为期六个月的"增强党性、严守纪律、廉洁从政"专题教育活动，组织干警参观由自治区纪委、自治区监察厅联合举办的党风廉政警示教育巡展，使全院干警从政法系统发生的严重违法违纪问题中吸取教训，加大正风肃纪的力度。

六、坚持党的领导、人大监督，确保检察工作正确方向

正确处理好党委领导与依法独立行使检察权二者之间的关系，进一步增强大局观念，提高服务大局水平。坚决贯彻执行党的路线方针政策和决策部署，主动向党委报告重大事项和重要案件的办理情况，把检察工作完全置于党的领导之下。依靠党委的领导和支持，找准检察工作与区委、区政府中心工作的结合点，积极顺应区委发展战略，主动融入区委、区政府的工作大局，竭尽全力为党和国家工作大局服务，为经济社会发展创造稳定的社会环境和公正高效的法治环境。

自觉接受人大法律监督和政协民主监督。作好年度工作报告和专项工作报告，向人大、政协定期汇报检察工作进展情况，坚持客观、准确、全面地反映检察工作。2014年，向人大常委会做了"反渎职侵权工作"的议题汇报，反映我院反渎工作取得的成绩和面临的问题、困难，主动争取人大的支持和帮助。及时反馈人大交办事项的处理结果，对人大督办案件，以及人大代表提出的议案，在规定的时间内，事事有落实，件件有回音。进一步完善同人大代表和政协委员的沟通、联络机制，向人大代表发送征求意见函，确保联系工作的经常化、规范化。为人大代表征订了《检察日报》《公诉人》等检察刊物，方便代表及时了解检察机关工作动态。

回顾一年的检察工作，我们清楚地认识到，所有成绩的取得，都离不开区委的正确领导、区人大的监督和区政府、区政协的大力支持，离不开各位人大代表、政协委员和广大人民群众的关心、理解和厚爱。在此，我谨代表全院干警，向一直支持检察院工作的人大代表和社会各界人士，表示衷心的感谢！

看到成绩的同时，我们也清醒地认识到自身存在的一些问题和不足：一是由于我院受理的各类案件数量大幅增加且逐年上升，案多人少的矛盾依旧突出，而检察人员流向上级检察院、上级党委政府部门，基层检察院对高层次人才缺乏吸引力，造成人才流失；加之我院干警两级化较严重，年轻干部所占比重过低，中层领导干部和检察官有断层趋势，办案人员无法满足办案需求的增长，干警办案压力较大。二是自实行阳光工资以来，干警工资与福利待遇偏低，且中央"八项规定"实施以来对经费和福利支出有了严格的限制和规范，干警办案压力倍增但福利待遇并未提升，影响了干警工作积极性。三是新刑事诉讼法实施以来，对自侦案件的侦查技术提出了更高要求，自侦部门越发重视运用科技手段查办职务犯罪，固定证据，目前我院在办案制度、办案要求上需要进一步加大力度和投入，相关专项资金的设立存在一定困难。对于以上问题和不足，我们将扎实制定整改和应对举措，在今后的工作中切实予以解决。

2015年工作部署

2015年是贯彻落实党的十八大作出的战略部署，加快建设社会主义法治国家的关键一年，我院将紧紧围绕鱼峰区委区政府的工作重点，坚持强化法律监督，维护社会公平正义，努力推动科学发展，促进社会和谐，为建设"五美五好"美丽鱼峰、实现全面建成小康社会营造更加良好的法治环境。2015年我院主要工作部署如下：

一、充分发挥检察职能，维护和保障人民群众合

法权益

依法打击各类刑事犯罪，严把案件质量关。一是依法严厉打击扰乱社会治安、破坏市场经济秩序、危害群众生命财产安全的犯罪，更加注重维护良好的市场经济秩序，积极参加整顿和规范市场经济秩序专项行动，依法打击严重破坏市场经济秩序的犯罪活动。二是着眼于促进社会和谐，从执法办案的实际出发，进一步认真研究贯彻“宽严相济”的刑事政策，关注弱势群体，强调树立人性化办案理念，更加注重办案效果，充分体现办案的法律效果、社会效果的统一。三是严把案件质量关，加强对办案工作的领导，认真落实已有的各项案件质量把关制度，不断完善内部查办案件的报告制度，加大办案力度，切实体现检察工作的法律监督效力。

继续加大查办职务犯罪案件力度。一是在发掘案件线索的同时，继续对重点民生部门进行深挖，关注重大工程项目，从窝案、串案上下功夫。二是增加大要案在所办案件中的比例，对于可能办成的大要案，要集中力量突破，树立证据意识，无罪推定观念，保证无错案。三是加强内部科室之间信息交流。定期和控申部门等进行线索信息交流，保证信息不遗漏；主动和公诉、侦监部门进行沟通，留意国家公职人员的犯罪线索。四是建立完善走访制度，专人负责，保证每次到对口单位走访前有任务，走访后有反馈。

在法律监督上要有新作为。继续加强对侦查工作程序合法、规范的监督，一方面对捕后执行情况、捕后变更强制措施的监督，另一方面从公诉追诉的角度分析反思，如何加强审查逮捕环节的追捕漏犯工作，以节约诉讼资源，提高办案效率。继续加大立案监督工作力度，结合开展的危害民生刑事犯罪专项立案监督活动，将与百姓生活息息相关且群众反映强烈的领域，如食品安全、教育医疗等作为专项监督活动的工作重点，依法监督移送并立案侦查一批人民群众反映强烈的涉嫌犯罪案件，努力化解社会矛盾，注重保障和改善民生。

二、规范执法行为，保障人民群众参与司法

开展规范执法提升年活动。2015年我院将依托案管中心的统一业务应用系统，全面推行办案流程监控和案件质量评查，严格执行上级检察机关有关案件管理的规定，实现对执法办案活动的全程、统一、实时、动态监督。

开拓思路，畅通接待、信访渠道，深化检务公开。完善接待大厅，确保每个工作日有人在岗，随时接待群众来信来访。拓宽信访渠道，通过网上信访、QQ信访、12309举报专用电话、传真信访等，方便快捷地进行信访。开通案件监督管理科专线查询电话，方便诉讼参与人或案件当事人预约、来访和了解案件信息。推进鱼峰检察门户网站建设，推广“鱼峰检察”官方微博、微信，借助网络深化检务公开，尝试与有诉求群众的互动交流。

三、积极推行“阳光检务”，提升检察工作的透明度和公信力

完善人大监督和人民监督员制度，自觉接受各界监督。建立人大代表持证视察我院工作的绿色通道。通过定期向人大常委会报告工作、走访人大代表、邀请人大代表来院视察等形式主动接受监督。充分发挥人民监督员的作用，组织人民监督员评议我院自侦部门办理的案件以及社会影响力较大的案件，深入办案一线了解、监督检察工作，不断提高人民监督员的监督能力。

加强检察宣传，积极推动检务公开。继续积极开展“检察开放日”活动，邀请我区各界人士走进检察院，全面了解我院各部门的工作流程以及建院以来各方面工作取得的成绩。充分利用网站、微信、微博等手段加强检察宣传，及时、准确反映我院检察工作情况。组织干警开展“进机关、进企业、进学校、进社区、进农村”等“五进”活动，积极开展面向社会、面向公众的预防职务犯罪宣传，以案说法，以案警示，不断提高社会公众对预防职务犯罪的认知。

在新的一年里，鱼峰区人民检察院决心在区委区政府和上级检察院的坚强领导下，在人大监督和政府、政协及社会各界的支持下，牢记辖区人民的期望和重托，进一步凝心聚力、开拓进取，不断开创检察工作新局面，为建设法治鱼峰作出新的更大贡献！

责任编辑：零霍香

附录

窑埠 TOWN 一景　　（柳州阳光新千年房地产开发有限公司　提供）

关于新形势下整合基层执政资源 加强社区治理的调研报告

党的十八大从战略和全局的高度部署基层组织建设，强调要“创新基层党建工作，夯实党执政的组织基础”。如何更加有效地整合执政资源，最大限度地优化配置执政资源，确保执政资源向基层倾斜，这关系到基层的改革、发展和稳定，关系到党在基层执政地位的巩固。2014年3月5日，习近平总书记在参加十二届全国人大二次会议上海市代表团审议时强调，“加强和创新社会治理，关键在体制创新，核心是人，社会治理的重心必须落到城乡社区”。社会正处于转型时期、各种问题都集中于社区，在社区承担的事务越来越多的情况下，国家构建和谐社会、提倡加强和创新社会管理的政策为社区治理带来了新的机遇和挑战，构建和谐社区、健全社区自治制度成为受广泛关注的问题。

一、整合基层执政资源的重要意义

对于城区来说，基层建设最重要的就是社区建设。社区是社会的细胞，是社会治理的基本单元，社会安定有序、国家长治久安离不开社区的有效治理和服务。推进社区治理和服务创新是社区建设领域全面深化改革的时代主题。社区治理是社会治理的基础工程，也是国家治理的基础工程，社区治理体系和治理能力现代化是国家治理体系和治理能力现代化的实现前提。大力推进社区治理，是工业化、城市化发展的必然要求，是城市发展和城市管理的客观需要，是全面建设小康社会的基础工作，也是各级政府履行社会管理和公共服务职能的重要内容。

首先，整合基层执政资源，是新形势新任务的需要。党的十八大提出了推进社会主义现代化的新任务与新要求，到2020年全面建成小康社会，为实现中华民族伟大复兴的“中国梦”奠定坚实基础；党的十八届三中全会从15个方面具体部署了全面深化改革的路径，使国家的改革站在了一个新的起点上。面对时代赋予的历史使命，作为党的全部工作和战斗力的基础，基层党组织面临着更重的任务、更高的要求。因此，在新的历史条件下，整合执政资源向基层倾斜，不断增强、完善、充实基层党组织和基层政权的执政资源，既是新时期新任务的需要，也是基层党组织更好担当历史使命的重要保证。

其次，整合基层执政资源，是国家长治久安的需要。基层党组织和基层政权直面群众，置身群众，他们执政能力的强弱，执政水平的高低，都关系着我们党的后盾是否坚强有力，关系到党和国家是否兴旺发达、长治久安。因此，巩固党的执政地位，实现党和国家长治久安，必须从重视基层党组织和基层政权建设入手，根据基层情况不断发生变化的实际和形势发展的客观需要，合理配置并倾斜支持执政资源，努力将政策、经济、人才等执政资源优势转化为基层党组织执政为民的能力优势，才能确保我们党永远立于不败之地。

再次，整合基层执政资源，是基层组织建设的需要。基层党组织的主要任务是服务群众，做群众工作。而群众工作只有起点，没有终点；服务群众，没有最好，只有更好。这就要求，做群众工作、为群众服务必须形成制度化、常态化、长效化，必须从机制上解决基层服务型党组织建设的支撑问题，也就是必须用强有力的执政资源作保障，通过广泛吸收和优化配置服务资源，真正使基层党组织有手段服务、有能力服务，最终形成科学服务、民主服务、依法服务的大格局。然而，当前执政资源的配置却是从下往上呈一个倒金字塔状，越往上权力越集中、人才越集中、资源越集中；越往下，职能越削弱、人才越稀少、资源越匮乏、调控力越差。基础不牢，地动山摇，执政资源向基层组织倾斜就是要简政放权，就是要加强基层、充实基层。

二、整合基层执政资源中存在的主要问题

通过实地走访、与基层党组织座谈、向社会广泛征求意见等形式，下发抽样调查表100份，从整理分类的情况看，鱼峰区54个社区在执政资源配置上存在的问题主要表现为“四多四少”。

一是机关占的资源多，基层占的资源少。在社区，一方面是治权逐步被不断加强的部门权力碎片化了，政府职能职权严重削弱；另一方面是事务不减、

责任不减，形成了一种结构性的扭曲和矛盾。在下发的100份抽样调查中，社区提出现有工作人员少的占45%，其中又有六成以上反映的主要矛盾是机关抽调人员。抽样显示，抽调人数最多的社区占总人数的20%。这说明了机关在行政资源上占的比重较大，导致大量的基层工作没有能够很好地完成。

二是分散的资源多，整合的资源少。每年各部门向上争取的资金和项目很多，相当一部分建设资金分散地投向了基层，没有捆绑打包使用。根据财政部门2014年财政预算显示，下拨社区资金量每个社区至少30万元，项目数达25个，在资金使用上，不能捆绑使用，导致资金分散，整体效益发挥不佳。

三是政策资源多，资金资源少。各级政府为实现一定时期内社会经济发展战略目标而制定了很多指导资源开发、利用、管理、保护的政策措施，但落实到基层的资金不多，要么要基层按比例配套，要么要基层全部承担，导致政策落实和项目进展打了折扣。比如，老旧城区的改造，因城区资金有限，每年能够使用的资金，只有30万元左右，远远不能满足老城区改造的需要。

四是看得见的资源多，发挥作用的资源少。我们在社区投入建设了社区图书馆、文体设施等设备设施，对改变社区面貌发挥了一定作用，但不可否认，使用效果并不太理想。辖区54个社区，建成的社区图书馆40个，文体设施每个社区占有资源至少3个以上，通过实地查访，每个图书馆平均每天进入的人数不足10人；社区的文体设施存在同样的问题，每个设施每天使用的人数不足10人。

三、当前基层组织亟须整合的主要执政资源

一是需要整合人力资源。调查显示，当前社区工作人员大部分为“40”、“50”，占社区工作人员的45%，具有大专以上文凭的人数只占30%，具有相当专业技术职称的人数更少，只占54个社区总人数的1%。城市的快速发展和优越待遇，有文化、有头脑、有一技之长的青年大多不安心于在社区等基层工作，造成基层社区组织后继乏人，干部能力素质不强，实用人才短缺。

二是需要整合行政资源。这几年，我区大力推进社区活动阵地规范化建设，但目前只有少数部门将服务职能下发到社区办理。当前，下放基层社区的服务事项17项，涉及的主要是党务、劳动保障、计生和民政基础服务事项，这就迫切需要按照市、城区、街道、社区四级联动便民服务网络要求，各类资源和力量下沉到社区，完善基层党组织的服务功能，真正提升基层组织为民办事的能力。

三是需要整合社会资源。调查发现，鱼峰社区现有涉及教育、家政、义工、医疗、金融、科技、文化、体育、商业、餐饮、物业等方方面面的专业组织1000多个，他们按照民生需求和自身专业，也参与了地区公共服务，但单个社会组织也不足以发挥最大效能。只有社区服务组织通过整合地区资源，才能搭建社会建设共享平台，产生“1 + 1 > 2”的集体合力。

四是需要整合党群资源。在我区各领域基层党组织中，普遍存在着党建工作开展不平衡的现象，好的工作办法多、人才聚集、经济实力强、党组织坚强有力，越来越好，差的工作基础弱、人才短缺，活动难开展、作用难发挥，积重难返。如天马街道狮山社区，基层组织发挥作用明显，先后被评为各类先进100多次。像狮山社区这样坚强有力的基层组织，在我区54个社区中，只占全部的25%左右

四、整合基层执政资源，加强社区治理的几点建议

进一步加强社区治理工作，必须抓好社区基层组织资源整合，要从资源的盘活、开发、利用、共享等方面探索整合资源的新思路、新途径、新机制，最终实现资源效益最优化、资源总量最大化、资源共享社会化的目标。建议如下：

（一）要突出“育”字，从思想上强化资源观念

思想是行动的先导。要把整合社区基层组织资源作为一种科学的思路、理念和方法来培育和强化。笔者认为，社区治理的特征有三个：一是主体多元化，除了国家（政府）主体之外，还有居民、社区自治组织、非营利组织、辖区单位等。治理需要多元主体的参与和决策，政府与社区之间要形成积极而有成效的合作信任关系，以善治为目标，实现社区公共利益的最大化。二是过程参与化，强调居民参与，强调政府与社区组织、社区组织与居民的合作伙伴关系。三是结构互动化，垂直科层结构转变为横向网络互动结构。在社区治理结构中，社区主体多元化，街道与居委会之间、居民与政府之间的关系由单向运行转变为双向互动；大量社区社会组织的培育和发展，在居民和政府之间又架起了沟通和联系的桥梁，从

而将社区中行政力量、自治力量和社会力量构筑成横向的网状结构。

(二)要突出“建”字,从基础上优化资源配置

2012年11月,党的十八大报告从完善基层民主角度,强调“在城乡社区治理、基层公共事务和公益事业中实行群众自我管理、自我服务、自我教育、自我监督,是人民依法直接行使民主权利的重要方式”;从加强和创新社会管理的高度提出“加强基层社会管理和服务体系建设,增强城乡社区服务功能”。而党的十八届三中全会则把治理作为全面深化改革的目标。2013年11月,党的十八届三中全会通过的《中共中央关于全面深化改革若干重大问题的决定》谋划了国家治理战略,并从健全城乡发展一体化体制机制的高度指出“统筹城乡基础设施建设和社区建设,推进城乡基本公共服务均等化”。在社区治理中,我们必须全面统筹,充分考虑政府、各社会组织、市场、居民等主体,从基础上优化资源配置,构建多元参与、共治共享的治理格局。

一个相对完善的社区治理结构如下图所示。

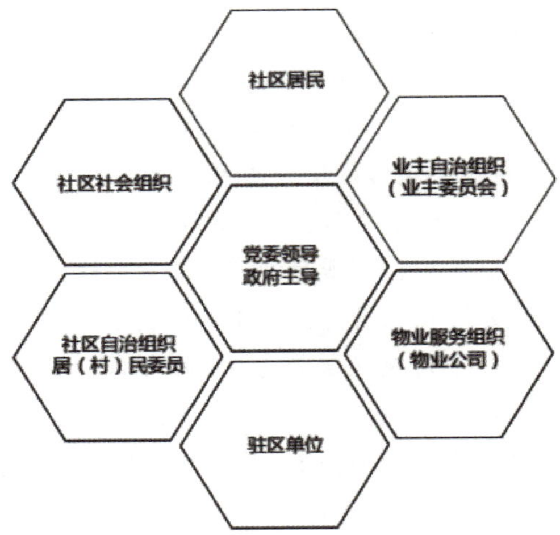

(三)要突出“强”字,从作用上激活资源优势

社区治理要通过社区“还权、赋能、归位”工程,加大社区治理改革创新力度,提高体制机制运行效率,激活资源优势。要进一步理清了各层级之间、各种责任主体之间的关系、职责、标准和流程。按照“高效、顺畅、管用”的原则,规范了各职能部门的责任权属,释放社区组织的自治活力。社区治理和服务创新只有进行时,没有完成时。我们唯有准确把握社区治理规律,认真总结社区治理和服务实践,辩证借鉴国外社区治理经验,才能不断推动鱼峰区社区治理创新发展,才能不断推进鱼峰区基层社会体制改革,才能为鱼峰区社会治理乃至国家治理体系和治理能力现代化打下坚实基础、贡献力量。

(何世恰　鱼峰区人民政府区长)

2014年11月27日嘉汇社区开展“心怀感恩,与爱同行”互助关爱活动

(五里亭街道办事处　提供)

关于整合资源推动网格化社会管理再深化的调研报告

2012年以来，鱼峰区不断加强和创新社会管理，全力推进项目实施，加强基础设施建设，率先在广西搭建了“三级平台、四级服务管理”的组织体系，实现了社区网格化管理。建立健全了“四位一体”新型社区治理模式，形成了种类齐全的基础信息数据库，实现了社会管理信息化。

一、鱼峰区网格化社会管理的基本情况

从2012年开始，我区专门开发设计网格化社会管理服务信息平台，建立了完整记录网格内人、事、地、物、组织等信息的基础信息数据库，搭建了党建、综治、城管、计生、“两违”治理等专用信息系统，同时还兼具日常办公功能。通过构建“信息+载体”的动态管理平台，将以往多人交叉管理的大片区域细化为个人负责的网格单元，给每名社区工作人员落实了“责任田”，且责任细化，克服了底数不清、情况不明、工作粗放等问题，使社区工作重心下移，更加贴近居民生活和工作。目前，我区网格化社会管理服务信息平台的应用功能已经涵盖社会管理的各个领域，形成了城区、街道、社区三级平台行政体系和城区、街道、社区、网格四级工作体系，达到了对社会事务的信息化、动态化、精细化管理。

二、鱼峰区在网格化社会管理工作中存在的不足

我区网格化社会管理实施以来，实现对机关部门量化考核、提高工作效率。促进了机关作风转变，密切了干部与群众联系。实现了事权财权对等，调动了基层工作积极性，强化了城市社区自治和服务功能，健全了新型社区管理和服务体制，提升了社会管理服务水平，有效地激发了社会活力，增加了社会和谐因素。但两年多来的实际操作过程中，我区也发现了一些亟待解决的问题。

（一）网格化管理组织领导水平有待提高

鱼峰区早在2012年就成立了网格化管理专门机构——网格化信息指挥中心（以下简称“网格中心”），负责协调各部门（三位）提供社会服务。但由于无法定编，网格中心一直无法充分发挥其社会管理的中枢协调作用，无法整体安排社会服务管理信息化推广工作，项目按时段推进比较困难；虽然能按时提示部门开展工作，但由于顶层设计上没有建立健全网格化社会管理的工作体系和规范流程，网格中心缺乏统筹规划、指导实践和督促落实的职权，没有发挥出更大的效率。

作为鱼峰区网格化社会管理下沉一级的基层单位，社居委的“议事”功能没有充分发挥，居民自治没有得到充分体现。社居委班子建设有待加强，社区民主管理缺乏制度保障，社居委召集居民代表会议等民主制度缺失，社区居民还无法参与社区一般性自治事务。

（二）网格化管理各项机制还需继续完善

网格化管理机制仍然依附与传统的街居管理体制，基层一线活力没有得到充分激发。街道内设机构依然较多，社区力量配置不足；社区党组织和社居委“议行不分”，社区工作研究审议和贯彻执行比较混乱；选人用人仍然实行无法实现竞争上岗，聘用人员无法平等参与街道内设机构、社区工作站正（副）职的竞争。网格划分不科学，没有按照“任务相当、方便管理、界定清晰”的原则，合理设置网格；社区、区职能部门、街道相关科室、辖区单位、物业机构、自治组织等社会资源没有形成合力；社居委没有实现权责统一。

（三）群众组织和非营利性社会组织参与社会治理程度较低

经过两年的建设，我区构建起了“城区—街道—社区—网格”四级网格化社会管理体系，但在社会治理中政府长期处于主导地位，在网格一级的各类群众组织和非营利性社会组织参与协助的作用实际上并没有发挥出来，而更多的是成为由政府所控制和操控的一种政府附属机构社会多元治理模式尚未成型，处在管理底层的各类群众组织和非营利性社会组织参与社会管理、提供公益服务的水平还比较低。

三、下一步做好网格化社会管理工作的意见和建议

（一）进一步深化网格化管理和社会服务

探索将我区综治办、创新办、网格化信息指挥中心、网格建设办、"费随事转"办、数字城管办、网络研究中心整合为鱼峰区社会综合治理服务协调指挥中心，统一组织协调实施鱼峰区创新社会治理工作，实施科技惠民、智慧城市工作的推进，进行网络舆情监测。可先进行论证，起草实施意见和方案，人员设定6～8人，可向市编办特申请行政编3人，事业编5人，如人员不足，可聘请协管人员。

在网格的划分上，可借鉴外地的经验，对现有网格进行重新调整，由原来的200～300户，600～900人，调整为300～500户，1000～1500人，减少网格责任人的数量，提高科学管理水平。

网格责任人的选用模式也可借鉴外地的先进经验，将现在由社区工作人员兼任的机制改为由生活居住在本网格内的居民小组长、楼栋长或居民小区业主委员会、物业公司、驻地单位物业部门负责人等人员担任，财政给予工作补贴，每人每月300～500元。

（二）积极推进社区政务大厅的改革，提高社区工作的效率

我区目前的社区政务大厅存在服务窗口划分过细、工作量不饱满，人浮于事，效率相对较低的问题。建议借鉴外地先进经验，将现在的单一服务窗口整合成综合服务窗口，每个社区只保留2～3个对外服务窗口，提高工作效率，节约人力资源。

（三）建议对现有的社区划分进行优化调整

根据外地的经验，每个社区以10000～12000户为宜，可尝试把目前的61个社区调整到40个社区，既可以推动良性竞争，也可以在不增加财政负担的情况下，提高每一个社区的工作经费和人员待遇。社区工作人员实行竞争上岗，无论是公务员、事业编制，还是其他聘用人员，都可以平等参与竞争，择优录用，体现"事业留人、待遇留人"。

（四）完善"费随事转"机制

建议实行"费随事转"经费年度递增制度，递增幅度以8%～10%为宜。

探索引入专职社工队伍，组建社区工作服务站，在社区居家养老、儿童青少年、人口计生、社区服务、康复助残、社区矫正等领域实行社会工作项目化运作，并为各类社区社会组织提供服务。可借鉴外地实行的政府购买社会服务的先进经验，每个社区工作服务站可引入专职社工3～5名，由政府财政拨出专款，以每人每年5万元为宜，其中85%作为社工的报酬，15%作为服务站的工作经费。

（五）探索建立群众自治组织和非营利性社会组织参与社会治理机制

充分发挥基层、人民团体、社会组织在社会治理和服务中作用。可在全区范围内实施社会组织"孵化机制"，建立社会组织"孵化基地"，为社会组织提供政策咨询、法律服务、交流培训等服务，重点培育孵化2～3个能承载政府社会事务职能、在参与社会治理和社会服务方面具有示范引领作用的社会组织。

（六）提高社区网格化信息平台建设和应用水平

建设社区数字化全响应社会服务管理综合信息平台，完善网格信息化平台功能，扩大覆盖面，将之延伸到社区管理人员、服务人员、居民。安徽省合肥市和芜湖市在网格化信息平台上建立的"社区综合信息服务站"，便于居民对政策以及各类信息的查询，值得我区学习。他们在各个社区设立的"社区支付通"终端，能够方便居民就近缴纳水电费、管道煤气费、电话费等涉及居民生活的各类费用，也是政府和金融机构共同开发的"便民支付点"，该项目由政府组织实施，金融机构出资提供设备。我区也可考虑和金融机构联合开发类似项目，提升社会服务质量。

（七）大力培养社会工作专业人才，促进基层组织社会工作专业化

借鉴外地经验，力争两年内在我区社区党组织、自治组织、行政组织、服务组织4类基层组织中，每个至少有2名具备社会工作者职称的专业人才。

制定相应政策，鼓励街道社区工作人员，报名参加全国统一的社会工作者职业水平考试，取得助理社会工作师和中级社会工作师资格的人员，政府从财政中给予100元和150元每人每月的职称津贴。以此大力培养社会工作专业人才，实现社会工作人才规范化、专职化管理。（区委办公室课题组）

集体荣誉

集体荣誉表

获奖单位	表彰、奖励名称	颁发机关	获奖时间
鱼峰区	第一批节约型公共机构示范单位	国家机关事务管理局、国家发改委、国家财政部	2014.03
	国家级“中国民间文化艺术之乡”称号	国家文化部	2014.12
	“2014年度地质灾害防治高标准‘十有县’”称号	国土资源部办公厅	2014.12
天马街道大龙潭社区	全国民族团结进步模范集体	中华人民共和国国务院	2014.09
鱼峰区民政局	国家4A级婚姻登记机关	国家民政部	2014.04
鱼峰区人民检察院	全国检察机关文明接待室	最高人民检察院	2014.04
天马街道大龙潭社区	自治区民族团结进步模范集体	中共广西壮族自治区委员会、广西壮族自治区人民政府	2013.12
驾鹤街道桃源社区	全国综合减灾示范社区	国家民政部	2013.12.11
五里亭街道办事处	全国安全社区	国家安全生产监督管理总局中国职业安全健康协会	2014.12.02
白莲街道莲花社区	国家综合减灾示范社区	国家减灾委员会	2013.12
白莲街道南山社区	中国计生协关于授予第四批全国计生基自治示范(居)决定	中国计划生育协会	2013.11
鱼峰区工商联	2013年全区县级“五好工商联”	自治区工商业联合会	2013.12.01
鱼峰区人民法院	全区执行指挥中心试点工作先进集体	自治区委员会政法委员会	2014.03.26
	全区法院司法警察体能达标活动先进单位	广西壮族自治区高级人民法院	2014.01.09
	区高院对柳州市鱼峰区法院予以表扬	广西壮族自治区高级人民法院	2013.12.28
	2013年度全区法院开展“争创五个一百”和“优秀示范庭审”竞赛活动先进集体	广西壮族自治区高级人民法院	2014.01.21
	2012—2013年度全区法院优秀调研成果三等奖	广西壮族自治区高级人民法院	2013.12.17
	2013年度全区法院优秀审判运行态势分析报告三等奖	广西壮族自治区高院人民法院	2014.01.03
	全区法院第二十四届学术讨论会优秀组织奖	广西壮族自治区高院人民法院	2013.12.25
鱼峰区检察院反贪局	负责查办的柳江县某开发总公司原总经理韦某受贿案被评为2013年度全区检察机关反贪污贿赂优质案件	广西壮族自治区高级人民检察院	2014.02
鱼峰区司法局	自治区“六五”普法中期先进普法办	广西壮族自治区司法厅、自治区依法治桂办	2014.05
鱼峰区文体新局	全区公共文化服务体系建设先进集体	广西壮族自治区文化厅	2014.03
	柳州首届三月三“鱼峰歌圩”全国山歌邀请赛优秀组织奖	广西壮族自治区文化厅、柳州市人民政府	2014.04
鱼峰区人口计生局	2013年广西人口和计划生育工作进步奖	广西壮族自治区人口和计划生育领导小组	2014.02

续表 1

获奖单位	表彰、奖励名称	颁发机关	获奖时间
鱼峰区地志办	广西第八次地方志优秀成果《柳州市鱼峰区志(1991—2005)》二等奖	广西壮族自治区地方志编纂委员会	2014.11
	2012—2014 年广西地方志系统先进单位	广西壮族自治区地方志编纂委员会办公室	2014.11
鱼峰区创新办	2013 年广西新闻奖	广西日报社	2014.110.7
天马街道狮山社区	五好基层关工委先进集体	广西壮族自治区关心下一代工作委员会	2014.02
天马街道大龙潭社区	全区优秀村屯文艺队	广西壮族自治区文化厅	2014.03
天马街道鱼峰社区	柳州市 2013 年"文明单位"	中共柳州市委员会柳州市人民政府	2014.01
驾鹤街道蟠龙社区	2014 年度广西壮族自治区综合减灾示范社区	广西壮族自治区民政厅	2014.10.23
驾鹤街道晶远社区	2014 年度广西壮族自治区综合减灾示范社区	广西壮族自治区民政厅	2014.10.23
荣军街道白云小区	广西壮族自治区五好基层关工委先进集体	广西壮族自治区关心下一代工作委员会	2014.02
荣军街道荣新社区	自治区综合减灾示范社区	广西壮族自治区民政厅	2013.10
荣军街道宝山社区	广西壮族自治区卫生先进单位	广西壮族自治区爱国卫生运动委员会	2013.12.31
荣军街道和华社区	2013 年文明单位	柳州市人民政府	2013.12
箭盘山街道东环社区	自治区卫生先进单位	广西壮族自治区爱国卫生运动委员会	2014.06.01
箭盘山街道丽都社区	自治区诚信计生基层群众示范社区	广西壮族自治区人口和计生委	2013.12.30
	柳州市文明单位	柳州市人民政府	2013.12.10
五里亭街道办事处	2013 年度全区社会主义新农村建设指导员工作先进后盾单位	广西壮族自治区组织部、自治区农业厅、自治区扶贫办	2014.03
	自治区卫生先进单位	广西壮族自治区爱国卫生运动委员会	2014.01
五里亭街道龙擎苑社区	自治区卫生先进单位	广西壮族自治区爱国卫生运动委员会	2014.03
	2013 年度广西示范性儿童家园	广西壮族自治区妇联	2013.12.30
五里亭街道龙泉山社区	自治区卫生先进单位	广西壮族自治区爱国卫生运动委员会	2013.12.31
白莲街道办事处	全区先进乡镇综合文化站	广西壮族自治区文化厅	2014.03
白莲街道莲花社区	2013 年度实现计划生育"两无一提高"单位	广西壮族自治区人口与计划生育领导小组	2013.12
	荣获自治区诚信计生基层群众示范村(居)	广西壮族自治区人口和计划生育委员会、广西壮族自治区计划生育协会	2013.12
白莲街道大桥社区	2013 年度实现计划生育"两无一提高"单位名单	广西壮族自治区人口与计划生育领导小组	2013.12

(区绩效办)

责任编辑:罗冠梅

2014 年鱼峰区国民经济和社会发展统计公报

2014 年，鱼峰区继续围绕建设“五美五好”魅力鱼峰的发展目标，坚持稳中求进、好中求快的工作总基调，着力强产业、夯基础、促改革、拓开放、奋力推进各项工作，经济提质增效，呈现平稳发展的良好态势。

一、综合

2014 年，全区实现地区生产总值（非在地统计）144.2 亿元，增长 9.5%。其中，第一产业增加值 0.24 亿元，下降55.0%；第二产业（工业）增加值85.66亿元，增长 10.6%；第三产业增加值 58.33 亿元，增长 6.6%；三次产业结构比为 0.15 ∶ 59.40 ∶ 40.45。其中：第二产业对生产总值的贡献率为 65.9%，第三产业对生产总值的贡献率为 36.8%。（见图 1）

按全口径计算，全区实现地区生产总值（不含阳和及柳东）188.05 亿元，增长 8.8%。其中，第一产业增加值 0.24 亿元，下降 55.0%；第二产业增加值 129.48 亿元，增长 9.7%，其中工业增加值 125.89 亿元，增长 9.9%；第三产业增加值 58.33 亿元，增长 6.6%；三次产业结构比为 0.12 ∶ 68.86 ∶ 31.02。第二产业对生产总值的贡献率为 56.4%，其中工业对生产总值的贡献率为 53.4%，第三产业对生产总值的贡献率为 46.2%。（见图 2）

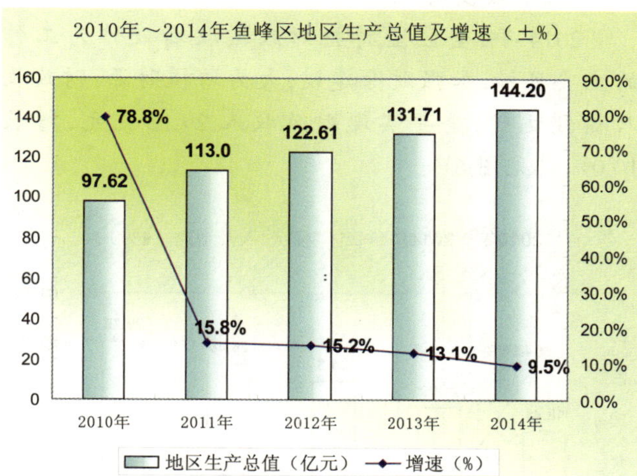

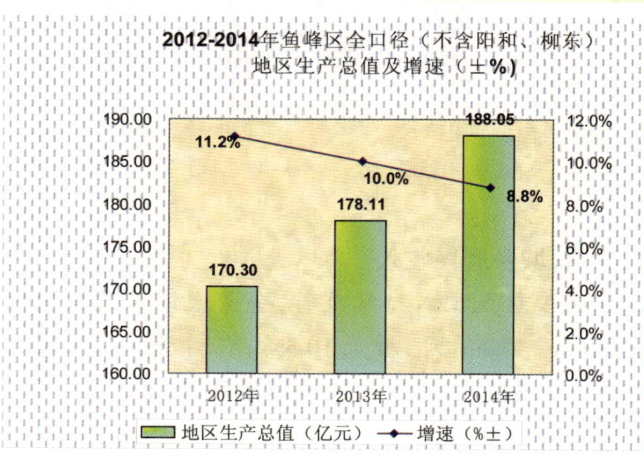

二、农业

2014 年，第一产业逐年萎缩，全区完成农林牧渔业增加值 0.24 亿元（现价），下降 40.0%，增加值占生产总值比重仅为 0.15%；耕地面积 315 公顷，下降 2.2%；蔬菜产量 5670 吨，下降 45.5%；生猪出栏 0.57 万头，下降 75.2%；家禽出栏 17.85 万只，下降 31.6%；牛奶产量 1600 吨，与去年持平；水产品产量 660 吨，下降 49.6%。

三、工业

2014 年，全区完成全部工业总产值 278.74 亿元，增长 14.1%。其中规模以上工业总产值完成 262.29 亿元，增长 14.7%，规模以上工业企业产销率 95.9%，增速比上年提高 0.4 个百分点，全年新增规模以上工业企业 2 家，企业总数 81 家。（见图 3）

经济效益指标完成情况良好，2014 年，亏损企业 13 家，亏损企业占规模以上工业企业比重 16%，亏损面比上年减少 4.0 个百分点，实现利润 2.47 亿元，增

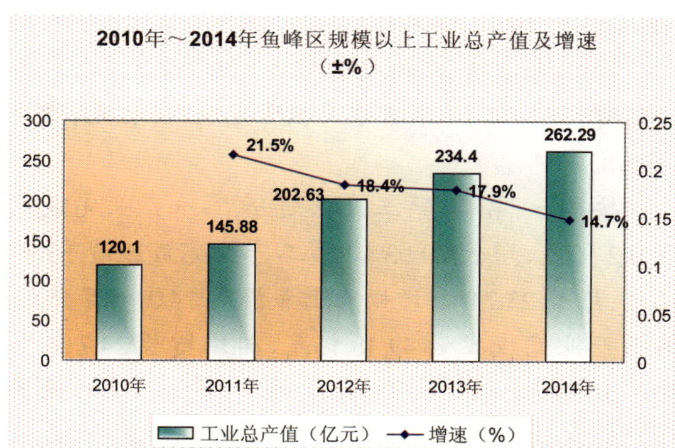

长 55.5%；两金占用减少，流动资金使用效率提高，产成品与应收账款占流动资产合计的比重为 47.1%，比上年同期减少 1.0 个百分点。

四、第三产业

2014 年，第三产业的经济总量在国民经济中的比重逐年提高，第三产业增加值 58.33 亿元，增长 6.6%；第三产业增加值占生产总值比重 31.0%，比上年提高 0.8 个百分点。全年实现社会消费品零售总额 157.7 亿元，增长 13.7%。其中：限额以上批零住餐业社会消费品零售额 38.79 亿元，增长 16.7%，占社会消费品零售总额的 24.6%。2014 年新增 6 家限额以上批发企业（其中 1 家销售额超过亿元），2 家限额以上餐饮个体，1 家限额以上住宿个体，共 9 家限额以上单位。（见图 4）

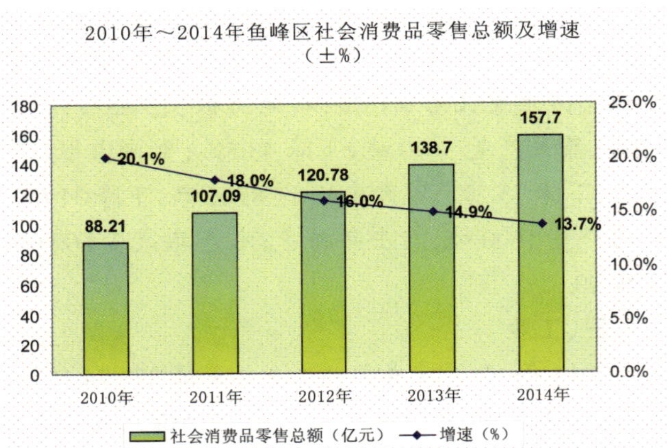

规模以上服务业 26 家，全年完成营业收入 9.55 亿元，下降 15.4%，其中营利性服务业 6 家，完成营业收 3.23 亿元，占全部规模以上服务业比重的 33.8%。

五、固定资产投资

2014 年，全区共有有固定资产投资项目 335 个，增长 13.6%，绝对值增加 40 个；固定资产投资完成 105.6 亿元，增长 24.0%。

按性质划分，城镇投资完成 105.2 亿元，比上年同期增长 23.8%；农村非农户投资完成 0.4 亿元，增长 409.9%。

按第一、第二、第三产业划分，第一产业完成投资 0.2 亿元，增长 29.03%；第二产业完成投资 55.92 亿元，增长 23.74%；增幅比上年提高 14.2 个百分点；第三产业完成投资 49.48 亿元，同比增长 24.7%，增幅比上年提高 6.9 个百分点。第二、第三产业对投资增长的贡献率分别达 52.16% 和 47.62%。其中：更新改造投资完成 70.67 亿元，增长 21.7%，占总投资比重的 66.9%，拉动投资增长 14.8 个百分点；贡献率为 61.18%。（见图 5）

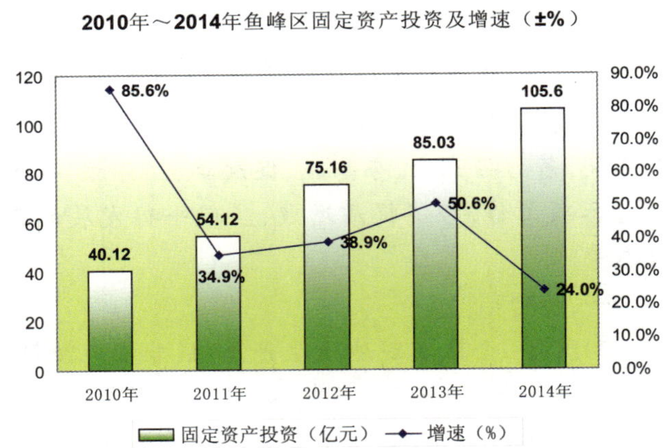

六、招商引资实际到位资金

招商引资力度不断增强，努力拓宽引资渠道，2014 年，全区共完成招商引资实际到位资金 131.02 亿元，增长 30.7%。

七、财政收入

2014 年，全区坚持把财政增收增效作为工作的主要目标，加强财源建设，大力培植财源，财政收入稳健运行，全年实现财政收入 29.13 亿元，增长 10.0%。（见图 6）

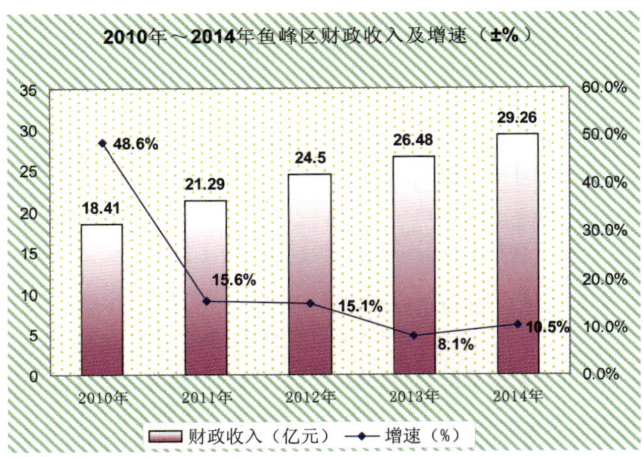

八、城乡居民收入

城乡居民收入持续改善，全区城镇居民人均可支配收入 28246 元，增长 10.5%；农村居民人均可支配收入 16343 元，增长 12.2%。（见图 7、图 8）

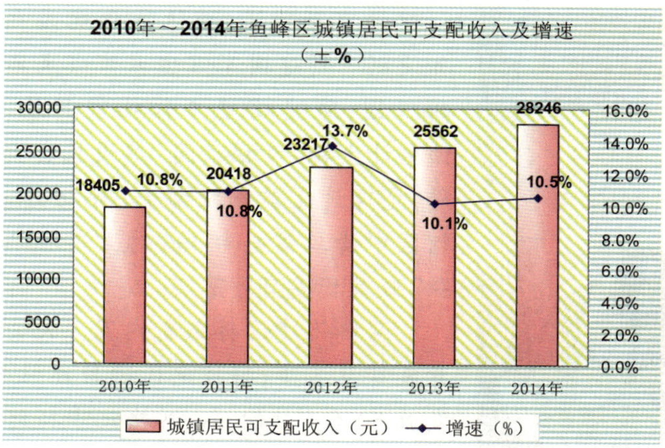

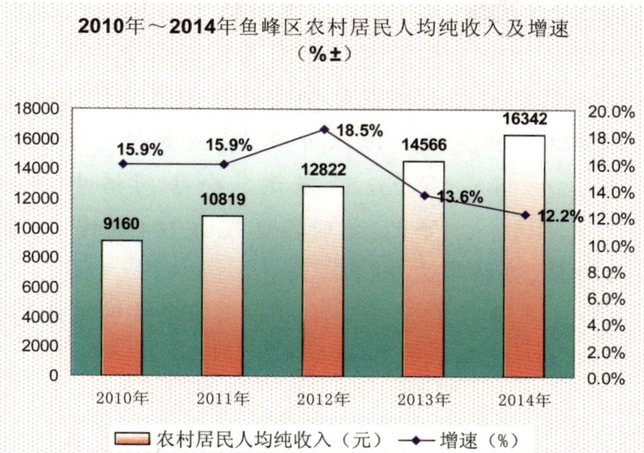

九、人口

2014年末，鱼峰区（含阳和、柳东）常住人口46.76万人，户籍人口337022人，总户数106644户。鱼峰区（不含阳和、柳东）常住人口33.5万人；户籍人口231627人，其中男性人口116703人，女性人口114924人，男女性别比为101.5∶100。

十、社会保障与民生

加大财政对民生的投入力度，民生支出达4.68亿元，占公共财政预算支出的73.68%。积极开展就业培训和就业援助工作，城镇新增就业11158人，城镇登记失业率控制在3.9%以内。医保扩面工作稳步推进，实现城镇居民参保12.08万人，完成年度目标任务的100.17%，新型农村合作医疗参合率达98.5%；城乡居民社会养老保险参保人数4443人，基础养老金发放28882人次；发放城乡低保、城乡医疗救助金、残疾人补助金、爱心救助金、优抚金等各种补助共计1985万元。安居工程稳步推进，建成保障性住房1359套，142套廉租住房交付使用，为1986户发放廉租住房补贴558万元。投入208万元实施84项社区惠民项目。食品药品监管工作扎实有效，构建了城区—街道—社区三级监督网络体系，启动食品药品综合业务监管平台建设，积极开展食品药品专项检查整治行动，保障了人民群众食品药品安全。

十一、城市建设

城乡建管水平进一步提高。城乡基础设施建设步伐持续加快，计划总投资1118万元的羊角山路延长线道路改造等8项小街小巷改造工程有序推进。合金材料厂宿舍区、仪表总厂宿舍区等老旧小区整治改造工作顺利完成。累计投入2780万元解决街道、社区办公和服务用房，五里亭、荣军、麒麟、箭盘山等四个街道办公和服务用房已立项并建设中，32个社区办公和服务用房面积达300平方米，占社区总数的59.26%。投入862万元加大乡村基础设施建设改造和环境整治力度，完成主要通村道路和80%通屯道路硬化净化，村容村貌发生了显著变化。加速推进市容环境“精细化”管理，通过网格化实行三级平台数字城管。投入770万元改造10座公厕、2座垃圾中转站等环卫基础设施。

“两违”专项整治工作卓有成效。充分利用网格化监控系统，构建“三化三到位”拆违工作机制，坚持“三个围绕”严打快处，集中拆除蟠龙宝邸、汇金壹号、三柳大院等片区的“两违”建筑170多处，拆除面积达18万平方米。

十二、社会事业

教育工作再创新佳绩。坚持教育优先发展战略，全面打响义务教育均衡发展基本建设三年攻坚战，教育投入和教育水平同步提升，九年义务教育水平保持全市前列。投入3.03亿元新建、改扩建项目16个，二十中扩建工程一期竣工并投入使用，八中南校区正式挂牌启用。东环路幼儿园开工建设，马鞍山幼儿园主体工程竣工，并启动“公建民营”的办园新模式。教育公平不断改善，为普惠性民办幼儿园和接收进城务工人员子女幼儿园下拨扶持经费315.5万元。接收进城务工人员随迁子女入学上万名。扶助贫困学生就读大学505人。投入150万元扶持民办中小学校发展。

卫计工作有序推进。基层医疗卫生服务体系建设有效推进，公共卫生应急管理得到加强，成立柳州市首家县区级应急救护培训指导站。中医药特色优势得到发扬，“全国基层中医药工作先进单位”创

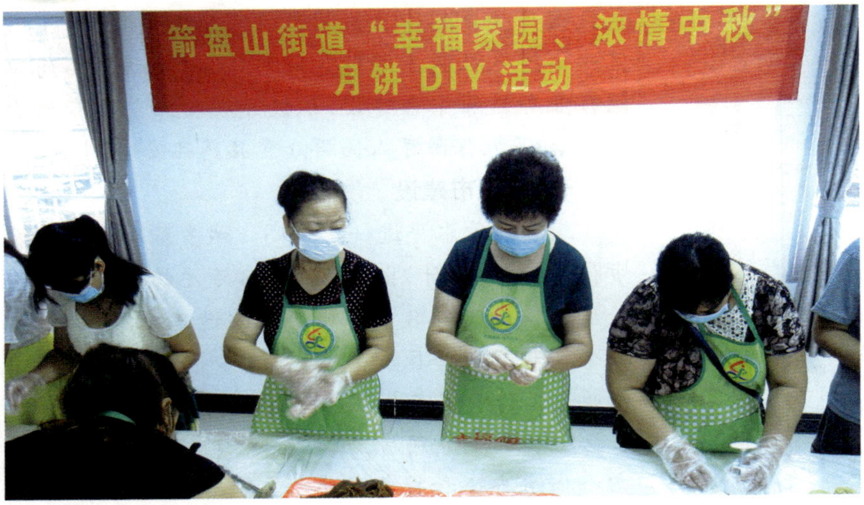

9月5日，屏东社区组织失独家庭在社区的幸福家园开展“浓情中秋”月饼 DIY 活动　（刘淑祯　摄）

建工作顺利通过国家评审。基层公共卫生服务能力不断提升，龙擎苑社区服务站顺利投入使用，白莲洛维、荣军、驾鹤、箭盘山街道等4个社区卫生服务中心建设有序推进，辖区民众就医更加便利。创建国家卫生城市成果不断巩固，防艾攻坚工作扎实开展。诚信计生和“幸福家园”建设扎实推进，兑现计生奖励扶助金636万元。辖区申请二孩夫妻466对，“单独二孩”政策稳妥有序落实。

网格化建设再添新内涵。大力开展智慧城市、科技惠民项目建设。发放50台“社管通”网格化手持终端，试点区域网格员实现与网格中心动态对接交互。启动食品药品监管信息化和企业服务网格化系统开发。深入开展“费随事转”，下拨经费237.57万元。全年网格中心共登记、受理各类投诉10498件，办结10410件，办结率达99.2%。

（柳州市鱼峰区统计局）

决定废止的党内规范性文件

一、党的领导和党的工作方面

1. 中共鱼峰区委常委会议事规则(柳鱼发〔1991〕19号)

2. 中共鱼峰区委常务委员会议事规则(柳鱼发〔1993〕88号)

3. 关于印发《中共鱼峰区委常务委员会工作规则》的通知(柳鱼发〔1997〕34号)

4. 关于印发《中共鱼峰区委常务委员会工作规则》的通知(柳鱼发〔1999〕11号)

5. 进一步加强领导班子建设若干规定(柳鱼发〔1999〕26号)

6. 中共鱼峰区委员会常委会议议事决策规则(柳鱼发〔2008〕19号)

二、思想建设方面

7. 中共鱼峰区委中心组学习制度(柳鱼发〔1993〕90号)

三、组织建设方面

8. 中共鱼峰区委员会关于机关(事业单位)、街道办事处工作人员实行聘任制的意见(柳鱼发〔1993〕19号)

9. 中共鱼峰区委员会关于鱼峰区机关(事业单位)、街道办事处工作人员实行聘任制的试行办法(柳鱼发〔1993〕20号)

10. 转批区委组织部、区团委《关于积极推荐和发展优秀青年团员入党、推荐和提拔优秀青年骨干到基层各岗位工作》(柳鱼发〔1993〕41号)

11. 中共鱼峰区委员会关于实行党建目标管理责任制的通知(柳鱼发〔1993〕52号)

12. 中共鱼峰区委员会关于干部管理的暂行办法(柳鱼发〔1993〕82号)

13. 中共鱼峰区委员会关于印发《鱼峰区机关(事业单位)、街道办事处工作人员聘任(用)制试行办法》的几个配套暂行规定的通知(柳鱼发〔1993〕22号)

14. 关于机关工作人员在学习管理的暂行规定(鱼办发〔1994〕10号)

15. 中共鱼峰区委关于在机关、办事处及部分事业单位工作人员实行聘任(用)制的通知(柳鱼发〔1994〕46号)

16. 中共鱼峰区委关于继续在区属各党支部和全体党员实行党建工作目标管理责任制的通知(柳鱼发〔1994〕65号)

17. 中共鱼峰区委员会关于提高干部管理水平、加强干部队伍建设的有关规定(柳鱼办〔1996〕65号)

18. 鱼峰区街道办事处干部退休待遇有关规定(柳鱼发〔1998〕3号)

19. 中共鱼峰区委员会关于印发《鱼峰区深化干部人事制度改革方案》的通知(柳鱼发〔1999〕17号)

20. 鱼峰区科级领导干部任职前公示暂行规定、鱼峰区科级领导班子和领导干部考核工作预告暂行规定(鱼办发〔2000〕30号)

21. 鱼峰区关于修改学历培训有关规定的通知(鱼办发〔2000〕32号)

22. 关于印发《鱼峰区党政机关科级领导干部竞争上岗的暂行规定》的通知(鱼办发〔2000〕36号)

23. 关于进一步完善鱼峰区人民法院、人民检察院有关领导成员及审判员、检察员任免管理工作的办法(柳鱼发〔2000〕41号)

24. 关于印发《鱼峰区干部分级管理办法》的通知(鱼办发〔2001〕2号)

25. 关于印发《鱼峰区关于畅通科级领导干部"能下"渠道的暂行规定》的通知(柳鱼发〔2002〕31号)

四、作风建设方面

26. 贯彻中纪委指示精神坚决刹住新的不正之风(鱼办发〔1985〕1号)

27. 关于勤俭节约、反对浪费的若干规定(柳鱼发〔1987〕9号)

28. 关于禁止在元旦、春节期间滥发钱物及滥开座谈会的通知(鱼办发〔1989〕19号)

29. 关于领导干部出差的有关规定(柳鱼发〔1991〕10号)

30. 关于转发区财政局《关于发放加班、误餐

费及座谈会开支范围、标准的规定》的通知(柳鱼发〔1991〕12号)

31. 关于修改"无会议日"的通知(柳鱼办发〔1992〕8号)

32. 关于鱼峰区机关离休干部健康休养有关问题的通知(鱼办发〔1993〕12号)

33. 关于对鱼办发(1993)12号文件补充的通知(鱼办发〔1993〕13号)

34. 关于召开机关干部职工(离)退休时座谈会的暂行办法(鱼办发〔1994〕1号)

35. 中共鱼峰区委办公室、鱼峰区人民政府办公室关于探视、慰问工作的几项规定(鱼办发〔1994〕8号)

36. 中共鱼峰区委办公室、鱼峰区人民政府办公室关于机关工作人员离岗请示和报告的暂行规定(鱼办发〔1994〕9号)

37. 鱼峰区机关发放奖金、补贴暂行规定(鱼办发〔1995〕10号)

38. 中共鱼峰区委办公室、鱼峰区人民政府办公室关于加强机关通信工具管理的暂行办法(鱼办发〔1995〕15号)

39. 中共鱼峰区委办公室、鱼峰区人民政府办公室关于开展机关干作风整顿加强机关作风建设的通知(鱼办发〔1995〕25号)

40. 关于年终和元旦、春节期间严禁突击花钱铺张浪费的通知(鱼办发〔1995〕28号)

41. 中共鱼峰区委办公室、鱼峰区人民政府办公室关于认真贯彻落实执行鱼峰区机关规章制度的通知(鱼办发〔1996〕6号)

42. 关于印发《中共鱼峰区委关于深入基层密切联系群众的暂行规定》的通知(柳鱼发〔1997〕38号)

43. 中共鱼峰区委办公室、鱼峰区人民政府办公室关于外出考察学习的暂行规定(鱼办发〔1997〕16号)

44. 中共鱼峰区委办公室、鱼峰区人民政府办公室关于公务接待的规定(鱼办发〔1997〕17号)

45. 中共鱼峰区委办公室、鱼峰区人民政府办公室关于加强通信工具管理的补充规定(鱼办发〔1997〕19号)

46. 中共鱼峰区委办公室、鱼峰区人民政府办公室关于区机关事业单位公费配备移动电话、住宅电话和BP机的处理、补贴的有关问题的规定(鱼办发〔1998〕9号)

47. 关于印发《鱼峰区党的1999年上半年党风廉政检查整改意见》的通知(鱼办发〔1999〕21号)

48. 关于印发《鱼峰区机关工作人员差旅费开支规定》的通知(鱼办发〔2000〕28号)

49. 关于印发《鱼峰区机关严格控制会议的规定》的通知(鱼办发〔2000〕29号)

50. 中共鱼峰区委办公室、鱼峰区人民政府办公室关于印发"四牌"工作制度等七项制度的通知(鱼办发〔2000〕34号)

51. 关于印发《鱼峰区机关作风建设考核办法》和《鱼峰区机关干部岗位责任制奖惩暂行办法》的通知(鱼办发〔2000〕35号)

52. 关于印发《鱼峰区机关工作人员请销假暂行规定》的通知(鱼办发〔2000〕38号)

53. 关于建立领导干部基层联系点加强调查研究的有关规定(柳鱼发〔2000〕52号)

54. 关于印发《鱼峰区机关作风建设考核办法》和《鱼峰区机关干部岗位责任制奖惩规定》的通知(鱼办发〔2003〕1号)

55. 中共柳州市鱼峰区委办公室、柳州市鱼峰区人民政府办公室关于印发《柳州市鱼峰区党风廉政建设听政检查实施意见》的通知(鱼办发〔2003〕31号)

56. 中共鱼峰区委办公室、鱼峰区人民政府办公室关于精简文件、清理简报和规范各种表彰活动的通知(鱼办发〔2004〕26号)

57. 鱼峰区关于严禁驾驶公车上坟扫墓的通知(鱼办发〔2008〕6号)

58. 中共鱼峰区委办公室、鱼峰区人民政府办公室关于进一步加强会议管理切实改进会风的通知(鱼办发〔2008〕16号)

59. 中共鱼峰区委办公室、鱼峰区人民政府办公室关于领导干部外出请假报告的通知(鱼办发〔2009〕41号)

60. 中共鱼峰区委办公室、鱼峰区人民政府办公室关于严格执行领导干部外出请示请假报告制度的通知(鱼办发〔2010〕59号)

五、反腐倡廉建设方面

61. 中共鱼峰区委、区人民政府关于印发《关于

廉政建设的几项的规定》的通知(柳鱼发〔1989〕31号)

62. 中共鱼峰区委办公室、鱼峰区人民政府办公室关于严禁监发奖金和年终突击花钱的紧急通知(鱼办发〔1993〕4号)

63. 关于转发区纪委《关于我区贯彻落实党中央反腐败斗争工作部署实施意见的通知》(鱼办发〔1993〕16号)

64. 鱼峰区廉政建设规定

六、党的机关工作方面

65. 关于简政放权搞活街道工作的意见(柳鱼发〔1988〕34号)

66. 关于在计划生育宣传月中各种节育手术奖罚的规定(柳鱼发〔1989〕44号)

67. 同意机关编外干部、职工子女实行统筹医疗的办法(鱼办通字〔1990〕2号)

68. 中共鱼峰区委、区政府关于区机关工作目标管理责任制实施办法(柳鱼发〔1991〕74号)

69. 鱼峰区党务信息工作先进个人和好信息评比办法(鱼办发〔1993〕5号)

70. 关于阅文保密制度的规定(鱼办发〔1993〕7号)

71. 关于鱼峰区机关工作人员学习驾驶机动车车辆的有关规定(鱼办发〔1993〕10号)

72. 关于批转执行《鱼峰区机关行政经费开支管理制度(暂行)》的通知(鱼办发〔1994〕4号)

73. 关于街道办事处、居委会不再逐级上交管理费重新核定各街道办事处人员编制及调整下拨各街道办事处行政经费标准的暂行规定(柳鱼发〔1994〕40号)

74. 中共鱼峰区委办公室、鱼峰区人民政府办公室关于机关干部实行岗位责任考核的试行办法(鱼办发〔1995〕16号)

75. 中共鱼峰区委办公室、鱼峰区人民政府办公室关于印发《鱼峰区机关经费开支补充规定》的通知(鱼办发〔1995〕18号)

76. 中共柳州市鱼峰区委员会、柳州市鱼峰区人民政府关于对重点项目实行责任制的有关规定(柳鱼办〔1996〕67号)

77. 中共鱼峰区委办公室、鱼峰区人民政府办公室关于加快街道办事处、居委会经济发展的有关规定(柳鱼办〔1996〕68号)

78. 关于印发《鱼峰区街道办事处工作岗位目标责任制实施细则》的通知(柳鱼发〔1997〕54号)

79. 中共鱼峰区委办公室、鱼峰区人民政府办公室关于机关劳务费收入管理的暂行规定(鱼办发〔1997〕21号)

80. 关于印发《鱼峰区关于借调人员、临时工管理的暂行规定》的通知(鱼办发〔1999〕13号)

81. 中共鱼峰区委办公室、鱼峰区人民政府办公室关于干部职工年休假的暂行办法(鱼办发〔1999〕22号)

82. 关于鱼峰区涉密部门(人员)和计算机信息系统国际联网管理规定(鱼办发〔2000〕14号)

83. 关于印发《鱼峰区机关车辆管理规定》的通知(鱼办发〔2001〕1号)

84. 关于调整补充《鱼峰区机关工作人员差旅费开支规定》的通知(鱼办发〔2001〕8号)

85. 中共鱼峰区委办公室关于印发《鱼峰区信息工作管理暂行办法》的通知(鱼办发〔2004〕18号)

86. 中共鱼峰区委办公室关于印发《鱼峰区重大紧急信息上报制度》的通知(鱼办发〔2007〕33号)

87. 关于精简文件的规定(鱼办发〔2009〕45号)

88. 中共鱼峰区委员会　鱼峰区人民政府办公室关于进一步精简会议的通知(鱼办发〔2011〕17号)

89. 中共鱼峰区委员会、鱼峰区人民政府办公室关于印发《鱼峰区重点项目(工作)督查工作规则》的通知(鱼办发〔2011〕59号)

宣布失效的党内规范性文件

一、党的领导和党的工作方面

1. 中共柳州市鱼峰区委一九九二年工作意见(柳鱼发〔1992〕6号)

2. 关于印发《中共鱼峰区委、区政府关于贯彻中共柳州市委八届十次全会精神的实施意见》的通知(鱼办发〔1999〕27号)

3. 关于印发《中共鱼峰区委区政府关于贯彻中共柳州市第九次代表精神会大会精神的实施意见》的通知(鱼办发〔2000〕26号)

二、思想建设方面

4. 关于加强思想政治工作的意见

5. 关于进行以坚持四项基本原则、反对资产阶级自由化为中心内容的正面教育意见(柳鱼发〔1987〕21号)

6.1987年党员教育工作意见(柳鱼发〔1987〕23号)

7. 关于加强职业道德建设的意见(柳鱼发〔1987〕30号)

8. 关于学习、宣传、贯彻党的十三大文件的通知(柳鱼发〔1987〕46号)

9. 关于认真开展社会主义理论教育的通知(柳鱼发〔1991〕17号)

10. 关于认真组织学习《人民日报》2月22日、2月24日社论的通知(鱼办发〔1992〕3号)

11. 中共鱼峰区委、区政府办关于调整机关干部学习制度的通知(鱼办发〔1995〕14号)

12. 中共鱼峰区委员会、鱼峰区人民政府关于转发区文明委《关于继续深入开展文明市民教育活动的意见》(柳鱼发〔1995〕26号)

13. 中共鱼峰区委员会、鱼峰区人民政府批转鱼峰区精神文明建设委员会《关于鱼峰区1996年精神文明建设活动工作意见》的通知(柳鱼发〔1996〕21号)

14. 关于批转鱼峰区精神文明建设委员会关于《鱼峰区1997年精神文明建设工作意见》的通知(柳鱼发〔1997〕37号)

15. 关于印发《柳州市鱼峰区社会主义精神文明建设"九五"规划》的通知(柳鱼发〔1997〕48号)

16. 中共鱼峰区委员会关于加强和改进思想政治工作的实施意见(柳鱼发〔2000〕38号)

17. 关于进一步加强和改进区委理论学习中心组学习的意见(柳鱼发〔2005〕13号)

三、组织建设方面

18. 关于开展民主评议党员和处置不合格党员工作的通知(柳鱼发〔1990〕18号)

19. 关于转发市委组织部《关于转发中组部(关于在抗洪救灾中充分发挥基层党组织和党员作用的通知)》的通知(柳鱼发〔1991〕38号)

20. 关于认真学习《邓小平文选》第三卷的通知(柳鱼发〔1993〕83号)

21. 中共鱼峰区委员会、鱼峰区人民政府关于鱼峰区机关机构改革人员分流办法(柳鱼发〔1997〕23号)

22. 中共鱼峰区委办公室转发《区委组织部、区委宣传部关于深入开展创先争优活动的实施意见》的通知(鱼办发〔2010〕45号)

四、作风建设方面

23. 关于贯彻执行中办发(1991)17号文件和桂政发(1991)44号文件的通知(柳鱼发〔1991〕83号)

24. 中共鱼峰区委区政府关于贯彻中办发〔1993〕5号桂办发〔1993〕16号文件的通知(柳鱼发〔1993〕59号)

五、反腐倡廉建设方面

25. 关于印发《鱼峰区机关关于落实党风廉政建设和反腐败工作任务责任分工的意见》的通知(鱼办发〔2000〕40号)

26. 关于印发《柳州市鱼峰区落实2003年党风廉政建设和反腐败工作责任分工的意见》的通知(鱼办发〔2003〕30号)

六、党的机关工作方面

27. 关于批转区征兵办《关于搞好1987年冬季征兵工作的意见》的通知(柳鱼发〔1987〕39号)

28. 关于1988年民兵预备役工作意见(鱼发〔1988〕4号)

29. 关于对当前机构编制工作的安排意见(鱼办通字〔1990〕1号)

30. 中共鱼峰区委、区政府关于转批《鱼峰区关工委2000年关心下一代工作意见》的通知(鱼办发〔2000〕8号)

31. 中共鱼峰区委员会、鱼峰区人民政府关于印发《鱼峰区2001—2005年法制宣传教育和依法治区工作规划》的通知(柳鱼发〔2001〕104号)

32. 中共柳州市鱼峰区委员会、柳州市鱼峰区人民政府关于对当前维护稳定工作采取非常措施的通知(柳鱼发〔2002〕50号)

33. 中共鱼峰区委、区政府关于对实现扭亏增盈的企业领导班子给予奖励的暂行规定(柳鱼发〔1997〕58号)

34. 中共鱼峰区委、区政府关于大力兴办合作(挂靠)企业的暂行办法(柳鱼发〔1995〕56号)

(陈　岗)

2014年中国改革大事记

（资料来源：人民网12月22日）

1月

《关于加快推进城乡居民大病医保工作的通知》发布，到今年年底所有省份都已制定实施方案，有助于缓解居民“因病致贫”的压力。

2月

《国务院关于建立统一的城乡居民基本养老保险制度的意见》公布，新农保、城居保正式并轨，养老保险迈出统筹城乡新步伐。

《社会救助暂行办法》出台，“托底线、救急难、可持续”的社会救助制度进一步完善。

3月

注册资本登记制度改革全面推开，放宽登记条件，取消最低注册资本限制和出资期限，大大激发民间创业活力。

4月

放开非公立医疗机构医疗服价格，鼓励社会办医。

5月

建立涉企收费清单管理制度，企业减负迈出实质性步伐。今后涉企收费都需纳入清单，对外公开，接受监督，清单之外一律不得收费。

6月

中央审议深化财税体制改革总体方案，未来将从预算管理、税收、调整中央和地方间财政关系等方面推进改革。

7月

《国务院关于进一步推进户籍制度改革的意见》公布，全面放开建制镇和小城市落户限制，有序放开中等城市落户限制，更多农民工将得以享受与城市居民平等的待遇。

公车改革的时间表和路线图正式出台，今后将取消一般公务用车，普通公务出行实行社会化。

8月

央企负责人薪酬制度改革方案公布，明确要逐步规范国有企业收入分配秩序，调整不合理的偏高、过高收入。

9月

考试招生制度改革方案公布，改革将缩小区域及城乡入学机会差距，改变一考定终身、唯分数论，接纳更多农民工随迁子女异地高考。

10月

党的十八届四中全会审议通过了《中共中央关于全面推进依法治国若干重大问题的决定》，提出建设中国特色社会主义法治体系，建设社会主义法治国家的总目标。

11月

国务院部署加快推进价格改革，提出改革能源、交通、环保等价格形成机制，稳步放开与居民生活没有直接关系的绝大部分专业服务价格。

我国首个知识产权法院——北京知识产权法院正式履职，司法体制改革迈出重要一步。

12月

国务院常务会确定今年第三批简政放权措施，再取消下放108项审批事项。简政放权，成为今年深化改革的“先手棋”。

自贸区试点扩容，广东、天津、福建三地自贸区获得“准生证”。

地方媒体消息摘选

1月

1日　柳州市自1月1日起停止向通行城区道路的机动车收取路桥费(包括年费、次费),2014年由市财政安排9000万元作为路桥费补贴。原设置的四个收费站全部拆除。　(《柳州日报》8版)

2日　1月1日,龙潭公园志愿者服务中心正式成立,并向全社会“招募”志愿者,协助开展大龙潭生态科普公益系列活动。当天,广西科技大学、广西商业学校、羊角山小学等一批大中小学校共160多名学生,首先加入这支志愿者队伍,龙潭公园将每年为志愿者提供不少于四次的园林绿化生态知识培训,以协助公园开展活动。　(《柳州晚报》3版)

7日　鱼峰区“实业是脊梁,提速靠开放”。

(《柳州日报》1版)

15日　1月14日上午7:30时,柳州市区街头弥漫大雾,能见度400米左右。市气象台与7:38时发布了大雾黄色预警,11时解除预警。

(《柳州晚报》3版)

16日　2014年1月15日,鱼峰区环卫所利用闲置的公厕管理房改造而成,首批四个“环卫之家”,分别在银桐路、荣军路北、红峰路口、乐群路投入使用。每个面积约40平方米,里面设置有工具房、更衣间、书报栏,有灶台、热水器、座椅沙发、取暖设备,可供30多名环卫工人使用。鱼峰区环卫处负责人表示,在辖区内类似的“环卫之家”每年将增加2～3个。

(《柳州晚报》6版、《柳州日报》1版)

17日　阳和工业新区和谐建设发展综述。

(《柳州日报》2版)

20日　1月18日上午,鱼峰区联合市委宣传部、市文化局在鱼峰公园举办“群文走基层,新春送祝福”活动,邀请42名书法高手免费为市民送出2000多副春联,同时举办一场具有山歌特色的文艺演出。

(《柳州晚报》12版)

25日　1月22日晚间,柳东新区高速公路收费站旁的半山燃起山火,两个多小时后被消防队员扑灭。23日晚9点多,九头山燃起山火。20多名消防队员参加灭火,10点多扑灭山火,过火面积超过15亩。24日下午2点多,白云路元宝山发生山火,消防队员经过3个多小时扑灭山火。　(《柳州晚报》3版)

29日　柳州市羊角山小学通过2013年度的国际生态学校绿旗荣誉的复评,再次荣获“国际生态学校”。国际生态学校项目是国际环境教育基金会在全球推广的五个环境教育项目之一。

(《柳州晚报》10版)

30日　经过扩宽改造的天山路,近日恢复通车。

(《柳州晚报》4版)

2月

8日　天山路改造完工,于近日开通。12路公交车恢复天山路站。　(《柳州晚报》2版)

8日　市四家班子领导、驻柳部队领导,以及各城区领导、各部委办局负责人,分别到洛维工业园区、白露工业园种树,共4000多株。　(《柳州晚报》4版)

8日　日前,鱼峰区表彰2013年美丽乡村示范户。　《(柳州晚报》9版)

15日　2014年2月14日元宵节,鱼峰区龙潭公园举行元宵节灯会。

(《柳州晚报》1版、2版,《柳州日报》4版)

17日　2月14日,鱼峰区召开2014年工作动员会。会议提出从“什么是搭档精神”“干部要担当什么”“怎样成为敢于担当的好干部”三个方面,强调干部要担当使命、担当职责、担当风险、担当压力。不断增强担当的勇气,提高担当的能力,锤炼担当的作风和增强担当的底气。　(《柳州日报》1版)

20日　2月29日下午4:30时左右,屏山大道南二巷54号楼房一楼忽然燃起大火,殃及20多户人家。消防官兵于晚上7:30时左右基本扑灭大火。该大楼共有48户人家。　(柳州晚报7版)

20日 2月18日晚上9点左右，下雨刮风，西江路与静兰路口附近，一堵围墙突然倒塌，砸中停在围墙边的两辆小汽车，幸无人受伤。

（《柳州晚报》7版）

23日 鱼峰区在柳石路394号人力资源市场举办2014年“春风行动”专场招聘会。58家用人单位进场招聘，提供岗位2000个，在600多名进场求职者中，有230人与用人单位达成就业意向。

（《柳州晚报》2版）

3月

5日 自2013年10月27日起停航维修的柳州机场，将于2014年3月30日起复航，共开航10个航班。目前除开往广州的航班外，其他9个航班已开始售票。（《柳州晚报》3版）

11日 鱼峰区近日专门为特殊计生家庭（失独家庭、独生子女发生残疾家庭）开辟一块“开心植物园”，让特殊计生家庭在这里种下象征生命成长的绿树，寄予生命的希望，倡导健康向上的积极心态。“开心植物园”位于龙泉山社区，约有300平方米。里面设置有阳光连心廊、馨语亭、帮助解开心结的沙盘治疗室，以及棋牌室、球场等。（《柳州晚报》14版）

12日 3月10日，鱼峰区人民法院司法信息公开网正式启用，也是广西首个基层法院开设信息公开网站。主要包括信息公开、诉讼服务中心、互动平台、组织机构、法院动态、视频图片等六大模块。

（《柳州日报》3版）

13日 3月12日，500多人齐聚洛维工业园区环葡北路，雨中植树，共种下1100株树木。

（《柳州晚报》3版）

18日 由柳州顺达水上公交公司运营的柳江河“水上公交巴士”，将于30日开通。共有4条线路，分为3条横渡线每人次1元，1条环线每人次2元。水上公交停靠码头分别设在城中区、鱼峰区、柳南区水域。（《柳州日报》1版）

18日 鱼峰区创新推出“网络歌圩”，作为纳入国家创建公共文化服务体系示范项目“鱼峰歌圩”的子项目，点击量超过50万人次，跟帖超过12000条，全国注册的网络歌迷人数超过2万人

。（《柳州日报》2版）

18日 自2013年10月27日起停航的柳州机场，将于3月30日起复航，恢复9条航线，可直达国内13个城市。（《柳州晚报》2版）

20日 广西首个“三月三”假期，柳州市精心打造的“鱼峰歌圩三月三，风情柳州等你来”综合文体活动，从4月1日至9日在各个县区分别举行。其中，首届“鱼峰歌圩”全国山歌邀请赛将于1日、2日举行，全国10多个省（区）市的民间山歌王，将齐聚鱼峰山下的歌仙广场，一展歌喉。（《柳州晚报》2版）

20日 白云东路排水干渠改造开工。将原有1米多直径的排水管换为2.4米直径的排水管，工期约45天。完工后将可大大缓解屏山大道箭盘书市以及白云路一带近几年来一遇暴雨就产生积水、内涝的困扰。（《柳州晚报》15版）

21日 3月1日起，广西正式实施“单独二孩”政策，截至3月14日，柳州市有134对夫妇提交“单独二孩”申请，其中鱼峰区有23对夫妇填写了申请单独二孩生育证申请表，经过公示15天后，全市开始为首批单独夫妇办理二孩生育证。

（《柳州日报》1版）

22日 3月20日，自治区网格化管理工作会议在柳州市召开。鱼峰区、柳南区相关负责人在会议上分别介绍开展网格化管理工作的经验。

（《柳州日报》1版）

23日 3月22日晨3∶40时，柳州响起2014年第一声春雷。（《柳州晚报》3版）

23日 柳州市在所辖六县，推进县域空气和水等监测能力建设工作，目前正在柳江县、融水苗族自治县加紧建设县级环保监测站，到2015年，全部六个县都要建立有环境保护监测站。（《柳州日报》1版）

24日 国家工业信息部近日发布第259批《车辆生产企业及产品公告》，新增“东风汽车公司柳州分公司”等车辆生产企业名单，“东风柳汽”喜获轿车生产资质。（《柳州日报》1版）

25日 3月24日上午10时许，白云小学旁天然香蜂蜜园门面业主在学校东面围墙外，用隔壁液化气换瓶店的废旧液化气瓶收集残液残渣，导致液化气残液泄漏，白云小学32名师生，出现程度不同的恶心呕吐胸闷等一氧化碳中毒状况。鱼峰区政府相关部门及时进行了处置。（《柳州日报》4版）

25日 近日，鱼峰区召开物业管理工作会议，邀

请居民、物业、社区、主管部门、法官等各方面代表参加，2013 年底，鱼峰区有住宅小区 370 个，其中无物业管理的住宅小区 278 个，有物业管理的仅 92 个。鱼峰区将进一步推进物业行业诚信建设完善三级物业管理纠纷调解机制，探索业主委员会成员培训、监督、考评机制。（《柳州日报》5 版）

30 日 由柳州市 5 家工艺美术企业和两个院校制作的近百件柳州工艺美术品，参加于 3 月 21 日—24 日在福建省福州市举行的第 49 届全国工艺品交易会。其中来自柳州城市职业学院的作品“侗乡的茶具”夺得全国你“金凤凰”创新产品设计大奖金奖，侗族风情丝巾、木、铜雕（图腾之二）等作品，获得 1 银、3 铜、9 优秀的好成绩。（《柳州日报》1 版）

31 日 “水上公交巴士”今日起正式运营。环线 3 元每人，横渡 2 元每人。（《柳州日报》2 版）

31 日 柳州机场复航。30 日上午 10 :40 时一架由昆明飞到柳州的 A319 客机降落在柳州机场跑道，标志因维修跑道停航 5 个月的柳州机场顺利复航。（《柳州晚报》3 版、《柳州日报》1 版）

4 月

1 日 3 月 31 日上午，柳州水上公交巴士（一期）正式投入运营。投入 10 条船，开通 4 条线路，分别在城中区、鱼峰区、柳南区的沿柳江岸设置停靠码头。

1 号 环线每人次 3 元，2 号、3 号、4 号横渡线每人次 2 元。（《柳州晚报》3 版）

1 日 专版介绍柳州“三月三”，鱼峰歌圩文化活动。（《柳州日报》12 版）

1 日 4 月 2 日是“三月三”，作为由市委宣传部、市文化局、鱼峰区政府主办的“三月三”节庆活动重头戏之一的柳州民俗文化博览会，在位于文昌路的“石尚 1966”文化广场开幕。有少数民族非物质文化遗产技艺、民族歌舞、创意手工艺品、东南亚风情展。活动持续到 9 日。（《柳州晚报》13 版）

2 日 鱼峰“三月三”，歌圩情满怀。（《柳州晚报》4 版、《柳州日报》1 版）

3 日 “三月三 · 鱼峰歌圩”盛况。（《柳州日报》2 版）

3 日 柳州“三月三”、鱼峰歌圩活动盛况。（《柳州晚报》4 版、5 版）

4 日 柳州“三月三”精彩活动瞬间。（《柳州日报》2 版）

10 日 4 月 9 日上午，由市文明委主办团市委承办的“道德讲堂”，在位于夫子路（原水南路）柳州文庙开讲。该讲堂通过三问自省、唱歌曲、诵经典、学模范、谈感受、送吉祥等环节，号召广大青年从细处着手，身体力行，弘扬优秀传统，争做“身边的好人”。（《柳州晚报》4 版）

10 日 柳州成为全国社区生活饮用水检测示范项目试点城市之一，也是全广西唯一试点城市，将于 5 月启动相关工作，在配备有卫生监督协管员的 36 个社区卫生监督协管站，设立居民家庭末梢水、二次供水的水质检测点。（《柳州晚报》11 版）

10 日 柳州柳航出租车公司 20 余辆出租车将于 5 月安装无线网络，乘客可免费上网。（《柳州日报》10 版）

11 日 4 月 10 日，阳和街道社区卫生服务中心落成。据了解，这个卫生服务中心由政府全额投资 1168 万，占地 1997 平方米，建筑面积 4117 平方米，与三级甲等资质的工人医院合作，为中心的规范运行提供技术保障。这种社区卫生服务中心的运行模式，在全广西都属首例。（《柳州日报》2 版、《柳州晚报》6 版）

15 日 鱼峰区一季度开门红，质量高。（《柳州日报》1 版）

15 日 “三月三，鱼峰歌圩”盛况。（《柳州日报》10 版）

15 日 由柳州市体育局、荣和房地产共同主办，5 月 1 日，柳州将举行首届“百里柳江快乐骑行”活动，环线途径城中区、鱼峰区，全程 12 公里，以柳江沿岸景点和城市中心景观为骑行路线，16 ~ 65 岁的市民均可报名参加。（《柳州晚报》22 版）

16 日 鱼峰区人口和计划生育工作创新“党的群众路线教育实践活动”纪实。（《柳州晚报》48 版）

17 日 4 月 16 日晚，2014 年鱼峰区第五届“立鱼欢歌”广场文化节麒麟街道专场文艺演出，在柳江明珠水上大舞台上演。据了解，“立鱼欢歌”文艺演出在鱼峰区已经形成品牌。为了让更多的柳州市民也能分享到这精彩的文化大餐，该区把这台品牌节目搬上了柳江明珠水上大舞台。（《柳州日报》3 版、《柳州晚报》）

18 日 访谈，鱼峰区委书记董凌谈后发优势与

实现跨越。（《柳州日报》1版）

18日 4月16日晚9时许，鱼峰区柳石路开关厂生活区，一长约15米，高约6米的护坡围墙倒塌，砸坏两辆汽车。（《柳州日报》3版、《柳州晚报》4版）

25日 柳州免费wifi上公交车。22日起首先在快速公交1号线1674号车上实现。

（《柳州日报》5版）

27日 因下雨，4月26日凌晨4时许，驾鹤山西面山体滚落一块长约4米，宽高各约为3米，重约20吨的巨石和一些小块石头。幸未造成人员伤害。

（《柳州晚报》3版、《柳州日报》4版）

5月

17日 因位于市区污染严重，自2011年5月5日被市环保局依法限期治理，2012年2月29日又被市环保局下达行政处罚决定书，责令关闭的静兰电镀厂，历经三年与环保部门"较量"并且组织人员暴力抗法之后，于2014年5月15日凌晨5时30分，被市法院、环保、公安、供电、消防、卫生等部门联合执法强制关闭。（《柳州晚报》2版）

18日 柳州市成为广西唯一入榜全国第二批公立医院改革试点城市。（《柳州日报》1版）

19日 5月18日上午6点至下午14点，柳州持续强降雨，主要集中在市区、鹿寨县、柳江县区域，其中，太阳村、城市职业学院、小村小学、龙怀水库4个站点降雨量达到100毫米以上。龙怀水库达到140毫米。此次强降雨为我市入夏以来第3次。

（《柳州日报》1版）

21日 2014年1月15日，鱼峰区环卫所首批四个"环卫之家"，分别在银桐路、荣军路北、红峰路口、乐群路投入使用。里面设置有工具房、更衣间、书报栏，有灶台、热水器、座椅沙发、取暖设备，可供1410多名环卫工人使用。鱼峰区环卫处负责人表示，在辖区内类似的"环卫之家"每年将增加2～3个。

（《柳州晚报》14版）

23日 5月20日上午，鱼峰区红十字会应急救护指导站再西船社区挂牌。有专人负责，配备2名师资和急救器具将定期组织市民包括学生开展实践活动，学习救护知识。指导站每周五上午开放。

（《柳州晚报》17版）

26日 鱼峰区召开打击和处置非法集资工作领导小组会议暨2014年处非工作布置会。要求全区各个部门联合起来，共同织就两张网。一是严格防范、严厉打击非法集资活动，二是助人民群众安居乐业。

（《柳州晚报》4版）

29日 柳州供电局在市区共有8个营业厅。在天山、东环两个营业厅已经实现自助缴费的基础上，自7月1日起，另外6个营业厅也全部实现自助缴费，同时取消现金缴费。（《柳州晚报》7版）

27日、28日 5月27日上午，广西壮族自治区第八届残疾人运动会在柳州李宁体育馆隆重开幕。

（《柳州日报》1版）

30日 鱼峰区党的群众路线教育实践活动："切实解决最后一公里问题。"（《柳州日报》1版）

30日 鱼峰区教育局、文体局推进柳州"鱼峰歌圩"国家公共文化服务体系示范区（项目）创建工作，开展"鱼峰歌圩进校园活动"。（《柳州日报》5版）

6月

1日 5月30日，位于柳石路141号格林庄园内，面积400多平方米的柳州市咖啡文化博物馆正式开馆。馆内展陈有各种介绍咖啡文化的文字资料，和数百件来自国内外与咖啡产业、咖啡文化有关的各类文物、咖啡加工器具、各种品牌咖啡豆、咖啡杯等。

（《柳州晚报》4版）

2日 6月1日，柳州文庙举行"追忆屈原端午祭祀"传承民俗体验活动，来自驾鹤小学等学校的小学生，观看了上香敬酒祭天地仪式，进行了经书诵读、自己动手包粽子蒸煮粽子等活动。

（《柳州晚报》2版）

4日 随着柳州市各个县（区）的食品药品监督管理局设置完成，3日各个县区食药监管局开始受理食品流通许可证、中小型餐饮业餐饮服务许可证和食品加工小作坊备案等业务。（《柳州日报》3版）

7日 6月6日8点30分，柳江河遭遇2014年首次洪峰，水位80.05米。

（柳州晚报1版、柳州日报1版）

11日 9日上午，鱼峰区政务中心工作人员骑公务自行车外出办公事，推行低碳绿色出行。鱼峰区政府购回10辆自行车为工作人员"绿色"出行办

理公事提供方便。（《柳州日报》1 版）

11 日 “走进神奇中渡，我是山歌王”第二届山歌大赛海选，于 6 月 10 日上午，在鱼峰公园歌仙大舞台举行。（《柳州晚报》30 版）

17 日 柳州市区 6 月 16 日 13 时，迎来入夏最高气温 36.4 摄氏度。（《柳州晚报》2 版）

26 日 鱼峰区鱼峰路至银桐路、柳石路北段污水工程开始施工，6 月 28 日起 19 条公交车线路临时调整走向。工期 2 个月。（《柳州晚报》6 版）

29 日 6 月 27 日上午，鱼峰区第 24 届“鱼峰歌圩——立鱼欢歌”草根擂台赛在鱼峰区荣军路南方花鸟市场小广场拉开帷幕。（《柳州晚报》6 版）

7 月

3 日 鱼峰区公布 24 家持证办学民办幼儿园名单。（《柳州晚报》8 版）

5 日 2014 年 7 月 4 日晚，第十五届“柳江之夏”鱼峰区群众文艺展演首场演出，在江滨大舞台开演。开展为期三个月的海选。（《柳州晚报》9 版）

7 日 7 月 6 日凌晨，柳江河迎来 2014 年第二次洪峰，水位 79.22 米。（《柳州晚报》3 版）

7 日 7 月 11 日起，柳州—丽江航线恢复开通。每周三班。2013 年 7 月初，柳州机场首开飞往丽江航线，后因机场跑道维修于当年 10 月底停航。

（《柳州晚报》3 版、《柳州日报》4 版）

10 日 7 月 9 日，柳州到大连、天津客机航线开通，每周四班。（《柳州晚报》3 版）

10 日 鱼峰区召开常委班子专题民主生活会。

（《柳州日报》1 版）

13 日 柳州市将培育 2014 年民族团结进步创建活动亮点，以建设“一赛、一书、一基地、一中心、一家、一长廊”为重点，打造天马街道片区民族团结文化基地。（《柳州日报》1 版）

22 日 鱼峰区作风建设汇聚正能量“积极服务企业，创新招商工作，促成跨越发展”。

（《柳州日报》1 版）

25 日 2014 年 7 月 21 日，由柳州中燃城市燃气发展有限公司经营的，位于东堤路（窑埠古镇旁）CNG 加气站开始试运营，柳州市的天然气加气站增加到 2 个。早前建立的另一个加气站设在航生路。两个加气站的规模都一样，每天可为汽车加气 400 ~ 450 架次。（《柳州日报》4 版）

26 日 7 月 25 日，为期四个月的鱼峰区大龙潭社区第三届民族团结网络山歌擂台赛在柳州音乐网上开赛。（柳州晚报 4 版、柳州日报 4 版）

30 日 鱼峰区凤起新都小区被推荐参加柳州市“十佳平安小区（村屯）”评选。（《柳州晚报》14 版）

31 日 7 月 28 日起。市政管理部门对鱼峰区乐群路进行大修，工期为两个月。新修建一条 800 毫米排水管道，改变该路段排水不畅经常道路积水的状况。（《柳州晚报》18 版、《柳州日报》5 版）

8 月

1 日 7 月 31 日，柳州市全面启动党代表任期制，并拟定《柳州市党代表任期制工作实施方案》。提出党代表在闭会期间要做到“四个一”，即每季度至少参加一次党代表接待日、每半年至少通过“党代表直通车”向市委提出一条合理化意见建议、每年至少参与一次党建重点热点问题专题调研、每届至少列席一次常委会、全委会或参加一次党建工作询问质询和主题发言。（《柳州晚报》4 版）

2 日 鱼峰区在社区换届选举前，按照 3000 户居民为基本标准，依照社区建设资源搭配，进行社区撤并整合资源，原有 61 个社区调整为 54 个。

（《柳州日报》1 版）

5 日 8 月 4 日中午 12 点左右，在乐群路 127 号附近一处道路施工地段，一条直径 60 厘米的天然气管道因受损泄漏天然气。十多分钟后，赶到的市中燃发展有限公司人员将气阀关闭，并修换新管。下午 6 点恢复正常供气。（《柳州日报》3 版）

6 日 天山明珠苑（柳州供电局宿舍）参加柳州市“十佳平安小区（村屯）”评选介绍之十一——“大事小事齐心解决”。雒容镇秀水村参加柳州市“十佳平安小区（村屯）”评选介绍之十二——“大喇叭成护村宝贝”。（《柳州晚报》10 版）

7 日 国家住房和城乡建设部、国家财政部等七个部委共同下发文件《住房城乡建设部等部门关于公布全国重点镇名单的通知》，柳州市辖区有 10 个镇入选。其中鱼峰区的雒容镇名列其中。

（《柳州日报》1 版）

7日 7月24日，鱼峰区委统战部、人武部到融水县红水乡芝东村，开展“三包一定”扶贫帮困活动。给该村“两委”送去笔记本电脑、打印机各1台，送给3名贫困家庭学生每人1000元，给7户贫困户每户400元、5套衣服、5双解放鞋、2桶食用油。

（《柳州日报》6版）

9日 8日上午8∶40时左右，位于龙潭路的柳二空机械股份有限公司内的中兴日用化工厂发生大火。消防官兵经过两个多小时的努力才将火扑灭，搭建在一座两层楼顶的近200平方米铁皮厂棚被完全烧毁。（《柳州晚报》2版）

10日 报道“我们身边的微改革，新变化”之二：大龙潭社区唱山歌。（《柳州日报》1版）

11日 8月10日下午将近3点，箭盘路东一巷原东风化工厂宿舍区，一排13户砖瓦结构民房发生火灾，消防官兵经过3个半小时的奋战将火扑灭，但是13户民房全部被烧毁。（《柳州晚报》3版）

12日 报道“我们身边的微改革，新变化”之三：莲花社区，今天我当家，让居民享受“贵宾待遇”。

（《柳州日报》1版）

15日 8月12日18点左右，荣军路222号三柳大院第13栋居民楼下，一辆停放在路边的四轮电动车忽然燃起大火，烧了20多分钟，火被扑灭，但是车子已经被烧得只剩下一个框架。燎原消防队相关负责人介绍说，初步估计是由于充电引起自燃。所幸无人受伤害。（《柳州日报》3版）

17日 14日刚投入使用的风起新都新设立的公共自行车租赁点，分别于15日、16日被坏人割坏轮胎、割坏坐垫、破坏共17辆。

（《柳州晚报》3版）

20日 8月19日7∶44，柳州气象局发布暴雨红色预警。3小时内强降雨将持续。11∶33红色预警解除。（《柳州日报》1版）

20日 自18日20时至19日15时，柳州强降雨，市区最大降雨量为第二十二中学区域，达181毫米。19日晨8时，鱼峰区西江路粤宝4S店门前约200米路段路面积水，漫上并覆盖沿街人行道深20厘米。

(（《柳州日报》3版）

25日 鱼峰区建章立制响应群众诉求，力求教育实践活动让百姓满意。（《柳州日报》1版）

28日 市政府决定，从今年10月起，全市高龄老人补贴“提标扩面”，80～89岁老人每人每月发放50元生活补贴，90～99岁老人由原来每人每月50元提高至100元，100岁以上老人从原来每人每月200元提高至300元。

（《柳州日报》1版）

9月

2日 9月1日，柳州市首条城乡公交线路开通。由广西瑞通运输集团下属佳兴公交公司经营。线路由文笔路汽车总站经过柳石路到达柳江县穿山镇。全程票价7元每人，起步价2元。

（《柳州日报》1版）

2日 全市中小学2014年开学第一课主题教育实践活动“践行核心价值观，传承柳州工业文明”启动仪式在柳州工业博物馆举行，400多名师生参加活动仪式。（《柳州日报》1版）

2日 9月1日，全国公务用车制度改革电视电话会议召开，自治区也随后召开相应会议。

（《柳州日报》1版）

2日 柳州退休人员开始首次电脑“刷脸”认证，替代了过去的退休人员每年到指定现场填表认证。

（《柳州晚报》3版）

3日 柳韵秀八桂，雕龙竞天工。2014广西工艺美术作品暨大师精品展览于8月30日在南宁国际会展中心举行。本届展览涵盖工艺雕塑、刺绣染织、艺术陶瓷、漆器、编结、编织工艺、工艺玻璃等10大类。由市二轻集体工业联社和市工艺美术协会联合组团，带有200余件作品参展，此次参展，柳州市获得9金13银的成绩，其中，广西工艺美术学校张礼金的《现代组合式功能浮雕工艺壶》等三件作品获得“广西工艺美术大师精品工程组金奖”、柳州梁志坚的《其“螺”无穷》等六件作品获得“八桂天工金奖”。

（《柳州日报》2版）

7日 柳石路成为柳州市建造的首条步行和自行车慢行交通系统道路。这个慢行道路利用道路两侧原有人行道和非机动车道改造而成，为红色路面，宽2米，两侧总长有18公里。全市将建成15条同样的道路系统，总长约为85公里。

（《柳州日报》1版）

8日 鱼峰区龙擎苑社区卫生监督协管员随机

入户检测水质。（《柳州日报》1版）

9日　都乐岩开元寺举办供月法会，200多人参加。（《柳州晚报》3版）

10日　鱼峰区教育改革与发展综述。（《柳州日报》3版）

11日　教书育人成楷模，鱼峰区9月10日表彰优秀教师和教育工作者，为493名鱼峰区“梯级名师”颁发证书，对10个教育工作先进集体及357名教育工作先进个人进行表彰。（《柳州日报》1版）

11日　9月9日15时许，鱼峰区九头山路16号某针织企业染房内发生大火，价值百万元的设备受损。消防队员赶到后，约用了1个小时将火扑灭。（《柳州日报》3版）

12日　新华社主办的2014年“最美中国榜”发布，柳州市的柳侯公园、柳州奇石馆入围2014年旅游业最美中国目的地。全国有21个景区入围。（《柳州日报》1版）

12日　9月11日上午，第十届“振兴杯”全国青年职业技能大赛柳州选拔赛暨第十九届柳州市青年状元技术大赛，在广西高级技工学校拉开帷幕。本次大赛设置计算机网格管理员、焊工2个竞赛职业（工种）。（《柳州晚报》15版）

23日　走千家万户，暖百姓心田。鱼峰区人口和计生局群众路线教育实践活动纪实。（《柳州日报》2版）

23日　9月20日，第六届广西数控技能大赛全区决赛，在柳州市广西高级技工学校（主赛场）举行。设有数控车工、数控铣工、加工中心操作工、数控机床装调维修工4个竞赛职业，来自全区14个市和自治区属职业院校共23各代表队，近250名选手参赛。（《柳州晚报》8版）

23日　9月23日，市工人医院急诊医学科4名医生，代表广西赴湖北十堰市，参加全国第五届急救技能大赛。这也是柳州医疗界首次代表广西参加这个赛事。（《柳州晚报》8版）

24日　水上公交巴士二期于9月30日试运行，新增3条线路12个停靠点。鱼峰区有海员码头停靠点。（《柳州晚报》6版）

24日　鱼峰区开展食品药品“四打击四规范”专项整治行动。（《柳州晚报》15版）

24日　首届柳州市工艺美术大师评审结果公示，共有11名大师（列表），其中有龙潭公园梁治荣。（《柳州日报》4版）

24日　岩村路一楼栋里的民间文苑桂彩剧团。（《柳州日报》12版）

25日　9月24日，全市政府职能转变和机构改革电视电话会议召开。市政府设置40个工作部门。各个县区政府机构改革要在9月底前完成。（《柳州日报》1版）

25日　“新生态”推动发展，鱼峰区城市管理跨入大数据时代。（《柳州日报》2版）

26日　鱼峰区水南路213号大院15栋楼顶失火。消防官兵花2个多小时将火扑灭。所幸无人员伤亡。居民存放这5层楼顶的旧家具杂物被烧光。（《柳州日报》11版）

27日　9月27日举行2014年柳州龙舟大赛，由南车渡码头至江滨公园，18支队伍参赛，分专业组和业余组，业余组有6支队伍。柳州国际水上狂欢节将于10月1日举行开幕式，共开展23个大项的活动，直至7日，期间在江滨公园河道水面、窑埠河道水面、萝卜洲河道水面、河东沿江路河道水面、静兰水上运动基地河道水面，举行水上运动比赛和表演，其中有高台人力飞行大赛、IAC水上极速运动、畅游柳江、内河帆板邀请赛、夏威夷艇体验赛。（《柳州日报》11版）

29日　鱼峰区全面发展以优异成绩向新中国生日献礼。（《柳州日报》4版）

30日　柳邕路上跨铁路立交公路桥竣工，于10月1日正式通车，全长470米，双向六车道。南外环路也同日通车。（将南面柳石路至荣军路一带通向柳江县拉堡的车辆，在莲花立交桥经过南外环路分流，不须再经过桐油山、银仔山隧道，减缓这些路段的交通压力）（《柳州晚报》3版）

30日　7月15日、30日，河池广西金河矿业股份有限公司非法排放重金属超标废水被检测发现，日前被立案查处。2012年1月，该公司就因为超标排放含镉废水造成龙江河镉污染，让在下游的柳州人民深受其害。这次是否也会影响到柳州的水质安全。9月29日市环保局公布了6—9月水质监测数据，柳江水质15个检测项目均符合国家地表水环境质量Ⅲ类水质标准。（《柳州晚报》14版）

30日　为防控登革热疾病，9月28日，柳州市爱国卫生运动委员会紧急下发灭蚊防病工作实施方案，要求即日起至11月期间，全市开展以预防登革热病为主的灭蚊行动。全市以村(居)为重点，每月开展至少2次环境卫生整治行动。（《柳州晚报》14版）

30日 柳州市启动2014年"敬老月"活动，80～89岁高龄老人，每人每月50元生活补贴，也从10月开始计发。同时，90～99岁老人由原来每人每月50元提高至100元，100岁以上老人从原来每人每月200元提高至300元。

（《柳州晚报》16版、《柳州日报》1版）

30日 9月28日下午，鱼峰环卫所员工来到景行小学11～4班，采用多媒体教学器材，给小学生上了一堂别开生面的"讲卫生"课。环卫员工以自身劳动以及城市卫生对于日常生活的重要关系，教育学生从小爱护自己的城市，不乱扔垃圾杂物。

（《柳州晚报》34版）

10月

1日 9月30日，首个烈士纪念日。柳州市举行烈士公祭活动。

（《柳州日报》1版、2版，《柳州晚报》4版、5版、6版、7版）

1日 在柳州国际水上狂欢节来临之际，柳州市区400多座公厕，将可以在百度地图导航上搜索得到，半个月以后将增加600多座，方便市民及游客如厕。

（《柳州晚报》10版）

2日 柳州国际水上狂欢节序幕盛况。

（《柳州晚报》1版、2版）

3日 10月1日，中国柳州国际水上狂欢节开幕盛况。（《柳州日报》1版、4版、5版）

3日 国庆节期间柳州国际水上狂欢节活动剪影。

（《柳州日报》1版、3版）

8日 2014年柳州国际水上狂欢节完美落幕、精彩瞬间。（《柳州日报》1版、3版）

8日 2014年中国柳州国际水上狂欢节完美谢幕，百里柳江景区成"人气王"。

（《柳州晚报》1版、2版、3版、4版）

9日 柳州2014年国际水上狂欢节。在静兰水上运动中心进行水上摩托艇比赛。（《柳州日报》3版）

9日 临近国庆节，鱼峰区雒容镇居民向柳东新区有关部门反映，自来水突然变浑。10月1日，市卫生监督所人员与柳东新区卫计办相关负责人到现场展开调查。雒容镇居民用水由雒容清泉供水公司提供，水源为井水，每天供水量4000吨。现场调查怀疑自来水变浑，系水井附近东二环路公路桥打桩所致，建议国庆长假期间暂停打桩，要求供水公司加强清洗净水设备，对供水加强消毒。并要求供水公司每天下午5时向市卫生监督所报告一次水质监测情况。

（《柳州日报》3版）

10日 根据国务院公布的《企业信息公示暂行条例》，柳州市自10月1日起，正式启动企业年报和即时信息公示制度。企业不按照规定进行年报公示，将被列入"黑名单"。（《柳州日报》2版）

10日 设立基金，以奖代补，促手拉手。鱼峰区真抓实干扶持民办教育提质发展。（《柳州日报》3版）

10日 头条通讯。报道龙潭公园艺术团长、广西民间工艺大师梁治荣。

（《柳州日报》4版、《柳州晚报》11版）

11日 10月10日，鱼峰区第二十一届"鱼峰之声"文艺会演，在柳州职业技术学院南校区礼堂举行。有40多个节目参演。目前鱼峰区拥有35个文化活动中心(室)，37个社区文化广场。

（《柳州日报》7版、《柳州晚报》13版）

14日 柳州市公共自行车系统自8月起投入二期租赁点建设，至9月租赁点设备陆续建成投入使用。10月统计共新增220个租赁点。覆盖到柳南片、柳北片、旧机场片、荣军路、阳和工业新区，使柳州市公共自行车出行，形成以胜利路、河东路、东环大道、燎原路、蝴蝶山路、柳石路、旧机场片区、城站路、柳太路等，合围成循环圈。（《柳州日报》3版）

14日 百聊不白聊，聊了总有效。介绍鱼峰区麒麟街道品牌服务"百聊汇"。（《柳州日报》3版）

15日 交上一份人民满意的答卷。鱼峰区党的群众路线教育实践活动综述。（《柳州日报》3版）

16日 10月13日是中国少年先锋队建队日，中国少年先锋队鼓号队交流展示活动在北京科技大学举行。选自全国各地学校的16支优秀鼓号队代表进行了展示交流。东环路小学鼓号队作为广西唯一一支参加展示的鼓号队，获得全国最佳精神风貌奖。（《柳州日报》3版）

16日 截至9月，柳州市有306名百岁老人，

2014年新增百岁老人60人。城区共有97人,六县共有209人。其中,鱼峰区有百岁老人13人,新增3人。
(《柳州晚报》2版)

17日 从8月1日开始的由市委文明办、市旅游局、市总工会、团市委联合举办的“寻找柳州最美导游”活动,经市民推举、单位推荐、资料审核,再经过网络投票、专家评审,于10月16日得出结果:4名选手获得“柳州最美导游”称号,10名选手获得“柳州金牌导游”称号。龙潭景区的张东兰获得上述两项称号。奇石园管理处的韦昕获得“柳州金牌导游”称号。
(《柳州晚报》11版)

17日 勤跑勤问勤跟进,为你为他为大家。柳石街道“四问六清一跟进”工作法。四问:入户问家常、问感受、问需求、问建议;六清:对党员群众的家庭情况底数清,情况明、清楚家庭地址、成员结构、就业状况、就业状况、民族习俗、特长爱好、困难需求;一跟进:根据群众家庭在家庭生活,培训意向、创业技术等方面的需求跟进服务。
(《柳州日报》8版)

18日 2014年中国·柳州国际内河帆船赛于18日在金沙角举行开幕式。来自荷兰、日本、中国香港等7个国家和地区的近200名运动员参加比赛。将在金沙角和南岸灯台山文庙之间水域进行。
(《柳州晚报》1版)

18日 柳州都乐公园于10月底迎接广西壮族自治区旅游局4A级景区考评。
(《柳州晚报》6版)

20日 屏山大道东方大酒店自10月17日起,每天给每一张早茶桌上放置一份当天的《柳州晚报》,供来喝早茶的茶客浏览。该酒店同时也在酒店大堂、客房放置当天的《柳州晚报》。
(《柳州晚报》6版)

20日 10月17日晚,“石尚1966”文化园区马卯鼓书吧首开柳州第一家真人书吧,由一个真实的人来说自己的故事,吸引了近40位真人书阅读者。
(《柳州晚报》40版)

21日 因为涉及组织学生家长参与某公司举办的,以向学生家长推销所谓教育软件为主要内容的“免费大型公益巡讲”报告会活动,引起学生家长不满,鱼峰区教育主管部门对涉及的八中、十三中、二十四中,给予通报批评。
(《柳州晚报》3版)

23日 2013年以来,鱼峰区累计投入766万元,在全区打造“15分钟文体活动圈”,努力将“鱼峰歌圩”打造成全国知名文化品牌。通过“八个一”工程、“一园:‘石尚1966’文化艺术园区”、“一馆:鱼峰区文化馆”、“一书《柳州有个鱼峰山——刘三姐文化大观》”、“一歌《千歌唱不完好生活》”,以及于3月份成功申报并列入自治区非物质文化遗产项目的“鱼峰歌圩”等等,让居民在家门口就可以享受“精神大餐”。
(《柳州晚报》7版)

24日 自2013年8月开始封闭修路改造的水南路连通天山路一段,近日完工,已于10月20日恢复通车。
(《柳州日报》6版)

24日 10月21日,文化部检查组到鱼峰区,对“鱼峰歌圩”示范项目进行中期督察,检查组肯定了项目进展情况。据了解,2013年“鱼峰歌圩”建设获文化部批准入选国家第二批公共文化体系建设示范项目。鱼峰区努力将“鱼峰歌圩”打造成全国知名文化品牌。2013年至2014年9月,鱼峰区本级累计投入766万元进行公共文化体系建设,建设70个街道、社区(村)、学校文化艺术中心,其中首批8个社区文化艺术中心已经建成,其余将在2015年5月前全部完成。
(《柳州晚报》20版)

25日 鱼峰区环卫之家请来书法家,为环卫工人开设书法课堂,教授环卫工人学习书法艺术。今后,书法课堂将每个星期开一次课。
(《柳州晚报》2版)

27日 “七彩砖”架起“民心桥”——报道驾鹤街道的七彩砖工程,七色,彰显创新;彩砖,有“橙色满意砖”“金色梦想砖”“绿色和谐砖”“红色先锋砖”“青色学习砖”“蓝色规范砖”“紫色关爱砖”象征务实;彩桥,架起了社区工作人员与群众鱼水情深的心灵空间,映射出驾鹤街道开启“民生模式”提升群众的满意度和幸福感。
(《柳州日报》12版)

27日 10月26日7:30柳州直飞深圳首航开通。由春秋航空公司采用180座空客A320机型执飞。
(《柳州晚报》2版)

28日 10月24日晚上,500多名环卫工人在柳州职业技术学院南校区礼堂,观看一场由鱼峰区文体局承办以“关爱城市环境,共建美好鱼峰”为主题的专场文艺演出,欢度广西第十八届“环卫工人节”。据了解,该辖区环卫工人的月平均工资由原来的1750元提高到现在的2192元,解决了12名环卫工人的住房问题。
(《柳州日报》7版)

28日 “柳州市十佳平安小区(村屯)”评选结果

揭晓，鱼峰区驾鹤街道供电局宿舍区、柳东新区雒容镇秀水村、阳和开发区新城社区盛天龙湾小区等十个社区(村屯)榜上有名。（《柳州晚报》2 版）

29 日 涵盖柳州以及周边 10 县(市)的柳州潘氏文化研究会于 2011 年 6 月成立。一般每年 11 月左右举行一次宗亲聚会。（《柳州晚报》11 版）

30 日 近期，柳州市邮政分公司在柳州重点区域邮政报刊亭推行免费无线上网网络信号 (wifi)，目前有 50 个报刊亭安装了(wifi)，分布在鱼峰路、龙城路、八一路、广场路、解放南路、跃进路、北站路等路段。年底可以覆盖全市 80% 的邮政报刊亭，推动报刊亭向综合服务平台转变。（《柳州日报》5 版）

30 日 10 月 28 日上午，鱼峰区委办、鱼峰区委保密办在五里亭街道龙擎苑社区举办保密宣传活动。（《柳州日报》5 版、《柳州晚报》14 版）

29 日 10 月 28 日上午，白云社区第十二届“快乐暑假，好书同行”暨“给你一把金钥匙”有奖读书征文活动举行颁奖仪式。这是该社区一年一度的有奖读书征文活动，已经连续举办了十二届，共有 500 名小学生参加活动。（《柳州晚报》13 版）

11 月

2 日 11 月 1 日上午，由中国观赏石协会、中国风景园林学会、中国收藏家协会、柳州市人民政府联合举办的第八届柳州国际奇石节在柳州奇石馆盛大开幕。（《柳州日报》1 版、2 版、3 版）

2 日 11 月 1 日上午，由中国观赏石协会、中国风景园林学会、中国收藏家协会、柳州市人民政府联合举办的第八届柳州国际奇石节在柳州奇石馆盛大开幕。全国各地奇石收藏家选送的 1150 件奇石精品，分别在位于马鹿山的柳州奇石馆和位于箭盘山的八桂奇石馆展出。此前共评选出本届奇石节 94 件金奖奇石。（《柳州晚报》1 版、2 版、3 版）

3 日 2014 年国家级教学成果获奖项目名单日前公布。全自治区共有 35 项成果获奖，其中，柳州市职业教育获得 5 个奖项，其中包含柳州职业技术学院的 4 项教学成果。柳州职业技术学院获得奖项数在全区高校中排名首位。（《柳州日报》1 版）

4 日 报道龙潭公园 10 月 28 日—31 日，自导自演，自己拍摄宣传片和微电影的故事；不一样的角度不一样的美。7—8 月，该公园也自导自演，自己拍摄了创建国家生态旅游示范区的宣传片《南国珍宝大龙潭》。（《柳州日报》12 版）

5 日 11 月 4 日，柳州市环保部门证实，位于龙潭路 18 号(龙潭风景区附近)的广西柳州鱼峰制漆股份有限公司，已经关停厂区内所有树脂和油漆生长线。近年来，因为废水废气困扰周围住户许久，又难以在期限内完成治理的恶臭、异味问题得到解决，消除了市区一大异味源。（《柳州日报》1 版）

5 日 11 月 4 日，柳州市第十三届运动会羽毛球赛首枚金牌决出，由鱼峰区获得成年组混双冠军。（《柳州日报》8 版）

5 日 “鱼峰歌圩”接地气。自治区文化厅第二批创建国家公共文化服务体系示范项目中期督查组成员，近日走进鱼峰区的公园、学校、社区文化站等地方，督查“鱼峰歌圩”建设情况。（《柳州日报》10 版）

6 日 为期 5 天的柳州市第十三届运动会羽毛球比赛，5 日在李宁体育馆落幕，鱼峰区成为最大赢家，夺得 11 枚金牌中的 9 枚。鱼峰区包揽了成年组 5 枚金牌，还夺得了少年甲组男单、男双，少年乙组女单、女双的金牌。5 日晚，市第十三届运动会气排球赛在篮球训练基地落幕，男女各有 6 支队参加，鱼峰区女队获得亚军。（《柳州晚报》8 版）

8 日 7 日(立冬)，因西南暖湿气流和中低空切变线影响，柳州全天持续中到小雨，柳州机场气象达不到最低标准，导致当天进出港航班全部取消，共取消 28 个班次。（《柳州日报》1 版）

9 日 11 月 8 日，鱼峰区在驾鹤村休闲文化广场，启动“美丽乡村”建设宣传周活动。当天鱼峰区政府和柳州市工人医院签订医疗帮扶意向书，鱼峰区基层医疗卫生机构将得到工人医院的人才和智力支持。

据了解，驾鹤村休闲文化广场建在废弃的鱼塘上，面积约 1200 平方米。是在“美丽鱼峰 · 清洁乡村”活动开展后，由派驻单位自治区食品药品监督管理局于 2014 年 7 月，投资 26 万多元，于 10 月建成。（《柳州晚报》4 版）

10 日 11 月 8 日晚，柳州市第十三届运动会体育舞蹈比赛落下帷幕。4 个城区以及柳城县共 5 个代表队的 90 名参赛选手角逐标准舞、交谊舞等两大舞别，10 个舞种多个金牌。柳南区、鱼峰区各占半壁江山。平分体育舞蹈比赛 6 块金牌。成年组标准舞、成年组街舞、成年组全能冠军由鱼峰区获得，独占鳌头。 （柳州晚报 2 版、37 版）

10 日 鱼峰区大力推进“清洁乡村”活动，做好“加减乘除”魅力鱼峰添彩。 （《柳州晚报》9 版）

11 日 介绍“石尚 1966”文化艺术园区的几位文化艺术经营者。 （《柳州日报》12 版）

13 日 12 日上午，鱼峰区党建工作推进会议提出，2015 年各级党工委将创建“党员爱心驿站”等党建服务项目，从服务身边群众做起。据悉，其中有区行政执法局党工委开展“五分钟微型党课”、天马街道党工委开展“天马党建大讲堂”、五里亭党工委开展以党员服务中心创建“心理疏导”进家庭、麒麟街道党工委开展“书记说书”“百聊会”等十余项党建服务群众的项目。 （《柳州晚报》11 版）

15 日 庆祝广西华力集团有限公司成立 56 周年。介绍该公司成立后的各个阶段的情况。共有两个章节，八个阶段。 （《柳州日报》2 版）

16 日 《鱼峰年鉴·2014》出版发行。 （《柳州晚报》2 版）

17 日 11 月 15 日，柳州—郑州—青岛航线首航。柳州机场自 2014 年 3 月 20 日复航以来，在飞航线增至 11 条，通航城市增至 15 个。日均旅客吞吐量达到 2400 人次。客座率达到 70%。据介绍，柳州机场在 2013 年 10 月停航前，开通航线达到 22 条，通航城市达到 16 个。 （《柳州日报》5 版）

26 日 24 日上午，2014 年柳州市“普法百场大宣讲”在鱼峰公园广场举行首场宣讲。5 名来自基层单位的宣讲员，分别登台作了宣讲。 （《柳州日报》3 版）

12 月

2 日 11 月 30 日开始，柳石路开始改造施工，长度约为 9 公里。五岔路口至迎宾路口，机动车实行半幅通行。 （《柳州晚报》2 版）

8 日 鱼峰区固定资产投资进度居全市县区第一。工业项目中广西金嗓子有限责任公司技改扩能项目、欧维姆机械股份有限公司橡胶公司、工程公司、钢结构厂迁建项目等大力推进。柳电电气迁建项目正式投产。商业项目中，9 月底，投资 6.4 亿元的银泰城开业，东环大道南段大型商业居住项目、广西运动服饰仓储物流园项目、柳州华润中心稳步推进。 （《柳州日报》1 版）

9 日 10 月，经过全国安全社区评定组现场评定后，近日传来消息，鱼峰区五里亭街道荣获“全国安全社区”称号。 （《柳州晚报》14 版）

14 日 柳州市公布第二批历史建筑名录 17 处。其中有鱼峰区的屏山小学 1 号教学楼、雒容中山街民居建筑群、广西机电技师学院教学楼、雒容大桥、太平西街 56 号民居、柳东水厂取水塔。 （《南国今报》5 版）

14 日 文化部公布 441 个拟命名的“中国民间文化艺术之乡”，广西有 13 个县区乡镇入选，其中柳州有 2 个：鱼峰区、三江侗族自治县林溪乡。（《南国今报》5 版）

19 日 “话一出口就是歌，唱得繁荣春常在。”鱼峰区成功创建“中国民间文化艺术之乡”综述。 （《柳州日报》2 版）

19 日 鱼峰区企业离退休干部党支部荣获“全国离退休干部先进集体”。 （《柳州日报》12 版）

23 日 18 日，鱼峰区举行地质灾害应急演练。 （《柳州日报》4 版）

23 日 鱼峰区工商联向 69 家执行委员企业送《柳州日报》。据了解，该工商联拥有会员 300 多个，组成 6 个街道商会，1 个非公有制经济联谊会，在辖区的 61 个社区先后成立社区统一战线工作站。 （《柳州日报》4 版）

28 日 27 日，全国首个骆越博物馆在文昌路“石尚 1966”文化园区正式开馆。该馆面积近 500 平方米，馆藏有骆越陶器、骆越青铜器、骆越玉等多种反映广西人祖先文化的藏品。 （《柳州晚报》4 版）

28 日 84 个惠民项目，看得见的福利。鱼峰区更好地为居民服务，进一步推进和谐社区建设。介绍了社区两委选举、培训、投入惠民资金的建设工作。 （《柳州晚报》38 版）

31 日 柳州 2014 年新建成八家民间博物馆。其中有市自然居石文化博物馆、市国酒文化博物馆、市骆越博物馆、市潭中博物馆、市大观杂项馆、市苍圣阁印章美术馆、柳州市石尚艺术馆、市红木文化博物馆。自 2011 年以来，柳州逐步发展“博物馆群”，

柳州日報
中共柳州市委主管主办
国内统一刊号 CN45-0003
报料热线：15877281116 15877281117
网站首页 | 数字报首页 | 版面导航
往期回顾： 搜索 高级检索 出版日期：2014-12-31
2014-12-31 第12版：文化
大| 中| 小

乐享群文盛事共筑文化之梦
我市代表队在第三届全区基层群众文艺会演上获佳绩
作者： 来源：柳州日报 字数：263

驾鹤路小学手风琴乐团在比赛现场。

12月25日，以"中国梦"为主题的第三届全区基层群众文艺会演在首府南宁开幕，我市鱼峰区选送了两支队伍参赛并都在比赛中取得二等奖的好成绩，为我市争得了荣誉。

本次会演分为声乐（合唱）、器乐、舞蹈、戏剧曲艺4类比赛进行，在为期5天的赛程里，共有来自广西各市县区的2900余名演员参加了此次群众文化盛会。其中，鱼峰"小歌仙"童声合唱团在声乐（合唱）比赛中倾情献唱《壮乡甘蔗 林》《玛丽诺之歌》两首歌曲，驾鹤路小学手风琴乐团则在器乐比

原载《柳州日报》2014 年 12 月 31 日 12 版，文化　　（媒体网络图片）

截止到 2014 年 12 月，全市已经建成 53 家各类博物馆，其中 16 家为国有博物馆，37 家为民办博物馆。在我市的现有博物馆中，有 24 家国有及民办博物馆被列入广西首批百家博物馆单位，数量居全区第一。

（《柳州日报》12 版）

31 日　12 月 25 日以“中国梦”为主题的第三届自治区基层群众文艺会演在南宁开幕。本次会演分为声乐（合唱）、器乐、舞蹈、戏剧曲艺 4 类比赛。来自广西各个市县区的 2900 余名演员参加本次会演。其中，鱼峰区“小歌仙”童声合唱团在声乐（合唱）比赛中献唱《壮乡甘蔗林》、《玛丽诺之歌》，驾鹤路小学手风琴乐团在器乐比赛中演奏曲目——生命万岁，均获得二等奖。

（《柳州日报》12 版）

索引

2014 年 7 月 24 日，鱼峰区“政银企”座谈会在区政府召开　（区委宣传部　提供）

说　明

一、本索引采用主题分析方法，索引范围包括栏目部类、分目、条目、以及重要条目下设的层次标题。本索引款目按汉语拼音字母（同音字按声调）顺序排列，首字同音同声按第二字拼音顺序排列，以此类推。

二、索引款目后的数字表示内容所在页码，数字后的拉丁字母(a、b、c)表示栏别(即版面的1、2、3栏)。

三、同一主题的内容在本年鉴多处出现的，在其款目后用不同的页码标注，不再重列款目。

四、本索引部分款目独立意义不明确的，在款目和条目后面括注主题词。如："执行工作"括注为"执行工作(审判)"等。

A

艾滋病防控防治　235a
安全层级责任　191b
安全监督管理概况　190c
安全社区创建　192a
安全生产达标活动　192a
安全生产监督管理　190c
安置帮教　112b
案件立案侦查、追赃情况统计表　106
案件受理批准逮捕情况统计表　106
案件受理审查起诉情况统计表　106
案件执行　104c

B

8月大事记　50b
把握新常态　推动新发展　282
白莲街道　262c
白莲街道各社区简表　265
保密　57b
保险　150a
保险概况　150a
便民服务　185b
变电站、变压器容量表　158
兵员征集工作　91a
博物馆建设　170a

C

"畅通工程"管理　109b
财税　金融　135
财政　136a
财政概况　136a
财政管理　137a
财政民生保障　136c
财政收支　136b
财政投资评审　138a
财政预算执行审计　188b
参加柳州市第十三届运动会　220c
餐饮服务安全示范点建设　193b
残疾人就业　101c
残疾人康复　101c
残联　101b
产业　113
产业提升工程　118a
长途客运　129a
城市滨江商业核心区　120c
城市管理概况　155b
城市基础设施建设　152a
城乡建设　公用事业　环境保护　151
城乡建设　152a
城乡居民生活　242b
城乡客运　129c
出租屋和外来人员管理　66a
初级中学教育　206a
传媒活动　243b
传媒活动概况　243b
传统文化观赏项目　126c
创建公共机构节水型单位　86c
创建国家环境保护模范城市活动　168c
创建国家卫生城市活动　237a
创建卫生城市　110a
创建文明城市行动　63a
创业就业　83c
春联书写　241c
村"两委"成员任期经济责任审计　138a
村镇建设　152b

D

打非治违专项行动　191c
打击经济犯罪　107c
打击刑事犯罪　107b
大韩民国临时政府抗日斗争陈列馆　170b
大事记　47
代表建议督办　75a
党的群众路线教育实践活动　56a
党风廉政　68b
党外干部工作　67b
党员教育　60c
档案管理　218c
档案利用　218c
道教　40a

道路基础设施 128b
地方媒体消息摘选 331
地理位置 38a
地情资料年报 219c
地区生产总值及其相关指标核算 190b
地质灾害防治 185c
第11届中国—东盟博览会 181a
第15届中国西部国际博览会 181a
第3次全国经济普查 189a
第二次全国地名普查动员 199c
第六次体育场地普查 220c
第三产业 43b
第五届“立鱼欢歌” 广场文化节 217a
电视网点建设 244a
电视用户 244c
调研视察活动 88b
都乐岩景区 174b
斗鸡、斗鸟争霸赛 241c
督查 57a
对外宣传 62c

E

2月大事记 48b
2014年大事记 48a
2014年受理价格举报投诉件情况表 187
2014年鱼峰光大支行辖区营业网点 147
2014年鱼峰区城乡居民社会养老保险情况表 197
2014年鱼峰区城镇居民基本医疗保险情况表 197
2014年鱼峰区登山步道和城市健身步道 222
2014年鱼峰区高尔夫球场 222
2014年鱼峰区规模以上企业名单 116
2014年鱼峰区国民经济和社会发展统计公报 321
2014年鱼峰区获上级科技项目一览表 213
2014年鱼峰区全民健身路径 222
2014年鱼峰区社会团体登记情况表 200
2014年鱼峰区事故调查和信访处理情况表 191
2014年鱼峰区室外专项体育场地 225
2014年鱼峰区体育场、小运动场及田径场 230
2014年鱼峰区小学基本情况表 205
2014年鱼峰区学校教职工基本情况表 209
2014年鱼峰区游泳跳水场(馆) 231
2014年鱼峰区幼儿园基本情况表 203
2014年鱼峰区职工社会保险情况表 197
2014年鱼峰区中学基本情况表 206
2014年鱼峰区重点项目表 181
2014年鱼峰区主要经济指标完成统计报表 180
2014年鱼峰区主要指标基本情况表 190
2014年鱼峰辖区医疗机构一览表 234
2014年中国改革大事记 330

F

发票管理 142a
发展和改革机构概况 178a
法官宣讲团成立 105a
法律援助 84c
法律援助 112c
法制宣传教育和法治城区创建 111b
法治 103
反腐倡廉宣传教育 69b
反恐应急演练 108b
反邪教工作 65c
防洪排涝 166c
防控检疫 115a
房地产业 121c
房地产在建项目开发一览表 122
房屋登记管理 166a
佛教 40a
扶持非公有制经济发展 57a
扶贫帮困工作 88c
扶贫助残活动 102a
扶贫助学 92a
服务保障 85c
服务非公有制企业 182b
服务农民工 99b
服务青少年 100b
服务少数民族 241a
服务提升工程 118c
妇联 100c
妇幼保健 236a
附录 313

G

《关于废止和宣布失效一批党内规范性文件的决定》 54c
《关于加强和改进鱼峰区意识形态和宣传思想工作的实施意见》 54c
《关于鱼峰区人民政府机构设置的通知》 79b

《贯彻落实〈建立健全惩治和预防腐败体系 2013—2017 年工作规划〉实施办法》 55a
“国际档案日”活动 219a
“单独二孩”生育政策实施 237c
干部队伍建设 140c
干部监督 59b
干部考核 59b
干部培训 59a
干部人事制度改革 59c
干部选拔 59a
个体工商户产业分布 184b
个体私营经济 184a
耕地保护 185a
工博·红街 81b
工会 98c
工商管理 182a
工商管理概况 182a
工商联工作 98b
工事维护管理 93a
工业 115c
工业 43a
工业概况 115c
工业结构 116a
工资福利 196a
公安 107a
公安概况 107a
公共交通 160c
公路客运 129a
公益 171b
公益慈善 199c
公用事业 158a
供电 158a
供电情况综合表 159
供气 160a
供水 159c
共青团 99c
构筑禁毒防线，打造平安家庭 100c
固定资产投资经济指标 178a
关心下一代工作委员会 102b
关于新形势下整合基层执政资源加强社区治理的调研报告 314
关于整合资源推动网格化社会管理再深化的调研报告 317
管理制度 99a
广西工艺美术馆 170c
广西九年义务教育课程计划 207
广西柳州 2014 年土地招商推介会 181a
广西首家环保法庭成立 105b
广西鱼峰信合村镇银行存贷业务 149b
广西鱼峰信合村镇银行经营范围 149b
广西鱼峰信合村镇银行网点建设 149a
广西鱼峰信合村镇银行有限责任公司 149a
国海证券股份有限公司经营业绩 149c
国海证券股份有限公司柳州驾鹤路证券营业部 149c
国海证券股份有限公司业务范围 149c
国家试点项目建设 123a
国民经济运行 179a
国土资源管理 184c
国土资源管理概况 184c
国有资产管理 138b
过境道路 128b

H

“护校安园”行动 108c
航空安全 132a
河东码头 130c
河砂装运码头 130c
恒大翡翠龙庭 82a
红十字会 102b
宏观经济管理 178a
后勤保障建设 91c
后勤管理 85b
户政管理 108b
华安财产保险柳州中心支公司 150b
华润置地 82b
环境保护 167c
环境保护概况 167c
环境保护执法 168a
环境提升工程 119b
环境卫生概况 154a
环境质量 168c
环卫“职工之家” 154b

J

9 月大事记 50c
“警民相约互动日”活动 108c
机场基础建设 132b
机构编制 69c
机构和人员编制核查 71a
机构设置 132c
机关办公用房建设 85c
机关党建 71b
机关党组织政治思想建设 72a
机关离退休老干部服务管理 72c
机关作风和精神文明建设 72b
基本情况 38a
基层信息化应用平台建设 123c
基层医疗信息平台管理 236a
基层政权 198c
基层中医药事业发展 236b
基础设施建设 43c
基督教 40a

绩效考评　69b
缉枪治爆行动　108c
疾病预防控制　235a
集体荣誉　319
集体荣誉表　319
计划生育服务与管理　237c
计生协会　238b
纪律检查　行政监察　67c
祭孔　171b
加快建设“五美五好”魅力鱼峰　282
价格监管　187b
价格宣传　187a
驾东码头　130c
驾鹤街道　248c
驾鹤街道各社区简表　252
坚定不移推进党风廉政建设和反腐败斗争　300
检察　105c
检察概况　105c
检察信访　107a
建设“美丽家庭”,弘扬良好家风　100c
建设规划　152c
建筑物保护　170b
健康档案管理　236a
健康医疗　83a
箭盘山街道　255a
箭盘山街道各社区简表　258
江滨公园景区　176a
交通安全　109b
交通运输　邮政快递　127
交通运输　128a
交通运输概况　128a
教师队伍建设　208b
教育　202a
教育　科技　201
教育　44c
教育帮扶　82c
教育基本建设　208a
教育教学成果　209a
教育经费　208a
教育事业概况　202a
教育综合改革　202c
街道镇人员　42a
街道　镇　245
街道社区党建　59c
节能降耗　86a
节日　171a
巾帼志愿服务,共建和谐家园　101b
金融　142c
金融概况　142c
禁毒百日攻坚行动　109a
禁毒工作　65c
经济规划实施　178a
经济和社会发展　42b
经济统战　66c
经济责任审计　189a
经济重点项目　80b
经济综合管理　177
精神文明建设　44a
景区　171c
净化治安环境大整治行动　109a
九三学社柳州市委员会鱼峰基层组织　98a
九头山产业升级区　121b
救灾救济　199a
就业再就业工作　196b
居民收入　242b
决定废止的党内规范性文件　325
军事备战训练　90c

K

开展“清源”专项行动　220b
开展“扫黄打非”专项整治活动　220b
开展机关党的群众路线教育实践活动　71b
开展家庭教育,传播和谐文化　101a
科技　212a
科技成果与专利　212b
科技概况　212a
科技合作与交流　212c
科技普及　84b
科技与信息化建设　44b
科普工作　213a
课程管理　206a
空间提升工程　119a
快递业概况　133c
快速公交分公司运营线路一览表　164

L

6月大事记　50a
“两违”整治　157a
“两新”组织党的建设　61a
劳动　196b
劳动保障监察、劳动合同管理　196c
劳动竞赛　99a
劳动就业保障　46a
劳动仲裁　196c
老龄工作　243a
理论武装　61c
历史沿革　38b
粮食作物及经济作物种植　114b
领导机构党派团体及领导人　40b
领导接待日及区委书记、区长公开大接访　71a
流动人口管理　108a
柳州工业博物馆　170c

柳州机场公司生产任务完成情况表（2014 年） 132
柳州机场航班表(2014 年） 131
柳州奇石园 176b
柳州市第八中学 210a
柳州市第十四中学 210c
柳州市燎原路小学 211a
柳州市区农村信用合作联社 147c
柳州市区农村信用合作联社存款业务 147c
柳州市区农村信用合作联社贷款业务 148b
柳州市区农村信用合作联社市民卡营销 149a
柳州市区农村信用合作联社网点建设 148c
柳州市窑埠街(柳东路)小学 211b
柳州市鱼峰区人民代表大会常务委员会 40c
柳州市鱼峰区人民法院 41c
柳州市鱼峰区人民检察院 41c
柳州市鱼峰区人民政府 40c
柳州首家交通巡回法庭开庭 109c
柳州文庙 171a
柳州银行队伍建设 146c
柳州银行股份有限公司鱼峰支行 146b
柳州银行内控管理 146c
柳州银行业务发展 146c
柳州银行鱼峰区网点一览表 146
龙城元宵灯会 241b
龙潭公园景区 171c
旅游 126a
旅游服务 126a
旅游概况 126a
旅游活动 126b
旅游景区 39b
洛埠镇 273b
洛埠镇各村、社区简表 274
洛维工业集中区 119c
落户项目 181b
雒容镇 269b
雒容镇各村、社区简表 270

M

“美好社区”创建 64a
马鞍山人防配套工程竣工 93a
美丽柳州·清洁乡村活动 44a
面积和人口 38c
民间文化传承 241b
民生保障 242b
民生人寿保险股份有限公司柳州中心支公司 150b
民事审判 104b
民俗 39c
民用航空 131c
民政 197b
民政事业概况 197b
民主党派和工商联 93b
民族 39c
民族关系协调 240c
民族团结宣传教育 240b

N

纳税服务(国税） 139c
纳税服务(地税） 142a
南片区休闲旅游组团 121b
能力提升工程 119a
年鉴编纂 219c
农村党建与扶贫 60c
农村环境 84a
农村信用合作联社鱼峰辖区 11 个营业网点 148
农民专业合作社 182b
农业 114a
农业 43a
农业概况 114a
农业技术推广 114c
农业银行营业网点存款规模情况 144
农业银行鱼峰区各营业网点概况 144

P

陪审员工作 104c

Q

7 月大事记 50a
其他服务业 121c
麒麟街道 265c
麒麟街道各社区、村简表 269
企业军转干部服务 197a
企业退休人员社会化管理 197a
企业信息公示 182b
企业职工工资 197a
企业注册登记 182a
气候特点 38c
抢险救火 110b
侨联 102a
青年志愿服务 100c
青少年思想引领 100b
清理党内规范性文件 58a
清理评比达标表彰项目 58a
区委常委会 54b
区委工作统筹 55c
区政协概况 87a
全国山歌邀请赛 217a
全民消防宣传 111a
群众文化 83a

R

人大代表议案建议　政协委员提案办理　79b
燃气供应网点名单　160
人口与计划生育　237c
人口与计划生育概况　237c
人口与民族　240a
人口与民族概况　240a
人力资源　社会保障　196a
人力资源　社会保障　民政　195
人力资源概况　196a
人民调解　111c
人民防空　92a
人民防空概况　92a
人民团体　41c
人民团体　98c
人民武装　90c
人事任免　75b
荣军街道　252a
荣军街道各社区、村简表　254
荣军旧城改造提升区　121a

S

3 月大事记　48c
4 月大事记　49a
10 月大事记　51a
11 月大事记　51b
12 月大事记　52a
“商标兴柳”　182c
“四上”企业及各项统计抽样调查　190b
“四上”企业入库审批　190c
“四位一体”征地拆迁模式　157b
“四项整治”　111a
三项清理　79c
山歌邀请赛　241c
商贸　流通　服务业　房地产　120b
商贸服务业概况　120b
商贸服务业区域发展导向　120c
商业贸易　120b
上海、深圳招商推介会　181a
少先队　100a
设施建设　154c
社会　生活　239
社会保险　197a
社会服务　67a
社会福利　199a
社会救助　199a
社会宣传　63a
社会治安综合治理　46c
社会主义核心价值观培育　63c
社区(村)“两委”换届　56c
社区换届　198a
社区惠民项目　198a
社区矫正　112a
社区警务　108a
社区区划调整　198a
社区统战　67c
社区卫生服务中心建设　236b
社团登记　200a
审计　188a
审计概况　188a
审判　104a
审判概况　104a
审判监督　104c
实施五大提升工程　118a
食品安全委员会会议　192c
食品安全专项整治　193c
食品药品安全监督管理　45c
食品药品监督管理　192b
食品药品监督管理概况　192b
食品药品监管系统体制改革　192b
市场监管　182c
市场建设与管理　121c
市区照明　164c
市政设施　83b
市政设施维护　165a
输电和配电线路表　159
数字城管建设　156c
数字城管三级平台管理　154a
水路运输　129c
水路运输设施　130b
水南现代都市形象区　121a
水上公交　129c
水上旅客游船客运　130a
税收征管　141c
税收征管改革　139a
税务　138c
税务登记　141b
税源管理　141b
丝绸之路国际博览会　181a
司法行政　111b
司法行政概况　111b
私营企业产业分布　184b
思想政治建设　90c
诉讼监督　105c
索引　343

T

太平财产保险有限公司柳州中心支公司　150c
太平西街历史街区风貌改造　81a
特色民俗旅游观赏项目　126b
提案工作　90b
体育　220c
天马街道　246a
天马街道各社区简表　248
天主教　40a
通信业概况　124a
统计　189a

统计分析　190c
统计概况　189a
统一战线　66c
投资促进　180a
投资促进机构概况　180a
土地执法监察　186c
推进审批制度改革　85a
污染减排　168a
五里亭街道　259a
五里亭街道各社区、村简表　262
物价　187a
物价概况　187a
物流业　121c
物业管理　153b
宣布失效的党内规范性文件　328
宣传教育　92c
宣传培训　191b
宣传思想　精神文明　61c
学雷锋志愿服务　64a
学前教育　203a
学校选介　210a

W

5月大事记　49c
网格化社会管理　57c
网格化信息指挥中心概况　123a
网络服务　84a
网络建设　244b
危险房屋管理　153c
微型企业发展　184c
为民办实事　82c
维护服务　244c
维护社会稳定工作　64c
维护与治理　155a
维权帮扶　99b
维稳工作　106c
卫生　234a
卫生　计划生育　233
卫生概况　234a
卫生和计划生育　45b
文化　216a
文化　体育　215
文化概况　216a
文化工程　218a
文化活动　44b
文化设施建设　218a
文化市场管理　220c
文物古迹　39b
文物胜迹　景区　169
文物胜迹　170a
文物胜迹概况　170a
文献　281

X

辖区道路　128c
辖区桥梁　129a
项目建设　178b
项目审批与管理　168b
消防　110a
消防监管　110c
消费者权益保护　183b
小学教育　205a
小作坊登记备案　193a
协商议政　90a
新闻出版　220b
新闻媒体活动　243c
新型农村合作医疗工作　236b
信访　71a
信访积案化解　71a
信息　57a
信息化建设　142c
信息业　123a
刑事审判　104a
行政复议　80a
行政监察　69a
行政区划　38c
行政审判　104b
行政审批事项　192c
行政事业管理　138a
行政执法　155c
行政执法案卷评查　80a
行政执法培训　80b
畜牧业、渔业生产　115a

Y

1月大事记　48a
《鱼峰区贯彻执行〈党政机关厉行节约反对浪费条例实施细则〉等三项制度的通知》　55a
《鱼峰区招商工作联席会议制度工作方案》　55c
“迎新年”书画笔会　88c
羊角山现代休闲观赏农业示范区建设　114c
阳光司法建设　105a
阳和街道　277b
阳和街道各村、社区简表　277
阳和作业区码头　130c
养老体系　83c
窑埠 TOWN　81b
药械、保健品、化妆品监督管理　194b
业务培训　63a
伊斯兰教　40a
医疗体制改革　235c
依法治税　140b
银泰城　80c
饮用水水源保护　168b
隐患排查治理　191c
应急防空疏散演练　92b
应急管理　57b
拥军优属　92a
用户变压器容量表　158
优抚安置　199c

优惠政策　142b
邮政　快递　132c
邮政业概况　132c
邮政业务　133b
邮政营业网点建设　132c
鱼峰“小歌仙”　217c
鱼峰歌圩　216a
鱼峰公园景区　172c
鱼峰区 2014 年城镇住户调查家庭收入与支出情况表　243
鱼峰区 2014 年农村住户调查家庭收入与支出情况表　242
鱼峰区城市基础建设统计表　152
鱼峰区地方税务　141a
鱼峰区第三次经济普与第二次经济普单位户数对比表　189
鱼峰区督学责任区分组安排表　208
鱼峰区概况　42b
鱼峰区工会第六次代表大会　98c
鱼峰区国家税务　138c
鱼峰区国民经济和社会发展主要指标(2014 年)　45
鱼峰区环境噪声平均值(供电局监测点)　168
鱼峰区人大常委会工作报告　288
鱼峰区人大概况　73a
鱼峰区人民代表大会　73a
鱼峰区人民法院工作报告　304
鱼峰区人民检察院工作报告　308
鱼峰区人民政府　79a
鱼峰区沙煲滩断面监测数据平均值　168
鱼峰区十一届人大常委会会议　73c
鱼峰区十一届人大四次会议　73b
鱼峰区十一届人大四次会议代表建议汇总表　76
鱼峰区图书馆及社区书屋　218b
鱼峰区政府门户网站　123b
鱼峰区主要空气污染物监测情况表　168
鱼峰区专业市场经营情况一览表　122
鱼峰之声　217a
舆情报送　63a
语言　39c
园林绿化概况　154a
运营管理　132a

Z

《中共鱼峰区委关于在全区开展党的群众路线教育实践活动的实施方案》　55b
《中共鱼峰区委员会关于贯彻落实党的十八届三中全会精神的决定》　54c
综述　37
责任区督学　207a
增收措施　139a
招商活动　180b
招商引资　43c
征地拆迁概况　157a
证券　149c
政法　64b
政法之社会治安综合治理　66b
政府采购　86c
政府常务会议　79a
政府法制概况　79c
政府工作报告　293
政府工作统筹　84c
政府全体会议　79a
政府投资审计　188c
政府职能转变和机构改革　69c
政务及政府信息公开　85a
政协常务委员会议　87c
政协柳州市鱼峰区委员会　41b
政协鱼峰区八届五次全会　87b
政协鱼峰区委员会八届五次全会提案登记表　89
政协鱼峰区委员会工作报告　297
政治　军事　53
支持非公有制经济发展　179a
执法规范化建设　108a
执法宣传　157a
职务犯罪预防　106a
志鉴编纂　219a
治安防控体系建设　65a
中共柳州市鱼峰区纪律检查委员会　41c
中共柳州市鱼峰区委员会　40b
中共鱼峰区委九届六次全体(扩大)会议　54a
中共鱼峰区委员会　54a
中国电信股份有限公司柳州分公司　124c
中国工商银行负债业务　144a
中国工商银行股份有限公司柳州市鱼峰支行　143a
中国工商银行客户服务　144a
中国工商银行网点建设　143b
中国工商银行中间业务　144a
中国工商银行资产业务　143c
中国光大银行存贷业务　147a
中国光大银行股份有限公司柳州分行鱼峰支行　147a
中国光大银行客户服务　147c
中国光大银行网点建设　147a
中国光大银行中间业务　147b

中国光大银行资产业务　147b
中国国民党革命委员会柳州市委员会鱼峰基层组织　93b
中国建设银行存款业务　146a
中国建设银行负债业务　146a
中国建设银行股份有限公司柳州分行　145c
中国建设银行基础管理　146a
中国建设银行客户服务　146b
中国建设银行网点建设　145c
中国交通银行股份有限公司柳州分行　145b
中国交通银行网点建设　145b
中国交通银行信贷服务　145b
中国交通银行业务发展　145b
中国联合网络通信公司柳州市分公司　125c
中国梦·柳州梦——龙城元宵灯会　217a
中国民主促进会柳州市委员会鱼峰基层组织　95a
中国民主建国会柳州市委员会鱼峰基层组织　94b
中国民主同盟柳州市委员会鱼峰基层组织　94a
中国农工民主党柳州市委员会鱼峰基层组织　96b
中国农业银行股份有限公司柳州东环支行　144b
中国农业银行金融业务　145a
中国农业银行客户服务　145a
中国人民财产保险股份有限公司柳州市分公司鱼峰支公司　150a
中国人民解放军柳州市鱼峰区人民武装部　41c
中国人民政治协商会议鱼峰区委员会　87a
中国移动广西公司柳州分公司　124a
中国银行股份有限公司柳州分行　143a
中国银行柳州分行在鱼峰区的营业网点情况表　143
中国银行网点建设　143a
中国致公党柳州市委员会鱼峰基层组织　97a
忠诚履职　勇于担当　300
重大事项决定　73a
重点传染病疫情防控　235a
重点时段的信访维稳工作　71b
重点项目征地拆迁　157a
主题活动　64b
住房保障　153a
住建设机构概况　152a
助学活动　210a
注册登记改革　182a
驻区主要机构及领导人　42a
专项工作监督　75c
专项审计调查　188c
专项行动　108c
自然环境　39a
宗教　40a
宗教管理　67a
综合房(馆)及专项训练房(馆)　231
组织　58b
组织建设　100a
组织指挥建设　92b